Gilles Patenaude

HISTOIRE SECRÈTE D'ISRAËL

1917-1977

Ouvrages des auteurs

Jacques Derogy :

DES ENFANTS MALGRÉ NOUS – Éditions de Minuit, 1956
VAINCRE LE CANCER – Éditions de Minuit, 1958
POPULATION SUR MESURE – Le Seuil, 1965
LES SECRETS DU BALLOTTAGE (avec Jean-François Kahn) – Fayard, 1966
LES DEUX EXODES (avec Edouard Saab) – Denoël, 1968
LA LOI DU RETOUR – Fayard, 1970 (Prix Aujourd'hui)
CENT MILLE JUIFS A LA MER – Stock, 1973
ISRAËL, LA MORT EN FACE (avec Jean-Noël Gurgand) – Robert Laffont, 1975
ENQUETE SUR UN JUGE ASSASSINE – Robert Laffont, 1977

Hesi Carmel :

HAMEHDAL (en collaboration) – Éditions spéciales Tel Aviv, décembre 1973 (traduit en français sous le titre KIPPOUR – Hachette, 1974)
KISSINGER CONNECTION – Yedioth Aharonoth, 1975

Jacques Derogy
et
Hesi Carmel

HISTOIRE SECRÈTE D'ISRAËL

1917-1977

Collection « Histoire secrète » dirigée par Jeannine Balland

Olivier Orban

Sommaire

PROLOGUE

Du mal que contient cette histoire, une partie au moins fut sans doute imputable aux circonstances.

T.E. Lawrence,
Les Sept Piliers de la sagesse.

DU CHIFFRE 7

« Si vous le voulez, ce ne sera pas une chimère », avait proposé Theodor Herzl, en août 1897, aux deux cents congressistes réunis par ses soins dans une salle du casino de Bâle, pour donner une charte politique au mouvement de retour des Juifs à Sion – c'est-à-dire à la terre ancestrale : la reconnaissance par le droit international d'un foyer en Palestine pour les rescapés des pogroms et les persécutés de la diaspora.

Une chimère ? Une idée fixe, plutôt, et d'autant mieux ancrée qu'elle prenait à contre-courant tout ce qu'on savait de l'Histoire...

« A Bâle, j'ai fondé l'État juif, ajoutait Herzl... En tout cas, d'ici à cinquante ans, tout le monde l'admettra. »

Cinquante ans plus tard, l'épreuve de force engagée, en août 1947, dans la rade caniculaire de Port-de-Bouc, par les passagers clandestins de l'*Exodus* allait déboucher sur le vote historique de novembre 1947 à l'O.N.U. en faveur du partage de la Palestine entre Juifs et Arabes.

Si ce ne fut pas une chimère, c'est que ce fut une révolution. Elle a très exactement l'âge de la Révolution bolchevique.

Novembre 1917 : reconnaissance d'un embryon d'Etat juif par la déclaration de lord Arthur Balfour, ministre des Affaires étrangères du Royaume-Uni, sur l'établissement en Palestine d'un foyer national pour le peuple juif, dont le premier réseau d'espionnage depuis les temps bibliques contribue à libérer Jérusalem du joug turc.

Novembre 1977 : reconnaissance d'Israël par l'Egypte, dont le raïs, Anouar el-Sadate, vient saluer les dirigeants devenus maîtres de Jérusalem en juin 1967.

1897, 1917, 1947, 1967, 1977... Ces dates clés de l'histoire moderne d'Israël semblent devoir confirmer le rôle de « nombre magique » attribué au chiffre 7 par trois mille ans de préhistoire du judaïsme.

Ce nombre revient 77 fois dans le livre que les non-Juifs appellent l'Ancien Testament et qui désigne Dieu sous sept qualificatifs. Les Hébreux y voyaient le symbole de la totalité humaine, mâle et femelle à la fois. Sept sceaux ferment le livre des Prophéties. Sept anges sont les ministres de sept fléaux. L'arche de Noé avait embarqué, septs jours avant le déluge, sept couples d'animaux purs et sept paires d'oiseaux. Joseph rêvait, à travers Pharaon, de sept vaches maigres et de sept vaches grasses, de sept épis vides et de sept épis pleins. Josué, fils de Nun, « envoya deux agents secrets inspecter le pays de Canaan et la ville de Jéricho » (*sic*), et, le septième jour du siège, sept servants héréditaires du Temple (les Cohen) firent sept fois le tour de la ville, dont les murailles tombèrent au son de sept cornes de bélier (shofars). Salomon mit sept ans à bâtir le temple de Jérusalem, qui comptait sept marches...

Le calendrier hébraïque compte toujours sept grandes solennités religieuses. La semaine a sept jours; sept semaines séparent la Pâque de la Pentecôte (Shavouot); le cycle lunaire est un multiple de 7. Le chandelier à sept branches sert d'emblème à l'Etat juif. Le nom de Beersheva, la capitale du Néguev, désigne les sept puits d'Abraham... L'*Exodus* de 1947 était appelé en hébreu « Sortie d'Europe 5 707 ».

Et quand les services spéciaux israéliens réussissent l'exploit de s'emparer d'un Mig 21 soviétique, ils ne trouvent rien de mieux que de l'immatriculer 007 ! Leur marque de Cognac est bien « 777 » !

Il serait aussi paradoxal de réduire l'histoire d'Israël à des combinaisons de chiffres que de l'expliquer par les « jamesbonderies » de ses services de renseignement. Mais, si la part du secret y tient une place prépondérante, c'est que l'Etat juif est né d'une longue lutte clandestine à laquelle ont été mêlés pratiquement tous ses dirigeants. Les cycles historiques prennent aussi valeur de symbole dans cette nation miniature que le poète Haïm Gouri compare à une cage d'escalier avec un drame derrière chaque porte, dont les protagonistes cousineraient et voisineraient d'étage en étage...

1917 : Absalon Feinberg, espion juif du réseau Nili, trouve la mort dans le désert du Sinaï en tentant de rejoindre les lignes anglaises. Deux ans plus tard, l'avion qui transportait le chef du réseau, Aaron Aaronsohn, à la conférence de la paix à Paris, disparaît mystérieusement au-dessus de la Manche, privant de son leader la classe des fermiers juifs de Palestine opposée aux pionniers venus de Russie après la révolution avortée de 1905. Deux ans encore et ces derniers fondent la centrale ouvrière Histadrout, base de leur conquête du pouvoir sioniste et pilier du futur État travailliste. L'idéologie de ces défricheurs d'une autre époque ne leur permettait pas de trouver un langage commun avec les notables du mouvement national arabe qui n'avaient de contacts qu'avec les colons et les barons du sionisme bourgeois.

1967 : à l'ère des dirigeants-dirigés a succédé l'ère des directeurs. Dirigisme, étatisme, empirisme : hors du système, point de salut. Mais la caste bureaucratique, toujours drapée d'une idéologie qui ne correspond plus aux exigences de la situation, continue de gérer à la petite semaine les dividendes d'une révolution qui a pris des rides. Fort de ses conquêtes territoriales, le pays change de valeurs sans changer d'institutions.

1977 : surmonté le choc de Kippour, la machine exemplaire à concilier le rêve et la réalité, même dûment reprogrammée avec un ancien héros du Palmakh comme Rabin, le vainqueur des Six Jours, n'a pu se remettre en marche. L'arrivée de Begin au pouvoir en juin 1977 n'a même pas le caractère d'une revanche idéologique. Le régime travailliste, qui a fait le lit du national-libéralisme, est tombé un an à peine après le raid fantastique d'Entebbé. L'un des otages, resté en Ouganda, aura été la proie de la vengeance d'Idi Amin Dada : une vieille dame de la haute société hiérosolymitaine, Dora Bloch, cousine d'Absalon Feinberg...

Autres cycles où s'entrecroisent les itinéraires, s'inversent les rôles, se retrouvent les personnages comme au jeu des quatre coins : l'ancien chef de l'Irgoun, Begin, reçoit l'ancien agent de l'Abwehr Sadate à l'hôtel King David que ses bombes firent sauter en 1946... Yaron Hakim, le neveu d'Eliahu Hakim, extrémiste juif pendu au Caire pour avoir assassiné le ministre résidant de Grande-Bretagne, trouve la mort en faisant la chasse aux extrémistes palestiniens du Sud-Liban au printemps de 1978...

De Balfour à Sadate, du Nili à Entebbé, trente épisodes révèlent les aspects souterrains, inconnus ou mal connus, de l'histoire secrète de ces soixante années — trente ans avant et trente ans après le partage de la Palestine —, dont les énigmes, déchiffrées pour la première fois dans leur contexte et leur enchaînement, sous forme cyclique, ponctuent les trois phases de la vie politique d'Israël : la montée du mouvement ouvrier à travers les luttes clandestines et intestines où, d'affaire Arlosoroff en affaire Lavon, s'affrontent les deux grands courants rivaux de l'idéologie sioniste; l'avènement d'une démocratie totalitaire qui assure la primauté à la raison d'Etat; le déclin et la chute d'un système usé par l'épreuve de ses propres exploits dans le domaine vital de la défense.

Une telle évolution n'a pas été sans affecter les relations d'Israël avec ses voisins arabes et avec les grandes puissances, ni sans subir réciproquement leur influence. Il est possible d'en prendre la mesure à travers les trente dossiers qui forment la trame de notre récit :

Nili 17, le premier réseau; meurtre sur la plage; l'esprit de commando; la disparition de vingt-trois agents juifs à bord d'un garde-côte; le premier service secret; l'assassinat de lord Moyne; *Exodus-47*; un émissaire arabe à Amman; la mort d'un médiateur; la tragédie de l'*Altalena*; la révolte des généraux; l'exécution sommaire de l'ingénieur Tubiansky; les faux de l'affaire Lavon; l'année russe au Proche-Orient; la revanche de l'Ouest; Ricardo Klement, alias Eichmann; le crépuscule des Vieux; les six jours du Kremlin; l'escalade de la terreur; les parapluies de l'amiral; le clash aérien israélo-soviétique; Septembre noir pour Moscou; des esprits pour Sadate; la Porte des Larmes; Kippour; les ratés de la C.I.A.; coup de tonnerre sur Entebbé; les rendez-vous manqués avec Nasser; si Dayan rencontrait Arafat; Noël 1977 à Ismaïlia.

Une tradition du secret qui remonte aux origines bibliques d'Israël — l'opération Moïse chez les Cananéens — a profondément marqué l'Etat juif de son empreinte et de ses stigmates, au point d'apparaître parfois sous un jour négatif.

Israël est la seule démocratie au monde à avoir confié pendant près d'un demi-siècle le monopole des pouvoirs de décision aux mêmes dirigeants issus des mêmes appareils et mûs par les réflexes d'une secte en perpétuel état de siège.

Le mouvement sioniste à débuté à la fin du siècle dernier de façon semi-clandestine dans les principaux réservoirs du peuplement juif : la Pologne et la Russie tsaristes. Et le journaliste assimilé qu'était Theodor Herzl, correspondant à Paris de la presse viennoise, a sacrifié peu à peu à la « clandestinite » quand il a jeté les bases de la première organisation sioniste. Pour rencontrer les chefs d'Etat qu'il voulait intéresser à sa cause, il s'était mué en agent secret. Et, comme pour ajouter à sa gloire un piment d'aventure, il avait inventé un code personnel qui lui permettait de déchiffrer seul les rapports des délégués qu'il envoyait en mission.

Dans les premiers temps de l'établissement de colonies agricoles en Palestine, il fut par la suite vital, pour la poignée de pionniers juifs, d'être renseigné en permanence sur les intentions d'un environnement souvent hostile. Les groupes d'autodéfense multiplièrent, en se restructurant sous le mandat britannique, leurs antennes et leurs réseaux d'espionnage pour parer aux contradictions des autorités de tutelle et prévenir les projets agressifs de l'establishment arabe : ils infiltrèrent leurs agents jusqu'aux plus hauts échelons de l'administration mandataire.

C'est dans la lutte clandestine contre les trois livres blancs britanniques, tendant à restreindre l'immigration juive et le développement du Foyer national à la suite des trois grands soulèvements arabes de 1921, 1929 et 1936, que vont se forger les structures pré-étatiques d'Israël : les milices privées, que constituent la Haganah, l'Irgoun et, plus tard, le Lehi, fournissent les cadres de la résistance juive à la politique impériale avant, pendant et après la Seconde Guerre mondiale, juqu'à leur fusion dans l'armée de défense qui assurera, à partir du 15 mai 1948, l'indépendance du jeune Etat d'Israël. Ce jour-là, le service de renseignement rodé du temps de la Haganah aura déjà des agents implantés dans les pays et les armées arabes. Durant la guerre de 1948, de nouveaux agents franchiront les lignes de cessez-le-feu dans le flot des réfugiés et seront absorbés dans les foules de Beyrouth, de Damas, d'Amman, de Bagdad et du Caire, où certains iront jusqu'à occuper des fonctions influentes qui feront passer les services secrets israéliens pour les meilleurs du monde.

La clandestinité du combat commencé avec l'impossible sauvetage des Juifs d'Europe, poursuivi avec l'immigration illégale en Palestine des rescapés du génocide et des Juifs d'Orient et l'acheminement d'armes indispensables à leur survie nationale, cette clandestinité va modeler les structures de l'Etat israélien et la mentalité de ses citoyens. Au point de tourner parfois à l'espionite aiguë. Israël a connu des « affaires Dreyfus », dont deux au moins ont laissé des plaies mal fermées au flanc de son histoire secrète.

La multiplicité des missions nationales, internationales et humanitaires auxquelles les services israéliens ont été appelés à faire face a privilégié jusqu'à l'hypertrophie le culte du renseignement et la manie du secret.

Interrogé en mars 1978 par un journaliste de la télévision israélienne sur une affaire remontant à 1928, le plus âgé des délégués du congrès sioniste réuni à Jérusalem répondra : « Le moment n'est pas encore venu d'en parler... »

Et le nouveau président de l'Etat, Ytzhak Navon, questionné sur la destination des bombes artisanales fabriquées par son prédécesseur Ephraïm Katsir, et qu'il utilisait du temps où il servait sous ses ordres à la Haganah :

— Où je les lançais ? C'est encore un secret.

La saignée de la guerre d'indépendance, à laquelle la toute jeune nation aura sacrifié 4 % de sa population (l'équivalent de 2 millions de pertes humaines pour un pays comme la France), la permanence de l'hostilité environnante — cinq guerres en trente ans —, la mission que se sont assignée ses fondateurs de défendre toutes les communautés juives en danger dans le monde et, en particulier, le sauvetage des Juifs d'Irak, du Yémen et de Port-Saïd, la recherche des criminels de guerre demeurés impunis après avoir pris part à l'Holocauste, toutes ces obligations ont, dès le départ, placé Israël devant une nécessité peu commune : celle de mettre sur pied un système de renseignement et d'alerte qui lui permette de se tenir sur le qui-vive sans succomber sous le poids d'un appareil militaire mobilisé en permanence. D'où une activité secrète à l'échelle des « quatre Grands » et disproportionnée à la taille du pays : avant même de garantir la sécurité de l'Etat, elle est la condition de sa survie.

A ces tâches est venue s'ajouter celle, plus spécifique, de la lutte contre le terrorisme partout où les intérêts d'Israël sont menacés et où se trament les mauvais coups contre la sécurité des siens. D'où un service antiterroriste unique au monde, qui se distinguera en frappant les agents du terrorisme international de Beyrouth à Entebbé.

Enfin, face à la pénétration soviétique au Proche-Orient, Israël a dû faire pièce aux efforts particuliers déployés par les tout-puissants services de Moscou depuis 1956.

D'où une extraordinaire variété d'opérations menées dans le monde entier, de Paris à Buenos Aires, de Damas à Cherbourg, du Caire à Nairobi : mainmise sur le rapport inédit de Khrouchtchev, enlèvement d'avion ou de radar soviétique, sauvetage de pétroliers dans le golfe Persique, prévention d'attentats contre des chefs d'Etat étrangers, tels De Gaulle et Sadate, contribution sans précédent à l'effort de défense américain, etc...

Au-delà de ce rôle vital de protection, les services israéliens — souvent les mêmes — n'ont cessé d'être sollicités pour permettre ou tenter d'établir des contacts directs avec les leaders du monde arabe, contacts indispensables à toute amorce de règlement pacifique. Quelles que soient les déconvenues et les difficultés rencontrées dans ce domaine, le processus de la paix au Proche-Orient résultera au moins en partie de cette persévérance à laquelle leur passé de clandestinité a prédisposé les services secrets d'Israël.

L'élucidation du mystère des trois A (Aaronsohn, Arlosoroff, *Altalena*), les révélations sur le jeu soviétique au Proche-Orient, le rôle des rivalités internes au Kremlin dans le conflit israélo-arabe, les erreurs de la C.I.A. ou les rencontres d'un autre type qui ont précédé la venue de Sadate à Jérusalem : autant de clés pour mieux comprendre à quelles sources Israël puise, en dépit de toutes ses défaillances, ses raisons d'être et d'espérer.

LIVRE UN

AVANT

Il ne suffit pas d'être fou pour être sioniste, mais cela aide

Folklore pionnier
du Foyer national juif.

I

NILI 17, LE PREMIER RÉSEAU

Le mudir (gouverneur turc) de Césarée, Ahmed Beck, était en train de déverser des graines à son élevage de pigeons, dans la cour de sa résidence, quand il remarqua le pigeon bagué qui venait de se poser sur le rebord du colombier. Il libéra de son anneau la patte du volatile. La bague recelait un message codé. Le bout de papier était indéchiffrable, mais, pour le représentant de l'administration ottomane, sa destination ne faisait aucun doute : la centrale de renseignement du corps expéditionnaire britannique en Égypte. Il tenait enfin la preuve, en ce 3 septembre 1917, qu'un réseau d'espionnage fonctionnait en Palestine, probablement animé par des Juifs soupçonnés, depuis l'entrée en guerre de l'empire aux côtés de la coalition germano-austro-hongroise contre les alliés anglo-franco-russes, de déloyauté à l'égard des autorités turques de cette arrière-province méridionale.

Trop heureux de la découverte qui confortait sa méfiance, le mudir de Césarée en informa aussitôt le kaïmakam (préfet) de Haïfa, lequel fit remettre le message à décrypter aux experts allemands du général Kress von Kressenstein, chef d'état-major de Djemal Pacha, commandant le IVe corps d'armée turc, qui, du quartier général de Damas, contrôlait la Syrie, le Liban et la Palestine.

Les recherches se circonscrivirent rapidement autour de la région de Zikhron Yaacov, où la première vague d'immigration juive est venue d'Europe orientale, au début des années 1880, établir une colonie agricole rendue viable par le concours philanthropique du baron Edmond de Rothschild.

Le 5 septembre, le pigeon voyageur capturé fut amené en guise d'avertissement à l'entrée de l'hôtel Graff. Et la vieille terreur des pogroms, que les colons juifs avaient cru laisser derrière eux pour toujours en quittant l'empire des tsars, reparut d'autant plus vite qu'ils en avaient perdu l'habitude, en dépit des brimades, des réquisitions et des mesures d'expulsion dont ils se sentaient menacés périodiquement depuis le blocus de la Méditerranée par les Alliés.

Une semaine plus tard, l'arrestation d'un Juif, Naaman Belkind, livré par son guide bédouin alors qu'il tentait de rejoindre les lignes britanniques du Sinaï, confirmait les soupçons turcs : apparenté à une famille de Zikhron Yaacov connue pour son anglophilie, le suspect portait sur lui des documents compromettants. Couvre-feu, perquisitions, prises d'otages. Aidés des experts allemands, les Turcs s'acharnèrent à démanteler le réseau ainsi démasqué et à retrouver un de ses agents, Joseph Lichansky, passé entre les mailles de leur filet.

On approchait alors de la fête de Souccoth, qui commémore le séjour des Hébreux sous la tente durant leurs quarante ans de traversée du désert après leur sortie d'Égypte : à la fois fête des tabernacles et fête des récoltes du temps de la joie par opposition aux « Jours terribles » qui ont précédé le Yom Kippour. Avec des draps et des branchages de chênes verts et de cyprès, on improvisait dans les cours des maisons des cabanes décorées de fleurs en papier, de citrons, de cédrats et d'oranges de Jaffa, symboles de la vie renaissante autour du vieux souvenir prophétique. Les jeunes colons de Zikhron Yaacov dansaient sous les feuillages quand, tout à coup, les violons se turent. On venait de signaler l'arrivée, en ce premier jour d'octobre, du kaïmakam à la tête d'une troupe de cavaliers. Les jeunes gens s'égaillèrent aussitôt dans les vergers environnants. Seule, devant la porte de la maison paternelle, une jeune femme gracieuse et douce de 27 ans semblait conserver son sang-froid et s'employait à rassurer ses compagnes apeurées. Et pourtant elle savait bien pourquoi venaient les cavaliers. Dès le premier jour, Sarah Aaronsohn avait été informée de la capture du pigeon voyageur bagué par ses soins. Elle n'avait attendu qu'un miracle : l'offensive des forces alliées bloquées depuis le printemps aux abords de Gaza et placées sous les ordres d'un nouveau commandant en chef, le général Edmund Allenby.

En quelques minutes le village fut cerné de toutes parts. Le kaïmakam mit pied à terre devant la maison de la famille

Aaronsohn. Il demanda où se trouvait Lichansky, car le bruit courait qu'il était l'amant de la jeune femme. Celle-ci répondit qu'elle n'en savait rien. Les soldats fouillèrent la maison et, n'ayant pas trouvé trace du fugitif, ils se saisirent du vieux père Aaronsohn, le couchèrent sur le ventre, l'attachèrent à deux fusils et lui fustigèrent la plante des pieds à coups de bâton. Sarah tenta de s'interposer. Alors ce fut son tour. Les cavaliers turcs la conduisirent dans une maison qu'ils avaient réquisitionnée et, comme elle refusait de dire où se cachait Lichansky, ils l'attachèrent à la porte, la fouettèrent, lui meurtrirent les ongles, lui appliquèrent des briques brûlantes sous les pieds et sur les seins. Ils la ramenèrent chez elle à travers la rue déserte et vinrent la rechercher le lendemain matin, recommençant à lui faire subir d'odieux traitements et ainsi durant cinq jours consécutifs. Elle apprit alors de ses bourreaux que le kaïmakam avait donné l'ordre de la transférer à Nazareth, avec d'autres membres du réseau, dont elle était en réalité la principale animatrice. Avant qu'ils ne revinssent la chercher, le matin du 5 octobre, elle eut le temps de laisser un message à l'un des siens :

«Dis à mes frères de me venger. Pas de pitié pour ces bandits, ils n'en ont eu aucune pour moi. Je n'ai plus la force d'endurer les souffrances et les supplices qu'ils m'infligent. J'aime mieux en finir que de me laisser torturer par leurs mains sales. Ils veulent m'envoyer à Damas. Là, certainement, ils me pendront. Heureusement j'ai caché un petit revolver. Je ne veux pas qu'ils se jouent de mon corps. Ma douleur est insupportable quand je vois les coups qu'ils donnent à papa. Mais c'est en vain qu'ils essaient toutes leurs cruautés sur nous. Nous ne parlerons pas. Rappelez-vous que nous sommes morts en gens d'honneur et que nous n'aurons rien avoué. Ne tenez aucun compte des abjections et des calomnies. Je n'ai voulu qu'une chose : améliorer le sort de mon peuple. Tâche d'aller dans la montagne dès que les soldats seront partis. Les voici... je ne peux plus écrire... »

Déjà ses bourreaux étaient revenus. Jouant de sa condition de femme, elle exigea d'eux qu'ils la laissent s'isoler un instant dans son cabinet de toilette, pour se laver de son sang. Profitant de ce court répit, elle sortit l'arme de sa cachette et se tira une balle dans la bouche. Elle resta trois jours à l'agonie, les membres paralysés mais la conscience intacte. Elle expira le dernier jour de la fête de la Loi.

Trois semaines plus tard, les troupes britanniques enfonçaient les lignes germano-turques sur le front de Beershéva et faisaient leur entrée à Richon-lé-Zion, au sud de Tel Aviv. Le 7 novembre, elles s'emparaient également de Gaza et le 9 décembre de Jérusalem. Leur avance victorieuse avait été rendue possible par les dernières indications du réseau de renseignement monté par le frère aîné de Sarah, Aaron Aaronsohn, et immatriculé dans les services d'intelligence britannique sous l'appellation « A group ». Aaron et Sarah avaient, eux, donné à leur entreprise clandestine — la première organisation d'espionnage juive depuis 2000 ans — le nom de code de Nili, initiales d'un verset du livre de Samuel : « Netsah Israel Lo Ieshaker » (« La Providence d'Israël ne t'abandonnera pas »), inscrivant par là même l'engagement politique et militaire le plus moderne dans l'enracinement séculaire de la Bible. Ce nom de code avait en effet servi de mot de passe au premier agent de liaison, Lova Schneorsohn, débarqué par mer le 19 février 1917, avec Lichansky, du cotre britannique qui allait effectuer une navette clandestine entre Atlit et Port-Saïd.

L'initiateur et le chef du Nili, Aaron Aaronsohn, n'avait rien d'un aventurier. Arrivé de Roumanie à l'âge de 6 ans avec ses parents, venus rejoindre en 1882 les colons juifs établis sur les premières pentes du Carmel, au-dessus de l'étroite plaine côtière, il était devenu un agronome de réputation internationale. Passionné, dès l'enfance, de botanique et de géologie, le jeune Aaron avait appris très tôt à connaître chaque pierre, chaque fleur, chaque brin d'herbe de la région, à laquelle il rêvait de rendre la fertilité des temps bibliques. Mais pas un instant il n'était venu à l'esprit de son père, représentant typique des immigrants de la première heure pris en charge par les fondations rothschildiennes, de faire des paysans de ses enfants Aaron, Alexandre, Sarah et Rebecca. L'école d'agriculture, ouverte en 1870 près de Jaffa par une autre œuvre philanthropique de Juifs occidentaux, était trop rudimentaire pour l'aîné des fils Aaronsohn qui, vers 15-16 ans, s'était déjà donné une formation d'autodidacte remarquable. Il obtint donc du baron Edmond — « Qu'il vive longtemps ! » disaient ses protégés de Zikhron Yaacov — une bourse pour aller étudier en France à l'institut de Montpellier et à l'école de Grignon, l'une des meilleures du monde à l'époque.

C'est ainsi qu'Aaron Aaronsohn se retrouva à Paris, en 1895, tout comme le journaliste juif autrichien Theodor Herzl, au moment de la dégradation publique du capitaine Alfred Dreyfus, Juif français injustement condamné pour trahison. Le choc de l'événement bouleversa la vie mondaine de Herzl et l'incita à formuler la doctrine sioniste. Il ne fit que confirmer Aaronsohn dans son idée de fertiliser la terre d'Israël en attendant le jour où le peuple juif pourrait y recouvrer sa souveraineté. Sans se rejoindre, les rêves de ces deux Juifs radicalement différents se superposaient : chacun d'eux, à sa manière, allait jouer un rôle capital dans la transformation du rêve en réalité. Aaron n'eut pas besoin d'adhérer à l'organisation sioniste de Herzl pour en partager les idéaux. De retour en Palestine avec son diplôme d'ingénieur agronome, il parcourut cette bande de terre désertique, étudiant sa végétation raréfiée, ses maigres ressources et quels moyens s'offraient aux Juifs de faire revivre ce pays, s'il leur était jamais rendu.

Seule sans doute l'imagination de tribus de nomades faméliques avait pu en faire le pays où coulaient le lait et le miel. Mais, après tout, un nouveau caprice de l'Histoire pouvait bien s'inscrire dans la série des improbabilités qui ont marqué de leur empreinte ce corridor où l'Occident rencontre l'Orient, avec une densité historique record au mètre carré. Moïse, le roi Salomon, la reine de Saba, Nabuchodonosor, Titus, Saint Louis, Soliman le Magnifique, Mahomet et Bonaparte : toutes les traces s'y mêlent dans un tohu-bohu de dieux et de mythes, de rêves et de mirages, d'empires écroulés et d'accomplissements à venir. Cette terre de Canaan, nommée Palestine par les Romains – du nom des Philistins qui habitèrent la plaine côtière –, n'a cessé depuis plus de trois millénaires de résonner du fracas des armes et du murmure des prières. Mais elle avait cessé d'avoir une existence nationale du jour où les Hébreux furent réduits à ne plus pouvoir y mener une vie de peuple indépendant...

Travaux, découvertes, expérimentations, articles dans les revues spécialisées conférèrent bientôt à ce jeune Juif palestinien une audience dans les milieux scientifiques. Il avait notamment trouvé une plante qu'il baptisa blé sauvage et dont les promesses le firent inviter aux Etats-Unis en 1909, par le ministre américain de l'Agriculture. A 32 ans, Aaron était alors une force de la nature, carré de corps et de visage, les joues glabres, hâlées, les cheveux roux en broussaille sur le front, les lèvres épaisses, la mâchoire solide, le regard flamboyant, l'aspect d'un petit taureau rouge. Il devint d'emblée la coqueluche des principaux leaders de la communauté juive de New York, les Nathan Strauss, Louis Marshall, Julien Mack, Henrietta Szold, Julius Rosenwald, Juda Magnès, etc. Il les conquit au point d'obtenir d'eux le financement d'une station d'essai agricole qu'il rêvait de créer dans la trouée d'Atlit, un peu au nord de Zikhron Yaacov, face à l'éperon rocheux où se dressent les vestiges du vieux château franc édifié par les croisés pour protéger leurs vaisseaux.

« Ici s'est embarqué, après cent ans de lutte, le dernier chevalier franc », écriront en 1924 les frères Jérôme et Jean Tharaud dans leur récit de voyage *l'An prochain à Jérusalem*, où ils font de Zikhron Yaacov une confortable « petite Suisse » pour « émigrants installés dans la vie bourgeoise » des colonies du baron. « Il y a sept siècles de cela, et depuis, dans cette ruine, il ne s'était rien passé que la chute des pierres, l'écroulement silencieux des choses, le lent étouffement du passé sous la végétation parasite, et les événements minuscules qui, de la naissance à la mort (la naissance et la mort comprises), remplissent l'existence de quelques familles bédouines campées dans ces grands souvenirs avec leurs chèvres et leurs ânes. Rien jusqu'à l'histoire de Sarah. » Les frères Tharaud se sont bien trompés ! Atlit avec sa station devait apporter une contribution décisive au développement de la région et à la première guerre de libération des Juifs depuis la révolte de Bar Kochba en 70 de l'ère chrétienne.

Henrietta Szold devint la secrétaire du comité de soutien à la station d'Atlit et une émouvante amitié se noua entre New York et Atlit, en même temps que s'échangeaient rapports comptables et comptes rendus d'activité. Cette station, placée sous la protection du consulat américain en Palestine, allait jouer un rôle aussi important, quoique resté obscur, dans l'histoire contemporaine d'Israël que « l'État juif » de Herzl sur le plan politique. Mais Aaronsohn n'était l'homme d'aucun parti, d'aucun groupement officiel. A l'intérieur des organisations qui encadraient la vie sociale des Juifs de Palestine, dont la communauté en voie de développement formait le « Yishouv », il s'était toujours considéré comme un outsider.

Sur une population totale de 700 000 habitants en 1914, le Yishouv en comptait déjà 100 000 : 70 000 religieux enracinés dans les villes saintes, plongés dans l'étude de la Thora et du Talmud, vivotant de collectes faites en Europe et en Amérique et appelés pour ces raisons les Juifs de la Halloukah (la distribution); 30 000 colons issus de deux vagues d'immigration de Juifs russes, celle des idéalistes du Bilou de 1882 secourus par les administrateurs de la banque Rothschild, et celle, bien différente, des pionniers du Hehaloutz, acquis aux théories socialistes de la révolution avortée de 1905 — parmi lesquels un certain David Gryn, alias Ben Gourion; plus quelques jeunes défricheurs sortis de la vieille communauté pour participer à cette double régénération du sol ancestral et de l'homme. Le tiers de ces nouveaux Juifs vivaient à Jaffa et 2 000 avaient bâti Tel Aviv.

Sans avoir de représentation officielle, le Yishouv était déjà solidement organisé, disposant d'un triple encadrement : les partis politiques, reflet pour l'essentiel des deux courants, marxiste et réformiste, du mouvement ouvrier implanté en Pologne et en Russie; les cadres « coloniaux » de la dizaine de villages financés par le baron; le bureau fédéral de l'Organisation sioniste mondiale établi à Jaffa. Entre ces trois pôles d'organisation les alliances momentanées et ponctuelles alternaient avec des rapports conflictuels. En particulier, les travailleurs politisés s'opposaient aux conceptions individualistes des fermiers juifs et des propriétaires terriens qui utilisaient la main-d'œuvre arabe. Ils avaient fondé les premiers kibboutz, réalisation originale à mi-chemin de la commune libre et de la coopérative agricole, formé la première milice d'autodéfense avec un corps de gardiens, Hachomer, dont les volontaires veillaient à la tranquillité des exploitations, procuré les premiers maires aux nouvelles agglomérations urbaines. Leur rivalité avec les notables des autres catégories sociales moins organisées et de tendance libérale contenait en germe la divergence qui, par la suite, allait partager le mouvement sioniste entre le courant ouvrier travailliste et le courant bourgeois révisionniste.

Au sein des comités de liaison formés entre toutes ces organisations pour résoudre certains problèmes pratiques de la vie du Yishouv, Aaron Aaronsohn représentait un élément encore très hétérogène : le judaïsme américain. Par sa famille, il appartenait à l'aristocratie des premiers immigrants, dont la vie bourgeoise avait le don d'exaspérer les collectivistes de la seconde génération. Mais son principal désaccord avec les dirigeants du nouvel establishment portait sur l'appréciation de la situation internationale.

Quand éclate la guerre en 1914, le sionisme, déjà divisé en tendances, se trouve en outre scindé en plusieurs tronçons. La masse juive la plus nombreuse vit en butte aux persécutions au sein de l'immense Russie tsariste alliée à la France et au Royaume-Uni; le Yishouv se développe au sein de l'Empire ottoman en conservant en majorité sa nationalité d'origine; la direction de l'Internationale sioniste siège à Berlin sous la présidence d'un Juif allemand, Otto Warburg, ses institutions financières sont à Londres. Des six dirigeants de l'exécutif mondial du mouvement, deux sont allemands, trois russes et un est austro-hongrois, les vingt-six membres du conseil permanent comprennent treize Allemands.

La division des sentiments n'est pas moins accusée que celle des citoyennetés. La plupart des dirigeants juifs américains, d'origine et de culture germaniques, souhaitent la défaite du tsarisme honni. La plupart des Juifs qui ont fui l'Empire russe et ses pogroms abhorrent à ce point le régime qu'ils souhaitent la victoire des empires centraux et guettent les prémices de la prochaine révolution. Ils craignent également que, si l'organisation sioniste prenait position en faveur des Alliés, elle ne mette en danger le Yishouv livré sans défense aux autorités turques, bientôt ralliées à la cause des empires centraux : les Juifs de Palestine risqueraient alors de subir le sort des Arméniens récemment massacrés.

En décembre 1914, l'organisation sioniste mondiale décide donc de garder une stricte neutralité entre les camps en présence. Pour faire face aux circonstances, l'exécutif se démultiplie en décentralisant son siège central entre trois bureaux : celui de Berlin avec Warburg à sa tête; celui de Londres avec Nahum Sokolow, bientôt relayé auprès des autorités britanniques par le chimiste Haïm Weizmann; celui de Constantinople avec Victor Jacobson. Une délégation est en outre créée en pays neutre, à Copenhague, et une commission provisoire installée à New York avec le juriste Louis Brandeis, que son ami le président Wilson nommera en 1916 à la Cour suprême des Etats-Unis.

Même les chefs du mouvement ouvrier juif de Palestine, Ben Gourion et Ben Zvi, qui ont pu se réfugier en Amérique au début de la guerre par crainte des représailles turques contre les ressortissants russes, partagent le sentiment majoritaire du judaïsme mondial. Seule une poignée de dirigeants sionistes osent miser sur la victoire des Alliés pour atteindre leur but : un statut libérateur pour le Yishouv. Haïm Weizmann est de ceux-là. Né en Russie blanche mais d'éducation allemande et suisse, docteur de l'université de Fribourg, il s'est fixé en 1904 à Manchester après avoir enseigné la chimie à Genève. Opposé à Herzl au sein des premiers congrès, il s'était dressé vivement contre la prise en considération de l'Ouganda comme pays de colonisation offert aux réfugiés juifs par l'Angleterre. Lorsqu'il a commencé, à 30 ans, sa nouvelle carrière à Manchester dans des conditions très pénibles, parlant à peine l'anglais, il ne pouvait imaginer le rôle politique déterminant qu'il serait appelé à jouer, notamment grâce à ses découvertes de laboratoire sur la fabrication de l'acétone qui allaient permettre à l'armée britannique de faire face à ses besoins en explosifs... Quand éclate la guerre, il ne sait pas non plus que, là-bas, en Palestine, un autre scientifique juif estime, lui aussi, que le devoir des siens est d'apporter leur concours à la cause alliée : le 15 janvier 1915, Aaron Aaronsohn est en effet le premier notable du Yishouv à exprimer cette position audacieuse au délégué de l'organisation sioniste à Jaffa, le Dr Arthur Ruppin, qui refusera par la suite de siéger à côté d'un « homme aussi dangereux », même après sa propre expulsion par les autorités turques.

Dès l'engagement de la Turquie aux côtés des empires centraux, Aaron pressent, en véritable visionnaire, qu'une page dans l'histoire juive est en train de tourner. Ses séjours prolongés au cœur de l'Empire ottoman lui ont révélé la faiblesse de l'édifice que la guerre va achever de faire craquer. Une chance s'offre donc aux Juifs de libérer la Palestine à la faveur du conflit. Encore faut-il que cette chance soit saisie et le destin aidé.

Aaron a été fortement influencé dans le choix du camp allié par le fiancé de sa jeune sœur Rebecca, Absalon Feinberg, devenu en 1913 son adjoint à la station d'Atlit. Né en octobre 1889 dans une des colonies du baron, Hedera, ce Juif palestinien est issu d'une famille qui fait partie de la légende du « Mayflower » israélien. Son grand-père maternel avait été le principal fondateur du groupe Bilou en Ukraine. Son oncle paternel avait été l'un des dix premiers immigrants à créer une colonie agricole, Richon-lé-Zion. Avec pour toute fortune les bijoux de famille et le piano apporté d'Odessa par sa femme. Les bijoux servirent à payer le voyage de l'oncle Joseph à Paris, afin de solliciter l'aide généreuse du baron Edmond. Le premier mouvement du banquier fut d'ailleurs d'éconduire ce mécréant qui, venant de Terre sainte, se présentait à lui sans calotte sur la tête. Sur l'insistance du grand rabbin de Paris, le baron consentit cependant à écouter les doléances de ce drôle de Juif – il avait appris le français à Zurich en y étudiant la chimie – dont le discours finit par lui arracher des larmes et un chèque de 1 000 francs-or !... Ce don avait permis aux colons de Richon de creuser leur premier puits en 1883. Dans leur maison – la seule en dur de l'unique rue poussiéreuse du village –, les Feinberg avaient accueilli un poète bohème, Naphtali Imber, sorte de hippie avant la lettre qui s'était épris de la maîtresse de maison. Un soir que celle-ci jouait au piano l'air de la *Moldau*, du compositeur tchèque Smetana, Imber se mit à improviser des paroles sur cette musique lente, triste et grave qui, harmonisée en 1890, devait donner la *Hatikva*, le futur hymne national d'Israël. La femme de l'oncle Joseph donna également naissance à une fille, Dora, qui deviendra par la suite une grande dame de Jérusalem : Dora Bloch.

Le cousin de Dora, Absalon Feinberg, avait donc, comme on dit, de la branche, quand, en 1904 – l'année de la succession de

Herzl au congrès sioniste — il est allé lui aussi achever ses études à Paris avec une bourse du baron. Mais là s'arrêtent les ressemblances avec Aaron Aaronsohn. Poète doué à la romantique barbiche, il préférait la fréquentation des salons littéraires à celle des laboratoires scientifiques. Il y a gagné l'amitié de Charles Péguy et de Jacques Maritain, écrivains catholiques qui voyaient en lui un auteur plein de promesses.

« C'était une âme inquiète, tout orientée vers la littérature et la philosophie, et remplie d'une ardeur qui ne savait à quoi s'employer », écriront de lui les frères Tharaud.

De retour en Palestine en 1909, après avoir songé à aller faire fortune en Amérique, il se lie avec la famille Aaronsohn, dont l'aîné revient précisément d'un séjour fructueux aux Etats-Unis. Et séduit ses deux sœurs Sarah et Rebecca. L'année suivante, il finit par se fiancer avec la plus jeune, brisant ainsi le cœur de Sarah qui, de dépit, acceptera d'épouser le premier venu : un grossier Juif bulgare, Haïm Abraham, venu chercher femme au pays et qui l'emmène vivre à Constantinople en avril 1914.

Entre-temps Absalon, devenu l'assistant de son futur beau-frère à la station d'Atlit, aura gagné peu à peu Aaron à sa *furia francese* de révolte contre le joug turc. Avec les accents d'un Gabriele D'Annunzio, il lui a fait part, dès 1912, de son rêve d'une armée juive qui retrouverait les dix tribus perdues d'Israël dans le désert d'Arabie. En attendant, il lui fait partager son choix quand éclate la guerre : quels que soient les périls et les menaces, leur avenir en Palestine dépend de la victoire des pays de l'Entente.

Des informations recueillies au cours de ses missions agronomiques permettent à Aaron d'acquérir une certitude supplémentaire : la Palestine est le point faible du dispositif militaire turc, qui pourrait être rapidement tourné par un débarquement britannique sur le littoral. Djemal Pacha, qui a pris le commandement militaire de la région le 10 novembre 1914 et lancé le 15 janvier 1915 son offensive à travers le Sinaï en direction du canal de Suez, l'a justement chargé, en tant qu'expert, de la coordination de la lutte contre les invasions de sauterelles menaçant le ravitaillement de ses troupes. Le 27 mars, il le nomme inspecteur général des opérations anti-sauterelles en Syrie, au Liban et en Palestine, ce qui donne à Aaron une grande liberté de mouvement à travers les trois pays. Pour s'acquitter de cette mission, qui lui offre la meilleure des couvertures afin de parfaire sa collecte de renseignements, Aaronsohn se fait adjoindre officiellement Absalon Feinberg resté à la tête de la station d'Atlit. Les deux amis se retrouvent au début d'avril au Palace Hôtel de Jérusalem.

C'est dans cet hôtel que, pour la première fois, ils envisagent les moyens de rompre l'étau du blocus méditerranéen, qui menace d'isoler la Palestine, et de faire comprendre aux Anglais qu'un débarquement s'impose et dans les conditions les plus favorables. Mais tandis qu'ils élaborent, sur des cartes de la région d'Atlit, un plan de soutien logistique au succès d'une telle opération, les Britanniques décident au contraire d'attaquer les Turcs non pas en Palestine — sur ce front, ils se contentent de rester sur la défensive aux abords du canal de Suez depuis le 3 février — mais aux portes mêmes de Constantinople. Le corps expéditionnaire franco-britannique, débarqué à Gallipoli, va au-devant d'un échec cuisant en livrant bataille pour la conquête des Dardanelles.

Raison de plus pour qu'Aaron et Absalon s'accrochent à leur projet, en lui donnant cette fois un tour concret : faire parvenir aux Anglais assez d'informations précises pour les persuader de leur erreur stratégique. C'est ainsi qu'ils vont impliquer leur famille et leurs amis dans la constitution d'un réseau de renseignements. De juin 1915 à novembre 1917, un véritable roman d'espionnage, mêlant l'amour et l'aventure, se déroulera autour de l'aéromoteur de la station d'essai agricole d'Atlit, centre du réseau Nili, qui finira tragiquement par la mort et, plus tard, l'oubli de ses héros...

Le 8 juillet 1915, muni de faux papiers, le frère cadet d'Aaronsohn, Alexandre, quitte Haïfa pour Le Caire à bord d'un navire américain embarquant les passagers à destination de New York. Il emmène avec lui sa sœur Rebecca, la fiancée d'Absalon, qu'Aaron a décidé d'envoyer aux Etats-Unis pour la mettre à l'abri. Alexandre reste à l'escale égyptienne pour tenter d'établir le premier contact avec les services britanniques, mais l'officier qui l'accueille ne le prend pas au sérieux.

Le 6 septembre, Absalon profite du dernier navire américain à aborder à Haïfa pour s'y glisser à son tour et débarquer à Alexandrie, où il parvient à convaincre le lieutenant Leonard Wolley, un archéologue occupant un haut poste au service de renseignement de l'état-major et en outre l'ami intime du lieutenant T.E. Lawrence. Ils élaborent ensemble un code pour l'établissement d'une liaison par messages. Le 8 novembre, un bâtiment de guerre britannique, le *Sainte-Anne*, croise nuitamment à quelques dizaines de mètres du promontoire d'Atlit. Il ramène Absalon qui gagne le rivage à bord d'une chaloupe avec son code et ses messages. Il doit revenir chercher les réponses dans quelques semaines.

Le 16 décembre, le réseau reçoit du renfort : Sarah a plaqué son bougre de mari et son malheureux foyer de Constantinople pour retrouver la chaleur familiale de Zikhron Yaacov et le revenez-y amoureux d'Absalon.

La chaloupe du *Sainte-Anne* ne fera qu'une réapparition fugace sur le rivage, le 13 mars 1916. Mais, faute de signaux convenus, son marin n'a trouvé personne et s'est borné à laisser une inscription laconique sur la grève : « On reviendra ». Personne ne reviendra, car Wooley est fait prisonnier par les Turcs en mai, à Alexandrette. Les renseignements accumulés par le réseau pendant toute l'année 1916 sur les horaires de trains, les concentrations de troupes, le nom et le profil des officiers de chaque unité, la surveillance des côtes, l'emplacement des dépôts d'armes et des points fortifiés ne pourront être transmis.

C'est alors qu'Aaron décide d'agir par lui-même pour rétablir la liaison. Car le temps presse. L'année 1916 risque de devenir catastrophique pour le Yishouv : famine, mauvais traitements, persécutions. Le sauvetage des 80 000 Juifs qui restent alors en Palestine devient une question d'urgence.

Les mérites qu'il a acquis en endiguant les invasions de sauterelles lui valent d'obtenir de Djemal Pacha l'autorisation de se rendre en voyage d'études à Berlin, où il arrive le 21 août 1916, après avoir confié à Sarah et à Absalon la responsabilité du réseau et de la station d'Atlit. De là, il réussit à passer à Copenhague et à arranger avec l'ambassade britannique son départ pour Londres en embarquant à bord d'un navire de la ligne Copenhague-New York. Il voyage en compagnie du juge américain Brandeis à qui il remet un appel à la communauté juive des Etats-Unis pour qu'elle se rallie à la cause britannique. A proximité de l'Angleterre, la police maritime monte à bord et fait mine de l'arrêter comme passager clandestin. Et c'est ainsi qu'Aaronsohn se retrouve à Londres le 24 octobre, à l'époque où Weizmann commence à négocier sa participation personnelle à l'effort de guerre britannique en matière d'armement contre des promesses sur le statut futur de la Palestine. A la place de la décoration et du chèque qui lui sont offerts alors en récompense de ses services, il répond à Lloyd George, le nouveau ministre de la Guerre : « Je ne désire rien pour moi-même. Mais j'aimerais que vous fassiez quelque chose pour mon peuple. »

Aaronsohn qui, à son arrivée à Londres, a littéralement fasciné le chef adjoint de Scotland Yard, sir Basil Thomson, parvient de son côté à se faire entendre du département moyen-oriental du ministère, où il rencontre le futur haut-commissaire sir Mark Sykes.

Il obtient un sauf-conduit pour l'Égypte. En cours de route, le 7 décembre, il apprend l'heureuse nomination de Lloyd George à la tête du gouvernement britannique. Le nouveau Premier ministre donne aussitôt les ordres nécessaires à la préparation d'une offensive en Palestine et d'une révolte arabe contre les Turcs au Hedjaz animée par le lieutenant Lawrence.

Aaron a débarqué à Port-Saïd le 12. Mais il lui faut perdre encore un mois à trouver le responsable des liaisons clandestines au quartier général du Caire. Pendant ce temps, Absalon ronge son frein. Sans nouvelles d'Aaron, depuis maintenant six mois, il décide d'essayer de reprendre contact avec Wooley qu'il croit toujours en Égypte, en tentant la traversée du Sinaï. Il passe outre aux supplications de Sarah, mais il demande à un autre pilier du réseau, Joseph Lichansky, de l'accompagner dans sa tentative. C'est un membre de l'Hachomer, assez mal vu de l'élite des « gardiens » à cause de son origine – fils de fermier –, de son dandysme et de son aura de coureur de jupons à laquelle Sarah ne semble pas tout à fait insensible...

Ils partent à dos de chameau le 13 janvier 1917, tous deux déguisés en bédouins, et atteignent la trouée de Rafah, au sud de Gaza, sans attirer les soupçons. Mais Lichansky arrivera seul, blessé, aux abords d'El Arish, où une patrouille australienne le recueille et le transporte, le 25 janvier, à l'hôpital de Port-Saïd : il a reçu trois balles dans le corps. Une rixe, raconte-t-il, a opposé leur guide à des bédouins d'une autre tribu qui leur ont tiré dessus; Absalon, mortellement frappé, a été désarçonné de sa monture, mais, lui, a pu se maintenir en selle et se sauver. Le drame n'aura pas eu d'autres témoins et les recherches entreprises par la suite pour retrouver des traces d'Absalon resteront longtemps vaines. Il y aura même une rumeur selon laquelle Lichansky aurait profité d'un échange de coups de feu avec les bédouins pour se débarrasser de son rival dans le cœur de Sarah. C'est seulement en juillet 1967, après la guerre des Six Jours, que les restes d'Absalon seront retrouvés et identifiés grâce à son index amputé. Un dattier aura germé d'un noyau de dattes sèches qu'il avait emportées, dont les racines se seront nouées autour de ses ossements. Les bédouins lui auront même donné un nom : le dattier du Juif.

Informé qu'un des membres de son réseau a été ramené blessé du désert, Aaron Aaronsohn se précipite à l'hôpital de Port-Saïd. Le contact est enfin rétabli grâce au sacrifice d'Absalon. Dès le 27 janvier, il obtient de passer au large d'Atlit à bord d'un torpilleur français, l'*Arbalète*, d'où descendent à minuit cinq messagers juifs et arabes pour gagner la côte, en barque puis à la nage, et porter à Sarah des instructions et de l'argent.

Il est convenu que la liaison sera maintenue par la voie maritime : un petit bateau assurera une navette clandestine entre Port-Saïd, Atlit et Beyrouth pour le compte des services secrets britanniques. Il profitera des nuits sans lune pour faire descendre des agents et des messagers et prendre à bord les membres du réseau en danger.

Le 19 février, le *Managem*, que les Juifs ont tôt fait de surnommer en hébreu le Menahem (Consolateur), arrive en vue de la station d'Atlit, où Sarah fait le guet en mettant à sécher des draps blancs. Il met une chaloupe à la mer, à bord de laquelle l'agent de liaison Lova Schneorsohn conduit Lichansky à la côte pour prendre la relève d'Absalon aux côtés de Sarah. Par Lova, qui a inventé le mot de passe « Nili », s'échangeront désormais les messages d'espérance annonçant les prochaines opérations britanniques et les renseignements que les deux cents informateurs du réseau recueilleront dans leurs randonnées à travers la région, de Damas à Beershéva, sous couvert de lutte contre les sauterelles. Renseignements décisifs pour le succès de l'offensive lancée en mars 1917 contre les lignes germano-turques sur la côte nord du Sinaï. Les troupes britanniques s'emparent de Khan Yunis, mais, le 26 mars, leur attaque se brise devant Gaza. Aaronsohn est furieux, car il avait signalé à l'état-major que la faille du dispositif ennemi se situait sur la route de Beershéva, au centre du Néguev, et non sur le littoral de Gaza, plus facile à protéger. Il en a discuté longuement au Caire avec le colonel Graves du service I.B. (renseignement de l'armée) pour lequel il a fait tout un travail d'évaluation tactique. A l'Arab Bureau (renseignement politique), il a fait connaissance, le mois précédent, du lieutenant Lawrence, chargé de recruter des agents dans les tribus bédouines.

« Nouvelle apparition au Bureau arabe, écrit-il dans son journal intime : un jeune lieutenant du nom de Lawrence, archéologue, féru de connaissances sur la Palestine, mais terriblement snob. »

En tant que chef du « A Group », Aaronsohn est chargé lui-même de la rédaction du *Palestine Handbook*, manuel à l'usage des responsables des opérations militaires dans la région. Il alerte également l'opinion internationale – américaine surtout – sur les violences renouvelées des Turcs contre le Yishouv depuis le début de l'offensive britannique, en dépit des manifestations de loyalisme de ses institutions.

Le 28 mars, Djemal Pacha ordonne l'évacuation de tous les Juifs de Jaffa et de Tel Aviv, sous prétexte de soustraire la population aux risques de combats. Le maire de Tel Aviv, Meir Dizengoff, proteste que les non-Juifs, eux, ont le droit de rester : il obtient tout juste le maintien d'une garde juive pour préserver les maisons du pillage et irriguer les jardins. Mais 9 000 civils doivent prendre le chemin de l'exode vers le nord, de Petah Tikva à Haïfa. Dizengoff forme un comité d'assistance aux réfugiés et n'hésite pas à recourir à la navette clandestine du *Managem* et au courrier du Nili pour faire venir des vivres et de l'or collecté aux Etats-Unis à l'appel d'Aaronsohn.

« Le Nili n'est plus simplement un réseau de renseignements, écrira l'historienne Renée Neher-Bernheim, il devient un canal qui apportera vivres, médicaments, argent à une population en détresse, dont les survivants lui devront beaucoup, sans toujours le savoir. » Au contraire. Les institutions du Yishouv commencent même à rendre le Nili responsable des malheurs qui s'abattent sur les Juifs de Palestine. Sarah est bien consciente de l'hostilité qui monte autour de sa maison et de la station d'Atlit. « Tu dois savoir, écrit-elle à Aaron, que nous mettons en danger beaucoup de têtes, et pas seulement les nôtres, mais toute la population. » Et comme son frère lui a fait parvenir du savon et quelques objets de toilette par la chaloupe du *Managem,* elle ajoute : « Ce n'est pas pour de telles frivolités que nos gens risquent la mort. Envoie-moi plutôt un revolver. »

Le 15 avril, elle embarque à bord du bateau en compagnie de Lichansky pour mieux faire comprendre la situation à Aaron. Elle laisse le réseau entre les mains d'un cousin d'Absalon, Naaman Belkind. L'armée anglaise reste en effet l'arme au pied devant Gaza, malgré ses messages qui montrent l'armée turque démoralisée, incapable de soutenir le choc.

En avril et en mai, le comité central de l'Hachomer, officiellement dissous depuis le début des hostilités en tant qu'unité de police supplétive, se réunit clandestinement pour décider de mettre fin aux activités d'espionnage du Nili, quitte à prêter main-forte aux autorités ottomanes à cette occasion.

Quand, le 15 juin, Lichansky regagne Atlit à bord du *Managem,* Sarah l'accompagne : elle a refusé de rester au Caire avec Aaron, comme les deux hommes l'en suppliaient. Le général Allenby vient de prendre le commandement du corps expéditionnaire et il est décidé à suivre les conseils d'Aaronsohn pour préparer son offensive d'automne. Sarah et Lichansky ramènent avec eux des pigeons voyageurs, afin d'assurer des liaisons plus rapides et plus régulières. Le 6 juillet, ils font un premier essai de lâcher de pigeons : un seul des cinq volatiles arrive à bon port. Le 2 août, Allenby autorise le *Managem* à prendre à son bord, au large d'Atlit, deux délégués du Yishouv chargés de reprendre contact avec l'organisation sioniste mondiale dont les leaders ont basculé du côté allié depuis l'entrée en guerre des Etats-Unis, le 6 avril 1917.

Le 14 août, Sarah et Lichansky transmettent une information capitale : les Turcs ne disposent plus que de 35 000 soldats en Palestine. L'avant-veille, Aaron a eu un nouvel entretien avec Lawrence qui attise la révolte du Hedjaz. « Conversation dénuée de sympathie avec le capitaine Lawrence, note-t-il dans son journal. Il a la nature d'un missionnaire et nous déteste cordialement. J'ai l'impression d'entendre un antisémite prussien parlant anglais. »

Selon l'unique témoignage – sujet à caution – du cocher arabe de la famille Aaronsohn, Abu Farid, Lawrence serait toutefois venu à Atlit lors d'une des navettes du *Managem* pour faire la connaissance de Sarah...

Le 30 août, un pigeon voyageur apporte le premier message opérationnel du Nili par la voie aérienne : « Un déserteur que nous cachons à la station détient des renseignements de la plus haute importance. Envoyez le *Managem* pour le 10 septembre. » Le bateau ne vient que le 21. Il prend à son bord le déserteur et un véritable S.O.S. de Sarah à son frère : « Que les Anglais arrivent ici avant le 27. Qui sait s'ils me trouveront encore. La situation empire de jour en jour. Nos Juifs eux-mêmes nous font passer par de terribles inquiétudes. Tous ils sont indignés et effrayés de notre activité. Possible même qu'ils soient prêts à nous livrer à Djemal. Pitié, faites vite, arrivez, ne nous abandonnez pas... »

Elle sait en effet qu'un de ses pigeons a atterri le 3 septembre dans la cour du mudir de Césarée. Elle sait aussi que, le 13, Naaman Belkind s'est fait prendre avec des documents compromettants pour le réseau : n'ayant aucune confiance en Joseph Lichansky dont il n'apprécie guère le luxe tapageur, l'élégance voyante, l'équipage et le train de vie à l'hôtel Fast de Jérusalem, Belkind a décidé de rejoindre les lignes britanniques pour s'entretenir avec Aaron et avec son cousin Absalon qu'il croit encore en vie, car Sarah et Joseph lui ont caché sa mort. Il a pris pour guide un bédouin rallié à Lawrence d'Arabie. Mais il a été arrêté en chemin par une patrouille turque à laquelle l'a livré ce bédouin.

Aaron ignore tous ces détails, car il ne recevra pas le dernier message de sa sœur. Après une entrevue, le 2 septembre, avec le haut-commissaire sir Reginald Wingate, qui lui a fait part de la décision de son gouvernement de « soutenir les aspirations nationales du peuple juif », il est parti pour Londres le 13. Il veut convaincre Weizmann, qui est justement en train de négocier, depuis le mois de juillet, un projet de charte pour la Palestine entre le ministre des Affaires étrangères britannique, lord Arthur James Balfour, et le chef de la branche anglaise des Rothschild, lord Lionel, de soutenir l'action du Nili. Il a laissé à son frère cadet Alexandre la responsabilité de son poste au Caire, placé directement sous les ordres du colonel Meinerzhagen, chef du renseignement à l'état-major d'Allenby.

« J'ai employé une quinzaine de Palestiniens blonds aux yeux bleus, reconnaîtra dans ses Mémoires cet officier supérieur. Ces agents étaient aussi modestes qu'audacieux. » Ils auront facilité, parallèlement à la longue marche de Lawrence à travers le désert d'Arabie, la conquête de la Palestine, de la Syrie et du Liban par les Alliés.

Le 2 octobre, Aaronsohn rencontre enfin Weizmann à Londres et, le 6, obtient du leader sioniste l'envoi d'un télégramme de soutien à la direction du réseau. Trop tard. Le lendemain 7 octobre, tandis que Sarah agonise, le comité central de l'Hachomer prend la décision de porter le coup de grâce au réseau décimé en chargeant l'un de ses membres, Shabtaï Erlich, de liquider Joseph Lichansky et de livrer son cadavre aux Turcs. Avec un autre gardien de l'Hachomer, Erlich capte la confiance du fugitif et lui propose de l'aider à gagner Metulla, son village natal en Haute-Galilée. Chemin faisant, ils ouvrent le feu dans son dos. Blessé, Lichansky parvient à se sauver, mais aucun habitant n'accepte de lui donner asile, sa tête étant mise à prix. L'Hachomer va même jusqu'à proposer une prime à qui lui permettra de le retrouver. L'homme à abattre se cache dans l'orangeraie d'une fermière, Mme Pascal, membre du Nili, mais il est à bout de souffle. Au bord de l'épuisement, il finit par se rendre lui-même aux Turcs qui battent en retraite devant l'avance britannique. Conduit à Damas, il retrouve en prison Naaman Belkind, et son jeune frère Eytan, âgé de 16 ans, dans le quartier des condamnés à mort.

Le premier soir de Hanouka, la fête célébrant la conquête de Jérusalem par les Maccabées, les Turcs abandonnent la ville sainte au général Allenby. « Nous devons à Nili la vie de 30 000 soldats », confiera le général Clayton, l'un des patrons de Lawrence. Le 16 décembre, septième jour de Hanouka, Naaman Belkind et Joseph Lichansky sont pendus en place publique à Damas. Avant son exécution, Naaman a demandé à son jeune frère gracié de rapporter ses restes à Richon-lé-Zion. Joseph, lui, n'a eu que deux cris : « Nili ! Nili ! »

« Le Nili, écrit Renée Neher-Bernheim, cette entreprise hardie réalisée par une poignée de novices uniquement poussés par l'amour de leur peuple, est un des prodiges les plus étonnants et les plus émouvants de l'histoire juive de cette époque. »

Entre-temps a été rendue publique, par une lettre de lord Balfour à la Fédération sioniste en date du 2 novembre, la déclaration inspirée par Weizmann : « Le gouvernement de Sa Majesté envisage favorablement l'établissement en Palestine d'un foyer national pour le peuple juif et emploiera tous ses efforts pour faciliter la réalisation de cet objectif, étant bien entendu que rien ne sera fait qui puisse porter préjudice aux droits civils et religieux des communautés non juives en Palestine, ainsi qu'aux droits et statut politiques dont les Juifs pourraient jouir dans tout autre pays. »

Aaron Aaronsohn, de son côté, a été envoyé aux Etats-Unis sur la double recommandation de Mark Sykes et de Weizmann pour inciter les Américains à intensifier leur effort de guerre. Il y reste jusqu'à la fin des hostilités, en novembre 1918, son frère Alexandre occupant sa place dans la marche triomphale d'Allenby sur Alep. A son retour, Weizmann le désigne comme conseiller de la délégation sioniste incorporée dans la délégation britannique à la Conférence de la paix fixée à Paris au début de l'année 1919. Pas plus qu'il n'avait été un agent docile au Caire, Aaronsohn n'est un partenaire commode dans la négociation qui va s'engager sur le partage des dépouilles de l'Empire ottoman. Mais il s'est fait des amis au Parlement et au gouvernement britanniques, ainsi que dans toute la délégation : le colonel House, conseiller du président Wilson, William Bullitt, chef de la délégation américaine, Jan Masaryk, chef de la délégation tchèque, et même le colonel Lawrence, avec qui il organise la deuxième rencontre Weizmann-Fayçal, d'où sort, le 3 janvier, un accord de reconnaissance mutuelle.

L'histoire va vite. Ce premier quart du xxe siècle semble aujourd'hui aussi révolu que l'ère des campagnes napoléoniennes. Il n'y a pourtant pas si longtemps que, dans les palais de Londres et de Paris, des diplomates à col cassé se marchandaient, au nom de leur roi ou de leur république, un morceau d'Afrique pour un morceau d'Asie; que des sous-fifres appliqués partageaient le monde à la règle et à l'équerre; et que là-bas, sur place, aux marches de l'empire, des fonctionnaires en casque blanc affichaient sous des bougainvillées les règlements en vigueur dans la métropole... Pour aboli qu'il nous paraisse, cet hier était gros de notre aujourd'hui.

Au nom de son réseau décimé, Aaronsohn intervenait dans tous ces débats, en vue d'un arrangement judéo-arabe qui eût sans doute changé le sort de la Palestine. Il acceptait de servir de truchement à la délégation italienne pour transmettre aux Américains un mémorandum secret sur la question de Trieste. Il faisait pression sur les Polonais pour mettre fin aux pogroms par l'intermédiaire de son ami Louis Strauss, secrétaire de Herbert Hoover, dont dépendait l'assistance américaine à l'Europe. Il effectuait la navette entre Londres et Paris pour arracher aux puissances impériales le prix du sacrifice du Nili et des services rendus à la cause victorieuse.

Le 15 mai 1919, il prend place à bord d'un avion postal, un DH 4 piloté par le commandant A.B. Jefferson, pour rejoindre la délégation à Paris. Avant le départ, Weizmann lui a remis une cartouche de cigarettes et lui a dit en plaisantant : « Prends garde à ne pas les mouiller. » Vera, la femme du leader sioniste, l'a accompagné au terrain d'aviation avec l'espoir de pouvoir monter avec lui. Mais les Anglais n'autorisent pas la présence de femmes à bord. Quelques minutes plus tard, l'appareil s'abîme dans la Manche, à proximité de la côte française. Des pêcheurs de Boulogne ont entendu un bruit d'explosion et repêché des sacs postaux. L'épave, elle, a disparu pour toujours.

A la lumière d'une autre mystérieuse disparition aérienne survenue vingt-quatre ans plus tard, la question se pose de savoir si cet accident n'a pas été provoqué. Le 4 juillet 1943, le Liberator AL 523 de la Royal Air Force qui transportait le chef du gouvernement polonais en exil Wladyslav Sikorski, au retour d'une inspection des positions polonaises sur le front de Tobrouk, s'est abîmé en mer au décollage de Gibraltar : selon le pilote rescapé, la manette de contrôle avait été bloquée. Un écrivain accusera un groupe d'action des services britanniques d'avoir saboté l'appareil en vertu d'un accord secret Staline-Churchill pour se débarrasser d'un « allié » encombrant...

Arrangée ou non, la disparition d'Aaronsohn n'a pas été sans conséquences. Israélien avant la lettre, le chef du Nili avait des racines en Palestine et était l'un des rares notables juifs à entretenir de bonnes relations avec les Arabes, dont il parlait la langue. Il avait recruté pour son réseau des agents dans les deux communautés. Ses propositions d'entente entre les deux nationalismes — symbolisées par l'accord Fayçal-Weizmann — étaient plus réalistes que celles des colons révolutionnaires venus de Pologne et de Russie, dont les mœurs et l'idéologie effarouchaient leurs voisins arabes. Menaçant également le leadership de l'anglophile Weizmann, il risquait de priver ainsi la Grande-Bretagne de son rôle d'arbitre entre les deux communautés palestiniennes.

En même temps qu'elle donnait un coup de frein à un processus de règlement qui aurait échappé au protecteur britannique, la mort d'Aaronsohn a facilité la décision unilatérale de Churchill de détacher artificiellement la Transjordanie du territoire sous mandat pour l'offrir à l'émir Abdallah, inaugurant une politique de dosage et de bascule entre Juifs et Arabes de Palestine, qui maintiendra par la division le règne de la puissance mandataire aux portes de l'Orient.

Elle a également laissé le champ libre aux sionistes socialistes et à leur mystique du « travail hébreu », en privant de leader la tendance libérale des fermiers juifs opposée aux théories pionnières des nouveaux immigrants.

Deux ans après la disparition d'Aaronsohn, Ben Gourion fonde la centrale syndicale Histadrout, base du pouvoir travailliste face à la montée du courant révisionniste qui sera brisée douze ans plus tard par un crime resté tout aussi énigmatique que la disparition accidentelle d'Aaron Aaronsohn : l'assassinat du leader politique de l'Agence juive créée en 1929 pour représenter officiellement le Yishouv.

II
MEURTRE SUR LA PLAGE

La terrasse de l'hôtel Kete Dan était, à l'époque du mandat britannique sur la Palestine, le lieu de rendez-vous du Tout-Tel Aviv, où se retrouvaient, au-dessus de la grève encore sauvage que balayait l'écume des rouleaux de la Méditerranée, les officiers de l'administration, les correspondants de presse, les notables de l'Agence juive, les rares hommes d'affaires et les aventuriers épris des mirages de l'Orient commençant. Mais, les veilles de sabbat, les dîneurs y étaient aussi peu nombreux que les véhicules dans les rues de la ville juive.

Le vendredi soir 16 juin 1933, un couple achevait de dîner sur la terrasse pratiquement déserte du restaurant. L'homme affichait une trentaine élégante, avec de grosses lunettes de myope sur son fin visage d'ascète. La femme, une brune élancée au regard langoureux, semblait boire ses paroles. C'était visiblement leur premier tête-à-tête depuis longtemps. Pour le personnel du restaurant — alors le plus select de Tel Aviv —, ils n'étaient pas des inconnus. Le « docteur » Haïm Arlosoroff dirigeait le département politique de l'Agence juive, organisme chargé de représenter le foyer juif de Palestine (le Yishouv) : il jouait en quelque sorte le rôle de ministre des Affaires étrangères de cette institution préétatique.

Rentré trois jours plus tôt d'un séjour de deux mois en Allemagne, où le chef du parti national-socialiste Adolf Hitler venait d'accéder à la Chancellerie, il relatait à sa femme Sima ses retrouvailles berlinoises avec des camarades d'école et d'études et ses tentatives pour y rencontrer une amie d'enfance, Magda Friedlander, devenue Magda Goebbels, la femme du ministre de la Propagande du nouveau régime établi en février : le Dr Joseph Goebbels.

A l'approche de l'été, il faisait déjà une chaleur un peu moite et, après le dîner, le couple était descendu directement de la terrasse du restaurant sur l'esplanade du bord de mer, pour faire un tour à pied le long de la plage plongée dans les ténèbres. Il marchait en direction du cimetière musulman, à l'endroit où se dresse aujourd'hui l'hôtel Hilton. Au bout d'une demi-heure de promenade, Sima dit avoir remarqué deux hommes, un grand et un petit, qui semblaient les suivre. Elle avait déjà exprimé, depuis l'ascension politique de son mari, la crainte de se sentir suivie, épiée, voire menacée, et la garde placée par la Haganah, la milice juive d'autodéfense, devant leur maison de Jérusalem, n'avait pas suffi à calmer ses appréhensions. Arlosoroff se serait alors efforcé de la rassurer : « Avec les Juifs, il n'y a rien à craindre. »

De fait, les deux hommes qui marchaient derrière eux les ont, à un moment, dépassés, pour revenir peu après sur leurs pas. On ne saura jamais pourquoi Sima devançait Haïm de quelques mètres, comme si le couple s'était querellé une fois de plus, car les scènes de ménage n'étaient pas rares depuis leur union en 1926. Quand il rattrapa sa femme, l'un des deux individus, qui se trouvait à sa hauteur, lui braqua le faisceau d'une lampe de poche en plein visage en l'interpellant en hébreu :

– Quelle heure est-il ?

Arlosoroff, un peu surpris, fit le geste de sortir sa montre de son gousset. L'inconnu ne lui en laissa pas le temps. Il brandit un revolver et il y eut un seul coup de feu, tiré de très près. Haïm s'écroula sur le sable. Sima se mit à crier. Deux passants, Moshe Weiser et Yaacov Zlibanski, se précipitèrent pour lui porter secours :

– On a tiré sur le docteur Arlosoroff, leur dit-elle. Je suis sa femme. Aidez-moi à le porter jusqu'à la route.

– Laissez-nous le porter seuls, répondit Weiser, et allez vite alerter la police.

Sima courut jusqu'au Kete Dan, où elle parvint tout essoufflée vers 22 h 30 :

– Man hat den Haïm erschossen (on a tiré sur Haïm), lança-t-elle en allemand – sa langue maternelle.

Les deux sauveteurs, qui avaient remonté Arlosoroff sur la route à travers les dunes, durent attendre vingt minutes le passage d'une voiture, dont le conducteur transgressait les prescriptions du sabbat. Ils eurent du mal à y faire entrer le blessé.

— Qu'est-ce qui vous est arrivé ?

— Vite, à l'hôpital Hadassah.

— Mais que s'est-il passé ?

— Pas maintenant, pas maintenant, répétait Arlosoroff d'une voix sourde.

L'automobiliste fonça vers l'hôpital Hadassah. Mais plus d'une heure s'était écoulée quand quatre médecins accourus en hâte entreprirent d'opérer le blessé. La nouvelle s'était répandue rapidement en ville d'un attentat contre le jeune leader juif. Une demi-douzaine d'intimes, dont sa sœur, son beau-frère, le maire de Tel Aviv, Meir Dizengoff, et l'un des responsables de l'exécutif, Eliezer Kaplan, se pressaient à son chevet.

— Regarde ce qu'ils m'ont fait, dit-il à Dizengoff avant d'entrer en salle d'opération.

— Savez-vous qui vous a tiré dessus ? demanda un inspecteur juif de la police palestinienne, Zelig Kampf, qui dirigea plus tard la police de Tel Aviv.

— Non, répondit Arlosoroff dans un souffle. On m'a aveuglé avec une lampe de poche et on a tiré.

Quelques minutes plus tard, le blessé perdait connaissance. L'intervention chirurgicale, trop tardive, ne parvint pas à le ranimer. A 0 h 45, le Dr Stein baissait les bras.

Sima Arlosoroff n'arriva à l'hôpital qu'après la mort de son mari. Elle venait du Kete Dan, où elle avait été retenue depuis 22 h 30 par deux policiers, Shmouël Shermeister et David Priman, qui, bien que n'étant pas de service, s'étaient offerts à enregistrer sa déposition en présence de deux témoins, Shamaï Kuperstein et l'hôtelière Kete Dan. Au lieu de leur demander de la conduire en hâte à l'hôpital pour connaître l'état des blessures de son mari, elle s'était prêtée de bonne grâce à leurs questions et même à une reconstitution de l'attentat sur la plage. Sima donna alors un vague signalement des deux agresseurs — un grand et un petit —, en précisant qu'ils avaient un type oriental.

— Qu'entendez-vous par type oriental ? demanda Shermeister. Yéménite ? Espagnol ?

— Non, non, c'étaient des Arabes, répondit-elle.

Le policier téléphona aussitôt à l'officier de la police criminelle britannique Stafford qu'Arlosoroff venait d'être blessé par des Arabes sur la plage de Tel Aviv. Sa communication, faite devant Sima et les autres personnes présentes dans le hall de l'hôtel, fut d'ailleurs transcrite sur la main courante du commissariat de Jaffa. Mais, mystérieusement, la page de la main courante contenant la déposition de Shermeister disparaîtra par la suite quand Sima Arlosoroff sera complètement revenue sur ses premières déclarations.

Le soir même, après la reconstitution improvisée du crime, la jeune femme a pourtant réitéré ses déclarations aux deux personnes qui l'ont tardivement accompagnée à l'hôpital : Yehoshua Gordon, chargé de la liaison entre l'Agence juive et la police britannique en matière de sécurité, et Bendy Gutt, un automobiliste stationné devant le Kete Dan :

— Je suis sûre à 100 %, leur dit-elle, que les agresseurs étaient des Arabes.

Le lendemain matin 17 juin, cinq suspects arabes étaient appréhendés, ainsi qu'en faisait foi la main courante du poste de police de Jaffa. En ce même matin de sabbat, quelques-uns des dirigeants de la Haganah se réunissaient au domicile de l'un d'eux, Eliahu Golomb, boulevard Rothschild à Tel Aviv. Golomb avait demandé dans la nuit à un détective privé — le seul qui existait à l'époque — David Tidhar, d'utiliser ses contacts dans le milieu arabe pour tenter de trouver une filière capable de conduire aux assassins qu'il tenait encore pour des Arabes. Aucun élément nouveau n'était intervenu quand il le rappela à midi, au milieu de sa réunion, pour modifier ce point de vue. Il semble pourtant que c'est au cours de cette réunion que fut envisagée l'éventuelle politisation de l'assassinat d'Arlosoroff : la possibilité d'exploiter la mort du leader politique de l'Agence juive pour éliminer les opposants à la ligne travailliste de la Fédération sioniste mondiale...

Haïm Arlosoroff était en effet devenu la cible privilégiée des ultra-nationalistes juifs. Il incarnait la majorité des sionistes modérés, à la fois mystiques et pratiques, qui préconisaient une colonisation progressive de la terre de Palestine arpent par arpent, « dounam par dounam », en se soumettant à la tutelle des autorités mandataires. A cette tendance commune aux libéraux comme Haïm Weizmann et aux socialistes comme Ben Gourion s'opposaient, depuis la succession de Theodor Herzl ouverte par sa mort en 1905, les « politiques » qui, comme Vladimir Zeev Jabotinsky, revendiquaient la priorité pour l'instauration de structures préétatiques, fût-ce contre la volonté de l'administration britannique, « par le fer et par le feu ».

Né en 1880 à Odessa au sein d'une famille bourgeoise, Jabotinsky, l'enfant prodige du sionisme russe, ne correspondait pas plus que Herzl au prototype du Juif traditionnel d'Europe orientale. Passionné de poésie et de littérature, nourri des œuvres de Pouchkine, de Tourgueniev, de Tolstoï plus que d'écritures saintes, initié à six langues avant le yiddish et l'hébreu, il avait fait de l'Italie, où il acheva des études supérieures commencées en Suisse, sa deuxième patrie spirituelle. La découverte des pogroms à son retour à Odessa fut pour lui un brutal réveil : il prit alors une part active à l'organisation de l'autodéfense juive et se fit élire délégué aux congrès sionistes, où son éloquence de tribun, ses dons d'agitateur professionnel et sa vaste culture européenne le hissèrent rapidement au rang des leaders du mouvement.

La Première Guerre mondiale déracina Jabotinsky, sa famille, ses amis, comme elle scinda le sionisme. Le brillant intellectuel cosmopolite à la personnalité charismatique – en dépit de sa courte taille – allait prendre soudain une figure à la Trotski : ayant appris à Bordeaux l'entrée en guerre de la Turquie aux côtés de l'Allemagne et de l'Autriche-Hongrie, il envisagea aussitôt la création d'une armée juive qui combattrait aux côtés des Alliés, avec ses insignes et son drapeau, pour mettre fin à la suzeraineté de la Sublime-Porte sur la Palestine et faire valoir les droits du peuple juif lors du démembrement de l'Empire ottoman.

Or, si la masse juive la plus nombreuse vivait sous la domination tsariste, le Yishouv – la communauté juive de Palestine – se trouvait sous la domination turque, la Fédération sioniste avait son siège à Berlin avec un président allemand, et les institutions financières du sionisme avaient le leur à Londres...

Jabotinsky rallia Alexandrie où il fut autorisé par les Britanniques à créer une unité de transports, le Corps des muletiers de Sion, qui fut engagé à Gallipoli, dans la décevante offensive des Dardanelles, sous le commandement du seul officier juif de l'armée russe, Joseph Trumpeldor, ancien héros de la guerre russo-japonaise. « Jabo » n'eut alors de cesse d'obtenir à Londres la levée d'un régiment de volontaires juifs. Ce fut chose faite après la Déclaration Balfour.

Le 2 février 1918, le premier bataillon armé juif depuis l'an 135 de notre ère défila à la City et à Whitechapel sous l'emblème de David. Le 4, le 39e régiment royal de fusiliers embarquait pour la Palestine, via la France, l'Italie et l'Egypte : Jabotinsky y servait comme sous-lieutenant. La « Légion juive » se comporta sur le front de Schechem, dans la vallée du Jourdain, et à Jéricho avec une vaillance qui étonna le général Allenby, assez sceptique sur la valeur militaire des petits tailleurs de Whitechapel. A la fin de la guerre, les unités juives constituaient déjà trois bataillons de plus de 5 000 hommes, dont un tiers environ provenant de Palestine, un tiers de Grande-Bretagne, le reste des Etats-Unis et du Canada. « Jabo » pensait qu'elles pourraient former le noyau de la défense du Foyer national juif.

Il s'était vu, tel un Garibaldi juif, libérer la Palestine à la tête de Juifs en armes, avec une dose de romantisme et même d'aventurisme. Et il avait fini par croire à la valeur de l'entraînement et de la discipline militaires qu'il estimait indispensables à la rédemption d'un peuple incapable de se défendre pendant tant de siècles, y ayant trouvé lui-même une certaine satisfaction personnelle, malgré ses déceptions et ses fatigues. « Si cela est du militarisme, écrivait-il, nous devrions en être fiers. Il n'y a pas à avoir peur de ce beau mot latin. »

Mais, loin de l'écouter, les autorités britanniques décidèrent de dissoudre toutes les unités juives incorporées dans leurs forces après leur démobilisation en 1920. Nommé commissaire politique de la commission sioniste qui, entre l'armistice et le début du mandat britannique sur la Palestine, joua le rôle d'organe de liaison avec les autorités militaires, « Jabo » s'inquiéta dès les premiers jours des réticences de la puissance mandataire et reprocha à Weizmann sa trop grande souplesse dans ses négociations sur l'aménagement du Foyer national. Quand, en avril 1920, éclatèrent les premières attaques arabes contre la population juive de Jérusalem, il prit la tête de la milice d'autodéfense de la ville, la Haganah, fondée dans la clandestinité. Arrêté, il fut condamné à quinze ans de prison, mais bénéficia l'année suivante de l'amnistie accordée aux émeutiers arabes.

Admis en mars 1921 à l'exécutif sioniste, il se séparait du mouvement ouvrier qui redoutait que la constitution officielle d'une force de défense juive n'apparût comme une provocation envers les Arabes. Il démissionna en janvier 1923 pour protester contre l'acceptation par Weizmann du premier livre blanc publié par le gouvernement britannique afin de limiter l'immigration juive en Palestine « à la capacité d'absorption du pays ». Il reprochait à la direction de l'exécutif de revenir, à force de composer, au « sionisme pratique » d'avant guerre, tandis qu'il ne craignait pas de passer pour un maximaliste à tenir haut et ferme le drapeau du « sionisme politique » selon la doctrine de Herzl.

Au cours d'une tournée de propagande à Riga, en Lettonie, il décida de créer un mouvement de jeunesse, le Betar, pour préparer un renouveau sioniste, sous l'étiquette de « révisionnisme ». A l'entendre, c'était non pas le sionisme qui devait être révisé, mais la politique de ses dirigeants. En avril 1925, il réunit ses partisans à la Taverne du Panthéon, à Paris, pour fonder un parti, l'Union des sionistes révisionnistes, dont l'objectif était l'établissement d'un Etat à majorité juive sur les deux rives du Jourdain. Au sein de l'organisation mondiale, ce parti formait une faction opposée aux trois autres courants qui se disputaient la direction du mouvement : les « Sionistes généraux » du libéral Haïm Weizmann, les partis ouvriers et les religieux du « Mizrahi ».

L'Agence juive prévue par l'article 4 du mandat ne fut mise sur pied qu'en août 1929, par une assemblée constitutive réunie à Zurich. Dès l'année précédente, les révisionnistes de Palestine s'étaient prononcés pour la scission. Leur principal théoricien, Aba Achimeir, ne faisait pas mystère du credo de son groupement : il voulait rompre avec l'esprit du libéralisme et de la démocratie qui avait, selon lui, vidé le sionisme de son idéologie originelle. Admirateur de Mussolini, en qui il voyait le plus grand génie politique du siècle, Achimeir avait salué dans le développement du fascisme « le grand mouvement national qui allait sauver l'Europe de ses Parlements impuissants et de l'abominable dictature soviétique ». Il avait pris la tête d'un petit groupe d'activistes, les Biryonim, par allusion à une secte extrémiste de l'histoire ancienne, et adjuré Jabotinsky, à son retour en Palestine, d'être un « duce » et non simplement un chef de parti. Très gêné par ces démonstrations excentriques et par ce culte de la personnalité qu'il réprouvait, « Jabo » avait repoussé l'invitation en termes non équivoques et ne suivit pas tout de suite les partisans de la scission. Mais il durcit considérablement son attitude à l'égard de la Grande-Bretagne : « La Déclaration Balfour, constatait-il, a dégénéré en document antisioniste. » Londres venait, en 1930, de publier un second livre blanc restreignant l'immigration juive pour apaiser les agitateurs arabes qui venaient de soulever une nouvelle vague de troubles.

Il était clair que, dans ces conditions, la présidence de l'anglophile Weizmann se trouverait mise en jeu au 17e Congrès sioniste qui devait se tenir à Bâle en août 1931. Dans son souci de la préserver, le Premier ministre travailliste, Ramsay MacDonald, avait reçu à Londres le leader du mouvement ouvrier sioniste, David Ben Gourion, alors secrétaire général de la Histadrout, pour accorder quelques concessions de dernière minute de nature à réduire la tension provoquée par le nouveau livre blanc. Il avait notamment accepté de changer de haut-commissaire en Palestine et de placer Juifs et Arabes à parité dans toutes les commissions locales. Il proposa enfin de mettre à la disposition de Ben Gourion un avion militaire pour arriver à Bâle juste avant l'ouverture du congrès. Ben Gourion avait décliné l'offre pour ne pas risquer d'apparaître ouvertement pour l'homme des Anglais.

Bien que soutenu par les délégués ouvriers, Weizmann ne put retrouver sa majorité. Démissionnaire, il fut alors remplacé à la présidence de l'Organisation mondiale par Nahum Sokolow, pour lequel Jabotinsky appela ses partisans à voter, pensant faire adopter dans la foulée une résolution en faveur des objectifs nationaux du sionisme. Sa proposition n'ayant même pas été mise aux voix, il grimpa sur une chaise et déchira ostensiblement sa carte de délégué en s'écriant :

– Ce n'est plus un congrès sioniste. Je m'en vais.

Un télégramme du chef de la Haganah, Eliahu Golomb, avait en effet renversé la majorité des congressistes tentés de rappeler que le but final du sionisme était bien un Etat indépendant et non un simple foyer. Il les informait de la reprise immédiate des émeutes arabes au cas où une telle résolution serait votée. Du coup, « Jabo » quitta la salle avec les 52 délégués révisionnistes, qui représentaient 21 % des mandats. Il savait pouvoir compter sur l'implantation du mouvement de jeunesse Betar dans les grands centres juifs d'Europe, notamment en Pologne, et aussi sur la petite bourgeoisie juive locale pour tenter d'imposer ses thèses au congrès suivant. La représentativité du Betar était passée de 4 délégués sur 250 au Congrès sioniste de 1925 à 9 en 1927, 21 en 1929, 52 en 1931, pratiquement à égalité avec celle des socialistes. Pour le 18e Congrès, prévu à Prague en juillet 1933, « Jabo » avait déjà donné le ton de la campagne électorale par ce simple slogan : « Donnez-moi la majorité au congrès et je vous donnerai une majorité juive en Palestine. »

L'Agence juive, reflet de l'exécutif sioniste, était en effet chargée de répartir les certificats d'immigration, délivrés par les Britanniques dans les limites des quotas édictés à leur livre blanc, entre les quatre grandes composantes politiques de l'organisation sioniste, au prorata de leur influence respective. Les représentants du mouvement ouvrier ne redoutaient rien tant que de voir le Betar contrôler cette répartition et ses militants à chemise brune affluer en Palestine.

Au slogan de « Jabo », Ben Gourion opposa le sien : « De la classe à la nation ». Il voulait faire du mouvement sioniste ouvrier un mouvement national à la conquête de la Fédération sioniste mondiale. Il se fit mandater par son parti pour aller contrer Jabotinsky sur son terrain d'élection : le 31 mars 1933, il partit en campagne dans la communauté juive de Pologne. Avec pour objectif de gagner 150 000 voix sur son adversaire. Il visita 800 villes et villages polonais et baltes, axant toute sa campagne contre ceux qu'il qualifiait d'« hitléro-sionistes », ces chemises brunes du Betar qui risquaient en cas de victoire de monopoliser les certificats d'admission en Palestine et d'imposer leurs conceptions militaristes au Yishouv. Il les traitait de foule ignorante alliée aux voleurs, trafiquants de femmes et autres éléments douteux des bas-fonds. Les révisionnistes, eux, ne se contentaient pas d'accuser Ben Gourion d'être un agent à la solde des Britanniques. Le 21 avril, ils bombardèrent de boules puantes la salle d'un théâtre de Varsovie où Ben Gourion tentait de prendre la parole.

Deux semaines avant son voyage en Pologne, le leader travailliste avait eu un accrochage, au comité central de son parti, avec Arlosoroff sur la stratégie de cette campagne électorale. Etoile montante de l'Agence juive dont il assumait la direction du département politique, cet ancien supporter de Weizmann avait été élu par le Congrès de Bâle de 1931 comme l'un des deux membres socialistes du directoire de cinq membres placé à la tête de la Fédération sioniste mondiale. La lutte contre le révisionnisme lui paraissait un objectif trop négatif. Il faisait passer l'organisation de l'immigration des Juifs allemands, menacés par le triomphe d'Adolf Hitler en février, avant la conquête du pouvoir au prochain congrès sioniste de juillet. Il partit en effet pour Berlin au mois d'avril. De Pologne, Ben Gourion tenta de le relancer pour qu'il vienne se joindre à lui et participer à la fin de sa campagne. Et il ne cacha pas sa contrariété de le voir préférer se consacrer au sauvetage prioritaire des Juifs d'Allemagne : Arlosoroff était alors seul à parler de menace d'extermination, alors qu'aucune mesure grave n'avait encore été prise par le régime nazi à leur encontre... Ben Gourion était également jaloux de l'ascension de cet intellectuel à la popularité croissante, en qui il voyait un futur rival. « L'activité d'Arlosoroff en Allemagne, note-t-il dans son Journal intime, le 17 mai 1933, se complique pour des raisons personnelles... »

L'assassinat d'Arlosoroff à son retour de Berlin vint à point servir ses desseins et l'aider à briser l'essor du mouvement révisionniste.

Qui donc était ce jeune leader promis par ses pairs aux plus hautes destinées ? Berl Katzenelson, qui était la conscience du mouvement sioniste-socialiste, dit qu'Arlosoroff en était le génie.

Né en Ukraine en 1899 au sein d'une famille bourgeoise aisée, le « nouveau ministre des Affaires étrangères du Yishouv » avait fait toutes ses études à Berlin, où, à 18 ans, il fonda le premier parti sioniste-socialiste Hapoel Hatzaïr, précurseur du parti du travail israélien Mapaï. Deux ans plus tard, il publia son premier ouvrage : *le Socialisme des Juifs*. Il émigra en Palestine en janvier 1921 et s'engagea aussitôt dans les rangs de la Haganah clandestine. Il revint à Berlin terminer son doctorat ès lettres et se fit déléguer pour la première fois au 13e Congrès sioniste de Karlovy Vary, en 1923.

C'est là qu'il rencontre une jeune et jolie étudiante sioniste de Lettonie, Sima. Il vient donner une conférence à son groupe de Riga. Le soir même, le père de Sima l'invite à dîner. Au sortir de table, Haïm emmène Sima faire une promenade sentimentale au bord de la Baltique. Il a cessé de lui parler sionisme et socialisme pour évoquer sa situation de jeune marié en instance de divorce. Elle lui trouve un charme romantique. A son retour en Palestine en 1924, ils échangent une correspondance régulière. Arlosoroff, avec ses allures d'aristocrate, réside dans une petite maison isolée au bord de la plage encore très sauvage de Tel Aviv. Il passe des heures à s'entraîner à la nage dans les rouleaux de la mer. Elle finit par l'y rejoindre après la naissance, en 1925, d'une fille, Nava, fruit d'une liaison antérieure avec un autre homme. Son divorce conclu, Haïm lui promet de reconnaître l'enfant. Mais, en 1926, le couple traverse une première crise. D'un nouveau séjour en Europe, Haïm écrit à Sima qu'il lui a acheté un livre d'Anatole France, *la Rose rouge*, dont le titre lui a inspiré un poème allemand qu'il lui adresse en signe de réconciliation. Il l'épouse l'année suivante, et la quitte pour les États-Unis, envoyé en mission par la Histadrout auprès de la puissante communauté juive américaine. Il y convertit notamment au sionisme un étudiant, Arthur Goldberg, qui deviendra beaucoup plus tard représentant permanent des États-Unis aux Nations unies, avant d'accéder comme juge à la Cour suprême.

En Palestine, Arlosoroff fait la fierté de l'élite socialiste dirigeante qu'il a eu l'occasion de fréquenter pendant quelques mois au kibboutz Degania. Il tranche singulièrement sur tous ses camarades par son élégance vestimentaire. Depuis sa participation au 14e Congrès sioniste, il passe pour le meilleur idéologue socialiste de sa génération. On le surnomme « Haïm II » tant il paraît digne de succéder un jour à Haïm Weizmann. En 1931, le voilà promu au département politique de l'Agence juive. Ben Gourion sait apprécier les qualités de ce cadet de treize ans de moins que lui, mais il n'aime guère sa fulgurante ascension dans les autorités du parti et de la Fédération mondiale. Il le taxe volontiers d'irréalisme intellectuel. A deux ou trois reprises, il leur est même arrivé de se quereller à propos du rôle et de l'influence de Jabotinsky, de son Betar et de ses « révisos ». En fait, le leader de la Histadrout supportait mal l'éventualité d'une concurrence ou d'une rivalité.

Arlosoroff avait, pour sa part, établi de bonnes relations avec les représentants de l'administration britannique en Palestine : notamment le nouveau haut-commissaire, le lieutenant-général sir Arthur G. Wauchope, dont il a obtenu l'amitié avec l'espoir, partagé par le président Weizmann, que celui-ci au moins tiendrait les promesses de la Déclaration Balfour.

Toutefois, le 30 juin 1932, Arlosoroff écrit à Weizmann une lettre désabusée que le parti prendra soin d'enfouir pendant quarante ans au fond de ses archives secrètes. Il y exprime pour la première fois sa déception devant le double jeu britannique et n'est pas loin d'épouser les thèses de Jabotinsky : si les Anglais ne sont plus décidés à favoriser la réalisation du Foyer national juif, il faudra bien se résoudre à l'imposer par la force, en l'occurrence l'instauration d'une dictature transitoire de l'actuelle minorité juive du Yishouv, car l'immigration et la colonisation de la Palestine sous contrôle britannique ne pourront jamais à elles seules apporter la solution.

En dépit de ce rapprochement ignoré du public, Arlosoroff va se trouver plus en butte que jamais aux révisionnistes avec sa mission en Allemagne. Après l'arrivée de Hitler au pouvoir, même les Biryonim, tentés par le fascisme à l'italienne, se sont livrés à des manifestations antinazies : ils sont allés déchirer le drapeau à croix gammée flottant sur le consulat allemand de Jérusalem. Jabotinsky s'était, de son côté, vivement démarqué de ceux de ses ultras qui avaient trouvé un caractère de mouvement de libération nationale à l'hitlérisme. « Nous devons livrer une lutte à mort contre l'hitlérisme dans tout le sens du terme. »

Dans ce nouveau contexte, le départ d'Arlosoroff pour Berlin en avril 1933 provoque une levée de boucliers. Le « ministre des Affaires étrangères » du Yishouv est accusé de rechercher le contact avec les dirigeants nazis qui proclament leur volonté de débarrasser le Troisième Reich de ses communautés juives. Et il est vrai que, étant à l'époque un des rares dirigeants juifs à prévoir la catastrophe, Arlosoroff va s'efforcer de faire jouer toutes ses anciennes relations berlinoises pour assurer les transferts de biens et d'argent indispensables à l'octroi par les autorités britanniques de certificats d'immigration en Palestine hors des quotas fixés par leur livre blanc. Il prévoit d'ailleurs d'effectuer un voyage ultérieur, une fois noués les contacts avec les services compétents du Reich, pour organiser l'évacuation rationnelle des Juifs, à laquelle les nouveaux dirigeants allemands se montrent d'abord intéressés. Ils se disent prêts, en effet, à faciliter le départ des Juifs au point de leur permettre de réaliser ou de transférer une partie de leurs biens.

Après un détour par Londres, où il s'entretient de son projet avec Weizmann, Arlosoroff rencontre donc à Berlin les responsables de la communauté juive et ceux de l'organisation sioniste locale. Il annonce à l'éditeur Robert Weltch, qui publie encore le journal *Judische Rundschau,* son intention de demander audience à Magda Goebbels, la femme du ministre de la Propagande, qui a été la meilleure amie d'enfance de sa sœur Lisa et qu'il a lui-même quelque peu courtisée. Il écrit d'ailleurs une lettre en ce sens à Sima, mais cette lettre de Berlin ne parviendra jamais à Tel Aviv. Il ne pourra lui en faire état que de vive voix à son retour, le 13 juin, ainsi qu'à ses deux sœurs Dora et Lisa.

En guise d'accueil à Tel Aviv, le journal des Biryonim, *le Front du Peuple*, avec lequel Jabotinsky vient d'ailleurs de rompre, tire à boulets rouges sur le « criminel Arlosoroff » :

« Le peuple juif n'oubliera pas votre visite en Allemagne nazie, Il saura réagir comme il faut contre ce crime. »

C'est le monde à l'envers. Dans le même temps, Ben Gourion continue de se déchaîner en Pologne contre celui qu'il appelle maintenant « Vladimir Hitler ». C'est en arrivant à Vilna par le train le 17 juin qu'il apprend l'assassinat d'Arlosoroff. L'un des membres du comité local du parti venus le chercher à la gare pour le conduire à l'hôtel lui tend le télégramme reçu de Tel Aviv. Ben Gourion pousse un « Ah ! » douloureux et perd connaissance. On le transporte évanoui dans sa chambre. A peine revenu à lui, il réclame du papier pour rédiger le texte du télégramme à l'adresse télégraphique de la Histadrout, Ovim-Tel Aviv : « Envoyez tout de suite détails. »

Une heure plus tard, il rédige deux autres télégrammes : « Des milliers de pionniers pleurent la mort d'Haïm Arlosoroff assassiné par des Biryonim assoiffés de sang. » Le mot *biryonim* a, en fait, une double acception en hébreu : il sert aussi bien à désigner des voyous que la secte biblique dont les révisionnistes ultras de Palestine ont emprunté le nom. Sans autre information, Ben Gourion a tout de suite vu le parti qu'il pouvait tirer de cet assassinat dans sa campagne acharnée contre les révisionnistes en vue du congrès sioniste de juillet. Il écrit pourtant, le 18 juin, dans son Journal : « Le premier (télégramme du pays) disait que les communistes avaient tué Arlosoroff, l'autre que c'était le fait d'un Arabe. Ceci semblait l'hypothèse exacte. »

Les dirigeants de la Haganah réunis ce jour-là au domicile de leur chef, Eliahu Golomb, n'ont pas eu besoin d'attendre l'arrivée du télégramme de Ben Gourion, le dimanche 18, pour infléchir le cours de l'enquête criminelle dans la même direction, et monter la première machination de l'histoire secrète d'Israël.

La version du meurtre de rôdeurs arabes ne va pas encore durer plus de la journée. L'un des dirigeants de la Haganah présent le samedi matin au siège de la police de Tel Aviv, où l'on avait soumis à Sima Arlosoroff des albums photographiques de suspects, Dov Hoz, rapporte l'impression qu'il s'agit bien d'Arabes. Cette version, conforme aux premières dépositions spontanées du seul témoin – Sima Arolosoroff –, sera présentée pour la dernière fois le dimanche soir à la réunion du comité national, l'organe suprême du Yishouv. Dans les coulisses, Eliahu Golomb et surtout Shaül Meyerov menaient depuis la veille une investigation parallèle et orientée vers l'exploitation politique du crime.

Le samedi après-midi, un jeune Juif de Jérusalem, Ytzhak Haloutz, qui travaille au département de l'immigration du gouvernement britannique, est venu trouver un membre du commandement local de la Haganah, le Dr Abraham Izmojik. Il lui fait part de ses soupçons concernant un ouvrier appartenant au groupe de Biryonim, Abraham Stavsky, dont le signalement lui paraît correspondre à celui de l'un des deux assassins d'Arlosoroff diffusé par la police. Il ajoute que le vendredi 16, à midi, soit dix heures avant le meurtre, Stavsky s'est présenté au bureau de l'immigration pour demander qu'on lui restitue la somme qu'il avait déposée en vue de prolonger son visa de séjour en Israël, étant appelé à se rendre d'urgence à l'étranger. Haloutz dit alors l'avoir reconnu d'après la fiche de signalement communiquée par la police sur l'assassinat d'Arlosoroff. Il demande au Dr Izmojik de transmettre ce renseignement capital à l'état-major de la Haganah, ce que le médecin s'empresse de faire.

Le lendemain, dimanche 18 juin, les deux chefs de la Haganah, Eliahu Golomb et Dov Hoz, se rendent à Jérusalem chez le Dr Izmojik. Celui-ci les trouve particulièrement surexcités. Il les entend répéter à plusieurs reprises en aparté : « Il faut tout leur mettre sur le dos. » Le médecin a l'impression qu'une machination est en marche pour accuser les révisionnistes du crime d'Arlosoroff. Quelle n'est pas sa stupeur de trouver, le lendemain, dans son appartement, où siège le commandement local de la Haganah, tout un jeu de photos de Stavsky reproduites à partir de celle que l'ouvrier suspecté avait déposée au département des visas où travaillait précisément Ytzhak Haloutz ! Il ne s'en ouvrira à personne... jusqu'en 1973, confiant alors à un journaliste israélien son effroi devant cette découverte :

— Je me suis tu par fidélité et par respect des secrets de la Haganah.

En fait, dans l'après-midi du dimanche 18 juin, un dirigeant de la Haganah a montré cette photo à Sima Arlosoroff.

— Voici, lui dit-il, l'homme qui a allumé la lampe de poche pour reconnaître Haïm et le désigner à son complice chargé de tuer ton mari.

Sima répond alors que cette photo lui rappelle effectivement l'agresseur n° 1. Aussitôt conduite à la police de Jaffa où on lui présente un jeu de dix photos d'individus différents, parmi lesquelles se trouve glissée celle de Stavsky, elle reconnaît sans hésiter cette dernière. Pardi ! C'est celle qu'on lui a montrée au siège de la Haganah tout à l'heure, mais la police, elle, ignore ce détail qui va fausser la suite de son enquête. Car, à partir de ce moment, tout est mis en œuvre pour incriminer Stavsky et, à travers lui, le groupe des Biryonim et, au-delà, l'idéologie révisionniste.

Sima Arlosoroff commence à fournir également un récit des faits différent de la relation spontanée qu'elle en avait donnée le soir du crime et le lendemain. Elle prétend avoir crié, en voyant son mari s'effondrer après le coup de feu : « Au secours ! Des Juifs ont tiré sur Arlosoroff ! » Elle est maintenant affirmative : « Oui, ce sont bien des Juifs qui ont tué mon mari. »

Le lundi 19 juin, la police britannique vient arrêter Stavsky au domicile du chef des Biryonim, Aba Achimeir. Ce dernier est également appréhendé et inculpé comme instigateur du meurtre. Sima déclare pouvoir identifier Stavsky comme l'agresseur à la torche électrique. Contre Achimeir, les enquêteurs, orientés dans leurs investigations par les agents de la Haganah, retiennent un écrit publié au début de l'année et considéré comme une apologie du crime politique. Il s'agit d'une brochure idéologique qui restera dans l'histoire du sionisme révisionniste sous le nom de *Manifeste des sicaires.* Achimeir s'y référait en effet aux actes d'une secte antique dont les membres portaient sous leurs vêtements, durant la guerre contre les Romains, un poignard, la *sica,* et s'en servaient pour tuer leurs ennemis politiques au cours de grandes réunions dont ils s'échappaient souvent à la faveur du désordre qui s'ensuivait. Il écrivait que tout ordre nouveau s'instaurait à partir de la destruction physique de ses adversaires. Pour lui, les sicaires étaient des héros inconnus qui prenaient pour cibles les personnages les plus en vue de l'ordre établi. Ce n'étaient pas des assassins, puisqu'ils ne tuaient pas par intérêt matériel : ce qui comptait, c'était moins le geste lui-même que sa motivation politique.

Le mardi 20 juin, le comité central du Mapaï (parti ouvrier) se réunit pour entendre un rapport d'Eliezer Kaplan sur l'assassinat d'Arlosoroff : « Il convient de mettre en lumière le lien spirituel entre l'attentat et l'idéologie de ses auteurs et de créer un climat propice à l'élimination des révisionnistes de la scène politique. » Un des dirigeants du parti, Ben Zvi, surenchérit sur le rapporteur : « Ce doit être une guerre de destruction. » Ben Zvi, qui deviendra plus tard président de l'État d'Israël, est prêt à aller très loin dans cette guerre au révisionnisme. Le 4 juillet suivant, le conseil exécutif de la Histadrout se réunit pour faire le point de l'enquête. Ben Zvi y fait une déclaration effarante :

« Au cas où aucun lien ne pourrait être judiciairement établi entre l'assassin Stavsky et Zeev Jabotinsky, mais où la culpabilité de Stavsky serait prouvée, je serais en mesure de témoigner, s'il le faut, que Stavsky n'a pu agir que sur ordre de Jabotinsky... »

A la même réunion, l'un des leaders de la Haganah se félicite dans son rapport de l'étroite coopération observée entre ses services et les services de police :

« L'enquête se trouve entre les meilleures mains aux échelons supérieurs de la police. Ce n'est pas toujours le cas, car les révisionnistes jouissent encore d'une influence non négligeable au sein de l'administration policière (laquelle emploie de nombreux fonctionnaires juifs). »

Les autorités mandataires mettent à profit l'occasion qui leur est ainsi offerte de traquer les sympathisants de Jabotinsky les plus hostiles à leur politique de bascule entre Juifs et Arabes. Au milieu du déchaînement des passions préélectorales, la police multiplie manœuvres, pressions, faux témoignages, aveux truqués, preuves préfabriquées dans une atmosphère incroyable de chasse aux sorcières à laquelle se prêtent complaisamment les dirigeants ouvriers et syndicalistes du Yishouv. Acharnée à prouver la culpabilité des révisionnistes dans la mort d'Arlosoroff, la direction travailliste n'avait de cesse de désigner des suspects, puis de susciter des témoignages accablants pour les confondre. A commencer par celui de Sima Arlosoroff, toujours prête à suivre ses « conseils ».

Pour identifier le second agresseur, le C.I.D. (Département de police criminelle responsable du renseignement) a fait appel à un de ses agents implanté dans la section révisionniste de Kfar Saba, un village de la banlieue de Tel Aviv. Il s'agit d'une femme de moralité douteuse, Rivka Feigin, que le secrétaire de cette section, Zvi Rosenblatt, a fait exclure de l'organisation quelques semaines plus tôt en raison de son comportement provocateur. Peu après l'arrestation de Stavsky, des lettres anonymes sont parvenues au bureau de l'officier de police Yehuda Tannenbaum-Arazi, chargé du dossier n°A. 37 ouvert par le capitaine Reiss, chef adjoint de la police britannique en Palestine, sur l'assassinat d'Arlosoroff. Selon ces lettres, Rivka Feigin connaîtrait le second suspect, qui ne serait autre que son ancien mari, un certain Moshe Mendel. Après enquête, Arazi a estimé cette accusation dénuée de tout fondement. Aussi refuse-t-il catégoriquement de se conformer à la recommandation que lui a faite, quelques jours plus tard, un responsable de la Histadrout, Ephraïm Kresner (futur chef du premier service de renseignements de la Haganah sous le nom d'Ephraïm Deckel), d'aller interroger la jeune femme en question.

C'est alors que la Haganah ordonne à l'un de ses agents au sein de la police, l'inspecteur Bekhor Shitritt, de se rendre à Kinnereth, au bord du lac de Tibériade, pour prendre le témoignage de Rivka Feigin. Celle-ci était hébergée par les soins de la Haganah. Elle donne alors à Shitritt le nom de l'assassin d'Arlosoroff : Zvi Rosenblatt, son ancien secrétaire de section de Kfar Saba !...

Rosenblatt est arrêté le 23 juillet, alors que s'ouvre à Prague le 18e Congrès sioniste. Accueillis aux cris de : « Assassins ! Assassins ! », Jabotinsky et ses partisans peuvent à peine s'y exprimer. Chaque fois que l'un d'eux monte à la tribune, la délégation du mouvement ouvrier quitte ostensiblement la salle. Elle est de loin la plus nombreuse, totalisant 44 % des mandats. Les révisionnistes n'en ont plus que 16 % au lieu de 21. Tenus en quarantaine, frappés d'ostracisme pendant les débats, ils se heurtent au refus catégorique des travaillistes de siéger à leurs côtés au sein de l'exécutif. Le coup de Prague va consacrer leur mise au ban de l'« establishment » sioniste, leur exclusion de toutes les institutions régissant la vie du Yishouv en Palestine. Il fait l'affaire des Britanniques qui n'avaient pu sauver la présidence de Weizmann au congrès précédent par leurs concessions de dernière minute. Mais le véritable vainqueur de l'épreuve de force engagée à Prague, c'est Ben Gourion, qui va y asseoir le pouvoir absolu de son parti sur le mouvement sioniste pour... quarante-quatre ans ! Ben Gourion prend en effet la place d'Arlosoroff au directoire où les travaillistes détiennent désormais quatre sièges sur cinq au lieu de deux. Son nom est longuement acclamé par les congressistes qui ont littéralement chassé de l'organisation Jabotinsky et sa « clique d'assassins ».

En fait d'assassins, Rosenblatt et Stavsky se débattent comme de beaux diables contre l'imputation dont ils sont l'objet. L'un et l'autre ont été formellement identifiés par Sima Arlosoroff, bien qu'aucun d'eux n'ait le type oriental qu'elle avait signalé au début de l'enquête. C'est même la seule charge dont dispose la police à leur encontre.

Vers la fin du mois de juillet, Rivka Feigin, que la Haganah fait passer de cachette en cachette, de Givat Brenner à Kfar Giladi, pour la protéger d'éventuelles représailles, se présente à la prison de Rosenblatt. Elle prétend avoir un message à transmettre au détenu de la part de son chef Achimeir. Conduite à sa cellule, elle est autorisée à lui remettre ce billet ainsi rédigé : « Stavsky a avoué. Avoue à ton tour. Signé Achimeir. » Rosenblatt la repousse et persiste dans ses protestations d'innocence.

Intrigué, l'officier de police Shitritt, qui avait recueilli le premier témoignage de cette femme récusé par son collègue Arazi, officiellement chargé de l'enquête, veut en avoir le cœur net. Il connaît les liens de Rivka avec le C.I.D. britannique. Au début du mois d'août, il procède à une fouille discrète de sa chambre. Il y découvre une liasse de brouillons sur lesquels la jeune femme s'est exercée à contrefaire au crayon la signature d'Achimeir. Du coup, il demande à son tour qu'elle ne soit pas admise à témoigner au procès. Sa découverte va plonger ses collègues de la Haganah dans l'embarras. Ils se chargeront de faire disparaître avant l'audience ce témoin gênant. Devenu plus tard le Premier ministre de la police d'Israël, Shitritt attendra la veille de sa mort pour révéler la vérité sur cet escamotage :

« Je savais qu'il y avait des saloperies commises dans cette ténébreuse affaire. Je leur avais montré les essais de contrefaçon de signature auxquels s'était livrée Rivka Feigin. Ils disaient que ça n'avait aucune importance. Mais ils étaient d'accord pour l'empêcher de témoigner. Il suffisait de trouver une occasion de l'éloigner du pays avant le procès. »

C'est un des dirigeants de la Histadrout qui va se charger de cette tâche. Il se nomme Berl Repetor. Il l'enverra en mission à bord d'un bateau pour la Roumanie. Elle y restera jusqu'à sa disparition en fumée dans quelque camp d'extermination, une dizaine d'années plus tard.

Si l'on n'avait plus besoin d'elle pour le procès de Rosenblatt, c'est que, entre-temps, un autre témoignage a été forgé au sein même de la prison. Un voyou répondant entre autres noms à celui de Moshe Cohen venait d'y être incarcéré pour un vol de montre. On l'enferma dans la cellule de Rosenblatt. Au début de ce même mois d'août, il dénonce une confidence qu'il prétend avoir reçue de lui :

« Rosenblatt m'a dit : "Regarde ces mains. Elles ont tué Arlosoroff." »

Cette délation fera long feu. Mais elle aura joué son rôle, essentiellement psychologique, dans la machination montée à partir du meurtre d'Arlosoroff pour discréditer durablement les tenants du révisionnisme. Et elle restera longtemps tabou dans les archives secrètes de la Haganah.

Le jour de Kippour 1936, Moshe Cohen, emprisonné à Saint-Jean-d'Acre pour escroquerie, cette fois, voudra soulager sa conscience. Il se confie à un codétenu, Ytzhak Hankin, fils d'un des fondateurs du mouvement Hachomer et militant lui-même à la Haganah. Il lui raconte comment a été fabriqué son témoignage contre Rosenblatt. Il n'avait pas eu besoin de voler de montre pour se faire incarcérer dans sa cellule : un jour de juillet 1933, il a reçu à son domicile la visite d'un officier britannique accompagné d'un des responsables de la Haganah, Dov Hoz. Connaissant son passé chargé de petit truand, ses deux visiteurs lui proposent 70 livres anglaises pour jouer le rôle de mouton à la prison de Rosenblatt et « sortir » cette prétendue confidence.

Stavsky aura moins de chance que Rosenblatt, dont l'alibi finira par triompher. Pour prouver son innocence, il invoque, dès son premier interrogatoire, le témoignage d'un hôtelier de Jérusalem, Y. Turjeman, qui a enregistré son arrivée le 16 juin à 16 heures et l'a vu en train de dormir à l'heure du crime de Tel Aviv. L'hôtelier fera bientôt l'objet d'une campagne de calomnies à laquelle il succombera avant la fin de l'instruction. Selon les rumeurs répandues par les milieux travaillistes, il était en passe de se convertir secrètement à l'islam et son hôtel était plus que borgne : un véritable établissement de prostitution. Donc son témoignage ne valait rien en face du contre-témoignage de la logeuse de Stavsky à Tel Aviv, Rivka Hazan. Celle-ci affirme en effet avoir vu Stavsky le 16 au soir. Elle finira par avouer quelque six mois plus tard à un policier, Michael Rabinovitch, qu'on lui avait extorqué sa déposition en lui expliquant que « ces gens-là sont pires que les communistes et que c'est donc une bonne action de les enfoncer par n'importe quel moyen ».

Vers la mi-août 1933, l'inspecteur Yehuda Tannenbaum-Arazi découvre le pot aux roses : la procédure dont il est chargé lui paraît sentir le montage préfabriqué. Le 28 août, il écrit un rapport de dix-neuf pages à l'adresse du chef adjoint au C.I.D., le capitaine Reiss, pour lui signaler toutes les anomalies et les invraisemblances de l'enquête qui a abouti à la mise en accusation de Stavsky et de Rosenblatt. « J'ai l'impression que tous les témoins, à commencer par Mme Arlosoroff, ont voulu incriminer les suspects à tout prix. » Après leur identification. Comme pour la justifier. Du coup, il recommande un supplément d'enquête sur l'étrange comportement de la veuve entre le soir du crime et le troisième jour de l'enquête. Pour déterminer :

– la véracité de ses dires;

– si ses accusations ne tendent pas à masquer la connaissance qu'elle pourrait avoir des vrais assassins de son mari;

– pourquoi, si elle ne les connaît pas, elle s'acharne à charger deux suspects qui ne correspondent pas au premier signalement qu'elle en a donné.

Il semble à l'inspecteur Arazi que les contradictions de Sima Arlosoroff résultent, soit de pressions extérieures, soit d'une volonté de cacher ce qui s'est passé exactement quand son mari a été agressé sur la plage.

Quant aux lettres anonymes sur les suspicions de l'agent taré du C.I.D., Rivka Feigin, elles n'étaient à ses yeux qu'un appât auquel il a refusé de mordre : elles lui semblaient destinées à faire verser au dossier le témoignage douteux de cette femme.

A la suite de son rapport au capitaine Reiss, le policier juif est déchargé du dossier A.37 sur l'assassinat d'Arlosoroff. Il en fait parvenir une copie à ses chefs de la Haganah, où il milite clandestinement. On lui répond de ne plus mettre son nez dans cette affaire. Il aura beau devenir, après la guerre mondiale, l'un des principaux responsables de l'organisation secrète d'achat d'armes pour la Haganah et le chef du réseau d'immigration illégale d'Italie, son rapport restera enterré durant quarante ans, bien au-delà de sa mort.

Pourtant, l'instruction du meurtre d'Arlosoroff a failli connaître un rebondissement spectaculaire au début de l'année suivante, alors qu'il ne restait qu'un seul inculpé, Stavsky. Achimeir avait été rapidement lavé de tout soupçon après le congrès sioniste de Prague, puis Rosenblatt disculpé et libéré grâce à la vérification de son alibi.

Le 10 janvier 1934, un détenu arabe de la prison de Saint-Jean-d'Acre, en instance de jugement pour une affaire de vendetta sanglante, se laisse aller à une confidence devant ses gardiens. Il se nomme Abd el-Majid el-Bukhari, 19 ans, plombier à Jaffa. Il fait le récit du meurtre d'Arlosoroff. Un meurtre accidentel auquel il prétend s'être laissé entraîné par un ami, Issa Darwish. Le 12 janvier, il répète son récit devant l'officier de police Bekhor Shitritt venu enregistrer sa déposition en compagnie de l'avocat de Sima, Dov Joseph. Confronté le 14 avec deux femmes, il reconnaît parfaitement en l'une d'elles Sima Arlosoroff pour l'avoir abordée sur la plage le soir du crime.

Ce soir-là, dit-il, il revenait avec Darwish d'une démonstration d'athlétisme produite par le champion d'Egypte Mukhtar Hussein à Jaffa. Les deux jeunes gens déambulaient le long de la plage de Tel Aviv en direction du cimetière musulman, avec l'intention de draguer quelques filles. Ils ont remarqué une jeune femme qui marchait toute seule au bord de l'eau et ont voulu l'accoster. Un homme qui suivait à une trentaine de mètres est alors venu au-devant d'eux. Pour trouver une contenance, ils lui ont demandé l'heure. L'homme a porté la main à son gousset et Issa a brandi son arme qui est partie toute seule.

« Je voulais simplement lui faire peur pour m'amuser avec la jeune femme », aurait dit Issa à Abd el-Majid dans leur fuite...

Deux jours après ces révélations, une délégation d'avocats arabes se présente à la prison de Saint-Jean-d'Acre pour rendre visite au plombier de Jaffa. Parmi eux, un membre du Comité arabe suprême, Ouni Abd el-Hadi, qui représente les Arabes de Palestine. Ils lui expliquent que la mort d'Arlosoroff est une grave affaire politique et qu'il risque la pendaison s'il maintient sa déposition.

Pour mieux lui faire peser ce risque, le jeune détenu est soumis à des examens médicaux destinés à établir son âge. En l'absence de registre d'état civil pour les habitants arabes de l'époque, cette épreuve devait déterminer s'il était passible de la peine capitale, la loi britannique ne permettant pas l'exécution des moins de 18 ans. Il s'agissait, en fait, de préparer psychologiquement le prisonnier à subir les conséquences de sa confession.

L'effet dissuasif est quasi instantanée. Le 22 janvier, Abd el-Majid demande à être déféré séance tenante devant un juge pour annuler la déposition du 12. L'affaire ne doit pas être ébruitée. Mais l'avocat de Stavsky, Me Horace Samuel, l'apprend, par le plus grand des hasards, qui est peut-être simplement la rumeur des prisons. Il en avise le président de la Cour et obtient de faire témoigner le jeune Arabe. Devant la juridiction, Abd el-Majid prétend que sa déposition lui a été achetée par Stavsky et que, bien entendu, elle ne correspond à aucune réalité. L'accusation produit même le témoignage d'un autre détenu arabe qui prétend avoir assisté à cette tentative de corruption de son compatriote par l'accusé. Selon lui, Stavsky aurait dit à Abd el-Majid que, déjà détenu pour un meurtre, il ne risquait pas davantage à prendre sur lui celui d'Arlosoroff.

La déposition du plombier arabe de Jaffa ne sera donc pas retenue par le tribunal appelé à juger Stavsky. Au cours du procès,

Sima Arlosoroff confirme pourtant involontairement un détail du récit annulé. Elle raconte que sur la plage un des deux assaillants lui a adressé des gestes obscènes. Dans le rapport de minorité du juge Moshe Valero, il sera même précisé à ce propos : « Il semble que l'un des agresseurs s'est exhibé devant la femme Arlosoroff... Il pouvait donc s'agir d'un attentat aux mœurs, et, dans ce cas, Stavsky n'aurait, pas plus que Rosenblatt, rien à voir dans ce meurtre. »

Le 8 juin 1934, par deux voix contre une – celle de Valero – le tribunal de district de Tel Aviv déclare Stavsky coupable de l'assassinat d'Arlosoroff et le condamne à mort. Mais, le 20 juillet, estimant qu'aucune preuve n'a été apportée au cours de la procédure permettant d'étayer le témoignage accusateur de Sima Arlosoroff, la Cour suprême prononce son acquittement. Elle relève notamment que le témoignage de deux radiesthésistes, qui prétendaient avoir détecté les traces de Stavsky et de Rosenblatt dans le sable à proximité du lieu de l'attentat, a été sollicité par des officiers de police qui les avaient "chambrés" auparavant...

La police britannique n'a pas jugé bon de reprendre l'enquête après l'élargissement de Stavsky.

En 1936, Ytzhak Hankin, héros de la Haganah emprisonné à Saint-Jean-d'Acre par les Anglais, se lie d'amitié avec Abd el-Majid, toujours détenu avec son frère Abd el-Hamid pour une affaire de vendetta dans laquelle un coiffeur arabe, Lufti el-Halabi, a trouvé la mort. Le petit plombier de Jaffa lui confirme que, contrairement à ce qu'on lui a fait dire devant le président de la Cour deux ans plus tôt, il a bien assisté à l'assassinat d'Arlosoroff : son ami Issa Darwish a tiré après avoir tenté d'abuser de Sima qu'ils avaient surprise dans l'obscurité à l'écart de son mari. Lui, il s'était laissé simplement entraîner par Darwish dans cette partie de drague sur la plage après quelques libations dans les cafés de Tel Aviv. Pourquoi s'était-il décidé à parler voilà deux ans, avant que, par la menace de la potence, on le force à revenir sur cet aveu ? Parce que Darwish l'avait laissé tomber dans l'affaire de vendetta contre le coiffeur, alors qu'il avait promis de l'aider en échange de son silence sur le meurtre d'Arlosoroff. Son frère Abd el-Hamid ayant été arrêté entre-temps comme complice de cette vendetta dont il était innocent, il avait alors rompu le pacte conclu avec Issa Darwish. Mais personne n'avait voulu le croire.

A sa sortie de prison en 1941, Hankin se précipite chez les deux chefs de la Haganah, Golomb et Meyerov, pour leur faire part des nouvelles confidences du plombier arabe de Jaffa.

« Les révisionnistes ont dû te laver le cerveau, lui répond Golomb en lui montrant le dossier d'enquête de l'inspecteur Shitritt. Abstiens-toi à l'avenir de répandre ce bobard. Il y va de l'intérêt supérieur de notre organisation. »

Hankin accepte de se taire « pour éviter une guerre civile éventuelle ». Mais il n'est nullement convaincu. Quel intérêt aurait eu Abd el-Majid à revenir sur son désaveu devant la Cour s'il n'y avait quelque vraisemblance dans son récit ? Et pourquoi d'ailleurs reprendra-t-il cette version en 1939 devant un avocat juif, Max Seligman ? En proie au tourment de sa conscience, Hankin profitera de son poste d'officier dans l'administration militaire de Rafah, au lendemain de la victoire des Six Jours, pour prendre l'initiative d'envoyer en 1968 un habitant de ce territoire occupé à Amman, en Jordanie, chercher la trace du Palestinien Abd el-Majid el-Bukhari. Le messager finit par retrouver l'ancien détenu de Saint-Jean-d'Acre qui, à 54 ans, tient un petit atelier de réparations de bicyclettes et de réchauds dans la capitale du roi Hussein. Hankin tente alors d'intéresser les autorités israéliennes à son initiative : maintenant que l'affaire est couverte par la prescription, aller recueillir le témoignage de l'ancien plombier de Jaffa pourrait permettre d'élucider l'énigme historique du meurtre d'Arlosoroff. Plusieurs détails du récit répété à maintes reprises par Majid el-Bukhari devant des interlocuteurs différents se sont en effet révélés véridiques : il a été vérifié, par exemple, que l'athlète égyptien Mukhtar Hussein s'était bien exhibé à Jaffa le soir du 16 juin 1933.

Tout le problème est de savoir si c'est accidentellement qu'Issa Darwish a pu tirer sur Arlosoroff en tentant d'aborder sa femme sur la plage ou si quelqu'un n'aurait pas eu intérêt à armer sa main...

Mais quand Hankin voudra poser officiellement la question, il se heurtera, soit au mutisme de ses anciens compagnons d'armes, soit au refus des autorités de rouvrir une vieille plaie au flanc de l'histoire sioniste. L'affaire a pourtant rebondi une première fois lors de la campagne électorale de 1965 pour le renouvellement du Parlement israélien, la Knesset. L'ancien responsable de la Haganah, le taciturne Shaül Meyerov, devenu Shaül Avigour, est sorti de son mutisme pour exprimer dans un article sa conviction de la culpabilité de Stavsky et de Rosenblatt dans l'assassinat d'Arlosoroff, histoire de discréditer l'opposition de droite dirigée par Menahem Begin et héritière de la tradition révisionniste. Innocenté pourtant par la Cour suprême, Stavsky n'est plus là pour répondre : il est tombé le 23 juin 1948, quinze ans après Arlosoroff, sur cette même plage de Tel Aviv, sous les balles d'une unité du Palmakh commandée par Ytzhak Rabin, lors de la tragédie de l'*Altalena*, ce bateau d'armes affrété par l'Irgoun pour sa garnison assiégée de Jérusalem[1].

Mais Rosenblatt, lui, a déposé une plainte en diffamation, en demandant à la justice israélienne de reconnaître formellement son innocence. Le juge Joseph Lam lui a accordé en 1966 2000 livres de dommages et intérêts à titre de réparation, mais sans se prononcer sur le fond. La question : "Qui a tué Arlosoroff ?" est restée une fois de plus sans réponse.

Nouveau rebondissement de l'affaire en juin 1973, quarante ans après, quand une journaliste du quotidien *Haaretz*, Tamar Meroz, rouvre le dossier qui va redevenir un cheval de bataille dans la nouvelle campagne électorale, brutalement interrompue par la guerre de Kippour. Si, à trois mois de l'attaque surprise égypto-syrienne, l'affaire passionne encore l'opinion israélienne, c'est que la coalition de droite formée par le Likoud menace pour la première fois le leadership du mouvement ouvrier. Relégué depuis quarante ans dans une opposition qui l'exclut de toutes les institutions de la vie publique, en dehors du Parlement, en partie à cause des retombées de l'affaire Arlosoroff, le rassemblement des héritiers du Betar, des Biryonim, de l'organisation révisionniste, de l'Irgoun et d'une fraction du groupe Stern, prépare sa revanche. Il l'obtiendra quatre ans plus tard, sous l'étiquette du Likoud, aux élections de la IXe Knesset.

Ce n'est pourtant pas la vérité sur l'affaire Arlosoroff qui a mis fin à près d'un demi-siècle de pouvoir travailliste sur les Juifs d'Israël. Cette vérité reste encore à établir, à l'écart de la violence des passions, mais la plupart des protagonistes ont emporté leurs secrets dans leur tombe : Eliahu Golomb et Dov Hoz, deux du triumvirat de la Haganah qui avaient orienté l'enquête judiciaire en constituant un dossier parallèle, sont morts, et le troisième, Shaül Avigour, finit ses jours dans un hospice de Galilée. Le policier à leur solde, Bekhor Shitritt, et Sima Arlosoroff, le témoin numéro un, sont morts. L'ex-officier de police Yehuda Tannenbaum-Arazi est mort en laissant son rapport dans les oubliettes de la Haganah. Mais ce rapport, capital pour comprendre les rouages de la machination montée par ses propres dirigeants

1. Voir chapitre VI : Naissance d'une nation.

clandestins, a été exhumé pour la première fois en juin 1973, quand d'autres témoins se sont mis timidement à libérer leur conscience de lourds secrets d'Etat tus depuis quarante années par fidélité inconditionnelle au parti, au système ou par crainte d'on ne sait quelles représailles d'un appareil aussi mystérieux que totalitaire.

Ainsi, Shamaï Kuperstein, l'un des témoins qui se trouvaient à la terrasse du Kete Dan le soir du 16 juin 1933, a attendu juin 1973 pour raconter la réaction spontanée de Sima Arlosoroff à son retour à l'hôtel : « Je l'ai entendue dire clairement à la cantonade : "Des Arabes nous ont tiré dessus." Elle a dit *des Arabes*, j'en suis sûr. C'est ce que j'ai affirmé dans ma déposition à l'époque, mais on a essayé de m'influencer pour la modifier. »

Sima Arlosoroff elle-même a révélé à la journaliste Tamar Meroz que Shaül Meyerov-Avigour avait agi en coulisse en conduisant une enquête parallèle, tandis que Dov Hoz avait d'abord hésité sur la voie à suivre. Il ne fait d'ailleurs plus aucun doute que les Britanniques ont cherché par tous les moyens à exploiter cette direction à leur profit pour éliminer le "danger révisionniste". A la page 235 de ses Mémoires, l'ancien commandant de la police britannique de Tel Aviv, Joseph M. Broadhearst, vend loyalement la mèche : « Nous n'avions aucun élément d'incrimination, aucun indice réel, mais puisque la victime était un symbole politique, il fallait absolument faire quelque chose. C'est ainsi que nous avons arrêté des militants extrémistes dont les idées étaient opposées à celles du défunt. Nous savions pertinemment qu'aucun des accusés n'était mêlé au meurtre. Et on nous a fait bafouer la Justice par raison d'État. »

Il n'est pas davantage douteux que le capitaine Reiss, chef adjoint du C.I.D., savait la vérité sur les témoignages fabriqués ou falsifiés par ses services. En 1970, Tuvia Arazi, le frère de l'ex-officier de police décédé, a écrit à l'inamovible ministre sans portefeuille de tous les gouvernements travaillistes, Israël Galili, sorte d'éminence grise du régime, maître de tous les secrets et expert en compromis. Il proposait de se rendre en Afrique du Sud, où s'était retiré le capitaine Reiss, pour lui demander ce qu'il savait de l'enquête. Il s'est attiré cette réplique sèche de Galili : « Je ne vois pas la nécessité d'aller recueillir un tel témoignage. A mon avis, c'est même tout à fait inutile. » Il serait aujourd'hui trop tard : Reiss n'est plus.

Shmouël Tamir, l'actuel ministre de la Justice du gouvernement Begin, avait dix ans au moment du procès Stavsky. C'est cette erreur judiciaire préméditée qui l'a incité à faire plus tard une carrière de juriste. En 1966, il a été l'avocat de Rosenblatt dans son procès en diffamation contre Shaül Avigour. Cette instance lui a permis de montrer comment l'administration mandataire avait réussi à faire du procès Stavsky un procès politique par excellence, du type procès de Moscou. La condamnation à mort de Stavsky par le tribunal régional, puis sa réhabilitation par la Haute Cour pour défaut de preuves n'avaient qu'un seul et même but : laisser la plaie ouverte et semer la discorde entre les différentes fractions sionistes et au cœur du Yishouv. Opération réussie. Après le coup de Prague qui les a exclus de l'établissement, les révisionnistes, encore fortement implantés dans les grands centres juifs d'Europe, ont fondé au printemps 1934, en Palestine, une confédération syndicale pour combattre le monopole de la Histadrout. Les bagarres entre les 60 000 syndiqués de cette centrale et les 7 000 militants de la nouvelle confédération sont devenues presque quotidiennes. Ayant assuré son pouvoir, Ben Gourion n'a alors eu de cesse de rechercher le contact avec Jabotinsky pour parvenir à un *modus vivendi*. Les deux hommes éprouvaient en fait l'un pour l'autre des sentiments complexes et contradictoires où se mêlaient l'animosité et l'estime, la haine et la fascination. Ils ne pouvaient oublier qu'ils avaient porté l'un et l'autre l'uniforme de la Légion juive.

Le 3 juillet 1934, « Jabo » envoie une lettre à la direction du Mapaï pour proposer une négociation qui mettrait fin aux actes de violence entre Juifs. Le 9 août, les travaillistes rejettent cette offre par le canal de leur organe syndical, *Davar*. Ben Gourion était pourtant partisan de saisir cette perche en déléguant des représentants auprès du leader révisionniste installé à Londres. Faute d'avoir obtenu l'aval de son parti, il se rend lui-même, le 8 octobre, dans la capitale britannique, où un ami commun, Pinhas Rottenberg, fondateur et directeur de la Compagnie palestinienne d'électricité, organise une rencontre dans une petite chambre d'hôtel. Après deux jours de discussion, les deux leaders mettent au point les termes d'un accord tendant à prohiber l'échange d'insultes, de violences et de campagnes diffamatoires entre leurs partisans. Mais cet accord est repoussé de part et d'autre par leurs cadres et leurs troupes en février et en mars 1935. Si leurs propres relations personnelles restent empreintes désormais d'une relative cordialité, la scission est devenue inévitable. En septembre 1935 se tient à Vienne la conférence constitutive de la Nouvelle Organisation sioniste.

Quand, dernièrement, les Britanniques ont ouvert au public les dossiers de leur administration coloniale en Palestine de 1917 à 1947, un seul dossier a été soustrait à la curiosité des historiens. Protégé par la loi sur les secrets concernant la sécurité du Royaume-Uni, le nom de ce dossier resté fermé n'a même pas été révélé. C'est qu'il contient la liste nominative des agents juifs de la branche spéciale du renseignement. Cette liste, dont la publication pourrait embarrasser plusieurs personnages qui ont occupé des postes d'importance dans l'administration israélienne après la fin du mandat, recèle-t-elle, comme d'aucuns le pensent à Jérusalem, les clés d'une demi-douzaine d'énigmes politiques non résolues à ce jour – y compris celles qui pourraient livrer le fin mot de l'affaire Arlosoroff ?

Si l'on peut se fier en partie à la confession réitérée d'Abd el-Majid, la thèse du crime de rôdeurs à motivation sexuelle se heurte à quelques invraisemblances qui la rendent peu crédible. D'abord, ce genre de crime était rare à l'époque en Palestine, laquelle connaissait en outre sa plus grande période d'accalmie entre les communautés. Mais surtout on ne voit pas pourquoi l'un des deux jeunes Arabes qui auraient importuné Sima Arlosoroff aurait allumé une lampe de poche et l'aurait braquée sur le visage de son mari, arrivant sur ses pas, en feignant de lui demander l'heure. En fait, l'un d'eux n'a tiré qu'après avoir dévisagé Arlosoroff, sans doute pour l'identifier. Et il s'est contenté d'un seul coup de feu à bout portant, avant de disparaître dans la nuit avec son arme. Comme pour une mission accomplie.

Deux versions ont été avancées pour fournir des mobiles à un meurtre qui, au cas où il a bien été exécuté par les deux Arabes, ne paraît pas avoir été aussi accidentel que le prétend l'un d'eux.

Une première interprétation tend à faire des services secrets britanniques le *deus ex machina* qui a tiré dans l'ombre les ficelles actionnant ces Arabes à la manière de marionnettes. Ces services auraient eu connaissance de l'évolution récente et pieusement cachée d'Arlosoroff, qui, tout en entretenant les meilleurs rapports avec le lieutenant-général sir Arthur G. Wauchope, le nouveau haut-commissaire de Palestine, en était arrivé en 1932 à des conclusions proches des thèses de Jabotinsky sur le rôle du mandat. Vers le milieu de l'année, il avait écrit en privé à Haïm Weizmann une série de lettres dans lesquelles il exposait un point de vue extrémiste : la nécessité du recours à la révolte armée pour imposer une dictature transitoire de la minorité juive sur le territoire de la Palestine.

Ces lettres explosives de l'été 1932, la direction travailliste a toujours pris soin de les camoufler : elles ne figurent ni dans les recueils des écrits d'Arlosoroff publiés par les éditions du parti, ni dans la correspondance complète de Weizmann. Elles auraient singulièrement nui en particulier à la thèse qui faisait d'Arlosoroff l'ennemi irréductible de toute l'idéologie révisionniste ! Il n'est pas cependant exclu que les Britanniques aient eu le moyen de surprendre cette évolution d'Arlosoroff et y aient vu une menace dangereuse pour leurs intérêts. Dans l'histoire des services secrets britanniques, surtout en matière coloniale, un crime politique n'est jamais apparu comme illégitime.

Il existe toutefois une autre version, de beaucoup la plus crédible, sur les véritables ressorts qui ont guidé le bras des assassins d'Arlosoroff. Une version qui, à la lumière des faits nouveaux, donne à ce crime une dimension et une portée historiques toutes particulières. Nous avons aujourd'hui toutes les raisons de croire que la mort d'Arlosoroff a pu être décidée et télécommandée par le n°2 du régime nazi, le Dr Joseph Goebbels, ministre de la Propagande du Troisième Reich.

C'est en 1930 que Goebbels, alors gauleiter du parti national-socialiste pour Berlin, a fait la connaissance d'une jeune et jolie divorcée, Magda Quandt. Magdalena était née des amours d'une servante, Augustina Bernhardt, avec son employeur, un riche ingénieur, Oscar Ritschell, qui régularisa la situation. Mais ses parents se séparèrent quand elle eut trois ans et sa mère se remaria avec un Juif, Max Friedlander, qui lui a donné son nom. Magda Friedlander reçut une excellente éducation dans les meilleurs internats d'Allemagne et de Belgique et se lia d'amitié avec l'une des plus brillantes élèves du lycée de Berlin, Lisa Arlosoroff, dont elle se mit à fréquenter la famille, notamment la sœur de Lisa, Dora, et son frère, qui se prénommait alors Victor avant de devenir Haïm. Chez les Arlosoroff elle entendit souvent parler de la Palestine et de projets d'installation de la famille dans quelque kibboutz. Se sentant elle-même demi-juive, elle envisageait d'aller les y rejoindre. Mais, à 18 ans, la belle Magda s'éprit d'un riche industriel allemand, Günter Quandt, qu'elle épousa lorsque Victor Haïm Arlosoroff partit émigrer en Palestine. Elle divorça quelques années plus tard et trouva une occupation de « permanente » au parti de Hitler. En 1931, elle devenait Mme Joseph Goebbels, avec le futur chancelier pour témoin. Hitler a dû par la suite intervenir plusieurs fois pour sauver le couple de la mésentente. Peu avant son accession à la Chancellerie, le 31 janvier 1933, Magda a une vive dispute avec son mari, au cours de laquelle elle lui révèle sa filiation et surtout ses affinités juives. Elle lui apprend notamment que son premier ami de jeunesse fait fonction de ministre des Affaires étrangères de l'Agence juive pour la Palestine.

Goebbels se met alors à faire rechercher et liquider tous les témoins du « passé enjuivé » de sa femme – à laquelle il fera coup sur coup pas moins de six enfants... En mars 1933, le beau-père de Magda, Max Friedlander, est enlevé par la Gestapo. Nul ne le reverra. D'autres anciens amis de Magda disparaissent de Berlin à tout jamais. Et voilà que, à la fin d'avril, on annonce la prochaine arrivée du Dr Arlosoroff, de Tel Aviv via Londres. Il a même l'audace de faire demander une audience pour lui auprès de Magda Goebbels. Et il l'écrit à sa femme dans une lettre retenue par la censure allemande, comme toutes celles qu'il va lui adresser durant son séjour et dont aucune ne parviendra à sa destinataire, qui, à son retour, le 13 juin, lui en montrera quelque dépit – jusqu'à sa bouderie du soir fatal du 16 juin sur la plage de Tel Aviv...

Renseigné par la censure et sans doute aussi par quelques filatures, le ministre du nouveau régime ne pouvait se permettre de faire supprimer en Allemagne même une personnalité officielle protégée par un passeport britannique sans risquer à la fois des complications d'ordre diplomatique et de fâcheuses révélations sur les relations passées de sa femme. Mais, d'autre part, l'éventualité envisagée par Arlosoroff d'une navette entre Tel Aviv et Berlin et d'une prise de contacts avec les autorités du Reich pouvait lui paraître receler des périls insoupçonnables pour sa carrière dans la hiérarchie nazie.

Or, Goebbels n'ignorait pas que deux agents de la Gestapo se trouvaient justement en mission à Jérusalem. Ils y étaient arrivés le 5 avril – trois semaines avant le départ d'Arlosoroff pour l'Europe – et s'étaient présentés au consul allemand, le Dr Friedrich Wolf, en expliquant qu'ils cherchaient la cache où les soldats allemands du maréchal von Sanders auraient enfoui un trésor de guerre, dans les montagnes de Jenin, en Samarie, au cours de leur retraite de 1918. Le 2 mai, les deux étranges chercheurs rendent leur visite d'adieu au consul : mission terminée sans résultats apparents, ils lui annoncent leur prochain retour en Allemagne. Le consul gardera le souvenir de cette bizarre démarche, dont les dates coïncident avec les préparatifs et le départ d'Arlosoroff pour Berlin. Préparatifs et départ dénoncés d'ailleurs en termes vifs par les activistes du Betar et des Biryonim.

Quelques indices laissent penser aujourd'hui que les deux émissaires nazis d'avril 1933 avaient pris contact avec les membres de la communauté allemande qui peuplaient alors le village de

Sarona, à la lisière de Tel Aviv, et où siège à présent le quartier général de la Défense israélienne à la Kyria. La section du parti national-socialiste y était à l'époque très influente et très active et entretenait de bons rapports avec les leaders nationalistes arabes groupés autour du grand mufti de Jérusalem.

Il nous paraît très vraisemblable que, après en avoir délibéré avec les deux envoyés de Berlin, les responsables de la section nazie de Sarona ont cherché à recruter un tueur à gages pour abattre Arlosoroff à son retour de Berlin. Ce tueur ne peut être qu'Issa Darwish, le compagnon de sortie d'Abd el-Majid, qu'il a entraîné le soir du 16 juin le long de la plage, en lui cachant l'objectif réel de cette balade nocturne. Le jeune plombier arabe de Jaffa a pu croire réellement qu'il s'agissait d'une partie de drague.

Trois éléments militent en faveur de la version de l'attentat maquillé, téléguidé par le maître de la propagande nazie :

– dans leur fuite, les deux agresseurs n'ont pas rebroussé chemin en direction de Jaffa, d'où ils étaient venus en longeant le littoral, désert et bosselé de dunes à l'époque, ce qui eût été le réflexe le plus naturel en cas de meurtre accidentel. Ils ont disparu vers l'intérieur, en direction précisément du quartier allemand de Sarona;

– entre le moment où ils avaient quitté la démonstration d'athlétisme du champion égyptien à Jaffa et celui où ils ont abordé le couple Arlosoroff à la sortie du restaurant Kete Dan, ils sont entrés dans plusieurs cafés de Tel Aviv comme s'il s'agissait d'autant de relais convenus pour des rendez-vous avec les organisateurs de l'attentat. Tout en consommant, ils semblaient, selon certains témoins, y attendre des ordres ou des mots d'ordre;

– le fait qu'Abd el-Majid ait dirigé le faisceau de sa lampe de poche sur le visage d'Arlosoroff – cela résulte des ultimes confidences du blessé à l'hôpital – à la demande de son compagnon qui, lui, a fait feu à bout portant, met en évidence à la fois la volonté d'identifier la victime et la préméditation du geste meurtrier.

Ainsi, dans cette hypothèse, Haïm Arlosoroff, l'un des rares leaders juifs de l'époque à avoir pressenti la catastrophe que la croix gammée triomphante faisait planer sur son peuple, apparaît comme le premier martyr de l'Holocauste en marche.

III
L'ESPRIT DE COMMANDO

Dans les premiers mois de l'année 1942, l'Afrikakorps du maréchal Rommel, bousculant sur le front égyptien les troupes britanniques du maréchal Montgomery en une ruée apparemment irrésistible vers le canal de Suez, campe de nouveau aux portes de la Palestine. Mais son avance est cette fois conjuguée avec celle de la Wehrmacht vers le Caucase, où les lignes soviétiques viennent d'être profondément entamées. Ce gigantesque mouvement de tenailles risque de faire éclater tout le Proche-Orient comme un fruit mûr et de faire tomber la Palestine et ses Juifs entre les mains des bourreaux du judaïsme européen.

Les plans stratégiques du haut commandement anglais considèrent en effet la région comme indéfendable. Si Rommel atteint le canal, il ne reste plus qu'à se retirer de la Palestine et à prévoir un vaste repli des forces britanniques jusqu'en Mésopotamie. Des rumeurs suffisamment précises circulent pour que le Yishouv puisse s'attendre à subir l'invasion. Certains Juifs, rescapés d'Europe, se ruent dans les pharmacies acheter du poison pour mourir plutôt que de tomber entre les griffes des nazis. La population arabe attend d'ailleurs l'arrivée des Allemands avec une apathie qui dissimule à peine une profonde jubilation. Non contents de ne pas observer le black-out, des Arabes couvrent les maisons juives de mystérieux signes à la craie.

Quand, en septembre 1940, les Palestiniens de toute origine

ont été admis à s'engager dans les forces impériales, il ne s'est pas trouvé 9 000 volontaires parmi les 1 200 000 Arabes de Palestine pour se présenter aux bureaux de recrutement : or, il y avait eu, dès septembre 1939, près de 90 000 hommes et plus de 50 000 femmes sur les 650 000 Juifs du Yishouv pour s'enrôler spontanément dans les rangs du service national chargé de fournir des munitions, des armements et des combattants, et pour contribuer, en dépit des obstacles administratifs, à l'effort de guerre de la puissance mandataire.

Pendant ce temps, les chefs nationalistes arabes n'ont même pas eu la patience d'attendre l'issue des combats pour choisir leur camp, tant la victoire de l'Axe leur paraît à portée de la main. Dès septembre 1940, le grand mufti de Jérusalem, el-Hadj Amine el-Husseini, a envoyé à Berlin son secrétaire privé pour demander à l'Allemagne et à l'Italie de reconnaître publiquement l'indépendance de tous les Etats arabes et leur droit à « régler la question juive dans l'intérêt national et populaire d'après le modèle allemand et italien ». Au printemps 1941, avec le prince Rachid Ali, qui a tenté un coup d'Etat pronazi en Irak, et Azziz-el-Misri en Egypte, il a lancé un véritable appel à la Guerre sainte contre l'Angleterre, privée à l'époque de tout allié, avant de passer lui-même en Allemagne et de lever en Yougoslavie occupée une division de SS musulmans. Les Syriens et les Libanais, sous mandat français, ont laissé le gouvernement de Vichy mettre leur territoire à la disposition de la Wehrmacht pour soutenir la rébellion irakienne et menacer sur ses arrières l'armée du prédécesseur de Montgomery, le maréchal Wavell, que les blindés de Rommel ont refoulée une première fois de Libye vers Alexandrie.

Pour la communauté juive de Palestine, la nouvelle offensive de Rommel, livrant bataille à El-Alamein, c'est, en ce début de 1942, la perspective du massacre général.

Face au péril, le haut commandement britannique passe pardessus la tête de l'administration mandataire pour accéder aux demandes réitérées des dirigeants du Yishouv de prendre une part plus directe et plus active à la défense de la région et pour s'entendre avec les deux organisations juives d'autodéfense, la Haganah, milice semi-officielle du mouvement ouvrier, et l'Irgoun, formation dissidente des révisionnistes : accord purement militaire et opérationnel, sans aucune contrepartie politique. On a déjà autorisé la constitution et l'entraînement d'unités spéciales pour des missions secrètes de reconnaissance et de sabotages derrière les lignes ennemies. La Haganah a créé en son sein des commandos d'élite affectés à la défense des kibboutz : le Palmakh. L'Irgoun met à profit la qualité exceptionnelle de ce recrutement pour organiser des unités composées de Juifs parlant parfaitement l'allemand ou l'arabe et appelées à demeurer, le cas échéant, en Palestine occupée par les forces de l'Axe pour y faire la guérilla.

A l'état-major du Palmakh, installé sur le mont Carmel, deux hommes préparent un plan que les initiés appellent « Massada II », en souvenir de cette forteresse des bords de la mer Morte dont les défenseurs juifs zélotes préférèrent se suicider collectivement plutôt que de retomber en esclavage : Ytzhak Sadeh, créateur du premier commando mobile avant la guerre contre les émeutes arabes et chef du Palmakh, et Yohanan Ratner, de l'état-major de la Haganah. Leur plan prévoit l'évacuation et le regroupement de toute la population juive de Palestine dans le nord du pays en cas d'invasion allemande en Egypte. Mais, contrairement à Massada, le plan Massada II, officiellement baptisé plan Haïfa, n'est pas un point final, mais le point de départ d'une résistance de longue haleine. Il s'agit d'organiser un vaste camp retranché à partir duquel des groupes de choc, armés et entraînés, opéreraient des raids et des sorties dans le reste de la Palestine occupé par l'ennemi, avec des maquis sur ses arrières. « Pour les Anglais, dit Sadeh, la Palestine n'est qu'une arrière-province; pour nous, elle est tout. »

Le plan prévoit l'emplacement de caches d'armes, l'implantation de points de transmissions et d'émetteurs clandestins, le minage de tous les ponts reliant la Palestine aux régions voisines. La réalisation de tous ces préparatifs de défense effectués conformément à ce plan servira plus tard à la guerre d'indépendance de l'Etat juif : quelques heures avant la proclamation de l'État d'Israël, le 14 mai 1948, tous les ponts minés ont sauté, ralentissant l'invasion du pays par cinq armées arabes.

Au printemps de 1942, le bureau des opérations spéciales du ministère de la Guerre à Londres décide de financer pour la première fois la création d'une Jewish Task Force en Palestine, placée sous le commandement du major T. B. Wilson. Une branche spéciale du quartier général du Moyen-Orient conclut un accord avec la Haganah pour créer un cadre de petites unités autonomes, capables d'effectuer des actions terroristes derrière les lignes germano-italiennes. Au terme de cet accord, un camp d'entraînement ultra-secret est organisé à Mishmar-Haemek, un kibboutz proche de Haïfa, où des instructeurs des services britanniques viennent enseigner aux équipes du Palmakh les techniques de sabotage, des raids de commandos et le maniement des explosifs. Les autorités britanniques locales sont soigneusement tenues à l'écart de ces préparatifs contraires à leur politique de neutralisation des communautés palestiniennes et d'apaisement vis-à-vis du nationalisme arabe.

Aussi, quand il arrive que la police arrête en flagrant délit de port d'armes et d'exercices des membres du Palmakh admis au camp de Mishmar-Haemek, faut-il recourir à une intervention spéciale pour obtenir leur libération. Un jeune capitaine des services de renseignements de l'armée britannique en poste au Caire est détaché comme officier de liaison entre la section des opérations spéciales et l'état-major de la Haganah, afin de résoudre ces difficultés. Il se nomme Aubri Eban et est originaire d'Afrique du Sud. Il sera mieux connu par la suite sous le nom d'Abba Eban lorsqu'il occupera les fonctions de ministre des Affaires étrangères d'Israël. Avec son sens de l'humour très britannique, il racontera plus tard cet épisode : « Je devais obtenir mon détachement du commandant de la section des opérations spéciales au Caire, le colonel Dumwill, connu à la fois pour son courage et sa forte capacité de teneur en alcool. J'ai donc demandé audience à 10 heures du matin pour être sûr de le trouver encore en état de sobriété. Malgré la présence sur sa table d'une grande carafe de whisky, tout s'est bien passé. Je suis ressorti de son bureau avec le titre impressionnant d'officier de liaison entre le S.O.E. et l'Agence juive pour la Palestine. »

En fait, Londres s'est intéressé dès la fin de 1939 à la possibilité de faire appel à la collaboration des forces d'autodéfense du Yishouv qui, depuis les trois grandes vagues de troubles arabes fomentés en 1921, 1929 et 1936, avaient été alternativement tantôt interdites et réprimées, tantôt tolérées, voire encouragées par l'administration du Mandat. A l'insu de cette dernière, des contacts ont été établis à cette époque entre la direction du S.O.E. et les représentants de l'Agence juive présidée par David Ben Gourion. Une première rencontre secrète a eu lieu en Roumanie entre David Hacohen et des agents de l'Intelligence Service. Ceux-ci voulaient connaître les possibilités de l'Agence juive de recruter des candidats parlant des langues balkaniques pour d'éventuelles opérations en Europe centrale.

Vers la fin de l'année 1940, après la chute de la France, les services britanniques se décident à confier des missions secrètes à des volontaires juifs de Palestine devant la nouvelle menace que ferait peser l'utilisation par les forces de l'Axe des bases importantes cédées par le gouvernement de Vichy au Levant. La décision est prise à Londres, en avril 1941, d'intervenir au Liban et en Syrie avant qu'il soit trop tard. Nom de code de l'opération : « Exporter ». L'état-major, qui redoute l'arrivée imminente d'escadrilles germano-italiennes en Syrie, estime indispensable de commencer par faire sauter les raffineries de Tripoli, au Liban, pour couper l'approvisionnement en pétrole des forces de Vichy et de l'aviation ennemie. C'est alors qu'il se tourne vers la Haganah, dont les plus actifs des membres se trouvent déjà incorporés dans l'armée britannique, dont d'autres sont en prison à cause de leur activité clandestine réprimée avec acharnement par l'administration mandataire, et qui est, pour ces raisons, en train de procéder à une réorganisation interne.

Le 15 mai 1941, le comité national de la Haganah se réunit en effet pour décider la création d'une formation spéciale dont il pourrait disposer en permanence : des troupes de choc, en hébreu Plougot Hamahatz, dont l'abréviation, Palmakh, fournira la dénomination. On prévoit de constituer neuf compagnies de 30 volontaires, essentiellement recrutés dans les kibboutz. Disséminées aux quatre coins du pays, ces unités opérationnelles relèveront directement du quartier général de la Haganah, et seront placées sous le commandement d'un officier de coordination, le déjà légendaire Ytzhak Sadeh, le premier « vieux » de l'histoire des forces de défense juives.

Jusqu'en 1937, celles-ci étaient limitées, du fait de leur statut semi-clandestin et de la politique de modération préconisée par les responsables de l'Agence juive, à des opérations de défense purement statique. Devant les proportions prises par la nouvelle vague d'émeutes arabes contre ce que les chefs nationalistes à la solde des puissances de l'Axe appelaient le statut préférentiel des Juifs en Palestine, Sadeh venait de constituer à Jérusalem une unité mobile échappant à la stratégie défensive conventionnelle et douée de capacités offensives en dépit de son armement dérisoire. Il y professait ce qu'il appelait le « sens de l'irresponsabilité » : savoir ne pas se conformer aux règles, deviner ce qui peut et doit être fait, être capable d'initiatives... Puis il avait pris le commandement des unités de police rurale – le POSH – autorisées par l'administration britannique de la Palestine à opérer contre les bandes d'irréguliers arabes qui, à partir de 1938, se sont mises à semer la terreur dans les campagnes et à transformer la prétendue révolte nationaliste en anarchie totale. Bandits et mercenaires venant de Syrie, et plus ou moins contrôlés par un chef levantin surnommé « le Mouron rouge », attaquaient les voitures sur les routes, saccageaient villages juifs et arabes, massacraient les notables du clan arabe modéré, multipliaient les exactions dans les zones de colonisation juive et mettaient même le feu aux installations britanniques. Tant que les pillards se contentaient de brûler vif, en une nuit, dix-neuf Juifs de Tibériade — dont dix enfants —, l'armée britannique restait l'arme aux pieds. Mais quand ils s'en sont pris au pipe-line transportant le pétrole d'Irak à Haïfa, par des attentats de plus en plus réguliers, le haut-commissaire, sir Arthur Wauchope, a autorisé la Haganah, alors semi-légale, à former une police rurale de 16 000 supplétifs et à fournir des vigiles à une nouvelle formation militaire, la Special Night Squad — escouade spéciale de nuit —, mise sur pied par un officier de renseignement, le capitaine Charles Orde Wingate.

Cet Ecossais de 33 ans, qui ne se séparait jamais de sa Bible, de son revolver et de sa flasque de whisky, avait été envoyé en Palestine dans les derniers mois de 1936 en tant qu'expert des questions arabes capable de lire le Coran dans le texte. Il était arrivé avec tous les préjugés du Colonial Office contre la colonisation sioniste de la Palestine, mais dans la chambre du Savoy Hôtel, à Haïfa, où il avait établi son P.C., il a d'abord relu la Bible et, au contact de la réalité, il s'est, en moins de quatre mois, vivement converti à la cause des kibboutz. Nommé « Intelligence officer » au quartier général à Jérusalem, il a écrit le 31 mai 1937 à Weizmann : « A vous qui êtes chef du mouvement sioniste, je désire offrir nos services. »

Accueillis d'abord avec méfiance par les dirigeants de la Haganah, ces services lui ont finalement valu de rester dans l'histoire sioniste comme le « Lawrence de Judée ».

Devant la vanité de l'action entreprise par les autorités pour réduire les bandes arabes par l'emploi de forces régulières, dont la rigidité n'était pas adaptée à cette forme de guérilla sauvage, il avait proposé à ses supérieurs d'organiser des éléments de patrouilles nocturnes, les S.N.S., recrutés dans les rangs de la police supplétive juive, encadrés par des officiers britanniques et opérant à partir des kibboutz, avec, pour objectif déclaré, la protection du pipeline de Galilée. Ayant obtenu le feu vert, Wingate installa le P.C. de cette force nouvelle composée de trois compagnies juives et une britannique au kibboutz Ein Harod, où il allait enseigner à toute une génération de combattants juifs l'art de mener des attaques d'envergure avec de petites unités mobiles, de tirer parti de la nuit, d'utiliser toutes les ruses et toutes les diversions pour effectuer chez l'ennemi des raids audacieux et imprévus.

Le Haganah lui a envoyé ses meilleurs hommes, qui faisaient partie de la milice rurale d'Ytzhak Sadeh, et il a conduit lui-même de multiples coups de main contre les villages arabes de Haute-Galilée où se retranchaient les bandes du Mufti et du Mouron rouge. Admiré de ses hommes, surnommé en hébreu

« l'Ami » par les chefs de la Haganah, il a pratiquement formé les futurs cadres du Palmakh et son nom sera donné plus tard à des rues de nombreuses cités d'Israël. Son empreinte aura duré beaucoup plus longtemps que son bref passage à Ein Harod.

Le 23 janvier 1939, en effet, une conférence des officiers de l'Intelligence Service au quartier général de Jérusalem a considéré comme indésirable le maintien d'éléments juifs du Yishouv sous les chapeaux de brousse australiens des S.N.S. : « Nous ne devons pas provoquer les Arabes en nous servant de Juifs dans nos actions offensives contre leur rébellion. » En mai 1939, Wingate a été rappelé en Angleterre, d'abord pour servir dans une batterie anti-aérienne, puis pour aller se couvrir de gloire en Birmanie...

« On m'a fait quitter le pays que j'aime, dit-il dans son message d'adieu en hébreu aux commandos de la nuit. Je suppose que vous savez pourquoi. On m'a muté parce que nous sommes devenus de trop grands amis. Je vous promets de revenir, et si ce n'est pas par la voie régulière, je reviendrai en tant que réfugié. »

Un stupide accident d'avion empêchera Wingate, devenu général, de tenir sa promesse. Du moins son exemple aura-t-il profondément marqué et inspiré les six premiers commandants du Palmakh nommés dans les jours qui ont suivi sa création le 15 mai 1941.

Avant même que le Palmakh ait eu le temps de s'organiser, le S.O.E. lui demande le contingent de saboteurs nécessaire pour l'expédition contre les raffineries de Tripoli. L'opération est montée avec une telle précipitation que les Anglais n'ont même pas pu faire venir les armes de leur quartier général égyptien – car il n'est pas question d'utiliser les arsenaux locaux pour ce genre de mission secrète. La Haganah doit donc sortir de ses caches ses propres armes illégales pour équiper le groupe de vingt-trois volontaires levés hâtivement parmi les meilleurs éléments du Palmakh en gestation. David Hacohen proteste auprès de Sadeh :

– On risque de les envoyer stupidement à la mort.

– C'est une question d'urgence, répond Sadeh. L'offensive est imminente et il faut priver l'ennemi de carburant.

Le groupe embarque le 18 mai à bord d'un garde-côte, le *Sea Lion*, sous les ordres du major Anthony Palmer. Sa radio se taira pour toujours après avoir annoncé une heure plus tard son arrivée dans les eaux libanaises. On en cherchera vainement la trace après la conquête de la Syrie et du Liban.

« Ils étaient pour nous la crème de la crème, dira l'enquêteur de la Haganah, Joseph Fein – le père du futur chef de l'aviation israélienne de 1967, Motti Hod –, à un haut fonctionnaire français surpris de tant d'acharnement mis à la recherche d'un témoignage sur le sort des 23 disparus. C'est comme si votre armée avait perdu d'un coup ses 23 meilleurs généraux. »

Fein ne retrouvera qu'un pantalon aux initiales de l'un d'eux, Arieh Gelbard. Une station de radio allemande captée à la fin de juin 1941 aurait évoqué l'arraisonnement par un sous-marin italien d'un bateau de Juifs et d'Anglais. Un certain commandant Sollages aurait fait enterrer, selon un témoin, sept cadavres trouvés sur une plage libanaise à la fin de mai 1941.

Un autre témoin dira tenir d'un magistrat de Vichy en poste à Tripoli qu'un groupe de prisonniers palestiniens a été transféré le 22 mai à Alep. Il semble, en fait, que le *Sea Lion* ait été détruit par les explosifs qu'il transportait à la suite de l'attaque d'une patrouille vichyste. Les rescapés auraient été effectivement transférés à Alep et sommairement exécutés. Il n'existe aucun dossier à ce sujet dans les archives françaises...

Le 8 juin, à la veille de l'offensive contre les forces vichystes au Levant, le S.O.E. envoie en éclaireurs les deux premières compagnies du Palmakh avec mission de couper les lignes téléphoniques, d'ouvrir des voies de passage aux unités australiennes de reconnaissance et de s'emparer d'un certain nombre de ponts : la compagnie A, commandée par Ygal Allon, du kibboutz Guinossar, et la compagnie B, commandée par un jeune soldat laboureur de Nahalal, à peine libéré de la prison de Saint-Jean-d'Acre, où il purgeait une peine de dix ans de détention pour constitution illégale d'un groupe franc clandestin : Moshe Dayan. Au pont d'Iskandrun, à 20 km de Rosh Hanikra, la compagnie B est accrochée par la garnison de Fort-Gouraud. C'est là qu'une balle française frappe la jumelle de Dayan et lui arrache l'œil gauche.

A la même époque, l'un des fondateurs de l'Irgoun, constituée en 1935, en rupture avec la politique temporisatrice de la Haganah, David Raziel, à peine libéré, lui aussi, du camp d'internement de Latrun, a trouvé la mort à Bagdad dans une tentative d'enlèvement du grand mufti montée par l'Intelligence Service.

Au cours de l'année suivante, 600 combattants du Palmakh suivent les exercices de sabotage au camp de Mishmar Haemek prévu pour l'entraînement de 100 agents seulement, en alternant les uns avec les autres sous une même fausse identité.

Au début de 1943, 250 volontaires, dont des femmes, sont envoyés dans un camp en Egypte pour s'initier aux techniques du parachutage et des transmissions. Les uns, de culture germanique, forment un commando qui, revêtu d'uniformes de la Wehrmacht, doit être parachuté en Libye derrière les lignes de Rommel. Les autres, de culture judéo-arabe, forment la section arabe.

La « section allemande » du Palmakh n'aura pas l'occasion d'entrer en action, l'Afrikakorps battant rapidement en retraite sur la Tunisie. Trente-deux de ses membres seront parachutés en Yougoslavie et en Italie pour tenter d'organiser dans les Balkans une résistance juive et un réseau de renseignement. Vingt-quatre seulement arriveront à destination. La plupart seront capturés par les Allemands, telle l'héroïne Hannah Senesh, torturée et fusillée à Budapest, sa ville d'origine, en 1944...

Cette année-là, le danger allemand ne pesant plus sur le Proche-Orient, les Anglais rompent les ponts avec le Palmakh, qui, en une nuit, doit précipitamment retourner à la clandestinité. Mais, aguerri par l'esprit de commando, il va jouer un rôle de premier plan dans la lutte contre le blocus britannique des côtes de Palestine, qui interdit de nouveau l'immigration juive. En novembre 1947, ses 2 000 membres seront en fait la seule force mobilisée en permanence au service du futur Etat juif. « Avec 3 000 hommes de plus, dira plus tard l'un d'eux, Ytzhak Rabin, la guerre d'indépendance eût été gagnée à moindre prix. »

Privé de budget, le Palmakh, pour continuer d'entretenir ses unités, les faisait travailler à mi-temps, quinze jours par mois dans les kibboutz, les transformant peu à peu en troupe de choc de la gauche socialiste. Obnubilé par les germes de dissidence, sur sa gauche comme sur sa droite, Ben Gourion se hâtera de dissoudre le Palmakh – l'élite de son armée au combat – après avoir éliminé l'Irgoun à la faveur de la guerre. Mais le Palmakh aura imprimé sa marque et son style sur toute une génération – celle de 1948 : ni galon ni salut, le signe distinctif du commandement étant le cri de ralliement « suivez-moi » lancé par le responsable de l'opération à la tête de son unité; pas d'abandon de blessés sur le terrain – ni même de morts aux mains de l'ennemi, car « un combattant qui sait ses camarades prêts à se sacrifier pour le secourir n'aura jamais peur », dira Arik Sharon, sauvé lui-même de justesse pendant la bataille de Latrun –; « d'abord être forts, ensuite seulement avoir raison », restera l'un des slogans repris en chœur autour des feux de camp par des « camarades » s'appelant toujours entre eux par le petit nom...

L'esprit de commando légué par le Palmakh à Tsahal subsistera tout au long de l'histoire militaire d'Israël : opération de représailles de l'unité 101, entraînement parachutiste obligatoire pour tous les officiers, commandos de marine, traversée du canal de Suez en octobre 1973 que Sharon qualifiera « d'opération de commando à l'échelle d'une division », raid sur Beyrouth, raid sur Entebbe...

Le comportement politique des éléments les plus radicaux du Palmakh relevait plus, en fait, de l'esprit de corps que de l'esprit de parti. On le retrouvera plus tard aussi bien parmi les super-colombes que parmi les boutefeux du Grand Israël. Les craintes injustifiées de Ben Gourion et leur mise à l'écart n'auront laissé qu'amertume et ressentiment chez ces héros de l'indépendance d'Israël. Et les querelles de personne auront d'ailleurs pris le pas sur les divergences politiques ou idéologiques. Ainsi des deux disciples préférés du vieil Ytzhak Sadeh : le borgne Moshe Dayan et le timide Ygal Allon, général à 30 ans, qui fit prisonnier un certain Gamal Abdel Nasser en 1948 dans la poche de Falouja. Rivaux en politique comme à l'armée, ils se disputeront en 1969 la succession du Premier ministre Levi Eshkol – qui échoira en fin de compte à Golda Meir – et ils se retrouveront face à face en juin 1977 pour une très brève cérémonie de passation de pouvoirs en se succédant à la tête du ministère des Affaires étrangères...

Comme tous les dirigeants israéliens, ils ont été opposés l'un à l'autre non seulement par l'ambition personnelle, mais aussi par les maladies infantiles d'une autre pépinière de cadres, le Shay, premier service de renseignement de la Haganah, dont Ben Gourion allait faire une police secrète au service de son pouvoir.

« Le Shay est partout, écrit l'un de ses anciens chefs, Isser Harel, resté longtemps le n°1 des services israéliens. Personne ne sait quand, comment, ni où est né ce fantomatique service », dont on ne prononçait le nom qu'en tremblant.

Il suffit pourtant de remonter à la création en 1907 de l'Hachomer, le corps de gardiens, par les activistes du parti ouvrier de Ben Gourion et de Ben Zvi, pour en comprendre la genèse. Après la conquête britannique de la Palestine, l'Hachomer dissous – et qui n'avait jamais compté qu'une centaine de membres, mais très influents sur le plan idéologique – a donné naissance à la Haganah, fondée par V.Z. Jabotinsky sur le modèle de l'Armée rouge créée par Trotski, mais soumise aux autorités civiles du Yishouv. La Haganah était dirigée par un comité national de six membres – trois représentants de la Histadrout fondée en 1921 par Ben Gourion et trois du secteur privé – avec, en propre, un quartier général opérationnel. Progressivement, la Histadrout en a assuré la direction suprême, confiée à un homme d'appareil choisi tour à tour parmi trois beaux-frères qui avaient épousé les trois sœurs : Eliahu Golomb, ancien de l'Hachomer, Dov Hoz et Shaül Meyerov-Avigour, ancien compagnon du général manchot Joseph Trumpeldor... En 1935, Avigour a succédé à Dov Hoz et installé le premier siège permanent de la Haganah dans la pièce n° 33 du bâtiment de la Histadrout à Tel Aviv, où il a centralisé tous les renseignements émanant des commandements locaux sur un service d'information, le Sherut Yediot – en abrégé Shay. Il a nommé Reuven Shiloakh à un poste à mi-solde de rédacteur d'un bulletin confidentiel. En fait d'information, il s'agissait de renseignement, d'intoxication et de contre-espionnage. Les agents de cette centrale ultra-secrète, embryon de la plupart des futurs services israéliens, se chiffrèrent bientôt par milliers : la quasi-totalité des inspecteurs et officiers juifs de la police palestinienne, à l'insu de leurs supérieurs anglais et de leurs collègues arabes, les fonctionnaires des postes, les standardistes, les employés des grands hôtels, les journalistes, les secrétaires, les garçons de café, les hauts cadres juifs de l'administration britannique... Des tables d'écoute clandestines étaient branchées en permanence sur les lignes des responsables militaires et civils du gouvernement mandataire.

Israël Amir, le premier patron tout-puissant à diriger cette armée d'ombres, avait nommé Isser Harel secrétaire du département juif du Shay, chargé en fait de la chasse aux dissidents et de la liquidation des traîtres. L'impossibilité de recourir à des procédures juridiques conduisait parfois à des exécutions sommaires. Les hommes du Shay allèrent jusqu'à livrer à leurs adversaires britanniques les dissidents traqués de l'Irgoun et du Lehi, ce groupe extrémiste des « Combattants pour la liberté », né en juin 1940 d'une scission de l'Irgoun, à qui son chef, Abraham Stern, reprochait d'accorder la priorité à la lutte antinazie.

Sans avoir jamais ouvert un manuel de guerre secrète, Isser Harel a découvert tout seul le principe de toute action clandestine : la compartimentation. Ce principe a permis aux chefs de la Haganah de se soustraire à la vaste opération de rafle et de ratissage entreprise par l'armée britannique pour tenter de liquider militairement l'aventure sioniste le samedi 29 juin 1946, qui restera dans l'histoire de la résistance juive en Palestine sous le nom du « Sabbat noir ». Mais la riposte est alors venue de l'Irgoun de Begin qui, le 22 juillet suivant, a fait sauter l'hôtel King David à Jérusalem, quartier général des forces britanniques. De Paris le commandant en chef de la Haganah avait donné son accord.

C'est à ce moment-là que la Haganah a basculé dans la lutte à outrance contre l'administration mandataire, rejoignant par d'autres voies, après les avoir combattus, les « terroristes de la bande Stern », qui, deux ans plus tôt, avaient assassiné le ministre résidant de Grande-Bretagne au Caire.

IV
« TUEZ LE MINISTRE ! »

Ce meurtre, Abraham Stern, dit Yaïr, y avait pensé dès la nomination d'un ministre d'Etat au poste de résident général pour le Proche-Orient, au printemps de 1941. Il n'y avait pas un an qu'il s'était séparé de l'Irgoun Zvaï Leoumi, en abrégé Izl ou Etsel, l'Organisation militaire nationale, elle-même issue de la Haganah B ralliée à Jabotinsky entre 1931 et 1937. Conformément à l'orientation donnée par ce dernier au début de la guerre, l'Irgoun avait décidé de tout subordonner à la lutte contre Hitler. Stern s'était élevé contre cette trêve qui alignait les positions des nationalistes révisionnistes sur celles des socialistes internationalistes de la Haganah et de l'Agence juive. Il professait que les Juifs n'avaient pas à cesser leurs actions contre l'impérialisme britannique qui occupait la Palestine et en interdisait l'accès aux Juifs persécutés d'Europe. Entraînant avec lui des personnalités de qualité et de caractère, il avait formé un petit groupe d'« ultras » qui prit plus tard le nom de Lohame Herout Israel (Lehi).

Tandis que le chef de l'Irgoun, David Raziel, se mettait au service des Britanniques, qui l'avaient interné au camp de Latrun, et que Menahem Begin, libéré des camps soviétiques avec les Polonais de l'armée Anders sur l'intervention du maréchal Sikorski, chef du gouvernement en exil à Londres, prenait la relève de Raziel, tué en mission à Bagdad, Stern et sa poignée de partisans étaient pourchassés de refuge en refuge, isolés, coupés de la majorité du Yishouv. Surpris dans une cache de Tel Aviv, il y fut abattu par la police en février 1942.

Internés près de Saint-Jean-d'Acre, puis transférés à leur tour au camp de Latrun, ses compagnons réussirent une évasion spectaculaire le 1er novembre 1943, au moment où le Très Honorable Walter Edward Guinness, lord Moyne, 65 ans, dont la bière avait fait la fortune (Guinness is good for you), s'apprêtait à prendre ses fonctions de ministre résidant du gouvernement de Sa Majesté au Proche-Orient, sur proposition du Premier britannique Winston Churchill. Dès sa nomination en janvier 1944, les rescapés du comité central du Lehi se réunirent clandestinement pour le condamner à mort. Ils avaient décidé de passer à l'action contre les Anglais en s'en prenant non plus à leurs bâtiments et à leurs installations en Palestine, mais, conformément à l'idée initiale de Stern, à leurs hommes et notamment à leurs représentants dans tout le Royaume-Uni, à titre de responsables ou de symboles de leur politique impériale.

Selon l'acte d'accusation dressé par le bulletin interne du Lehi de février 1942, le nouveau ministre résidant au Caire était à la fois l'un et l'autre. Lord Moyne était considéré comme responsable de la stricte application du livre blanc fermant les portes de la Palestine aux Juifs qui fuyaient l'Europe, en tant que directeur du Colonial Office en 1941. Il lui était notamment imputé la décision d'empêcher le débarquement en Turquie des réfugiés du *Struma*, un bateau à bestiaux du Danube qui avait touché le port d'Istanbul le 16 décembre 1941, avec à son bord 769 Juifs dont 250 femmes et 70 enfants. Au bout de deux mois, le *Struma* avait été refoulé en mer Noire où il sombra corps et biens sans recevoir le moindre secours — il n'y eut qu'un seul survivant pour relater la tragédie... Enfin, il était fait grief à lord Moyne d'avoir officiellement blanchi la police britannique de l'assassinat de Stern.

L'un des chefs du Lehi, Nathan Yalin-Mor, ajoutait à ce réquisitoire le fait que, dans un discours à la Chambre des lords, Moyne avait nié l'existence même du peuple juif.

Déguisé en rabbin orthodoxe, l'organisateur de l'évasion du camp de Latrun, Ytzhak Shamir, ordonna dans ces termes l'exécution de la sentence : « On n'écrase pas la queue d'un dragon, mais sa tête. Qui est la tête du dragon ? C'est lord Moyne. Il a rang de ministre d'Etat. Il représente au Caire le gouvernement de Londres pour tout le Proche-Orient. Plus encore que le haut-commissaire en Palestine, il incarne la politique antisioniste de l'Angleterre. C'est qu'il lui faut abattre. Tuez le ministre ! »

Les deux hommes choisis pour cette mission se prénomment

tous les deux Eliahou. L'aîné, Eliahou Bet-Zouri, dit Zéboulon, a 22 ans et il est aussi blond qu'Eliahou Hakim, dit Benny, 17 ans, est brun. Le premier est un intellectuel natif de Tel Aviv. Le second a quitté Beyrouth avec sa famille à l'âge de 6 ans et il a le physique d'un Arabe. Tous les deux ont été traumatisés par la pendaison en juin 1938 du premier Juif exécuté par les Anglais en Palestine pour un acte de représailles lors des émeutes arabes. Mais, surtout, Eliahou Hakim a gardé le souvenir du dramatique naufrage du *Patria,* le 25 novembre 1940, dans le port d'Haïfa. Ce navire s'apprêtait à appareiller pour l'île Maurice avec 1 800 réfugiés interceptés à leur arrivée et dont les Anglais venaient d'ordonner la déportation dans l'océan Indien pour briser le mouvement d'immigration clandestine. La Haganah avait décidé de saboter ses machines, mais une erreur de calcul du responsable de l'opération, Shaül Meyrov-Avigour, avait transformé le sabotage en catastrophe : le *Patria,* déchiré par l'explosif, sombra en douze minutes et 252 passagers périrent déchiquetés ou noyés à 100 mètres des quais. Sur les pentes du Carmel, un enfant de 14 ans a suivi le spectacle à la jumelle : des corps de femmes sans bras ou sans tête flottant sur l'eau et halés dans des barques à l'aide de gaffes et de crocs à poissons. Il se nommait Eliahou Hakim.

Décidé à venger ces martyrs, il s'était engagé dans l'armée britannique pour s'initier au maniement des armes. Devenu tireur d'élite, il venait, au mois de décembre, de déserter de son cantonnement en Egypte pour offrir ses services au Lehi. C'est sous son uniforme et avec ses armes qu'à la fin de l'été de 1944 il retourne au Caire, sous une identité différente. Il y étudie à loisir les habitudes, les itinéraires et l'emploi du temps du ministre résidant. Le 20 octobre, l'autre Eliahou vient le rejoindre sous l'identité d'un permissionnaire dont il a emprunté l'uniforme et les papiers... sur une plage.

Le 6 novembre, la limousine de lord Moyne s'arrête ponctuellement à 12 h 45 devant la porte de la résidence abritée sous des massifs de bougainvillées, un peu à l'écart de la route. Il fait une chaleur accablante : le thermomètre marque 45°. L'aide de camp descend ouvrir le portail de la villa. De l'embrasure où ils se dissimulaient, deux hommes armés de revolvers bondissent vers la voiture. L'un est blond comme un Anglais, l'autre brun comme un Egyptien. Le brun ouvre toute grande la porte arrière et tire trois fois sur le passager qu'il tue du premier coup. Le blond décharge son arme sur le chauffeur qui tentait de se dégager. Mission accomplie, Benny et Zéboulon sautent sur leurs bicyclettes, mais les appels de l'aide de camp attirent l'attention d'un motard de la police égyptienne qui passait sur la route. Le policier rattrape les deux fugitifs sur le pont du Nil, les somme de s'arrêter, et, comme les cyclistes n'obtempèrent pas, il ouvre le feu et touche le blond. L'autre se retourne, et comme il a ordre formel de ne pas tirer sur un Arabe, il descend de bicyclette pour se précipiter au secours du blessé au lieu de riposter. Pris à partie par la foule, les deux Eliahou se laissent désarmer sans résistance.

La nouvelle de l'attentat éclata comme une bombe, reléguant dans l'ombre la réélection du président américain F.D. Roosevelt. « Partout dans le monde entier, note dans ses Mémoires Yalin-Mor, on se posait la même question : pourquoi ? Pourquoi avoir fait cela ? Pourquoi deux jeunes Juifs de Palestine avaient-ils tué un ministre d'Etat britannique ? Questions pertinentes, en effet, questions capitales dont les réponses, depuis trop longtemps, se faisaient attendre. »

Les deux Eliahou, eux, attendirent trois jours pour donner leur véritable identité, exposer les motifs de leur action et révéler leur appartenance au Lehi — délai suffisant pour permettre aux membres du réseau contactés au Caire de prendre les mesures de sauvegarde nécessaires. Ils ne manifestèrent qu'un seul souci : celui d'être jugés en Egypte, par respect de la souveraineté égyptienne, et non déférés devant un tribunal militaire britannique. Cette façon d'opposer le sens de l'équité des juges arabes à la partialité des magistrats impériaux avait de quoi flatter l'amour propre des nationalistes égyptiens et mettre hors d'eux les Anglais qualifiés d'occupants. C'en était trop pour Churchill. Prononçant devant la Chambre des communes l'éloge funèbre de lord Moyne, dont il était l'ami depuis trente ans, le Premier britannique se laissa aller à des menaces :

— Si nos rêves en faveur du sionisme doivent finir dans la fumée des armes des assassins et si nos efforts n'aboutissent qu'à produire un nouveau monde de gangsters dignes de l'Allemagne nazie, alors nous serons nombreux à réviser nos positions.

La presse juive du Yishouv n'avait pas attendu ces menaces pour condamner unanimement ce « crime monstrueux ». L'Agence juive, Ben Gourion en tête, exhorta la population à faire la chasse aux terroristes et à les livrer aux autorités. Le président de l'Organisation sioniste internationale, Haïm Weizmann, écrivit de sa main à Churchill pour lui exprimer sa douleur et le supplier de ne pas rendre la collectivité juive de Palestine responsable des errements de quelques brebis galeuses, rejetées avec horreur par tous ses membres. Il alla jusqu'à ajouter publiquement qu'il souffrait plus de la mort de lord Moyne que de celle de son propre fils tombé au combat dans les rangs de la Royal Air Force deux ans plus tôt... Begin lui-même qui, à peine trois semaines auparavant, venait de signer un accord de coopération entre l'Irgoun et le Lehi pour reprendre la lutte contre les Britanniques, désavoua ouvertement cet acte de terrorisme comme contraire à l'esprit de cet accord, car il entendait confiner cette lutte au territoire palestinien.

Loin de ces tensions qui semblaient précipiter le Yishouv au bord de la guerre civile – car l'appel à la collaboration avec l'administration mandataire contre les éléments provocateurs heurtait la conscience de nombreux militants de la Histadrout, de combattants du Palmakh et même d'une fraction de la Haganah –, les deux meurtriers de lord Moyne s'apprêtaient à faire de leur procès une tribune politique exemplaire... et un appel à l'entente judéo-arabe contre l'impérialisme britannique !

Coupés de leurs familles, coupés de leur organisation, ils commencèrent par récuser l'avocat téléguidé en secret de Jérusalem par la Haganah, Asher Levitsky, pour plaider « une démence temporaire provoquée par les souffrances des Juifs d'Europe » et invoquer la pitié du tribunal. A l'ouverture de l'audience, le 10 janvier 1945, devant une cour militaire égyptienne, l'avocat déclara se retirer à cause du refus de ses clients d'adopter le système de défense qu'il préconisait. On ne pouvait pas mieux faire comprendre que ses véritables mandants se désintéressaient du sort des accusés. Ceux-ci trouvèrent des défenseurs en la personne de trois avocats arabes qui réussirent à émouvoir aux larmes les dignitaires égyptiens admis dans le prétoire. Les représentants de la presse ne furent pas admis, eux, à prendre note des déclarations des accusés et la censure militaire britannique retint leurs comptes rendus des débats.

Les deux Eliahou furent condamnés à mort le 18 janvier selon le précepte coranique : « Celui qui a tué sera tué. » Dès la publication du verdict, une vague de pétitions s'abattit dans les antichambres du roi Farouk, de Sa Majesté George VI, du président Roosevelt et du Pape pour obtenir leur grâce. Des étudiants égyptiens défilèrent au Caire au cri de : « Libérez les deux justiciers ! » C'est alors que, le 24 février, l'un des manifestants assassina le Premier ministre de Farouk.

Du coup, Churchill avait adressé un télégramme à l'ambassadeur de Grande-Bretagne en Egypte, lord Killern, après la condamnation des deux Eliahou, pour obtenir l'exécution de la sentence : « J'espère que la sentence sera appliquée, sinon nous irions droit à un risque de conflit entre l'Egypte et nous. » Le 26 février, il dit en présentant les condoléances de son gouvernement au roi Farouk : « Il fait peu de doute que les mesures de sécurité doivent être renforcées et, par-dessus tout, que l'exécution des décisions de justice à l'égard d'hommes reconnus coupables de crimes politiques doit être rapide et exemplaire. »

Le 2 mars, Farouk signait le décret d'application de la sentence. Le 22, Eliahou Hakim passa le premier à la potence. Il s'arrêta au pied de l'échelle, chanta la *Hatikva* et s'abandonna aux mains du bourreau. Eliahou Bet-Zouri fit de même trois quarts d'heure plus tard, mais refusa le secours du rabbin.

Leur conduite exemplaire dans le supplice fit une impression profonde en Egypte. Mais les Anglais s'opposèrent à ce que fussent exaucées leurs dernières volontés : être inhumés en Terre sainte, en Eretz Israël. Ils mirent des gardes dans le cimetière juif du Caire pour prévenir toute tentative de transfert de leurs corps en Palestine. Ils craignaient que leurs tombes ne deviennent un lieu de pèlerinage et une source d'inspiration pour les combattants de la liberté.

Leur sacrifice, pourtant, devait servir de modèle à d'autres fils du Yishouv, par-delà toutes les querelles idéologiques. Il guidera ainsi, quinze ans plus tard, la marche à la potence de l'espion Eli Cohen, qui sera pendu à Damas en place publique.

Il faudra plus de trente ans pour que le président Sadate accède enfin à la prière de la vieille Pauline Hakim, réitérée le 18 mars 1975 auprès du Dr Henry Kissinger, de voir son fils reposer au pied de la colline du Carmel : les dépouilles des deux Eliahou seront rapatriées en juin 1975 dans le cadre d'un échange de prisonniers, à la faveur de la négociation du dernier accord intérimaire entre Israël et l'Egypte. Un autre sacrifice viendra endeuiller de nouveau la famille Hakim le 18 mars 1978 : la mort, au cours de l'opération de ratissage au Sud-Liban, du sergent-chef Yaron Hakim, le neveu d'Eliahou.

Mais l'attentat contre lord Moyne aura surtout été, contrairement aux prévisions initiales de Ben Gourion, le signal d'une révolte qui gagnera peu à peu l'Irgoun et la Haganah à la résistance active contre la politique mandataire. Groupe restreint et ultra-clandestin, dont les chefs n'auront cessé de se relayer en prison jusqu'à l'indépendance, le Lehi aura fourni à la classe politique israélienne de très fortes personnalités, qui se seront singularisées non par une idéologie commune précise, mais par leur extrémisme de tout bord : à l'extrême gauche, Nathan Yalin-Mor, militant du mouvement de la paix prosoviétique, le romancier Amos Kenan du mouvement « La Paix maintenant »; à l'extrême droite, Gueoula Cohen, ancienne speakerine de la radio clandestine du Lehi devenue porte-parole de l'aile dure de Likoud à la Knesset, Ytzhak Shamir, président de l'actuelle Knesset...

Il reste que l'objectif lord Moyne avait peut-être été mal choisi par Shamir et Yalin-Mor. Avant sa nomination au Caire, Moyne avait, le 1er novembre 1943, présenté au cabinet britannique un mémorandum préconisant la reconnaissance d'un Etat juif sur le littoral palestinien équilibrée avec l'indépendance d'une Grande Syrie s'étendant du Liban aux deux rives du Jourdain. Le philosophe juif anglais sir Esaï Berlin révélera en 1973 que l'attentat a eu un effet contraire à la thèse de Yalin-Mor selon laquelle ce coup d'éclat aurait « réussi à briser le mur de silence élevé autour de la Palestine comme autour des camps d'extermination nazis ». Il a éloigné Churchill d'une solution de partage envisagée dès 1945 et qui eût pu éviter la guerre d'indépendance, les Arabes n'étant pas alors en mesure de s'y opposer par la force. Loin de changer de cap, le cabinet travailliste, qui a succédé à son gouvernement, a fermé la Palestine aux survivants de l'Holocauste, déterminant les forces vives du Yishouv à organiser une immigration clandestine de masse.

V

EXODUS 47 = SORTIE D'EUROPE 5707

Sur le million de Juifs européens épargnés à la fin de la guerre, 300 000 avaient une chance de se refaire une vie normale, c'est-à-dire de retrouver un foyer dans les pays d'où ils étaient originaires; 700 000, totalement déracinés, traînaient leur nationalité douteuse sur les routes d'Europe, épaves humaines flottant à la surface de la marée libératrice; parmi eux, 100 000 clochards de la mort, résidu apatride de l'holocauste de 6 millions des leurs, se trouvaient parqués dans des camps de « personnes déplacées » aménagés par les Alliés sur les lieux mêmes de leur martyre.

Seul, parmi les havres dont une expérience séculaire et cruelle leur avait enseigné la fragilité, le souvenir imaginaire de la lointaine patrie de leurs prières ou de leur mémoire était resté ineffaçable. Et maintenant que le monde entier semblait fermé à leur errance, cette image du pays perdu se précisait avec l'arrivée parmi eux des anciens partisans juifs, militants de mouvements sionistes, des rabbins de l'armée américaine, des anciens combattants de la Brigade juive incorporée dans l'armée britannique, des premiers émissaires du Yishouv, venus d'Eretz Israël — la Terre sainte — sur les pas des libérateurs.

Le 18 juin 1945, deux mois après l'horrible découverte des camps de la mort, un mois et dix jours après la capitulation du IIIe Reich, l'Agence juive pour la Palestine demande aux autorités mandataires 100 000 permis d'immigration pour ces 100 000 rescapés des grands massacres. Trois semaines plus tard, les électeurs britanniques portent au pouvoir les dirigeants du parti travailliste, traditionnellement favorables aux thèses sionistes sur l'essor du Foyer national juif. A son dernier congrès, le Labour s'est prononcé pour la levée immédiate des restrictions imposées par les livres blancs successifs à l'immigration juive en Palestine.

Pourtant, le nouveau Premier ministre, Clement Attlee, tarde à donner une réponse. Même quand il reçoit, deux mois plus tard, une lettre du président américain Harry Truman qui reprend à son compte la requête de l'Agence juive. Le 24 septembre, comme si de rien n'était, le Colonial Office convoque le président de l'Organisation sioniste mondiale, Haïm Weizmann, pour lui offrir généreusement les 1 500 derniers certificats d'admission en Palestine prévus au terme de la réglementation en vigueur depuis le livre blanc de 1939. Il faut attendre le 13 novembre pour connaître la position officielle du gouvernement travailliste par la bouche de son ministre des Affaires étrangères, l'ex-syndicaliste Ernest Bevin : il veut bien renouveler chaque mois ce quota de 1 500 certificats d'immigration, mais pas plus. La raison invoquée est, cette fois, l'éventualité d'un risque de pénétration soviétique au Moyen-Orient. En réalité, il s'agit de poursuivre la ligne de conduite des soi-disant experts des problèmes arabes, hantés par le mythe Lawrence.

Bevin propose toutefois la constitution d'une commission d'enquête anglo-américaine pour étudier simultanément la situation des réfugiés juifs et la question palestinienne. Histoire de ne pas trop s'aliéner les Etats-Unis dont l'aide est indispensable au relèvement économique de la Grande-Bretagne. Cette fin de non-recevoir va porter un coup fatal à la sorte de coopération intermittente instaurée en Palestine entre l'Agence juive et la puissance mandataire, à la faveur du combat commun contre le nazisme, et à la collaboration épisodique entre la Haganah et la police britannique mobilisée contre le terrorisme juif depuis l'assassinat de lord Moyne. Le 30 décembre 1945, le président de l'Agence juive, Ben Gourion, et le chef de son département politique, Moshe Shertok-Sharett, signifient au haut-commissaire de Grande-Bretagne la rupture de cette politique temporisatrice. Leurs troupes ne les ont d'ailleurs pas attendus : dès le 10 octobre, la Haganah a lancé un raid sur le camp d'internement d'Atlit, tuant pour la première fois un policier anglais, pour libérer 210 immigrants « illégaux » interceptés à leur arrivée. Elle a, depuis, fait sauter des patrouilleurs de la police maritime dans le port d'Haïfa. Et elle va enfin pouvoir consacrer toutes ses activités à lutter sur un seul front : contre le maintien de fait du blocus des côtes de Palestine par les successeurs de Chamberlain et de Churchill.

Le 2 mai 1946, le Premier Attlee annonce en effet le refus de son gouvernement de se conformer aux conclusions de la commission mixte d'enquête sans dissolution et désarmement préalables des organisations de résistance juives en Palestine. Les commissaires anglo-américains recommandaient, d'une part, l'octroi de permis d'immigration pour 100 000 Juifs des camps de personnes déplacées, d'autre part, une formule d'auto-administration progressive de la Palestine. Et ils repoussaient explicitement la condition préalable invoquée par Londres.

La longue et amère bataille qui s'engage alors pour sauver ces 100 000 Juifs du désespoir va devenir le front principal de la lutte de libération nationale des activistes du Yishouv jusqu'à l'indépendance d'Israël. Pour n'avoir pas accordé les 100 000 visas, les Anglais devront envoyer 100 000 soldats en Palestine, sans parvenir à endiguer le raz de marée des immigrants clandestins.

Suivant pas à pas la progression des armées alliées dans les décombres de l'Europe, de mystérieux émissaires étaient déjà à l'œuvre pour organiser leur évasion à travers les frontières et leur exode à travers la Méditerranée interdite. Ils montaient un véritable réseau qui recevait ses consignes d'une « centrale » créée avant la guerre et précipitamment reconstituée à l'approche de sa fin : le Mossad Aliya Beth, « Organisation de la montée B », c'est-à-dire de l'immigration non autorisée.

La création de ce service très spécial avait été décidée en 1937 au cours d'une réunion secrète à Tel Aviv des dirigeants du mouvement ouvrier, des kibboutz et de la Haganah, pour ne pas laisser le contrôle de l'immigration « sauvage » des Juifs persécutés d'Allemagne et de Pologne aux négriers sans scrupules et aux « aventuriers révisionnistes ». Ben Gourion, qui était allé négocier plusieurs fois à Londres un assouplissement des quotas annuels, avait mis trois ans à rallier ce point de vue défendu dès 1934 par une minorité du mouvement pionnier.

Le Mossad installa son centre à Paris et mit en place ses antennes aux quatre coins de l'Europe, envoyant des agents jusqu'au cœur de l'Allemagne nazie et de l'Autriche annexée pour y organiser un réseau d'immigration clandestine. Mais la guerre l'obligea bientôt à replier ses activités aux confins du Proche-Orient, en ne laissant qu'une antenne à Genève et en déplaçant son centre à Istanbul, ultime tête de pont permettant de secourir les rescapés de l'invasion des Balkans.

Dès mars 1945, le centre du Mossad s'est réinstallé à Paris, à deux pas du quartier général du général Eisenhower, avec, à sa tête, l'ancien « gardien » de Galilée, Shaül Meyerov-Avigour, l'un des trois beaux-frères de l'état-major de la Haganah : un homme taciturne, valétudinaire et quelque peu fantomatique, dont les yeux immenses semblent dévorer le visage. Il se tient le plus souvent tapi dans une modeste chambre d'hôtel, près de la place de l'Etoile, téléphonant aux quatre coins du monde et recevant ses rares visiteurs allongé sur son lit devant une tasse de thé – son seul luxe – qu'il aime préparer et servir avec cérémonial : c'est ce qu'il appelle se payer du bon temps. Il a eu plusieurs accrochages avec « son maître », Ben Gourion, qui, peu sensibilisé jusqu'à la guerre au problème de l'immigration « illégale », avait menacé de l'exclure de la Histadrout pour avoir fait venir un bateau clandestin de sa propre initiative. Il en aura d'autres. Notamment à propos des problèmes de défense qu'il reprochera à Ben Gourion de méconnaître, ce qui lui vaudra sa disgrâce après la guerre d'indépendance.

Le Mossad répartit alors ses activités en deux branches : la Brikha, chargée de l'acheminement des réfugiés depuis les camps de personnes déplacées jusqu'aux rivages de la Méditerranée, et la Ha'apala, à laquelle est confiée la rude tâche de leur faire traverser la mer...

La Brikha envoie ses agents aux points névralgiques pour organiser l'exode spontané de ces masses déracinées qui se sont mises en mouvement sans autre but que de fuir le théâtre de leur cauchemar. Elle établit son siège dans la synagogue presque millénaire de Prague, au carrefour de ces courants migratoires vers l'ouest et le sud, et dispose bientôt de 300 émissaires dans onze pays et d'un millier de guides et de convoyeurs recrutés sur place. Elle utilise tous les subterfuges pour rendre les frontières « perméables » ou se procurer des visas de transit.

La Ha'apala, de son côté, lance à la mer douze goélettes de moins de 250 tonnes, entre juillet et décembre 1945, et parvient ainsi à faire débarquer illégalement sur les plages de Palestine 4 500 premiers immigrants à partir de deux ports grecs et de six ports italiens. Dans les six mois qui suivent, elle en fait passer le double. Les 20 000 hommes de la Brigade juive, en cours de démobilisation, procurent au Mossad les camions de l'armée britannique et le matériel des surplus américains. Mais il lui devient vite impossible de faire face aux besoins, en se contentant d'embarcations sommaires de dix à cent passagers et en comptant exclusivement sur ses sympathies dans l'armée américaine d'Allemagne et sur les détournements au préjudice de l'intendance britannique en Italie. Un émissaire est envoyé aux Etats-Unis afin de pourvoir au financement des opérations pour acheter, réparer, transformer et équiper une flotte de forceurs de blocus au tonnage plus élevé que les bateaux de pêche et de tramping affrétés aux petits armateurs grecs. Il devra même fournir des équipages à toute épreuve, encadrés de marins et d'anciens combattants du Palmakh et capables d'opposer, avec leurs passagers, une résistance active aux arraisonnements et aux abordages en mer et une résistance passive au transfert à bord de bateaux de déportation pour Chypre. Ainsi en aura décidé l'état-major de la Haganah après la mesure prise, le 13 août 1946, par les autorités mandataires, d'interner dans cette île tous les immigrants clandestins interceptés dans les eaux palestiniennes.

Au début de l'année, le Mossad a installé une base opérationnelle en France, à Marseille, aménagé des camps de transit, obtenu des facilités ferroviaires et autres avec l'aide de hauts fonctionnaires socialistes et de syndicalistes communistes. Le ministère de l'Intérieur accepte de délivrer des visas d'entrée collectifs établis en multiples exemplaires à utiliser en même temps aux différents postes frontières... Quant à la D.S.T., son directeur, Roger Wybot, est trop heureux de favoriser les activités clandestines du Mossad sur le territoire français autant par sympathie pour les sionistes que dans l'espoir de récupérer des documents anglais tombés aux mains de la Haganah et relatifs aux manœuvres qui ont abouti à l'éviction de la France de ses positions au Levant. Il y est d'ailleurs encouragé par ses ministres de tutelle successifs — Adrien Tixier, Edouard Depreux, Jules Moch, tous dirigeants de la S.F.I.O. Il sait que l'émetteur principal de la Haganah est installé, non loin de Rueil, dans la villa de leur ancien chef de cabinet, l'avocat André Blumel. Et que, pour ses transmissions, le Mossad dispose, selon une source américaine, d'un « meilleur système de liaisons que l'armée américaine en Allemagne ». Sans compter toute une logistique — fabrique de faux, sociétés de navigation, couvertures — dont l'infrastructure impressionnante formera le noyau de la future centrale d'espionnage d'Israël, qui gardera le nom de Mossad. Son implantation supposait alors la complicité active d'administrations et de services des pays qui, comme la France, servaient de plaques tournantes à l'immigration clandestine. Cette complicité aura des suites : Israël n'est pas encore un Etat qu'il est déjà, en France, un Etat dans l'Etat.

Dans la guerre secrète livrée à ce « trafic » par les services britanniques, la D.S.T. intervient. Elle s'emploie à protéger les filières du Mossad et à dépister les agents de l'Intelligence Service. Elle n'aura de cesse de traquer un Anglais résidant à Cassis et chargé de surveiller les préparatifs d'appareillages clandestins. Il sera surpris, le 10 juillet 1947, en train de signaler à Londres l'embarquement de 4 550 prétendus émigrants en Colombie à bord d'un étrange vapeur ancré à Sète : le *President-Warfield*, récupéré au cimetière des bateaux à la casse de Baltimore (U.S.A.), aménagé dans un chantier ligure et battant pavillon du Honduras.

En dépit des pressions exercées par l'ambassade de Grande-Bretagne pour s'opposer au départ, le navire rompt ses amarres et gagne le large à la sauvette, au prix de manœuvres périlleuses. En haute mer, l'équipage hisse le drapeau bleu et blanc frappé de l'étoile de David et arbore son nom de corsaire : *Exodus 47*, en hébreu *Exode d'Europe 5 707*. Sept jours plus tard, au terme d'un abordage meurtrier qui fait 3 morts et 146 blessés, ses occupants sont transférés à bord de trois bateaux-prisons affectés aux déportations à Chypre. Mais, au lieu de faire route vers l'île, dont le Mossad cherche précisément à submerger les camps, ces cages flottantes mettent le cap sur les côtes françaises. Bevin a décidé personnellement de faire payer cet insolent défi aux rescapés de l'*Exodus* en les renvoyant à la France, accusée de les avoir laissés partir.

Arrivés en rade de Port-de-Bouc, les malheureux, accrochés à leur grillages sous un soleil de plomb, refusent de descendre. Leur ahurissante résistance au chantage et à la canicule durera tout le mois d'août. Bevin prend alors la terrible responsabilité de les faire reconduire de force à leur point de départ : en Allemagne, où ils seront internés, le 10 septembre, après leur tragique périple de deux mois, dans des camps de la région de Hambourg.

Pis qu'un crime, c'est une faute : le sort des refoulés de l'*Exodus* va peser lourd sur les conclusions que s'apprête à déposer, au même moment, la commission spéciale de l'O.N.U. saisie depuis le 28 avril de la question de la Palestine. Elles recommandent le retrait du mandat donné en 1920 par feu la S.D.N. à la Grande-Bretagne et le partage du territoire en deux Etats souverains, l'un juif, l'autre arabe. Et elles seront adoptées, moins de deux mois après l'odyssée de l'*Exodus*, par l'assemblée générale des Nations unies.

VI
NAISSANCE D'UNE NATION

Le « Vieux », lui, dormait ! Ce soir du samedi 29 novembre 1947, à l'heure où tout se décidait sous la coupole d'une ancienne patinoire de Flushing Meadows, dans la banlieue de New York, David Ben Gourion s'était coupé du monde. Il avait choisi de passer la nuit dans un hôtel perdu à l'extrémité nord de la mer Morte, entouré des collines lunaires du paysage le plus désolé, le plus austère, le plus sublime de la terre biblique. Et il s'était couché de bonne heure alors que les Juifs de Palestine, accrochés à leurs postes de radio ou groupés autour des haut-parleurs installés par les soins des principaux journaux sur les places de Tel Aviv, d'Haïfa et de Jérusalem, s'apprêtaient à suivre — peuple attentif, les nerfs bandés, fou d'excitation et d'angoisse — le vote, pays par pays, de l'assemblée générale de l'O.N.U., dont l'ouverture était fixée à 22 heures, heure locale.

A 10 000 km de là, les délégués de 56 pays sont en effet réunis pour fixer le sort de cette étroite bande de terre, en bordure de la Méditerranée orientale, deux fois plus petite que le Danemark, quatre fois moins peuplée que la Belgique : ce qui reste de la Palestine sous le mandat britannique venu à expiration trente ans mois pour mois après les 117 mots de la Déclaration Balfour.

Il est 15 heures à New York quand le délégué brésilien Oswaldo Arahana, président de la session, ouvre la séance. La majorité des deux tiers — 32 voix — est requise pour l'adoption du plan de partage soutenu conjointement par l'U.R.S.S. et les États-Unis. Dans l'ordre alphabétique, l'Afghanistan est le premier appelé à répondre par *oui* ou par *non*.

Dans sa modeste maison des nouveaux quartiers juifs de Jérusalem, une femme de 49 ans, à l'écoute d'un vieux poste qui transmet les réponses au fur et à mesure du déroulement de ce scrutin public, fume cigarette sur cigarette en cochant chaque vote sur un calepin. Elle, qui a l'habitude de tenir salon, ceinte d'un tablier, dans sa cuisine où ronfle en permanence une bouilloire, cette soirée-là, exceptionnellement, elle a tenu à la vivre seule avec sa tasse de café, son éternelle cigarette, son bloc-notes : elle représentait pour elle la consécration du combat de sa vie.

Fille d'un ébéniste de Kiev, Golda Mabovitch avait 8 ans quand sa famille émigra en 1906 aux Etats-Unis pour fuir les pogroms de la contre-révolution tsariste. Elle en avait 17 quand elle trouva la foi sioniste en récoltant des fonds pour les réfugiés dans les rues de Denver. Elle en avait 23 quand, devenue Mme Meyerson, institutrice à Milwaukee, elle décida son mari à la suivre en Palestine pour élever des poulets dans un kibboutz de Galilée. Elle en avait 38 quand, séparée, elle fut élue à la tête du département politique de la Histadrout. Elle prendra plus tard le nom de Golda Meir...

Il est minuit et demi quand sa main inscrit en tremblant le résultat du vote radiodiffusé en direct de la patinoire new-yorkaise dans un vacarme indescriptible : 33 oui, 13 non, 10 abstentions. Une voix de plus que la majorité requise : celle, inattendue, de la France, qui avait hésité à se démarquer de la Grande-Bretagne.

Le son rauque et primitif des cornes de bélier — les « shofars » de la tradition hébraïque qui appellent à la prière et invitent au rassemblement — déchire brusquement la nuit encore douce de Jérusalem. Une foule en liesse se répand dans les rues de la ville nouvelle pour converger vers l'immeuble illuminé de l'Agence juive.

Dans les camps de Chypre, où sont encore internés 16 000 immigrants clandestins, dans ceux d'Allemagne où végètent 250 000 personnes déplacées — dont les rangs ont grossi des réfugiés venus de l'Est —, drapeaux et bouteilles surgissent miraculeusement des tentes et des baraques. Dans les kibboutz et les villages juifs, comme dans les rues des agglomérations, des dizaines de milliers de pionniers dansent des horas endiablées au clair de lune.

Dans la cour animée de l'Agence juive, où la foule scande les noms des leaders familiers, le silence se fait quand Golda apparaît au grand balcon, le visage ruisselant de larmes sous l'éclat des projecteurs. Posant sur la balustrade ses fortes mains carrées, elle reprend sa respiration pour s'écrier :

– Pendant 2 000 ans nous avons attendu notre délivrance. Depuis toujours nous savions que ce jour arriverait. Et voilà qu'il est arrivé... Yehudim, mazel tov ! (Juifs, bonne chance !)

A 40 km de là, on vient réveiller Ben Gourion qui dort du sommeil du juste. Les yeux bouffis, la crinière blanche ébouriffée, l'éternelle chemisette blanche enfilée par-dessus le pantalon, le « vieux lion » réclame du papier pour mettre en forme un projet de déclaration au nom de l'Agence. On ne lui trouve que du papier de toilette. Les ouvriers des marais salants arrivent à l'hôtel et se mettent à danser avec les clients et le personnel.

« Je ne peux pas être de ceux qui dansent, note Ben Gourion. Je me sens comme quelqu'un en deuil au milieu d'un mariage. Car je suis rempli d'une terrible crainte devant le sacrifice qui attend notre peuple. »

L'aube du 30 novembre point à la surface glauque et lisse de la mer Morte quand Ben Gourion regagne son bureau de Jérusalem. Il vient à son tour caresser les plis de l'immense drapeau bleu et blanc pendu au balcon de l'Agence et ne peut quand même se retenir de murmurer entre ses dents :

– Enfin, nous sommes un peuple libre !

La déclaration, dont il donne lecture au comité directeur, approuve le plan de partage tel que l'O.N.U. vient de l'adopter malgré le dessin biscornu et stratégiquement inviable du futur Etat juif. Le même jour, Menahem Begin, au nom de l'Irgoun, rejette l'idée même de partage, considérant que toute la région à l'ouest du Jourdain doit revenir de droit au peuple juif. Mais le comité directeur de l'Agence a pris une décision secrète : la mobilisation de tous les Juifs du Yishouv de 17 à 35 ans dans le cadre de la Haganah. Car les Arabes n'ont pas attendu pour réagir.

Au cours de la matinée de ce même dimanche sont déjà tombées les six premières victimes d'une guerre de treize mois qui va coûter 6 070 morts aux 650 000 Juifs d'Israël. Cinq usagers d'un autobus attaqué par un commando arabe entre Natanya et Jérusalem et la passagère juive d'un autre autobus de la ligne Hedera-Jérusalem. L'après-midi, le corps d'un septième Juif est découvert à Jaffa, siège des P.C. des bandes armées d'où seront désormais lancés les mots d'ordre de haine et les opérations terroristes contre la population juive.

Le 2 décembre, cinq Juifs sont tués en plein jour dans la ville arabe de Ramleh. A Jérusalem, une foule arabe met le feu au centre commercial juif sous l'œil impassible de la police britannique.

Le surlendemain, l'Irgoun attaque en représailles à la grenade et à la bombe un café arabe de Jaffa, un quartier d'Haïfa et une station d'autobus à Jérusalem. Une unité de la Haganah prend d'assaut une station d'autobus à Haïfa : 8 morts, 40 blessés. Chaque jour apporte désormais sa moisson d'incidents sanglants.

Le 8 décembre, les chefs des sept Etats arabes indépendants se réunissent au Caire pour mettre en échec le plan de l'O.N.U., auquel ils opposent un plan secret mis au point par leurs états-majors : le « plan Bloudan ». Aucune précision n'est donnée sur ce plan militaire, au sujet duquel le secrétaire général de la Ligue arabe se contente de déclarer : « Lorsque le monde connaîtra les décisions secrètes que nous venons de prendre, il aura la certitude de la victoire arabe. » Le communiqué de la conférence affirme la détermination des pays arabes de « mener jusqu'à la victoire la lutte pour l'indépendance et la liberté de la Palestine ».

Mais ils se contentent pour le moment d'appuyer « sans réserves » la levée d'une Armée de libération palestinienne, par un sinistre chef de bande, Fawzi Kawkji, le fameux « Mouron rouge » des troubles sanglants des années 1930, qui, depuis octobre, enrôle des volontaires dans le Golan syrien pour la « guerre sainte » contre le sionisme. Etrange personnage que ce condottiere du monde arabe, musulman du Liban formé à l'Académie militaire ottomane, organisateur de la guérilla druse contre les Français en Syrie et des émeutes contre les Juifs en Palestine, réfugié à Berlin pendant la Seconde Guerre mondiale et tout juste revenu à Alep via la zone soviétique d'Allemagne. Mais les affrontements armés qui se multiplient en ce début de décembre sont surtout le fait des mercenaires du grand mufti, criminel de guerre évadé de France après avoir recruté des SS pour Hitler.

Dans les quinze jours qui suivent le vote de la résolution de l'O.N.U., ces affrontements auront fait 160 morts, dont 54 chez les Juifs. A la fin du mois, les Juifs comptent plus de 80 tués. Dès la première semaine de janvier des bandes d'irréguliers arabes s'infiltrent dans le nord du pays, venant de la Syrie et du Liban : elles attaquent, sans succès, les deux premiers kibboutz de Haute-Galilée. Ailleurs, les accrochages se font de jour en jour plus meurtriers et les milices du Yishouv se voient souvent contraintes à se battre sur deux fronts, les Anglais ne renonçant pas à la prétention de « maintenir l'ordre » jusqu'à l'expiration de leur mandat fixée au 15 mai 0 heure.

Une des guerres les plus étranges de l'Histoire se déroule en présence de 100 000 soldats d'élite des forces de sécurité britanniques qui font comme si de rien n'était. Guerre sans fronts : la bataille fait rage autour de colonies isolées, dans les faubourgs des grandes villes, sur les routes et dans les orangeraies. Guerre sans armées : des irréguliers contre des clandestins, des mercenaires contre des illégaux, les fanatiques de l'A.L.P. contre les combattants du Palmakh et de la Haganah, les terroristes du mufti contre les terroristes de l'Irgoun et du Lehi. Embuscades, coups de main, attentats, minarets transformés en nids de mitrailleuses, les attaques désordonnées des Arabes s'organisent peu à peu en une stratégie à l'échelle du territoire tout entier : couper les voies de communications, isoler les centres, morceler les zones de peuplement juif, faire tomber l'un après l'autre les îlots assiégés.

Il y a pis. Dès le 11 décembre, la Légion arabe a attaqué la caravane motorisée qui amène des renforts de Jérusalem au groupe de colonies de Goush-Etzion, pratiquement encerclées au sud de la Ville sainte. La caravane a dû rebrousser chemin après avoir essuyé de lourdes pertes. Le 14, la Légion arabe est entrée de nouveau en action, attaquant cette fois une caravane de secours qui faisait route vers un village d'enfants juifs proche de Ramleh. Et, le 14 janvier, elle entreprend le siège du quartier juif de la vieille ville habitée par une petite communauté de religieux.

Or, la Légion arabe, encadrée par des officiers britanniques et commandée par un disciple du colonel Lawrence, le major John Bagot, dit Glubb Pacha, est, au service du royaume hachémite de Transjordanie, l'armée la plus forte, la mieux entraînée et la mieux équipée du Proche-Orient. « Prêtée » par le roi Abdallah aux autorités mandataires pour occuper tous les points stratégiques de la zone attribuée aux Arabes et prêtant déjà main-forte aux irréguliers qui ont investi les quartiers arabes de Jérusalem — en dépit du statut international prévu par l'O.N.U. pour la Ville sainte —, elle constitue pour les Juifs la menace de loin la plus redoutable.

C'est pour prévenir un tel danger que, le 17 novembre 1947, douze jours avant la décision de l'O.N.U., Golda Meyerson s'était rendue clandestinement à un rendez-vous sur le Jourdain avec le souverain hachémite. Elle assurait alors l'intérim du directeur politique de l'Agence juive, Moshe Shertok (Sharett), retenu au siège des Nations unies par les préparatifs du débat. Cette première rencontre secrète entre un dirigeant sioniste de Palestine et un chef d'Etat arabe a été arrangée par le directeur de la centrale hydro-électrique de Naharaym, Abraham Daskel, que ses nombreux amis arabes appellent Abu Youssef.

L'entrevue a eu lieu dans la villa de Daskel, à proximité du pont reliant la Palestine à la Transjordanie. Golda s'y est fait accompagner par deux spécialistes des questions arabes, son conseiller Ezra Danin et Eliahu Sasson, qui lui ont servi d'interprètes, car elle ne parle pas un mot d'arabe. Au début de la conversation, le roi Abdallah n'a pas caché sa surprise de se trouver en présence d'une femme. Il attendait un responsable politique. Il a fallu expliquer que son interlocutrice occupe le poste n° 2 de la diplomatie juive. Le souverain s'est un peu calmé et s'est efforcé de donner un tour aimable à l'entretien, en assurant Golda de son admiration pour le peuple juif et en l'invitant à venir lui rendre visite « un jour » dans son palais, à Amman.

Au cours de l'échange de vues qui s'est ensuivi, il lui a fait part de son intention d'annexer, en cas de partage de la Palestine, les territoires attribués aux Arabes et lui a proposé un compromis destiné à sauver la face aux yeux des autres Etats de la Ligue arabe : l'établissement d'une république juive dans le cadre d'une fédération dont il serait le roi. Il lui apprit également que, loin de vouloir attaquer les Juifs, il était prêt à signer un traité d'entente avec eux, qu'il se chargerait de régler le sort du grand mufti de Jérusalem et qu'il exigerait des nationalistes arabes qu'ils s'en remettent entièrement à lui, sous peine de ne plus pouvoir compter sur son assistance.

En conclusion, Abdallah et Golda étaient convenus d'une nouvelle rencontre après le vote de l'O.N.U. Mais celle-ci n'a pas eu lieu, en dépit de contacts maintenus par un intermédiaire qui, lors des premiers heurts, s'est rendu à deux reprises auprès du souverain hachémite.

Le haut-commissaire britannique à Amman, sir Alec Kirkbride, écrira dans ses Mémoires : « Quand j'ai été mis au courant de cette entrevue, j'ai pensé que les Israéliens avaient fait une erreur en s'y faisant représenter par une femme. Tout en respectant l'autre sexe, le roi Abdallah avait des idées conservatrices : les femmes ne pouvaient à ses yeux égaler les hommes, surtout en politique. Discuter politique avec une femme le rendait mal à l'aise. Au surplus, Golda avait trop peu d'expérience de la négociation avec les Arabes. Il est vraiment regrettable que cette mission n'ait pu être confiée à quelqu'un comme Sharett qui, lui, connaissait bien la langue et la mentalité arabes. »

Quand, à la fin de la guerre, Dayan sera reçu par Abdallah dans son palais de Sunnah, et qu'il lui apprendra l'envoi à Moscou de Golda Meir comme ambassadeur d'Israël en U.R.S.S., il rapportera cette réflexion murmurée par le roi :

– Très bien, très bien. Surtout, laissez-la là-bas.

A tort ou à raison, au début des accrochages avec sa Légion, le souverain hachémite a le sentiment que les dirigeants juifs n'accepteraient en définitive aucune des concessions qui lui permettraient de se présenter devant le monde arabe comme l'homme capable de modifier à son profit le plan voté par l'O.N.U. et « qu'ils prendraient tout ce qu'ils pourraient » en cas de conflit.

La suite des événements aura mis fin à tout échange de vues, même par personnes interposées, jusqu'au jour où son chef de cabinet, Mohammed Zubeiti, reçoit de son ami Daskel, le directeur de la centrale hydro-électrique, une demande du « Conseil national » – qui, le 30 mars 1948, a pris la succession de l'Agence juive – d'organiser une nouvelle rencontre secrète entre le roi et Golda. Cela se passe dans les premiers jours de mai, alors que, à l'approche du retrait britannique, la rumeur se précise d'une intervention, ouverte et massive, cette fois, de la Légion arabe contre les positions juives.

Entre-temps, pour faire front contre l'attaque généralisée des bandes d'irréguliers arabes, Golda Meyerson a été envoyée aux Etats-Unis collecter les fonds nécessaires à l'achat des armes de la survie – principalement fournies par la nouvelle Démocratie populaire tchécoslovaque. Sa tournée chez les Juifs américains lui a permis de récolter 50 millions de dollars. En l'accueillant à son retour, Ben Gourion s'est écrié :

– L'Histoire retiendra que c'est une femme qui aura permis à l'Etat juif de voir le jour.

Justement, la proclamation de l'Etat à naître est à l'ordre du jour de la réunion du 12 mai de l'embryon de gouvernement provisoire que constituent, Ben Gourion en tête, les treize membres du Conseil national du Yishouv.

A la fin de mars, quand la Galilée occidentale risquait d'être coupée du reste de la Palestine, on pouvait compter les dirigeants sionistes décidés à proclamer l'indépendance. La panique était à son comble dans les milieux juifs les plus influents. A l'O.N.U., des pressions tendaient, de tous côtés, à annuler la décision du 29 novembre. Et, le 18 mars, la délégation américaine a déposé un projet de résolution abandonnant le plan de partage : elle a proposé de remplacer le mandat britannique par une tutelle internationale. Le 30, elle a déposé un projet d'armistice, qu'elle a tenté de faire imposer par le Conseil de sécurité. Depuis, Washington menace d'interdire les transferts de collectes vers la Palestine.

Certes, sur le terrain, la catastrophe militaire était provisoirement écartée : en avril, la Haganah était passée victorieusement à la contre-attaque, rétablissant les communications entre la plupart des colonies isolées. L'Irgoun et le Lehi ont accepté de mettre leurs forces combinées à la disposition de son commandement pour rouvrir la route de Jérusalem, en donnant notamment l'assaut à Deir Yassin. L'A.L.P. du « Mouron rouge » a été taillée en pièces dans la plaine d'Esdraélon et, depuis leur défaite sur la colline de Castel, les autres bandes n'ont plus lancé d'opérations d'envergure. Tibériade, Haïfa, Safed sont libérées.

Mais la route de Jérusalem est de nouveau menacée et l'entrée en lice de la Légion arabe paraît imminente, ce qui laisserait présager une invasion orchestrée des armées régulières arabes. C'est pour en avoir le cœur net que, le 9 mai, Golda a reçu de Ben Gourion l'ordre de renouer le contact avec le roi Abdallah. Cette fois, cependant, le souverain refuse de venir à sa rencontre sur le Jourdain. Il lui a fait savoir qu'il l'attend dans son palais à Amman, où elle doit se rendre à ses risques et périls, car il ne peut lui garantir aucune protection, pas même celle du secret. Daskel se charge des préparatifs du voyage.

Pour déjouer les contrôles d'identité, elle prend la route de Naharaym, déguisée en bédouine, à bord d'une voiture conduite par son conseiller Danin, qui, lui, a revêtu le keffieh des bédouins. Là, le chef de cabinet du roi vient les faire chercher avec sa voiture pour leur faire traverser de nuit le Jourdain et les conduire à la capitale, directement auprès d'Abdallah, non dans son palais mais dans la villa de son homme de confiance. L'accueil est toujours cordial, mais le ton du souverain a changé, ainsi que ses propositions. Le roi paraît déprimé, préoccupé, tendu.

Répondant à la bédouine qui lui rappelle ses promesses de novembre, il lui fait comprendre qu'il a les mains liées par d'autres engagements avec les Anglais.

– On ne m'a pas permis de tenir ma promesse. L'année dernière, j'étais seul, j'avais toute ma liberté d'action. Aujourd'hui je ne suis plus qu'un chef d'Etat parmi cinq autres.

Il ne peut lui offrir qu'une autonomie temporaire, dans le cadre d'une Palestine judéo-arabe.

– Retardez votre déclaration d'indépendance, suspendez votre immigration quelques années. Pourquoi êtes-vous si pressés ? Moi, je n'ai plus le choix : ou vous acceptez ma nouvelle proposition, ou ce sera la guerre, quoiqu'il m'en coûte. Mais je serai toujours heureux de m'entretenir avec vous et de nous réunir autour d'une table pour assurer la paix.

— Eh bien, répond Golda, nous nous reverrons après la guerre !

Au moment de prendre congé, le roi se penche vers Danin :

— Après tout, tu es un Oriental comme moi, lui dit-il d'un ton paternel, mais, cette fois, tu ne m'as pas aidé.

Au cours du long trajet de retour, Golda et son conseiller peuvent apercevoir de loin un important convoi de chars et d'artillerie de campagne : l'armée irakienne en marche vers la Palestine.

En arrivant à Tel Aviv, le lendemain 11 mai, débarrassée de son accoutrement, Golda se précipite au siège du Fonds national juif, où le comité central du Mapaï discute de l'opportunité de la proclamation de l'Etat à laquelle Ben Gourion le pousse de toute son énergie. La majorité des dirigeants travaillistes y semblait encore hostile voilà quelques jours. Mais, à la surprise générale, Moshe Shertok (Sharett) est en train de prononcer un discours propre à renverser la tendance. Lui, qui était l'un des plus déchirés par des doutes sérieux sur l'attitude à adopter, il rapporte la réponse qu'il vient de faire au secrétaire du Département américain, le général Marshall, au cours de sa mission à Washington. Redoutant l'extension du conflit et l'explosion d'une guerre mondiale, le ministre américain n'a cessé de lui répéter le même avertissement :

— Ne proclamez pas l'indépendance ! Acceptez notre formule d'armistice. Sinon, les Arabes vont vous écraser, car, dans la nouvelle conjoncture internationale créée par la menace soviétique en Europe, vous ne pourrez compter sur aucun secours de notre part.

— La seule chose que nous vous demandons, a répliqué Shertok, c'est de vous abstenir de toute intervention.

Shertok ne croit plus maintenant que le rejet du plan américain, tendant à ajourner sans fin la proclamation de l'Etat, risque de provoquer une tension avec les Etats-Unis, d'ailleurs trop paralysés par l'approche de l'élection présidentielle pour prendre la moindre mesure contre les collectes de fonds.

C'est à ce moment que Golda Meyerson fait passer à Ben Gourion un billet écrit à la hâte sur les résultats décevants de sa mission à Amman. Ben Gourion le parcourt, se lève brusquement et, sans trahir son émotion, quitte la réunion pour sauter dans sa voiture aux vitres blindées. Quelques instants plus tard, il monte quatre à quatre l'escalier de la Maison rouge, au bord de la plage, qui sert de quartier général à la Haganah. Il réunit d'urgence l'état-major pour le placer devant ses responsabilités. Le lendemain 12 mai, les événements se bousculent. Appuyés par des tanks et des canons, 1 500 légionnaires de l'armée de Glubb Pacha donnent l'assaut final aux colonies juives de Goush Etzion, isolées dans les collines d'Hébron par un siège de cinq mois. Quelques heures plus tard, le secrétariat général du gouvernement mandataire annonce le départ du haut-commissaire britannique pour le surlendemain 14 mai à minuit et l'évacuation immédiate des forces de sécurité.

Le compte à rebours est donc commencé quand se réunit l'autorité suprême du Yishouv, le Conseil national, dans la salle du Fonds national juif à Tel Aviv. Deux des treize dirigeants sont bloqués à Jérusalem, un troisième est retenu aux Etats-Unis. Les dix membres présents vont délibérer sans désemparer de 10 heures du matin à 23 heures pour prendre la décision. Avant d'accomplir le geste le plus important de l'histoire du peuple juif depuis qu'un obscur guerrier, nommé David, a rapporté, au milieu des clameurs et des trompettes, l'arche d'alliance à Jérusalem, ils entendent les comptes rendus de la situation diplomatique et militaire de la bouche des principaux responsables.

Leur président, Ben Gourion, a d'emblée posé le problème :

— Le facteur temps est essentiel. Il nous talonne pour deux raisons :

1) L'invasion du territoire peut commencer à tout instant. L'attaque lancée ce matin par la Légion arabe peut être considérée comme la première vague de cette invasion. Devant cette menace, il nous faut agir et cette action ne doit pas être laissée aux seuls responsables militaires.

2) La date du 14 mai fixée unilatéralement par Bevin est pour nous absolument fatidique. Il est évident que de graves événements se passeront dans la nuit de ce vendredi 14. Quoi qu'il arrive, nous devrons faire face.

Golda Meyerson rapporte alors l'échec de ses pourparlers avec le roi de Transjordanie, manœuvré, à son avis, par les Anglais qui lui ont promis la couronne de la Palestine en échange d'une base militaire à Rafah. Moshe Shertok (Sharett) explique le jeu des grandes puissances : après le rejet de leur projet de tutelle internationale, les Etats-Unis cherchent avant tout un cessez-le-feu et une baisse de la tension au Proche-Orient grâce à l'ajournement indéfini de la création d'un Etat juif. L'Angleterre, hostile à la tutelle internationale, ne soutient le projet américain que du bout des lèvres, souhaitant en fait l'éclatement du conflit qui affaiblirait les Juifs aussi bien que les Arabes. Le projet français, encore plus inacceptable, est une combinaison d'armistice et de tutelle temporaire. L'U.R.S.S. est dans l'expectative, mais hostile à la manœuvre de la France.

Le commandant en chef de la Haganah, Israël Galili, et son chef d'état-major par intérim, l'archéologue Ygael Yadin, prennent ensuite la parole pour brosser un tableau de la situation militaire, avec une lucidité qui exclut les illusions comme les appréhensions excessives. Les succès du mois dernier démontrent non seulement le moral très élevé des combattants, mais aussi la supériorité tactique et stratégique des unités juives. D'autre part, les responsables du Shay, le service de renseignement, ne croient pas à l'éventualité d'une agression arabe généralisée et immédiate. D'autres intervenants font remarquer *a contrario* que même l'ajournement de l'indépendance ne suffirait pas à empêcher tôt ou tard une invasion arabe, car le monde s'est habitué à l'idée d'une épreuve de force en Palestine : voir la chute de Goush Etzion.

Alors Ben Gourion fonce dans la brèche – et ce sera là son plus grand mérite historique.

– Le désastre de Goush Etzion ne m'a nullement ébranlé. Je m'attendais à de tels revers, et je crains que nous ne connaissions des épreuves plus dures encore. La décision sera acquise quand nous aurons anéanti la majeure partie de la Légion arabe... C'est par les armes que nous résoudrons le problème.

Le moment est venu de passer au vote. Accepter la proposition américaines, c'est remettre aux calendes grecques la déclaration d'indépendance. La refuser, c'est se constituer avant deux jours en Etat souverain, avec tous les risques.

A main levée, quatre membres du Conseil votent pour, six contre. La décision d'aller jusqu'au bout est donc prise à deux voix de majorité seulement. Et celle de ne pas définir le tracé des frontières de l'Etat à naître demain, à une seule voix.

Dans la nuit les deux tiers du comité central du Mapaï approuvent la décision. Et, de son côté, Menahem Begin proclame l'allégeance de l'Irgoun à l'Etat juif, tel qu'il vient d'être défini. Ben Gourion passe toute la matinée en réunions d'état-major à la Maison rouge.

C'est alors qu'il reçoit, pour la première fois, la visite d'un petit homme au visage de sphinx, dénué d'expression, au regard hermétique de joueur de poker, Isser Harel, l'ancien secrétaire du Département juif du Shay, nommé chef du secteur de Tel Aviv, où il s'occupe surtout de recruter des informateurs pour la section arabe de ce service. A l'encontre de tous ses collègues, persuadés que le roi Abdallah est toujours prêt à partager la Palestine avec les Juifs et qu'au dernier moment il retiendra sa Légion arabe de passer à l'attaque, Harel est le seul chef de renseignement à prévoir l'offensive de toutes les armées arabes coalisées dès la proclamation de l'Etat juif.

Mieux qu'une certitude, c'est une information de dernière minute qu'il vient apporter personnellement à Ben Gourion. Il la tient d'un de ses agents, qu'il a pris l'initiative d'envoyer à Amman dans un convoi de réfugiés fuyant les zones d'opérations. C'est un Arabe de Jaffa, Hassan el-Batir, fiancé à une Juive, et qui a déjà accepté des missions périlleuses pour le compte de la Haganah dans la lutte contre les Anglais. Il parle un hébreu sans faille. Or, il a un cousin haut placé dans le gouvernement du roi Abdallah.

L'informateur est revenu le 12 mai à minuit à travers les lignes du front de Houlda, non sans essuyer quelques rafales tirées de tous côtés. Au commandant de Palmakh qui l'a intercepté, il tend un sauf-conduit à l'encre sympathique délivré par Isser Harel. Il est ramené à l'aube dans une chambre d'hôtel de Tel Aviv, où Isser, alerté, vient aussitôt le voir :

– Abdallah part en guerre, c'est sûr, dit el-Batir. Les blindés sont déjà sur leurs positions de départ. La Légion passe demain à l'attaque.

Isser Harel rapporte aussitôt le message à Ben Gourion, qui dépêchera plusieurs unités dans la nuit pour devancer les chars de la Légion et créer une ligne de défense face aux collines de Judée et de Samarie, privant ainsi l'envahisseur du bénéfice de la surprise. Le « Vieux » se souviendra de cette première rencontre avec ce petit homme dont l'étoile est en train de monter au Shay, en dépit des manœuvres qui l'ont écarté de sa direction – confiée alors à un autre Isser, Beeri, surnommé Isser-le-Grand par opposition à lui.

Plus tard, Ben Gourion fera d'Isser-le-Petit le chef de sa police secrète.

Pour l'instant, il est préoccupé de remporter sa victoire sur l'Histoire. Vendredi 14 mai à 16 heures, une heure avant le coucher du soleil qui marque le début du Sabbat, dans une salle du musée d'art de Tel Aviv, les treize du Conseil national prennent place sous le portrait de Theodor Herzl, encadré de deux drapeaux, et un tableau de Chagall, *le Juif tenant les Tables de la Loi*. Vêtu de noir, une cravate exceptionnellement nouée au col de sa chemise blanche, Ben Gourion se lève pour dérouler un parchemin et donner lecture, d'une voix légèrement nasillarde, de la déclaration d'indépendance, qui, à l'instant même, donne naissance à l'Etat d'Israël.

Mais le « Vieux » entend consolider cette victoire non seulement en prenant personnellement en main les destinées de cet Etat fait de « la poussière des nations », mais en conduisant lui-même la guerre contre l'envahisseur. Voilà plus d'un an qu'il se prépare à ce double rôle de chef politique, unificateur de la nation, et de chef militaire, unificateur de l'armée, d'homme d'Etat et de stratège.

Le 26 mars 1947, Ben Gourion avait invité dans son appartement de Tel Aviv le chef de la Haganah de l'époque, Zeev Sheffer. Après l'échec de ses négociations avec le ministre anglais Bevin sur la transformation du mandat, il avait compris que la guerre serait un jour inévitable pour assurer au Yishouv une existence nationale et une liberté d'immigrer aux Juifs de la diaspora. Le mois précédent, il avait obtenu du congrès sioniste la responsabilité du département de la Défense. Il demanda à Sheffer de l'initier à ces problèmes en un séminaire de quelques semaines avec les chefs de son organisation militaire clandestine.

Or, si son autorité politique n'était pas mise en question, ses compétences en matière de défense et de sécurité semblaient des plus limitées. Les responsables historiques de la résistance armée, Shaül Avigour, Ythzak Sadeh, Moshe Sneh, Israël Galili doutaient des aptitudes du « Vieux » à devenir, à 60 ans, un foudre de guerre, d'autant qu'il n'avait jamais beaucoup fréquenté leur milieu. Ben Gourion, de son côté, se défiait quelque peu de ces « chefs de partisans » tout juste bons à lancer des commandos de sabotage, à faire de l'immigration illégale ou à pourchasser des bandes d'irréguliers arabes, mais, à ses yeux, incapables d'aligner un dispositif adéquat face à une armée régulière. Unité d'élite, le Palmakh n'avait jamais eu à faire ses preuves dans des batailles rangées de type classique. A ces combattants sans discipline, habitués à ne recevoir d'ordres que de leur propre état-major, il préférait les jeunes officiers démobilisés de la Brigade juive, qui s'étaient battus dans les rangs de l'armée britannique pendant la guerre mondiale et qui avaient donc, eux, une véritable expérience militaire.

Plus grave encore était à ses yeux l'arnarchie qui régnait aux échelons supérieurs. Qui est responsable de la sécurité et de la défense du Yishouv ? demandait-il. Il existe à l'époque un commandement national de la Haganah, avec un commandant en chef, désigné par le comité directeur de l'Agence juive; un état-major, avec son commandant en chef; un comité de la sécurité dont personne ne peut définir le rôle exact et qui n'a d'ailleurs aucune influence sur les décisions à prendre. Le Palmakh ne reçoit d'ordres de personne et se comporte comme les dissidents de l'Irgoun et du Lehi, exclus de cette organisation générale.

Dans l'esprit de Ben Gourion qui a pris la tête du Conseil national le 30 mars 1948 pour donner une autorité suprême au Yishouv de nature plus gouvernementale que la vieille Agence juive, tout cela doit disparaître et se fondre dans un corps unique, avec une hiérarchie subordonnée directement au futur ministre de la Défense. Mais comment, sans blesser leurs susceptibilités, convaincre tous ces hommes que la période romantique sera bientôt révolue pour faire place aux structures et à la raison d'Etat ? Comment imposer à leur tête la présence des « professionnels » de l'ex-Brigade juive, tels Shlomo Shamir ou Mordekai Makleff ?

« J'ai trouvé à l'armée deux partis, écrira-t-il dans ses Mémoires : celui de la Haganah et celui de l'armée. Et, entre les deux, aucune confiance. »

Mais une autre méfiance va guider les choix de Ben Gourion. Au problème technique de la transformation d'un mouvement de résistance en armée régulière s'ajoute un problème politique, qui le tracasse plus sérieusement encore. Le Palmakh a été conçu, créé, dirigé par des membres de la fraction « Unité du kibboutz » qui a quitté son parti (le Mapaï) en 1944 pour fonder un parti ouvrier d'extrême gauche, le Mapam, dont les sympathies prosoviétiques l'inquiètent. Quant au commandement national de la Haganah, il a été confié par L'Agence juive à Israël Galili, qui est également un des artisans de cette scission et un des dirigeants du Mapam.

Ces dangers, réels ou imaginaires, de « bolchévisation » de sa future armée et d'un éventuel putsch militaire procommuniste hantent Ben Gourion. Celui-ci décide donc de commencer par la tête, en s'attaquant au commandement national et à son chef, après avoir refusé au Palmakh, en mars 1948, de subordonner le commandement du front du Néguev qu'il vient d'instituer à son état-major particulier. A la faveur du transfert des pouvoirs de défense de l'Agence juive à l'exécutif provisoire dont il a pris la direction le 30 mars, il décide de supprimer le commandement national qui n'a plus de raison d'être entre l'autorité civile et l'échelon militaire de l'état-major, les fonctions suprêmes de la Défense appartenant désormais au Conseil des treize. Il en informe Galili le 26 avril. Le chef de la Haganah proteste. Il entend bien conserver son poste d'intermédiaire entre Ben Gourion et l'état-major. Il appelle son parti à la rescousse.

Le 2 mai, le « Vieux » met fin aux fonctions d'Israël Galili. Le lendemain, c'est la crise : au début de l'après-midi, les quatre chefs d'état-major, dont le général Ygael Yadin, se présentent, en l'absence de leur commandant en chef Jacob Dori, malade, au bureau de Ben Gourion pour exiger le rappel immédiat de Galili. Le soir, la réunion des treize au Conseil national est orageuse. Complètement isolé, Ben Gourion leur fait savoir qu'il n'acceptera le portefeuille de la Défense qu'à ses conditions. Le 5 mai, les chefs de la Haganah reviennent à la charge. Le 6, les généraux Zvi Ayalon, Ygael Yadin, Eliahu Ben Hur, Moshe Zadok et Joseph Avidar adressent à Ben Gourion un ultimatum : « Si l'affaire n'est pas réglée dans les douze heures qui suivent, les chefs des départements de l'état-major cesseront de se considérer comme responsables pour la conduite de la guerre. »

Ben Gourion convoque les cinq signataires. L'accueil est glacial. Le « Vieux » leur fait savoir qu'il ne cédera pas à leur révolte inadmissible en plein combat. Le seul compromis qu'il leur propose est de reprendre Galili à ses côtés, mais sans fonctions définies. Trois jours plus tard, Galili accepte de devenir son adjoint pour les questions du personnel. Mais les ordres ne passent plus par lui.

Quand la guerre éclate, le 15, avec les Etats de la Ligue arabe, les dissensions sont loin d'être dissipées et les ordres passent mal, quand ils ne sont pas ouvertement contestés. Les rapports entre la brigade « Harel » du Palmakh et le commandant nommé par Ben Gourion sur le front de Jérusalem, le colonel américain Markus, arrivent au point de rupture. Quand, quelques heures avant l'instauration de la trêve, Markus est tué accidentellement par une sentinelle, Ben Gourion déclenche une enquête pour savoir s'il n'a pas été assassiné par un membre du Palmakh. Et les dirigeants du Mapam mènent toujours campagne pour la réintégration de Galili dans ses anciennes fonctions. Ils reprochent notamment à Ben Gourion d'avoir lancé, le 24 mai, à l'assaut du fort de Latrun un bataillon formé à la hâte de rescapés de l'*Exodus* débarqués la veille. Ce bataillon s'est fait décimer pour rien en deux combats.

Le 24 juin, alors que la ligne du front passe encore à 5 km de Tel Aviv, le général Yadin, chef d'état-major par intérim, demande la nomination du chef du Palmakh, Ygal Allon, au commandement du front central pour faire sauter, dès la prochaine reprise des opérations, le verrou arabe du secteur Lod-Ramleh-Latrun qui bloque la route de Jérusalem. Mais Ben Gourion a décidé d'y placer son protégé Makleff, l'ancien officier de la Brigade juive. A dix jours de la fin de la première trêve obtenue par l'O.N.U., il annonce un important remaniement de l'état-major. Le 1er juillet, à une semaine de la reprise des hostilités, les généraux rebelles rééditent leur ultimatum du 6 mai : ils brandissent leur démission.

Cette seconde révolte est plus grave que la première, car, depuis le 28 mai, ces chefs d'état-major relèvent non plus de la Haganah du Yishouv, mais des Forces de défense d'Israël, Tsahal. Bien plus tard, Yadin reconnaîtra que sa mini-révolte en pleine guerre était moralement discutable, mais les faits lui auront donné raison quant au choix d'Allon pour la libération du secteur central. Or, convoqué à l'époque par Ben Gourion, il demeure intraitable.

Le « Vieux » est cette fois contraint d'en appeler au gouvernement.

— Nous avons affaire, dit-il, à une tentative de plus pour transformer l'armée tout entière en armée d'un certain parti. Des 13 commandements de brigade dont nous disposons, 8 sont membres du Mapam, 2 seulement sont fidèles au Mapaï. Le Palmakh, déjà en état d'insubordination permanente, cherche à politiser l'armée. Une armée rouge ou une armée nationale, Galili ou Ben Gourion, à vous de choisir !

La question est portée le 3 juillet devant un comité restreint de cinq ministres. Après avoir écouté les généraux faire le procès des erreurs militaires et des initiatives malheureuses de Ben Gourion, le comité ministériel propose de rendre son rôle à Galili sous une autre appellation, le 6 juillet, à deux jours de la fin de la trêve. Le « Vieux » voit rouge, quitte la séance et rédige une lettre de démission des postes de président du Conseil et de ministre de la Défense... si l'affaire n'est pas classée.

Le 7, il se fait porter malade. Les ministres, affolés, acceptent de lui offrir la tête de Galili et de lui confier la direction des opérations et la réorganisation complète de l'armée. Le soir même, Galili rentre à son kibboutz, début d'un long exil politique. Mais Yadin obtient la mutation d'Allon sur le front central. Les hostilités reprennent le 8. Allon s'empare en trois jours de Lod et de Ramleh, à la satisfaction du jeune chef des opérations du Palmakh, Ythzak Rabin. A la tête d'un groupe de jeeps qui a conquis Lod en fonçant dans l'artère principale se trouve un audacieux lieutenant-colonel au bandeau noir sur l'œil gauche : Moshe Dayan.

Avant de régler son compte au Palmakh qui a osé défier son autorité, mais dont il a encore besoin pour gagner la guerre, Ben Gourion s'est d'abord attaqué au danger de droite, qualifié même de « fasciste », en exploitant un double concours de circonstances pour extirper au préalable deux autres germes de dissidence : l'Irgoun et le Lehi.

En réalité, l'Irgoun a renoncé à son indépendance dès la déclaration du 15 mai et s'est incorporée à l'armée nationale en gestation, sauf dans le secteur de Jérusalem et spécialement pour la défense de la vieille ville, en raison du statut international excluant la Ville sainte du plan de partage de l'O.N.U. Mais, pour Ben Gourion, le danger subsistait de voir un jour ses éléments se constituer en faction armée au service d'un Menahem Begin devenu son principal rival politique.

L'accord signé le 2 juin par le haut commandement de l'Irgoun pour l'intégration de ses 15 000 hommes aux côtés des 45 000 de la Haganah au sein de Tsahal précisait que l'organisation de Begin cesserait d'acquérir du matériel de guerre pour son compte et transférerait aux services de l'armée nationale tous ses contacts pour le bénéfice de l'effort de guerre. Un quartier général temporaire de l'Irgoun devait demeurer en place encore un mois pour parachever la fusion ainsi réalisée. Il reste 5 000 combattants, constitués en sept bataillons, à incorporer quand Begin vient soumettre au ministère de la Défense le cas d'un navire d'armes et de renforts affrété par son organisation bien avant la proclamation de l'Etat.

Il s'agit d'un vieux bâtiment des surplus de la marine américaine ayant servi au débarquement allié et acheté 75 000 dollars à Brooklyn en 1947 par des sympathisants, le scénariste Ben Hecht et le romancier Louis Bromfield. Il a été rebaptisé *Altalena* en hommage à la mémoire du chef révisionniste Vladimir (Zeev) Jabotinsky qui avait pris ce nom de plume pour signer ses œuvres littéraires. En avril, il a accosté à Port-de-Bouc, en France, où, par l'intermédiaire de M. Jean Morin, directeur adjoint auprès du ministre des Affaires étrangères Georges Bidault, une demande d'armes avait été déposée en faveur de l'Irgoun. Il devait se tenir prêt à appareiller avec sa précieuse cargaison de façon à débarquer à Tel Aviv, vers la mi-mai – à l'expiration du mandat britannique –, un arsenal pour équiper une dizaine de bataillons et un contingent de 900 volontaires entraînés. Mais les longs pourparlers avec les autorités françaises en avaient retardé le chargement.

Bidault avait dû intervenir en personne auprès de son collègue de l'Intérieur, le socialiste Jules Moch, et insister pour qu'on laisse passer à travers le territoire un convoi de matériel militaire, comprenant 5 chars, 150 canons antichars et antiaériens, 300 mitrailleuses, 5 000 fusils, 4 millions de cartouches et des milliers de bombes et de grenades, acheté en partie en Europe et fourni pour le reste par les arsenaux français.

La démarche avait surpris de la part d'un homme politique qui, l'année précédente, avait tenté de s'opposer au départ clandestin de l'*Exodus* et qui était apparu comme le porte-parole de son collègue britannique Bevin au sein du gouvernement Ramadier, dont Jules Moch était alors précisément le ministre des Transports. Bidault semblait maintenant jouer la carte extrémiste de la cause israélienne — qu'il n'était guère pressé d'embrasser à l'O.N.U. —, comme s'il spéculait sur l'éventualité d'une guerre civile entre les Juifs à l'expiration du mandat britannique. Jules Moch s'en était aussitôt inquiété auprès du leader de son parti, Léon Blum, qui, de son côté, avait cru bon de faire avertir Ben Gourion, par ses amis sionistes, de ce qui se tramait dans les chancelleries...

Le gouvernement français avait, paraît-il, accepté de livrer des armes aux émissaires de l'Irgoun contre la promesse que ses hommes veilleraient à la sauvegarde des institutions catholiques françaises en Palestine.

Mais l'*Altalena* n'a pu commencer son chargement que le 28 mai. En vertu de l'accord du 2 juin, Begin propose alors aux deux adjoints de Ben Gourion, Israël Galili et Levi Eshkol, de leur vendre la cargaison du navire. Or, une telle publicité à été faite, tant en Amérique qu'en Europe, autour de ce 141e bateau de l'immigration clandestine, que ses deux interlocuteurs repoussent son offre. En outre, une trêve de quatre semaines imposée par l'O.N.U. à partir du 11 juin vient compliquer l'affaire. Elle interdit aux belligérants de renforcer leur potentiel. Et c'est précisément le jour où l'*Altalena* quitte son mouillage de Port-de-Bouc à destination de Tel Aviv. Un télégramme de Begin demandant à ses émissaires de différer l'appareillage est arrivé trop tard. Impossible pour l'instant d'entrer en communication avec la radio du bord.

Begin reprend aussitôt contact avec les représentants du ministère. Il leur fournit tous les renseignements sur les passagers, la cargaison et l'itinéraire minuté du bateau :

— A vous de décider s'il faut le laisser venir ou lui faire rebrousser chemin.

Le 13 juin, Galili vient au Q.G. provisoire de l'Irgoun informer Begin du feu vert du gouvernement et lui donner des instructions pour l'accostage et le débarquement. De nuit et en un lieu plus propice que le front de mer de Tel Aviv : la petite anse de Kfar Vitkin, fief travailliste à 30 km plus au nord – et surtout à l'abri de la curiosité des observateurs de l'O.N.U.

Reste la question du déchargement, du transfert et de l'attribution des armes et des munitions qui font cruellement défaut sur tous les fronts. Begin réclame un cinquième de la cargaison pour ses unités encore autonomes de Jérusalem, où, en raison du statut international théoriquement en vigueur, chaque défenseur juif continue à se battre sous le drapeau de son organisation. Et deux cinquièmes pour les bataillons de l'Irgoun intégrés à Tsahal, notamment ceux qui sont engagés sur le front central, où, selon lui, il leur a manqué 300 fusils pour enlever Ramleh.

Après maintes hésitations, Galili donne par téléphone l'accord du ministère pour envoyer le cinquième des armes de l'*Altalena* aux combattants de Jérusalem. Un point, c'est tout. Pour le reste, l'état-major de Tsahal sera seul juge de son utilisation. Begin proteste et engage de nouveaux pourparlers, tandis que le bateau taille sa route avec son arsenal et ses 900 volontaires, traînant le jour en modifiant son cap pour ne pas se faire repérer, profitant de la nuit pour foncer tous feux éteints vers son destin.

Le 17 juin, volte-face imprévue. En l'absence d'accord sur la distribution des armes, Galili fait connaître à Begin la décision des autorités légales du pays de ne prendre aucune part à leur déchargement : « Nous nous en lavons les mains. »

Comment l'Irgoun seule va-t-elle venir à bout, dans une crique aussi étroite, d'une tâche aussi ardue ? Begin relève le défi. Galili voit dans cette attitude quelque chose de beaucoup plus grave : l'arsenal de l'*Altalena* peut devenir, entre les mains d'une minorité aussi agressive que l'Irgoun transformé en parti d'opposition, un instrument dangereux pour les institutions mêmes de l'Etat.

Pourtant, quand, le 20 juin, le navire pénètre dans les eaux israéliennes, Begin téléphone à l'état-major de l'armée pour inviter un de ses représentants à suivre sur place l'opération et à en contrôler l'exécution. Son interlocuteur lui promet de venir et de lui envoyer quelques camions « à titre privé ». C'est compter sans Ben Gourion qui, intoxiqué par Galili, demande au Conseil des ministres l'autorisation d'user de la force si l'Irgoun persévère dans sa tentative :

– Begin ne fera pas ce qu'il lui plaira, dit-il. S'il ne se soumet pas, nous tirerons. S'il est vrai que ses hommes ont 5 000 fusils et 300 mitrailleuses, alors ce qu'ils sont en train de faire maintenant n'est rien en comparaison de ce qu'ils feront demain; et alors nous aurons deux Etats et deux armées

Le gouvernement unanime vote le recours à l'usage de la force si les avertissements préalables restent sans effet. Le lendemain, à la tombée de la nuit, l'*Altalena,* qui a tourné en rond toute la journée, jette l'ancre devant la plage de Kfar Vitkin, conformément aux instructions gouvernementales. Après avoir informé l'officier de liaison du ministère, Begin est venu l'y attendre en civil avec ses compagnons. Les 900 immigrants débarquent les premiers et sont aussitôt dirigés sur le camp de Tsahal à Natanya. Des débardeurs volontaires, aidés de la population locale, de quelques unités militaires stationnées à proximité et de soldats de l'Irgoun qui ont déserté les leurs, passent la nuit à débarquer des caisses sur la plage par un ponton improvisé. Environ un tiers de la cargaison. Au lever du jour, ils ont la surprise de se trouver complètement cernés par deux régiments de blindés et d'artillerie qui ont pris position sur les falaises environnantes, et survolés par un avion blanc de l'O.N.U. Sur mer, trois corvettes israéliennes barrent la ligne d'horizon. Le piège.

Le colonel Dan Epstein, commandant la brigade Alexandroni, fait remettre à Begin un ultimatum lui donnant dix minutes pour que l'équipage et ses hommes se rendent aux autorités sans conditions, en laissant le chargement déjà débarqué à la discrétion de l'armée. Begin répond qu'il lui faut plus de dix minutes pour entrer en contact avec le gouvernement et dépêche son adjoint Yaacov Meridor auprès des maires de Kfar Vitkin et de Natanya. Les heures passent, quand, sans avertissement, au milieu de l'après-midi, la troupe ouvre le feu à l'arme automatique et au mortier, obligeant les gens de la plage à chercher refuge dans les orangeraies voisines.

Begin a sauté dans une petite barque pour monter à bord de l'*Altalena*. Mais il est pris sous le tir d'une des corvettes, qui semble viser son embarcation. Il faut une habile manœuvre du capitaine de l'*Altalena* qui vient mettre son bateau en travers pour lui servir de bouclier. Puis il lève l'ancre, regagne le large et met cap au sud, le long de la côte, en direction de Tel Aviv. Pendant ce temps, la fusillade a cessé aux abords de la plage. Meridor a passé un accord avec le colonel Dan Epstein pour livrer toutes les armes débarquées et donner les noms et adresses des militants pris dans la nasse en échange de leur libération.

Mais, à peine l'accord conclu, Epstein reçoit de Galili l'ordre d'arrêter quatre dirigeants de l'Irgoun, y compris Meridor. Ce qui fait remonter la tension au moment où l'*Altalena* vient, dans la nuit, s'échouer sur un haut fond, à quelques centaines de mètres de l'hôtel Kete Dan.

Aux premières heures de la matinée, une foule de sympathisants se presse sur le front de mer et des embarcations font la navette entre le bateau et la plage. Ben Gourion, lui, se trouve à l'état-major de Tsahal à Ramat Gan. Il s'époumone :

— Où est Yadin ? S'il n'est pas là quand il le faut, je mettrai quelqu'un d'autre à la tête de l'armée !

Dans son for intérieur, il a pris la décision d'en finir avec cette affaire et de couler l'*Altalena*. Mais il cherche un appui moral auprès des chefs de l'armée avant de convoquer une réunion extraordinaire du gouvernement. La rumeur se répand d'une tentative de l'Irgoun de se reconstituer en force indépendante et l'on fait état de nombreuses désertions dans les rangs de Tsahal. La présence de l'*Altalena* devant le front de mer de Tel Aviv, le face à face d'une foule excitée et de centaines de membres de l'Irgoun en partie armés face aux cordons du Palmakh qui tentent de bloquer les accès à la plage, la situation explosive qui en résulte, tout paraît concrétiser cette menace de guerre civile.

Au gouvernement, les ministres sont divisés. Du sang juif a été versé par des Juifs sur le sable de Kfar Vitkin. Effarés d'une telle perspective fratricide, certains ministres veulent maintenant revenir sur leur décision unanime de l'avant-veille de recourir à la force, et négocier à tout prix un arrangement avec Begin. Mais, au milieu du Conseil, un émissaire essoufflé apporte la nouvelle : l'*Altalena* débarque ses armes sur la plage de Tel Aviv et refuse de se soumettre à l'autorité de l'Etat.

— Voyez, s'écrie Ben Gourion, pas question de négocier avec ces gens-là !

Il obtient, en fin de compte, l'approbation du gouvernement pour faire saisir le bateau récalcitrant. En fait, c'est un autre ordre qu'il intime d'une voix furieuse à Ygal Allon, nommé, à midi ce 23 juin 1948, « commandant du front de la plage ».

—Arrêtez Begin ! Arrêtez Begin !

Au général Yadin, il a donné celui de couler le bateau. Un ordre écrit, à la demande du chef d'état-major par intérim : « Vous devez prendre toutes les mesures : rassemblez canons, mitrailleuses, lance-flammes et tous autres moyens à notre disposition. Toutes ces armes seront employées si le gouvernement l'ordonne. »

La bataille fait déjà rage en plein Tel Aviv sous les regards stupéfaits des observateurs étrangers et des journalistes attroupés sur la terrasse du Kete Dan. A 16 heures, Allon fait amener un canon servi par un Juif d'origine allemande, Blücher. A ce moment-là, Begin, qui semblait servir de cible de tir chaque fois qu'il montait sur le pont du capitaine, lui rappelle par radio qu'il a accepté un cessez-le-feu et qu'il a renoncé à faire décharger la cargaison. Il a demandé une chaloupe pour évacuer les blessés de la fusillade.

En guise de réponse, Blücher tire un premier obus. Le capitaine hisse le drapeau blanc. Un second obus frappe la coque de plein fouet, provoquant l'incendie, puis l'explosion du navire. A côté de lui le vétéran de l'immigration illégale, Abraham Stavsky, l'ancien meurtrier présumé de Haïm Arlosoroff, qui comptait treize traversées clandestines à son palmarès, a été mortellement touché.

Quinze autres membres de l'Irgoun ont été tués pendant la bataille. Deux cent cinquante irgounistes sont arrêtés en ville, par le nouveau service de sécurité que dirige Isser Harel, et une centaine de soldats mis aux arrêts de rigueur pour refus d'obéissance.

Deux ministres démissionnent, mais il n'y a plus de bataillons de l'Irgoun dans l'armée.

Begin a réussi à gagner sans encombre la station radio clandestine de son état-major. Il y accuse, non sans raison, Ben Gourion d'avoir fait tirer sur l'*Altalena* pour le tuer. Mais il adjure ses troupes, par un serment solennel, de ne jamais retourner leurs armes contre leurs frères juifs.

« Béni soit le canon qui a mis le feu à ce bateau ! s'exclamera Ben Gourion. Ce canon aura sa place dans le musée de guerre d'Israël ! »

Begin, lui, aura refusé la guerre civile. Mais il prendra la tête d'une opposition politique qui, face à la toute-puissance du régime travailliste, jouera longtemps le rôle de Cassandre ou de statue du Commandeur et n'aura de cesse d'œuvrer à sa chute.

Quand il entre, le 1er juin 1967, dans le gouvernement d'union nationale qui prépare la guerre des Six Jours, il se montre pourtant sans rancune : c'est lui qui propose de rappeler le « Vieux », à la retraite depuis quatre ans. Il est le seul.

Après avoir saisi cette occasion de briser l'Irgoun, Ben Gourion a continué d'exploiter – sans jamais les créer de son fait – toutes les situations, tous les événements qui pouvaient nourrir ses obsessions et satisfaire ses ambitions de démocratie totalitaire. Il lui fallait éliminer les uns après les autres ses concurrents comme autant de dangers potentiels pour l'unité d'Israël, dont il se voulait le « prophète armé ».

Au début de juillet 1948, il fait demander au colonel Dan Epstein, dont la brigade avait encerclé l'Irgoun à Kfar Vitkin, s'il est maintenant en mesure de prévenir une tentative de putsch de gauche fomenté par le Palmakh. Il le charge de la défense du bâtiment de l'état-major et de sa résidence de Premier ministre, et fait mettre en alerte un de ses bataillons.

Pourtant, le Palmakh n'a pas plus l'intention que l'Irgoun n'en avait de se lancer dans un coup d'Etat. Les intentions des autres, Ben Gourion n'en a cure. Le 14 septembre, il organise au kibboutz de Galili – le limogé de juillet – un séminaire avec tous les officiers supérieurs du Palmakh : sur 64 présents, 60 appartiennent au Mapam ! Il met en cause l'existence de leur état-major particulier, dont Allon propose de faire l'état-major d'une division. Tollé général de la majorité des participants qui justifient la structure de leur commandement par l'existence d'un danger de « fascisme juif ». Il faudra d'abord liquider le Lehi, ce mouvement ultranationaliste sorti de sa clandestinité, mais dont la « dissidence » se poursuit à Jérusalem pour lutter contre l'internationalisation prévue par l'O.N.U.

Or, le 17 septembre, le comte suédois Folke Bernadotte, médiateur de l'O.N.U. depuis le 20 mai, est assassiné dans sa voiture à Jérusalem. On lui reprochait de faire le jeu des Anglais et des Arabes. Isser Harel vient trouver Ben Gourion :

– Je sais de source sûre que l'Irgoun n'y est pour rien. C'est un coup du Lehi. Il faut frapper le terrorisme juif à la tête.

Harel procède à 200 arrestations à travers le pays et le Lehi est déclaré hors la loi comme organisation terroriste. Chef du Shin Bet, le service de sécurité issu de l'ancien Shay, il présente à Ben Gourion les noms des trois suspects de l'attentat contre Bernadotte. Un de ceux-ci sera plus tard l'un des fondateurs du kibboutz Sde Boker, dans le Néguev, où se retirera le « Vieux », dont il deviendra le dernier compagnon à la fin de sa vie...

La répression impitoyable qui s'abat sur les derniers éléments du Lehi, noyauté par les agents d'Isser Harel, n'épargne pas non plus l'Irgoun. Les combattants de Jérusalem doivent rendre leurs armes pour être incorporés individuellement dans les unités régulières. Harel avait d'avance préparé des listes, fait surveiller les téléphones et les contacts à l'étranger, remonter les filières financières de tous les « dissidents » connus. C'est cette vaste opération de renseignement – la première du Shin Bet – qui lui a permis de frapper si vite et si fort et de traquer dans son repaire à Haïfa le n° 1 du Lehi, l'introuvable Yalin-Mor. Arrêté le 30 septembre, le chef terroriste sera condamné à la fin de la guerre d'indépendance, en janvier 1949, à huit ans de prison pour complicité dans le meurtre de Bernadotte.

Mais c'est aussi cette opération qui va faire d'Isser-le-Petit pour une longue période l'un des hommes de confiance les plus proches de Ben Gourion, son conseiller et son confident. D'accord avec le « Vieux », Harel libère la plupart des internés, dont certains accepteront de devenir des agents du Shin Bet...

Toujours en pleine guerre, le 28 octobre, à la veille de la conquête du Néguev, Ben Gourion se retourne contre le Palmakh et, en dépit des ultimes protestations de Yadin, signe l'ordonnance qui met fin à l'existence de ses structures indépendantes et à son état-major particulier. Cette dissolution crée un tel malaise que, à la fin de la guerre, la plupart des commandants du Palmakh, qui formaient la moitié du cadre des officiers supérieurs de Tsahal, quitteront l'uniforme. Sauf le petit groupe d'Ythzak Rabin, l'un des fusilleurs de l'*Altalena*. Ce petit groupe prendra sa revanche après la chute du « Vieux », en 1963; à partir du 1er janvier 1964, Rabin, Bar Lev, Elazar, Gur, Eytan se succéderont à la tête de l'état-major général : tous des anciens du Palmakh !

Après la liquidation du Palmakh, Ben Gourion s'attaque au dernier vestige de l'extrême gauche au sommet, avec l'appui toujours efficace d'Isser-le-Petit, qui n'avait pas digéré l'arrivée, à la fin de 1947, à la tête du Shay, d'Isser Beeri, dit Isser-le-Grand, un homme du Mapam, alors que lui-même avait été confiné au secteur de Tel Aviv. Dernier chef tout-puissant du Shay, Beeri a conservé un grand nombre de ses pouvoirs en devenant, le 30 juin 1948, le premier chef du service de renseignement de l'armée, l'Aman, de loin le plus important dans la hiérarchie de la sécurité, chargé à la fois de l'espionnage et du contre-espionnage, domaines respectifs du Mossad et du Shin Bet.

Beeri avait hérité de la clandestinité des pratiques peu compatibles avec la légalité et la justice, et notamment le recours à des procédures sommaires qui le faisait redouter comme une sorte de Beria juif. A partir de décembre 1948, on ouvre un dossier des exactions et des exécutions avouées dans lesquelles il a trempé. D'abord la disparition, en juillet, d'un Arabe de Jaffa, Ali Kassem, utilisé comme agent double par la Haganah. Son corps a été retrouvé criblé de balles deux mois plus tard au fond d'un cañon. Isser-le-Grand admet l'avoir fait fusiller parce qu'il le soupçonnait de double jeu. Ben Gourion en prend prétexte pour le suspendre de ses fonctions. Traduit devant un jury de trois colonels, Beeri est mis en disponibilité. C'est l'hallali.

Le 15 janvier 1949, Shaül Avigour apporte à Ben Gourion la preuve que Beeri avait, entre mai et août 1948, fait enlever et torturer le chauffeur d'Abba Houshi, l'un des leaders du Mapaï, et fabriquer un faux pour prouver que ce leader avait été en 1946 l'informateur de la police britannique... Le colonel Isser Beeri est dégradé et chassé de l'armée.

Le 10 juillet 1949, il est arrêté et inculpé d'homicide sur la personne du capitaine Meir Tubianski, condamné à mort le 30 juin 1948, sans avoir pu se défendre, par une cour martiale improvisée, composée de l'adjoint de Beeri, Benjamin Gibli, et de deux de leurs assistants du Shay, et fusillé séance tenante par un détachement du Palmakh. Ingénieur à la Compagnie générale d'électricité de Jérusalem, alors dirigée par des Anglais, Tubianski était soupçonné d'avoir fait remettre à ses collègues arabes la liste des usines d'armement et des bases militaires israéliennes alimentées par ce réseau et cibles privilégiées des batteries de la Légion arabe.

Beeri avait à l'époque informé le gouvernement de la découverte du traître et de son exécution. Le 27 décembre, Ben Gourion, sollicité par la veuve de Tubianski, ordonne la révision du « procès sommaire » de son mari. La contre-enquête montre l'illégalité de la procédure et conclut à une erreur judiciaire.

— Je plaide non coupable, déclare Isser Beeri devant le tribunal de Rehovot qui, le 23 novembre, le condamne à un jour symbolique de prison, compte tenu de « ses services dévoués à la défense d'Israël ».

Mais il est définitivement éliminé du circuit. Jusqu'à sa mort en 1958, l'homme dont « les secrets pouvaient faire sauter le pays » — selon l'expression d'un de ses amis — a refusé de s'expliquer davantage, ayant accepté de prendre toutes les charges sur lui et ne se départant plus de son mutisme. Son fils Itay, officier de marine, détient seul le secret de son Journal, resté totalement inédit.

La réhabilitation posthume de Tubianski n'a pas seulement coûté sa carrière au dernier chef de gauche des services secrets, victime de la maladie infantile du jeune État d'Israël qu'est l'espionite aiguë. elle a permis à Ben Gourion de rattacher la direction de ces services à la présidence du Conseil et sa transformation en instrument de sa politique, à travers la montée d'Isser Harel.

Une autre « affaire Dreyfus », six ans plus tard, va permettre à Isser-le-Petit d'éliminer un second rival : le successeur d'Isser-le-Grand à la tête de l'Aman, Benjamin Gibli. Mais elle aura, pour le pouvoir d'Etat, des implications et des répercussions autrement plus importantes qu'une simple guerre de services secrets.

LIVRE DEUX

APRES

Ici, ne pas croire au miracle, c'est faire preuve d'irréalisme »

DAVID BEN GOURION.

VII
UNE AFFAIRE DREYFUS EN ISRAËL

Le 24 décembre 1977, assis devant son poste de télévision à Tel Aviv, un reporter photographe de 43 ans, Philippe Nathanson, suit la retransmission en direct d'un fabuleux événement qui fait suite à la visite historique de Sadate à Jérusalem, le mois précédent : la rencontre à Ismaïlia, en Egypte, du Premier ministre d'Israël, Menahem Begin, et du président égyptien. Au pied de la passerelle desservant le Boeing d'El Al qui vient de déposer la délégation israélienne, il regarde attentivement des hommes se serrer la main : le Premier ministre d'Égypte, Mamdouh Salem, venu accueillir la délégation, et le ministre des Affaires étrangères d'Israël, Moshe Dayan, bien reconnaissable, derrière Begin, à son célèbre bandeau noir.

— Tiens, voilà les deux responsables de mes malheurs ! pourrait-il s'exclamer, en se remémorant ces jours sombres de juillet 1954 où il a fait la connaissance de Mamdouh Salem dans les locaux de police du quartier Atarin à Alexandrie. Salem dirigeait alors la police des étrangers de la ville, chargé de la surveillance des activités sionistes. Après quelques soins hospitaliers, Nathanson subissait son premier interrogatoire sur l'origine de la bombe artisanale qui avait pris feu dans sa poche à l'entrée du cinéma Rio. Et ce n'était pas précisément du cinéma. Le malheureux garçon, qui n'avait que 19 ans, faisait partie d'un réseau d'espionnage au profit d'Israël et venait d'être recruté par un agent des services spéciaux pour commettre une série d'attentats provocateurs. Cette action allait lui valoir de passer quatorze ans dans les geôles égyptiennes... Mais, surtout, sa découverte devait provoquer le plus grave désastre qu'ait connu l'histoire secrète d'Israël, déclenchant un scandale dont les rebondissements multiples – en 1958, 1960, 1963 et jusqu'en 1976 ! – ont ébranlé sa politique intérieure, sa communauté de renseignement et ses relations avec ses voisins arabes : l'affaire Lavon.

Pinhas Lavon est le nom du ministre de la Défense qui, à la fin de 1953, a succédé à Ben Gourion, quand le « Vieux », las des oppositions et des intrigues minant la coalition gouvernementale et son propre parti, s'est retiré volontairement du pouvoir « pour deux ou trois ans » dans son kibboutz du Néguev.

Le « père de la patrie » supportait assez mal toutes ces querelles de clans entre la vieille garde du parti et les cadets ambitieux. En 1952, un de ses proches collaborateurs, Ehud Avriel ou Katriel Salomon, lui avait conseillé de faire un coup d'Etat pour gouverner « sans les emmerdeurs » et réaliser la démocratie totalitaire de ses rêves. Mais le « Vieux » avait refusé de recourir à la dictature et préféré disparaître quelque temps de la scène politique, histoire de prouver son rôle de chef providentiel et indispensable. Il a d'ailleurs pris soin de laisser aux principaux postes de commande des hommes à lui comme autant de jalons plantés en vue de son retour : avant de partir, il a nommé Shimon Peres directeur du ministère de la Défense, Moshe Dayan chef de l'état-major et Isser Harel responsable des services secrets.

Il avait également choisi Levi Eshkol pour le remplacer à la présidence du Conseil, mais la vieille garde avait réussi à imposer son rival, le ministre des Affaires étrangères Moshe Sharett. Elle avait dû s'incliner, en revanche, devant le choix de Lavon pour le portefeuille de la Défense.

Ce brillant leader de l'aile gauche du Mapaï, connu pour son anti-impérialisme militant, a déjà assuré l'intérim de la Défense depuis six mois. Il n'y avait pas plus acquis la sympathie de l'armée qu'il n'avait celle des autres dirigeants ou espoirs du parti qui lui reprochaient son arrogance, son agressivité, son goût du risque. Ben Gourion lui-même n'avait guère plus d'estime à son égard, sauf, précisément, pour cet isolement et pour ses rapports dédaigneux avec Sharett. Peres et Dayan en voulaient à Lavon d'avoir dénoncé au « Vieux », l'année précédente, le plan qu'ils lui avaient soumis pour éliminer la « vieille garde » de la vie politique : les deux « jeunes turcs » lui avaient proposé de prendre la tête du complot et de soutenir en échange sa candidature au poste de vice-Premier ministre. Lavon avait refusé et s'en était ouvert à Ben Gourion, qui avait bloqué l'initiative.

Contrastant avec les idées pacifistes qu'il avait toujours avancées, son soudain activisme militaire l'avait vivement opposé à Sharett, demeuré, lui, fidèle à son image de colombe. En octobre 1953, Lavon avait pris la responsabilité d'une opération de représailles contre le village de Kybia, en Jordanie, où 70 civils avaient été tués. Le même mois, il avait conseillé au chef d'état-major Mordekhai Makleff d'ordonner des opérations machiavéliques contre des biens anglais à Amman afin de provoquer une détérioration des liens jordano-britanniques. Il avait également suggéré l'occupation de la rive est du Jourdain, dans la région de Gilead, pour faire sauter le canal construit par les Jordaniens.

Le 27 février 1954, au cours d'un débat de politique générale ouvert par Sharett au lendemain de la prise de pouvoir de Nasser en Egypte, il s'était prononcé pour l'occupation immédiate du plateau du Golan et de la zone de Gaza. Personne ne l'avait évidemment suivi. Au cours d'autres débats à la commission des Affaires étrangères et de sécurité de la Knesset, Lavon s'était fait l'avocat des représailles militaires contre les infiltrations de fedayin, en opposition totale avec Sharett qui niait toute valeur préventive à ce genre d'opérations.

Pourtant, Lavon prétendait ne pas avoir changé d'orientation idéologique. Son soutien aux opérations de représailles ne lui semblait pas seulement de nature à gagner quelque sympathie à l'état-major. Il y voyait surtout le moyen d'affaiblir les gouvernements réactionnaires arabes, de déstabiliser leurs régimes et de les faire basculer dans le camp anti-impérialiste. Sa thèse était qu'Israël avait tout avantage à réduire l'influence occidentale au Moyen-Orient. Et il reprochait aux dirigeants du Mapaï de pousser Israël dans les bras de l'Occident.

Cette perspective permet de mieux comprendre comment son nom va se trouver impliqué dans les intrigues du 2e Bureau de l'armée.

Il faut y ajouter la détérioration de ses rapports — déjà mauvais — avec Peres et Dayan. Ayant appris indirectement d'un officier de l'état-major la décision de Lavon d'ajourner l'achat du char français AMX, Dayan a présenté sa démission le 15 juin 1954. Ce n'est qu'après une longue conversation avec Ben Gourion qu'il a accepté de demeurer à son poste. Le surlendemain, le « Vieux » a d'ailleurs convoqué Lavon à l'hôpital Tel Hashomer, où il était en traitement, pour discuter de ses relations avec Dayan. Lavon s'est plaint de la mauvaise volonté du chef de l'état-major à partager avec lui les décisions importantes. Mais il a porté le gros de ses critiques contre Peres, qui, dit-il, « ment systématiquement ».

Ainsi, sous le règne instable de Sharett, se poursuivait un chassé-croisé de ministres rivaux entre Tel Aviv et Sde Boker – ou Tel Hashomer –, où chacun des protagonistes du psychodrame gouvernemental venait consulter le « Vieux ». Dans ce ballet incessant, le patron des services secrets, Isser Harel, jouait à merveille les éminences grises, proposant tel candidat à tel poste, s'opposant à d'autres.

Ce petit homme qui se piquait de n'être l'ami de personne et dont l'habitude de se ronger les ongles sans arrêt irritait tout le monde, avait connu une ascension foudroyante depuis le Shin Bet. La chute de son premier concurrent Isser Beeri avait abouti à une réduction des pouvoirs de l'Aman (Service de renseignement militaire) au profit d'une Centrale pour le renseignement et les missions spéciales (le Mossad) créée en 1951 et confiée à l'un des hommes mystères de la période clandestine, Reuven Shiloakh. Dès l'année suivante, ce dernier, convaincu de manquer de sens pratique, lui avait cédé la place, se contentant d'assurer la liaison entre les services et le gouvernement. Mais, au début de 1953, Isser a réussi à l'évincer de ce poste, ainsi que le candidat à sa succession, Ehud Avriel, l'ancien bras droit de Shaül Avigour au Mossad de l'immigration clandestine. Il a même fini par faire supprimer ce poste en se mettant directement au service de Ben Gourion qui, cette année-là, a nommé Harel « memouneh », responsable à la fois du Mossad et du Shin Bet (sécurité intérieure), le premier coiffant l'ensemble des cinq organismes de la communauté des renseignements. Au sommet de l'échelle, Isser-le-Petit, qui, de 1948 à 1952, avait organisé une police politique écoutant et filant les opposants de droite et de gauche, les officiers de l'armée – y compris Dayan – et même les magistrats, détenait un pouvoir immense, que personne n'a détenu avant ou après lui dans l'histoire de l'Etat juif.

Un seul service, cependant, échappait en partie à son contrôle : l'Aman, le 2e Bureau de l'armée, qui a gardé jalousement son indépendance administrative et opérationnelle. Et l'Aman disposait pour ses opérations spéciales à l'étranger d'une unité secrète, l'unité 131, chargée de missions d'espionnage en temps de paix et d'actions derrière les lignes ennemies en temps de guerre, sur le modèle de l'O.S.S., le précurseur de la C.I.A. américaine. Elle était formée surtout d'anciens membres des sections spéciales du Palmakh, tel le lieutenant-colonel Motkeh Ben Zur, qui se trouvait à sa tête en 1954. Les chefs de cette unité refusaient toute autre tutelle que celle de l'Aman.

En 1953, le chef par intérim du 2e Bureau, le colonel Yehoshafat Harkabi a exceptionnellement informé Isser Harel de certaines opérations préparées par la « 131 ». N'ayant aucun pouvoir sur cette unité, Harel a préféré ignorer ces plans, dont certains lui semblaient « farfelus, aventuristes et d'une irresponsabilité monstrueuse ». Toutefois, en janvier 1954, il a demandé que ces actions soient supervisées par un comité de coordination. Il s'est heurté au refus de Lavon, qui avait découvert, lors de son premier séjour intérimaire au ministère, l'existence de cette petite baraque de la banlieue de Tel Aviv où les commandants de la « 131 » montaient des réseaux pour des opérations de guerre psychologique inspirées de la tradition du Palmakh, en dehors des réseaux d'espionnage du Mossad. Et ces projets d'action, marqués souvent par une extrême naïveté et par une absence totale de maturité politique, fascinaient l'intellectuel de gauche tout comme elles avaient fasciné le colonel universitaire Harkabi.

Mais, en outre, Lavon était animé par une thèse politique bien particulière : mettre le feu à la poudrière du Moyen-Orient, accélérer le départ des Britanniques et autres puissances impérialistes, encourager des révolutions à l'intérieur des pays arabes au régime encore féodal. Bref, le contraire de la thèse de son Premier ministre Sharett qui, lui, voulait chercher un terrain d'entente avec les Etats arabes par la négociation et l'absence de tensions aux frontières. En avril 1954, l'état des relations entre Lavon, Sharett et Dayan était devenu tel qu'aucune coordination, aucune information même ne se révélait possible entre la présidence du Conseil, le ministère de la Défense et l'état-major. C'est dans ces conditions que Lavon, court-circuitant Dayan, a établi des liens directs avec des officiers comme le colonel Gibli, le chef de l'Aman, qui lui transmettait ses rapports sans passer par l'état-major et à l'insu du coordonnateur des services secrets, Isser Harel.

Ces contacts non hiérarchiques entre Lavon et Gibli ont tout à coup privilégié la position du chef du renseignement militaire au sein de la communauté des services secrets. Il s'est mis, sur ordre de Lavon, à refuser des informations à Harel sur les activités de l'unité 131 à laquelle le Mossad avait pu accorder une assistance technique ou logistique. Isser ne dépendait plus, lui, que d'un président faible, Moshe Sharett; il disputait à Peres et à Dayan la place de premier confident de Ben Gourion; il se heurtait à la concurrence du colonel Benjamin Gibli, seul chargé des évaluations stratégiques à partir de l'analyse des renseignements.

Dans ces conditions, au milieu du printemps de 1954, il était parti quelques mois pour l'Amérique...

Et c'est sur ce fond explosif qu'Israël est informé, à la fin de ce printemps, des intentions de la Grande-Bretagne de retirer sa garnison du canal de Suez. La politique anglo-américaine au Moyen-Orient a sensiblement évolué depuis le renversement du régime corrompu du roi Farouk d'Egypte, le 23 juillet 1952, par la révolution des Officiers libres du général Néguib. Dès le lendemain du coup d'Etat, une nuée d'agents américains de la C.I.A., des experts du Département d'Etat, des spécialistes en « Public Relations» s'envolent pour Le Caire où les attend Kermit Roosevelt, le petit-fils du président Theodore Roosevelt, qui, avec son ami Miles Copeland, a noué depuis le mois de mars des liens intimes avec l'homme fort du nouveau régime, le colonel Nasser.

Ces rapports ont porté leurs fruits. En 1953, les chefs de l'Egypte révolutionnaire demandent aux Etats-Unis de les aider à organiser leur armée et leurs services secrets. Paul Leinberger, ancien de l'Office for Strategic Services (O.S.S.), est prêté à leur gouvernement pour organiser la propagande contre les ennemis du régime. Ces changements n'ont d'abord pas trop inquiété Israël. La présence militaire de la Grande-Bretagne dans la zone du canal avait de quoi modérer l'ardeur des nouveaux dirigeants égyptiens et apaiser la crainte de quelques dirigeants israéliens.

Deux thèses se sont affrontées à l'époque : celle de Ben Gourion et celle de son ministre des Affaires étrangères, Moshe Sharett. Au début, le Premier ministre a adressé un message de félicitations aux nouveaux maîtres du Caire. Et il ne s'est pas opposé aux tentatives faites, à titre privé, par Ygal Allon, redevenu simple citoyen, d'établir un contact avec Nasser, son ancien prisonnier de la poche de Falouja lors de la conquête du Néguev en 1948.

Mais, face aux attentats terroristes perpétrés contre des villages frontaliers par des Palestiniens infiltrés de Cisjordanie et de Gaza, Ben Gourion a favorisé une politique de représailles militaires, à laquelle Sharett s'opposait pour deux raisons : il croyait à la possibilité d'une politique de modération surtout envers l'Egypte qu'il considérait comme la clé du problème israélo-arabe. Et il redoutait la réprobation du monde occidental.

La tension entre les deux hommes a affecté, en 1953, les relations entre le ministère des Affaires étrangères et celui de la Défense. Les commissions mixtes d'armistice israélo-arabes, créées en 1949, devenaient le champ clos d'une confrontation permanente entre les diplomates et les militaires israéliens. A la fin d'octobre 1953, après le raid meurtrier sur le village jordanien de Kibya, Ben Gourion a rédigé une sorte de testament politique pour ses successeurs. Il y prévoyait un second round du conflit israélo-arabe pour l'année 1956. Sharett répondait alors dans son Journal : « Tout en acceptant l'analyse de Ben Gourion comme une éventualité possible, je pense qu'il faut chercher des solutions non militaires. » Parmi ces solutions, il préconisait : d'une part, un plan audacieux pour l'indemnisation des réfugiés arabes de la guerre de 1948; d'autre part, l'amélioration des relations avec les grandes puissances et, en premier lieu avec les Etats-Unis – contre l'orientation trop européenne de Shimon Peres; enfin, la recherche inlassable d'une entente avec l'Egypte.

Dès son accession à la présidence du Conseil, Sharett a échangé des lettres avec Nasser. Celui-ci venait, le 25 février 1954, de supplanter le général Néguib à la tête du Conseil de la révolution, en attendant d'occuper officiellement le poste de Premier ministre. Par son contact régulier avec la C.I.A., il a demandé alors aux Américains d'intervenir auprès de leurs alliés britanniques pour faire aboutir les négociations secrètement amorcées en 1953, visant à leur évacuation de la zone de Suez. Il leur avait fait savoir qu'il ne pourrait se joindre au pacte de défense avec l'Irak et la Turquie, envisagé par le secrétaire d'Etat John Foster Dulles dans le cadre de sa doctrine du « cordon sanitaire » autour de l'U.R.S.S., tant que 80 000 soldats britanniques campaient sur le sol égyptien.

Dès lors, les Etats-Unis se sont lancés dans une double initiative : faire pression sur la Grande-Bretagne pour qu'elle accepte de retirer ses forces du canal, faire une tentative pour liquider le contentieux israélo-arabe en commençant par un accord entre l'Egypte et Israël.

En avril, le Département d'Etat favorise en effet les préparatifs d'une première rencontre entre l'Egyptien Mahmoud Riad et l'Israélien Yossef Tekoa, mais la suite des événements l'empêchera d'avoir lieu, comme toutes les tentatives qui se succéderont pendant les dix-huit mois du gouvernement Sharett.

A Londres, en revanche, la pression américaine a produit les effets escomptés. Le gouvernement Churchill est sur le point d'accepter l'évacuation de la zone du canal contre des garanties concernant les biens et les autres bases britanniques, en dépit de l'opposition farouche des « jeunes conservateurs » au Parlement de Westminster. Après une entrevue Churchill-Eisenhower, le 26 juin, les Anglais ont accepté le principe de l'accord qui doit être négocié le 27 juillet au Caire.

Ces nouvelles jettent la consternation en Israël. Sans la présence britannique, quid du *statu quo ?* Que faire pour contraindre les

Anglais à rester ? Au cours du mois d'avril, l'état-major général a analysé la situation à la lumière des informations sur d'éventuelles livraisons d'armes américaines en quantités importantes à l'Irak et peut-être à l'Egypte. Au début de mai, le chef de l'Aman, le colonel Benjamin Gibli, a évalué, avec ses collaborateurs du renseignement militaire, les répercussions d'une évacuation par les forces britanniques de la zone du canal de Suez. Dans son baraquement de la Kyria de Tel Aviv, siège de l'état-major de Tsahal, il examine un plan élaboré par des officiers de l'unité 131 et destiné à fomenter des troubles en Egypte, afin de prouver la fragilité du régime de Nasser et donc de tout accord conclu avec lui. Consulté pour la forme, le chef de l'état-major, Moshe Dayan, ne montre pas un enthousiasme excessif pour un tel plan, mais il ne s'y oppose pas formellement non plus. Quand il sera en tournée aux Etats-Unis, il recevra un rapport de Gibli mentionnant, le 19 juillet, que « le feu vert pour l'opération en Egypte a été donné ».

Gibli ne se soucie d'ailleurs pas trop de l'avis de Dayan, puisqu'il a le contact direct avec le ministre de la Défense, Pinhas Lavon, et qu'il se sent en position de pouvoir prendre seul toute décision de ce genre, sans avoir à en référer à qui que ce soit. Au demeurant, c'est un plan qui n'est pas incompatible avec ce qu'il sait du tempérament et de l'idéologie de Lavon. Celui-ci n'a-t-il pas, au début de l'année, chargé l'unité 131 d'une mission de sabotage contre les consulats anglais de Jordanie dans l'espoir de créer une tension anglo-jordanienne ?

En Egypte aussi, les agents recrutés depuis trois ans par des officiers traitants de l'Aman dans les milieux de la jeunesse juive suivent attentivement le cours des événements de ce printemps de 1954. Ils étaient manipulés jusqu'ici par un ancien combattant du Palmakh, devenu commandant dans l'unité 131 et envoyé au Caire au milieu de l'année 1951 avec une couverture de représentant commercial d'une grande société anglaise d'appareillages électriques. Il se nomme Avraham Dar, mais son passeport britannique est au nom de John Darling. Il s'était présenté au domicile d'un Juif égyptien sioniste, le Dr Victor Saadi, qui dirigeait une petite organisation clandestine, « Ensemble », ayant pour objectif l'émigration en Israël. Il lui avait demandé de l'aider à monter un réseau destiné, lui, à des missions spéciales, en cas de guerre, sur les arrières égyptiens.

Les mois suivants, le Dr Saadi avait pu lui fournir une dizaine de jeunes Juifs sûrs, que Darling répartit en deux cellules : l'une au Caire, dirigée par le Dr Moussa Marzouk, médecin à l'hôpital juif de la capitale, l'autre à Alexandrie, confiée à un instituteur,

Sami Azzar. La communication entre les deux cellules était assurée par une magnifique jeune Juive, Victorine Ninio, dite Marcelle, fille d'une grande famille bourgeoise du Caire et vedette d'un club sportif très select. Marcelle se trouvait d'autre part en contact avec un commandant de l'Aman établi au Caire, sous le nom de Max Bennett et également sous couverture commerciale, mais, pour une tout autre tâche, solitaire, elle, de renseignement : la firme allemande de prothèses pour mutilés de guerre, qu'il était censé représenter, lui permettait d'entretenir des relations étroites avec plusieurs officiers supérieurs égyptiens, y compris le général Néguib.

L'autre centrale d'espionnage israélien, le Mossad, disposait en Egypte d'un réseau tout à fait différent et parfaitement cloisonné.

En 1952-1953, plusieurs membres du réseau Darling étaient partis prendre leurs vacances en France. De là, ils s'embarquaient en réalité pour Israël, où ils allaient s'entraîner, dans un bâtiment apparemment abandonné de Jaffa, au maniement des explosifs et des encres invisibles, à la manipulation d'émetteurs-récepteurs miniatures, au chiffrage et au déchiffrage de codes, à l'art discret de la photographie et du relèvement topographique. Un jeune officier en jupons, prénommé Rachel, leur apprenait à préparer des bombes artisanales à partir de susbstances chimiques en vente libre dans les pharmacies.

Quand, en juin 1954, un nouveau commandant vient prendre la tête de leur réseau, ses membres sont loin d'être déjà aguerris par le séjour de quelques-uns à l'école de renseignement de l'unité 131. Ils font même preuve d'une juvénile insouciance, laissant traîner chez eux des papiers, des photos, du matériel compromettants. Ils ignorent encore les règles rigides de la conspiration et du cloisonnement. Mais ils n'ont plus le temps de se perfectionner.

Implanté en Egypte depuis l'hiver dernier sous le nom de Paul Frank, représentant d'une firme germanique de fournitures électriques, leur nouveau chef est bien introduit dans la colonie allemande du Caire : ce jeune et bel Israélien de 28 ans, blond aux yeux bleus, a réussi à se faire passer pour un ancien SS. Son rôle initial est de repérer les filières d'évasion des anciens nazis réfugiés en Egypte. Il se nomme Avri Elad. Il a été convoqué en France par message secret pour rencontrer, le 26 mai, le lieutenant-colonel Ben Zur, chef de l'unité 131, en tournée d'inspection en Europe. Le rendez-vous a lieu dans un café de Paris. Ben Zur lui donne des instructions pour prendre en main le réseau égyptien et le lancer dans des opérations de « terrorisme matériel » – sans attenter à des vies humaines — contre des objectifs américains et britanniques, de façon à incriminer le régime nassérien pour son incapacité à contenir le fanatisme des Frères musulmans ou la subversion communiste... Tel était le plan élaboré dans la petite baraque de la banlieue de Tel Aviv. Il a reçu le nom de code d'« Opération Susana ». L'ordre d'exécution de l'« Opération Susana » sera communiqué au réseau confié à Elad soit par message radio, soit par une recette culinaire diffusée pendant l'émission *Pour la ménagère* par la station nationale israélienne « Kol Israël » (Voix d'Israël). La date prévue pour le début des attentats est le 23 juillet, date anniversaire de la révolution égyptienne, à l'approche de la négociation de l'accord sur le retrait britannique de la zone du canal.

Ben Zur n'a donné que deux noms à Elad-Frank pour prendre contact avec le réseau : Philippe Nathanson et Victor Levi, de la cellule d'Alexandrie. De retour en Egypte le 25 juin, Elad fait le jour même la connaissance du premier qui, le lendemain, lui présente son camarade, responsable radio de l'équipe. Deux autres agents de la cellule d'Alexandrie suffiront au démarrage de l'opération Susana : Robert Dassa et son chef Sami Azzar. Elad ne rencontre donc ni l'agent de liaison Marcelle Ninio ni les membres de la cellule du Caire.

Un premier essai est effectué à son initiative le 2 juillet avec des explosifs rudimentaires de fabrication artisanale : des boîtes de poudre à laver et des étuis à lunettes bourrés de solution chimique sont placés dans un bureau de poste et une consigne publique. Les dégâts de l'explosion sont insignifiants : un peu de fumée, un début d'incendie.

Le lendemain, Victor Levi émet, d'un studio d'artiste loué par Sami Azzar, 18, rue de l'Hôpital, qui sert de lieu de rendez-vous à la cellule d'Alexandrie, un message radio annonçant cette première « opération expérimentale ». Les 9 et 10 juillet, Kol Israël diffuse une recette de gâteaux anglais dans son programme *Pour la ménagère*. C'est le signal convenu pour passer à l'action.

Le 14 juillet, profitant de la célébration joyeuse à Alexandrie de la prise de la Bastille, symbole français du renversement de la tyrannie monarchique, les quatre agents se divisent en deux équipes pour placer des bombes incendiaires du même type dans les librairies américaines ainsi qu'au centre d'information de l'ambassade et aux consulats des Etats-Unis dans cette ville et dans la capitale. Le lendemain, Levi transmet un nouveau message à l'unité 131 annonçant le succès des essais : l'Agence de presse du Moyen-Orient, citée par l'A.F.P., fait pour la première fois

quelques heures avant sa propre arrestation. Dans ses Mémoires, Avri Elad prétendra l'avoir vu arriver à ce rendez-vous flanqué d'agents de la police secrète égyptienne et s'être esquivé de justesse. Il affirmera d'autre part avoir proposé à Azzar de le prendre dans sa voiture et de lui faire passer la frontière libyenne pour l'expédier à l'abri en Europe, mais, au dernier moment, Azzar aurait refusé de partir pour ne pas laisser sa vieille mère seule à Alexandrie.

De leur côté, les condamnés raconteront, plus tard, après leur libération, que c'est Elad qui, en réalité, aurait annulé ce voyage, sous prétexte d'organiser leur évasion. Il est vrai qu'ils l'accuseront d'avoir trahi lui-même le réseau.

En fait, l'arrestation d'Azzar ne résultait que du cours de l'enquête. Le 31 juillet au matin, les policiers ont tout simplement trouvé dans l'appartement de Victor Levi les clefs du studio de la rue de l'Hôpital. Ils apprennent sur place que ce studio d'artiste a été loué par un certain Sami Azzar, qu'ils n'ont plus qu'à « cueillir », à midi, à son domicile.

De proche en proche, c'est tout le réseau qui s'effiloche, se démaille. Le 5 août, un nommé Meir Meyouhas, vaguement lié au réseau, est arrêté à Alexandrie, et le Dr Moussa Marzouk appréhendé au Caire, bien qu'il n'ait pas participé à l'« Opération Susana » et n'ait eu aucun contact avec Avri Elad. Mais le fait de disposer de quatre appartements dans la capitale l'a rendu suspect et un émetteur a été repêché dans un bidon d'huile à bord de sa voiture. Des dizaines de Juifs égyptiens sont raflés pour vérifications. Le 8 août, la belle Marcelle Ninio, qui n'avait eu aucun contact avec les quatre poseurs de bombes, est arrêtée à son retour d'un week-end au bord de la mer. Le lendemain, c'est le tour de Max Bennett, l'espion solitaire qui n'avait rien à voir avec le réseau.

Ayant appris les contacts de Bennett avec le général Néguib, sous sa couverture commerciale, Nasser en profite pour donner le coup de grâce à son rival, qu'il fera placer à partir d'octobre en résidence surveillée.

Quant à Paul Frank, alias Avri Elad, il a pu, sans être importuné, liquider ses affaires, vendre sa célèbre voiture décapotable, et prendre place, le 6 août, à bord d'un vol régulier pour Francfort, en Allemagne. Il est accompagné de Melki Klaudian, la femme d'un riche Arménien du Caire, qui transporte dans ses bagages, sans le savoir, l'émetteur du studio de la rue de l'Hôpital, démonté par ses soins. Il emporte également sur lui, dans une boîte d'allumettes, les plans d'une petite fusée que des techniciens allemands et autrichiens ont mise au point en Egypte.

Il passe une semaine en Allemagne et regagne Israël le 13 août pour faire son rapport à Ben Zur sur la chute du réseau.

L'annonce, le 28 juillet, par la presse internationale, du démantèlement en cours d'un réseau sioniste en Egypte, où vient de s'ouvrir la phase finale de la négociation pour le retrait des forces britanniques, a bouleversé, entre-temps, l'opinion israélienne, qui craint le pire pour les jeunes Juifs égyptiens arrêtés.

Le télégramme d'Avri Elad, adressé le 24 juillet à une boîte aux lettres genevoise de l'unité 131 annonçant la « faillite » (arrestation) de « Pierre » (Levi), est arrivé le 26 sur le bureau du colonel Gibli au service de renseignement de Tsahal. Le chef de l'Aman envoie aussitôt un billet à son ministre, Pinhas Lavon, pour lui faire part de l'arrestation de « deux de nos hommes en Égypte ». Cela ressemble pratiquement à une réponse à la question griffonnée par Lavon sur la coupure du *Haaretz* du 16 juillet mentionnant la vague d'explosions du 14. A la réception du billet, Lavon se contente d'y apposer ses initiales P.L. sans poser d'autres questions.

Un communiqué du ministère égyptien de l'Intérieur apporte le 27 juillet la réponse, que les journaux israéliens reproduisent le 28 sans commentaire. Le lendemain, le Premier ministre, Moshe Sharett, qui n'est toujours au courant de rien, demande à Isser Harel, le chef du Mossad de retour de son long voyage d'études aux Etats-Unis, s'il s'agit d'hommes à lui.

— Négatif, répond Isser, je vais voir cela avec le colonel Gibli.

Le chef de l'Aman, qui sait, lui, à quoi s'en tenir, déclare à son collègue de la communauté secrète des renseignements qu'il est en train de faire une enquête, « ne connaissant l'existence d'aucun ordre d'opération de cette nature ». Dès son départ, il décroche son téléphone et appelle Lavon pour lui signaler qu'Isser Harel s'intéresse à l'affaire. Étant donné l'état des relations entre les deux cabinets ministériels, Lavon lui répond de ne communiquer aucune information au chef du Mossad.

— Si le Premier ministre veut en savoir davantage, qu'il se mette donc directement en rapport avec le ministre de la Défense, téléphone alors Gibli à Harel.

Blanc comme un linge, Isser-le-Petit se précipite chez Sharett et le pousse à ordonner une enquête. Mais le Premier ministre se soucie peu de demander des explications à Lavon. Il a assez de mal à faire tenir sa coalition gouvernementale pour ne pas risquer une confrontation supplémentaire avec son ministre de la Défense.

Le 1er août, le chef de l'unité 131, Motkeh Ben Zur, rédige son premier rapport sur la chute du réseau égyptien. Il y fait état des trois opérations des 2, 14 et 23 juillet effectuées dans le cadre du plan Susana.

Le 8 août, son patron, le colonel Gibli, présente à Lavon une version édulcorée de ce rapport, qui ne mentionne aucune de ces dates d'opérations. L'affaire pourrait être classée après le retour d'Avri Elad, le 13 août, en Israël, si l'opinion n'allait s'enflammer à l'approche du procès des douze Juifs arrêtés en Egypte, dont l'ouverture est prévue pour le 11 décembre. Pour commencer, la presse israélienne qualifie ce procès de « parodie politique antisémite ».

Le 12 décembre, devant la Knesset, le Premier israélien Sharett, toujours tenu dans l'ignorance de la vérité, s'élève, dans une violente déclaration, contre « ce procès truqué, ces calomnies destinées uniquement à frapper les Juifs d'Égypte ». Une campagne internationale de démarches et de pétitions est entreprise pour sauver les accusés. D'autant que Marcelle Ninio, brisée par la torture, s'est jetée à deux reprises par les fenêtres de la Direction générale de la police et qu'on a dû la traîner, blessée, au box du tribunal. Et que, le 21 décembre, au milieu du procès, Max Bennett, que l'accusation fait passer pour le chef du réseau, se suicide en se tranchant les veines avec un clou rouillé arraché à sa porte.

Le député travailliste britannique Richard Crossman se rend au Caire pour voir Nasser. Le ministre français des Affaires étrangères, Edgar Faure, dépêche une lettre personnelle au Raïs. A Paris, un des directeurs du ministère israélien des Affaires étrangères, Gideon Rafaël, rencontre le colonel égyptien Saroït Okasha et lui transmet un message du Premier israélien Sharett au président égyptien...

Mais déjà, en Israël, dans les milieux qui savent ces « calomnies » fondées sur des faits, se pose la première des trois séries de questions qui constitueront les trois phases du développement de ce qui est en passe de devenir une Affaire, avec un grand A :

1/ Qui a donné l'ordre de la désastreuse « Opération Susana » ? Et qui a accordé le feu vert ?

2/ Comment expliquer la chute de tout un réseau ? Y a-t-il eu trahison ?

3/ Pourquoi ne tentera-t-on rien pendant quatorze ans pour faire libérer les condamnés ? Et quel a été le rôle de Dayan dans cette affaire. Le général borgne avait-il quelque chose à cacher ?

Chez les dirigeants israéliens, on est donc lancé à la recherche d'un coupable, sinon d'un bouc émissaire à renvoyer au désert. Quels sont les responsables d'une telle opération qui, outre les vies humaines mises en péril, risque d'envenimer les relations d'Israël avec les Etats-Unis ?

Le général Moshe Dayan, patron direct du colonel Gibli à l'état-major de Tsahal, est rentré le 19 août de son long voyage d'études aux Etats-Unis. Il y était parti le 7 juillet dans des conditions assez obscures. Il se prétendait invité par le Pentagone, mais les chefs militaires américains l'avaient apparemment oublié, puisque, finalement, l'Etat d'Israël s'était vu contraint de payer une grande partie de ses frais de séjour et de déplacement entre les bases américaines...

C'est pendant ce séjour coûteux que, par la valise diplomatique, l'avait atteint la lettre de Gibli, en date du 19 juillet, lui annonçant le feu vert donné pour déclencher l'« Opération Susana ». Dayan avait détruit cette lettre. Mais une copie en était restée dans les archives de l'Aman.

A son retour, le mois suivant, une fois connue la chute du réseau, Dayan flaire le piège. Il sait, pour avoir été consulté lors du planning de l'unité 131, que l'opération en Égypte était de nature hasardeuse et que son retentissant échec risque de faire boule de neige. Il explique à Gibli qu'il lui faudrait la preuve du feu vert donné par le ministre de la Défense. A défaut de cette autorisation formelle de son supérieur, la responsabilité en retomberait, en effet, sur ses propres épaulettes de chef d'état-major général...

Le 24 août, Dayan fait le pèlerinage coutumier à Sde Boker auprès du « Vieux ». Relatant sa visite, Ben Gourion écrit ce jour-là dans son Journal intime : « Il s'agit d'une bêtise criminelle de Lavon. » Dayan revient à Tel Aviv encore plus soucieux. Il presse le colonel Gibli de lui fournir un rapport écrit sur les conditions dans lesquelles il a reçu le feu vert de Lavon. Il sait bien que ce document peut mettre fin à la carrière du ministre, mais une telle éventualité ne serait pas pour lui déplaire. Au contraire. Le problème, c'est que le chef du service de renseignement de l'armée ne veut pas, lui, s'engager par écrit. Il part d'ailleurs aussitôt pour l'Europe, sous prétexte de chercher des avocats à envoyer au Caire afin d'assurer la défense des inculpés de son réseau. Il n'est de retour que le 19 septembre.

C'est alors qu'il élabore son propre système de défense : Lavon lui aura donné le feu vert verbalement au cours d'une réunion, le 15 juillet, à l'état-major; deux ou trois généraux pourront en effet témoigner avoir vu ce jour-là le ministre et le colonel bavarder un moment en tête à tête; le réseau d'Egypte n'aura donc entrepris qu'une seule opération, celle, catastrophique, du 23 juillet; enfin, le feu vert sera devenu un ordre formel – et également verbal –, confirmé par Lavon lorsqu'il a reçu Gibli à son domicile privé le 16 juillet au soir.

Quand, le 21 décembre, on apprend le suicide de Max Bennett dans sa cellule, en plein procès du réseau sioniste au Caire, l'indignation est à son comble en Israël. Le ministre de la Défense, sommé de s'expliquer par ses collègues du gouvernement, nie avoir donné l'ordre. Apprenant par les comptes rendus du procès que les attentats ont commencé en réalité le 2 juillet, il demande au Premier Sharett de désigner une commission d'enquête pour établir la vérité sur cette méchante affaire dans laquelle il se sent entraîner. Le 29 décembre, Sharett nomme le président de la Cour suprême, Ytzhak Olshan, et l'ancien chef de l'état-major, le général de réserve Yaacov Dori, à la tête d'une commission chargée d'enquêter sur une seule question : « Qui a donné l'ordre d'opérer en Egypte ? »

Pour le colonel Gibli qui s'est abrité derrière un prétendu ordre verbal reçu de Lavon le 16 juillet, il est capital d'effacer toute trace des opérations entreprises les 2 et 14 juillet par le réseau d'Alexandrie. Ce gommage nécessite quelques corrections dans les documents figurant aux archives de l'unité 131. Gibli a d'abord fait détruire par sa secrétaire, Dalia Carmel, les rapports télégraphiques et écrits relatifs aux attentats « expérimentaux » des 2 et 14 juillet. Sur ses instructions, le colonel Ben Zur demande ensuite à la jeune femme de modifier la copie de la lettre du 19 juillet de son patron à Dayan qui annonçait que « l'ordre a été donné de commencer l'Opération Susana ». En ajoutant ces quatre mots : « avec l'accord de Lavon ». Et de changer deux pages du registre des documents transmis au ministre afin de prouver qu'il avait été tenu au courant de la chute du réseau avant l'annonce de la nouvelle.

L'essentiel maintenant, pour lui, est de s'assurer la coopération du seul témoin de l'action du réseau : son chef, Avri Elad. Toujours sous le nom de Paul Frank, celui-ci est reparti pour l'Allemagne, où il crée une compagnie commerciale destinée à lui servir de nouvelle couverture pour d'autres opérations spéciales en pays arabes. Il prétend que la crédibilité de ses couvertures n'a pas été entamée en dépit du fait que le nom de Paul Frank figure sur la liste des accusés jugés par contumace au procès du Caire. Pour les Egyptiens, soutient-il, Paul Frank est bien l'ancien nazi réfugié au Caire qui a vendu ses services aux Israéliens, comme il les vendrait au plus offrant, et qui, de ce fait, reste un agent encore valable et utilisable, à condition d'y mettre le prix.

Or, la commission d'enquête nommée le 29 décembre 1954 par le gouvernement commence par convoquer Avri Elad en Israël pour recueillir son témoignage sur l'activité du réseau d'Alexandrie. Avant son retour d'Europe, un officier de l'Aman dépêché à Paris, le lieutenant-colonel Mordekhai Almog, lui fixe secrètement rendez-vous le 2 janvier à 14 heures, à l'angle de l'avenue de Wagram et de la place de l'Étoile. Au cours de cette rencontre clandestine, il lui remet une lettre du lieutenant-colonel Ben Zur, chef de l'unité 131. Ce dernier demande tout simplement à Elad d'oublier les actions de son réseau antérieures à l'opération du 23 juillet et de « corriger » en ce sens tous les papiers et documents relatifs aux actions des 2 et 14 juillet. Dévoué à celui qui a fait sa carrière dans les services spéciaux, Elad accepte de se prêter à cette manipulation de textes.

Ben Zur vient d'ailleurs l'accueillir lui-même à son arrivée, le 4 janvier 1955, à l'aéroport de Lod. Il vérifie la mise au point du scénario. Et le fait rencontrer le colonel Gibli en cachette pour répéter ensemble sa déposition devant la commission. Elad lui remet l'original du journal de bord dans lequel il transcrivait, en code, toutes les instructions reçues de la centrale, et ne garde, à l'usage de la commission d'enquête, qu'un double proprement remanié.

Pourtant les commissaires Olshan et Dori qui recueillent sa déposition pressentent qu'on leur a caché quelque chose. Dans le plus grand secret, entre le 2 et le 10 janvier, ils ont collecté une dizaine de témoignages, enregistrant une série d'accusations et de contre-accusations qui leur dévoile l'état hypertendu des relations entre les principaux dirigeants de la Défense. Dayan et Peres ont même proposé au secrétaire de Lavon, Ephraïm Evron, de témoigner contre son patron, mais essuyé un refus. A l'extérieur, Israël continue néanmoins à nier toute responsabilité dans l'affaire du réseau sioniste d'Egypte.

Face à l'avalanche de documents et de dépositions contestées, dont ils n'ont pas les moyens d'apprécier le degré d'authenticité, les commissaires nommés reviennent, le 13 janvier, déclarer à Sharett leur incapacité de trancher si Gibli a agi ou non sur ordre de Lavon.

Le 27 janvier, le tribunal du Caire qui juge les dix survivants du réseau sioniste rend son verdict : le Dr Moussa Marzouk, chef de la cellule cairote, et Samuel Azzar, chef de la cellule d'Alexandrie, sont condamnés à mort; six autres accusés à des peines variant de trois ans de prison à la réclusion perpétuelle; deux relâchés faute de preuves. A la demande de Sharett, le député britannique Maurice Averbach rencontre Nasser et Ali Sabri, mais le Raïs, qui vient de refuser, six semaines plus tôt, la grâce de six Frères musulmans condamnés à mort, ne peut épargner la potence aux deux chefs de cellules sionistes... Le 30, malgré les appels à la clémence émanant de tous les horizons politiques, culturels et religieux, Marzouk et Azzar sont pendus dans la cour de la prison centrale du Caire.

En Israël, les passions se déchaînent. Le 2 février, Sharett, poussé par Isser Harel, contraint Lavon à donner sa démission. Le 17, Ben Gourion rentre plus tôt que prévu de Sde Boker reprendre le portefeuille de la Défense, dans le gouvernement de son rival, Moshe Sharett, auquel il ne tardera pas à succéder à la présidence du Conseil.

Le « Vieux » convoque le colonel Gibli et lui explique qu'il ne peut le laisser à la tête de l'Aman. Il lui confie le commandement de la brigade Golani, sur la frontière nord, et fait revenir de Paris, où il poursuit ses études, le colonel Harkabi pour le remplacer.

La soudaine tension frontalière avec la Jordanie, les infiltrations de fedayin de Gaza et de Samarie feraient peu à peu oublier la « vilaine affaire » (« Haessek Habish », comme la nomme alors la presse hébraïque), si deux hommes, eux, n'étaient pas près d'oublier : Pinhas Lavon et Isser Harel.

Lavon a consolidé sa position dans l'appareil travailliste en se faisant élire au poste clé de secrétaire général de la Histadrout, la toute-puissante confédération syndicale. Il y attend l'heure de la revanche.

Avec le retour de Ben Gourion dans les allées du pouvoir, Harel reprend son rôle de patron suprême des services secrets. Il en profite pour ouvrir le dossier d'Avri Elad, dont il s'étonne qu'on le laisse poursuivre son activité d'espionnage militaire sous l'identité de Paul Frank, brûlée par le procès du Caire. Il voit là le signe patent de la mauvaise gestion de l'Aman, ce Deuxième Bureau de l'armée qu'il considère comme un service à domestiquer.

Très vite, Isser-le-Petit découvre la vérité sur la déposition fabriquée d'Elad devant la commission d'enquête et démonte la machination montée par les faussaires contre Lavon. Il n'aime pas Lavon, mais moins encore Peres et Dayan, ses rivaux directs auprès du « Vieux ». Il tient donc avec le dossier d'Avri Elad une pièce décisive pour empêcher tout retour éventuel de Gibli à la tête de l'Aman — et qui peut également lui être d'une grande utilité dans sa lutte contre Dayan.

Il obtient d'Harkabi de mettre fin à la mission d'Avri Elad en Allemagne et de le radier des cadres du service de renseignement de l'armée. Privé de couvertures et de situation – toutes ses affaires commerciales de façade ayant été liquidées – l'ancien maître d'œuvre de l'« Opération Susana » végète quelque temps en Israël, puis se rend à Vienne au chevet de son père qui est mourant. De là, Elad fait, en mars 1957, un saut à Düsseldorf, où l'un de ses anciens amis allemands du Caire, Bob Jantzen, a ouvert une station d'essence. Il lui demande de le remettre en contact avec l'attaché militaire égyptien à Bonn, le colonel Osman Noury, ancien chef adjoint du deuxième Bureau égyptien au moment du procès de décembre 1954.

Noury le connaît toujours sous le nom de Paul Frank, un ancien SS travaillant pour le plus offrant. Il a même essayé en 1956 de le retourner au profit de son service, selon un rapport d'Elad faisant état à ses anciens patrons de l'Aman de cette proposition. En réponse, l'Aman lui avait interdit de prendre le risque de se laisser recruter.

Après sa démarche auprès de Jantzen, Elad revient à Vienne chez son père et trouve un emploi au bureau autrichien de la compagnie d'aviation israélienne El Al. Or, Bob Jantzen figurait sur la liste des recrues potentielles du Mossad. Et, en juillet 1957, il est effectivement contacté par un émissaire de la centrale israélienne qui lui propose une somme rondelette pour revenir s'installer en Egypte. Jantzen se laisse convaincre. Mais quelle n'est pas la stupéfaction de l'agent du Mossad de l'entendre ajouter :

– J'ai déjà transmis à l'attaché militaire égyptien Osman Noury la demande de votre homme à Vienne, Paul Frank.

– Ce n'est pas un homme à nous, répond l'émissaire, en se disant qu'il doit s'agir d'un cas typique de manque de coordination des services.

Et de câbler aussitôt à Isser Harel : « La concurrence a déjà mis la main sur Jantzen à qui Paul Frank a demandé de contacter Osman Noury. »

Le patron du Mossad sursaute. Il sait qu'Avri Elad n'est plus en service actif à l'Aman et qu'il lui a été expressément interdit de remettre les pieds en Allemagne. Il convoque le successeur de Ben Zur à la tête de l'unité 131, Yossi Hamburger, ancien commandant de la Haganah à bord de l'*Exodus 47*. Il lui demande de vérifier si Elad n'a pas reçu de nouvelles missions en Allemagne, en particulier celle de contacter l'attaché militaire d'Egypte. Hamburger lui rapporte une réponse absolument négative.

Dès lors, sur le tableau de bord du Mossad, le rouge est mis. Hamburger s'est chargé de faire revenir discrètement Elad en Israël pour approfondir l'enquête, sans éveiller ses soupçons. A la mort de son père, en octobre 1957, l'ex-Paul Frank rentre effectivement à Tel Aviv, où il a l'intention d'entreprendre une véritable carrière commerciale.

Le 16 décembre, le colonel Yaacov Hefetz, chef de la sécurité militaire, qu'il a connu autrefois au Palmakh, l'invite à passer à son bureau à la Kyria. Au milieu de la conversation, il lui lance une question à brûle-pourpoint :

– Peux-tu me certifier n'avoir jamais trahi ton pays ?

Elad reste interloqué. Avant qu'il reprenne ses esprits, deux officiers du Shin Bet font irruption dans la pièce. L'un d'eux, Zvi Aharoni, n'est autre que le chef des enquêteurs du service de sécurité :

– Avoue-le donc que tu as trahi ! s'écrie-t-il brutalement.

L'enquête « à l'amicale » dure toute une semaine. Accompagné d'un officier de la sécurité militaire, Elad se rend à Haïfa, où on le laisse prendre quelques affaires dans son appartement. Il en profite pour faire passer par une amie un message à Benjamin Gibli, l'ancien patron de l'Aman : « Au secours ! Je suis entre les pattes du Petit ! » Il fait également remettre à un ami, Peter Landesman, ancien sergent de police, une mallette pleine de documents, dont certains pourraient constituer des preuves de la machination montée contre Lavon avec sa participation, notamment une lettre compromettante de Gibli.

Le chef enquêteur du Shin Bet, Aharoni, apprend qu'il a laissé cette mallette entre les mains de Landesman, dont il fait aussitôt fouiller clandestinement l'appartement. En vain. L'équipe de contre-espionnage se rend, du coup, dans la maison du père de Landesman, à Pardes Hana. Elle trouve la mallette à demi calcinée dans un champ derrière la maison. Tout le contenu à brûlé, à l'exception de négatifs, dont un lot appartient à Elad. Un autre lot provient de la photographie du dossier le plus secret de l'unité 131, le « dossier mauve ».

Interrogé par Aharoni, Elad prétend n'avoir jamais vu les photos de ce dossier, n'y avoir d'ailleurs jamais eu accès, ignorant jusqu'à l'endroit où il pouvait être gardé. Les archivistes de l'unité 131 confirment qu'Elad n'a jamais pu avoir l'occasion d'y mettre son nez. On ne saura donc pas comment les photos d'un dossier ultra-secret sont arrivées dans cette mallette. Mais le fait suffit pour mettre la puce à l'oreille d'Aharoni qui soupçonnait Elad d'être en rapport depuis longtemps avec les services égyptiens.

En réalité, Elad ne peut donner d'explications satisfaisantes sur sa période égyptienne – décembre 1953-août 1954 – parce qu'il se conforme aux instructions de Ben Zur et de Gibli quant aux débuts de l'« Opération Susana ». Le raisonnement d'Aharoni, devant tant de mensonges, d'omissions et d'invraisemblables contradictions, est le suivant : au cours du procès du Caire, les Egyptiens ont laissé entendre, à plusieurs reprises, qu'ils avaient eu « une bonne source de renseignement » sur les activités du réseau sioniste démasqué. Cette source n'était-elle pas un des membres du réseau ? N'était-elle pas son dernier chef, Paul Frank, alias Avri Elad ?

L'enquête incomplète d'Aharoni décide Isser Harel à demander la constitution d'une commission d'enquête militaire sur les responsabilités dans la chute du réseau. C'est la deuxième grande question de l'Affaire : y a-t-il eu trahison ?

Devant cette commission composée du procureur militaire Shamgar, qui deviendra plus tard juge à la Cour suprême, du colonel Ariel Amiad, qui dirigera beaucoup plus tard la Compagnie nationale d'électricité, et d'Aharoni en personne, Elad consent enfin à parler. Enfreignant la consigne de ses anciens chefs au Deuxième Bureau de l'armée, il donne tous les détails sur... la machination du trio Gibli-Ben Zur-Dayan contre Lavon. Le colonel Amiad, stupéfait de ces révélations, sent qu'elles risquent de mettre la hiérarchie militaire tout entière en cause. Dès lors, il n'a de cesse de freiner le zèle de sa commission. Celle-ci, du coup, n'aboutit à aucune conclusion sur une éventuelle trahison d'Elad. Il y a, certes, des présomptions, suffisantes aux yeux d'Isser Harel, mais il manque une preuve, un témoignage direct pour les confirmer.

Cette preuve, ce témoignage toujours manquants, le chef du Mossad va les chercher, inlassablement, pendant dix ans, à travers trois continents. Son service parvient à se procurer une copie du dossier et le compte rendu intégral du procès du Caire, puis à entrer en contact avec un officier égyptien qui y a témoigné. Il interroge longuement l'Allemand Bob Jantzen et une demi-douzaine d'étrangers qui ont connu Paul Frank en Egypte. Il tente même de faire parler à ce sujet l'attaché militaire Osman Noury, qui a toujours pris Elad pour un ancien SS. En pure perte...

A leur arrivée en Israël, les premiers condamnés libérés en 1968 ne pourront pas davantage apporter de preuves d'une quelconque trahison d'Elad. Les dossiers du Mukhabarat (services secrets égyptiens) garderont leur secret. Les libérés ne feront que mettre en relief les présomptions réunies par Zvi Aharoni et Isser Harel :

1/ « Paul Frank » est resté en Egypte du 23 juillet au 6 août 1954, alors qu'il risquait d'être dénoncé par l'un des agents soumis aux interrogatoires de la Sécurité égyptienne durant cette longue période.

2/ Il a pu vendre tranquillement avant de partir sa Plymouth décapotable bien connue des membres du réseau.

3/ Les quatre premiers agents arrêtés étaient ceux qu'il avait contactés pour l'« Opération Susana ».

4/ Il a pris le risque d'emporter le principal émetteur du réseau au lieu de s'en débarrasser en le jetant dans le Nil.

5/ Il a cherché un contact en Allemagne avec l'ancien chef adjoint du Deuxième Bureau égyptien.

6/ Azzar a raconté à ses codétenus qu'Elad n'est pas venu au dernier rendez-vous fixé pour le sortir d'Egypte en voiture et que les policiers sont venus à sa place l'arrêter le 31 juillet.

7/ L'officier de police en faction devant le cinéma Rio d'Alexandrie s'était écrié : « On les attendait ! », quand il a secouru Philippe Nathanson brûlé par la bombe qui se consumait dans la poche de sa veste de toile.

8/ Le procureur, au procès, a évoqué à deux ou trois reprises l'existence d'une « source sensible » à la base de la chute du réseau.

En sens contraire, d'autres éléments plaideront en faveur de l'innocence d'Avri Elad :

1/ Victor Levi a disposé de cinq heures avant d'être arrêté pour prendre des mesures de sécurité, ce qui n'aurait pas été le cas s'il avait été donné par Elad avec Nathanson.

2/ Les enquêteurs égyptiens ont mis huit jours avant de trouver, sur les indications de Levi, le studio d'artiste qui servait de lieu de rendez-vous.

3/ Azzar n'a été découvert que parce qu'il avait loué ce studio à son nom.

4/ Si elle avait été informée de l'existence du réseau, la police égyptienne n'aurait pas eu intétêt à laisser s'accomplir les attentats du 23 juillet, étant donné l'état de tension politique qui prévalait en Egypte à l'époque. Elle serait intervenue préventivement, dès les premières répétitions manquées, sans avoir à se soucier de protéger leur hypothétique informateur.

5/ S'il avait été la source d'Osman Noury en 1954, Elad n'aurait eu nul besoin du truchement de Bob Jantzen pour le recontacter en Allemagne en 1957.

6/ Elad n'a jamais eu les coordonnées de l'espion solitaire Max Bennett et la police l'a arrêté moins de douze heures après

Marcelle Ninio, la seule du réseau à avoir été en contact avec lui.

Les Egyptiens ont pu disposer d'autres sources d'informations qu'une prétendue trahison interne. Par exemple chez les communistes égyptiens peu enclins à se voir attribuer des provocations antiaméricaines commises par un activisme concurrent. Hypothèse peu probable. Ou bien auprès de l'antenne de la C.I.A. au Caire, dont les chefs comme Kermit Roosevelt pouvaient se permettre d'intercepter une lettre du ministre Foster Dulles à Nasser parce qu'ils en jugeaient les termes déplaisants pour le Raïs. Ses agents ont dû enquêter sur les attentats perpétrés, le 14 juillet 1954, contre les institutions américaines d'Egypte, et ils ont pu communiquer à leurs collègues égyptiens les résultats de leurs investigations.

Mais la plus vraisemblable réponse à la question « qui a trahi ? » est qu'il n'y a pas eu besoin de trahison pour faire tomber au premier accident ce réseau d'amateurs sans papiers de rechange, sans système d'alerte, sans cloisonnement réel, sans liaison radio régulière avec Israël durant la courte période de l'opération improvisée par Elad entre le 25 juin et le 2 juillet... Et Elad n'était sûrement pas le meilleur choix pour une mission aussi spéciale que stupide imaginée par un service action au recrutement douteux : l'unité 131 était à l'époque truffée d'aventuriers et de déséquilibrés à la recherche d'une réhabilitation.

Tel était le cas d'Avri Elad, ancien combattant de la Brigade juive en Italie, immigré en Israël à 14 ans après une enfance difficile en Autriche. Capitaine dans la brigade de Rabin au Palmakh lors de la guerre d'indépendance, il a été dégradé et chassé de l'armée pour confiscation arbitraire de biens arabes. Instable, divorcé, sans travail, il s'est enrôlé dans la « 131 » en novembre 1952 et s'est fait envoyer au Caire en décembre 1953.

« J'ai pris ce risque, écrira-t-il dans ses Mémoires en 1974, parce que je me devais de retrouver ma fierté perdue. »

Arrêté en 1958 par le Shin Bet, condammé en août 1960 à dix ans de prison, non pour trahison du réseau, mais pour détention de documents secrets avec l'intention de les négocier à l'étranger, il purgera sa peine dans l'aile de la prison de Ramleh réservée aux détenus dangereux : les X. Un autre X se fera connaître de lui en frappant des coups de signaux morse au mur de sa cellule. Un tueur, semble-t-il.

Il s'appelle Mottaleh Kedar. Repoussé par ses parents, élevé par une grand-mère à Hadera, il a tenté de prendre sa revanche sur la vie en se mettant, très jeune, à la tête d'un gang. Soupçonné sans preuve de participation à plusieurs hold-up, il a accepté de se soumettre en 1952 à une psychothérapie proposée par un médecin de la prison de Ramleh. Pilier assidu des cafés d'artistes de Tel Aviv et de Jérusalem, il a alors voulu s'inscrire à l'université hébraïque, en faisant croire qu'il avait son bachot. La tricherie découverte lui a fermé la porte des études supérieures.

Plus tard, il a été envoyé à l'étranger. Il y aurait commis un crime. Rapatrié en Israël, il a été arrêté à son arrivée par quatre fonctionnaires armés de mitraillettes. Considéré comme un « dur », il a passé deux ans interné en isolement complet en vertu d'une loi d'urgence héritée du mandat britannique. Après quatre ans et demi de procédure judiciaire, il a été condamné à vingt ans de prison qui l'ont précipité dans les oubliettes des cellules X de la prison de Ramleh, dont il ne sortira en 1974 que pour s'expatrier...

En attendant, il joue aux échecs en morse sur un tableau imaginaire avec son voisin de cellule, Avri Elad... Quand, en 1968, Elad sortira de prison, ce sera pour apprendre l'étrange disparition du principal témoin à charge de son procès : Peter Landesman, l'homme qui recelait sa mallette pleine de documents compromettants, aura été trouvé mort, peu auparavant, brûlé vif dans son lit par la cigarette qu'il tenait à la main en s'endormant !

Entre-temps, le procès Elad aura ouvert, en 1960, la troisième phase de l'affaire Lavon. Cette fois, c'est le grand jeu, la bataille au finish entre Ben Gourion, qui a écarté rivaux et opposants avec l'aide d'Isser Harel en cumulant les postes de Premier ministre et de ministre de la Défense depuis l'été 1955, et Pinhas Lavon, qui, poursuivi de son impitoyable vindicte, apparaîtra bientôt comme une sorte de capitaine Dreyfus à l'israélienne... Cette affaire aura empoisonné pendant plus de dix ans la vie publique d'Israël, pour aboutir au limogeage de Lavon, à la retraite définitive de Ben Gourion, à la scission du parti Mapaï et, par un choc en retour à plus long terme, au déclin et à la chute finale du régime travailliste !

Lancé dans un fructueux commerce avec l'Ethiopie, Yossi Hamburger, l'ancien successeur de Ben Zur à la tête de l'unité 131, entretient, au début de 1960, des relations d'affaires avec le ministre de l'Industrie, Pinhas Sapir, l'homme fort de l'appareil du parti. En février, il lui révèle, à cette occasion, ce qu'il sait, par les aveux d'Elad, de la machination montée contre Lavon en 1954. Sapir, qui sent déjà venir la lutte pour la succession du « Vieux », est décidé à barrer la route aux prétendants de la génération de 1948, tels Dayan et Peres. En avril, il envoie Hamburger tout raconter à Lavon en présence de son ancien secrétaire Ephraïm Evron.

Isser Harel, l'oreille toujours aux aguets, a vent de cette rencontre et en informe Ben Gourion, qui, le 5 mai 1960, convoque Lavon, alors secrétaire général de la Histadrout, sous prétexte de discuter avec lui du salaire des enseignants. Mais, très vite, il en vient au fait :

– J'ai appris que tu continues à t'intéresser à l'affaire de 1954 et à m'en garder rancune, au point de préparer une revanche.

– Oui, j'ai maintenant la preuve des faux établis contre moi à l'époque. Je m'apprête à demander publiquement ma réhabilitation.

C'est la crise. Ben Gourion refuse la demande de Lavon. Il ne veut bien lui accorder que la possibilité d'un recours juridique. Mais l'appareil du parti saisi décide de constituer une commission ministérielle de sept membres sous la présidence d'un représentant de la « vieille garde », Levi Eshkol. A l'issue du procès Elad, en août, les trois grands quotidiens du pays prennent fait et cause pour Lavon. En décembre, la commission le blanchit totalement de la faillite de l'Aman en 1954.

Ulcéré, Ben Gourion offre sa démission le 31 janvier 1961, car la rentrée politique de Lavon risque de sonner le glas de ses poulains. Le chantage à la démission est la dernière arme qui lui reste pour limiter les dégâts. Le comité central du Mapaï se réunit le 4 février au théâtre Ohel (« la tente ») à Tel Aviv pour se prononcer.

– C'est une pièce bien triste que l'on joue ici aujourd'hui, dit un des participants. C'est la mort du Parti.

Sharett, malade, fustige dans un appel émouvant cette « voix de la peur qui supplante celle de la justice ». Le comité central vote le limogeage de Lavon du secrétariat général de la Histadrout. C'est le prix à payer pour la remise en selle du « Vieux », qui apparaît dès lors, aux yeux de l'opinion, comme un dictateur sur le déclin. Il va tenir la barre encore deux années, chargées de chagrin et de pitié. Et il s'en retournera, le 16 juin 1963, à son kibboutz du Néguev et à ses livres, closant avec son départ, le troisième chapitre de l'Affaire.

Quand, en 1967, l'ancienne secrétaire du colonel Gibli, Dalia Carmel, viendra l'y trouver pour soulager sa conscience, en présence de Shaül Avigour, Ben Gourion ne voudra même pas entendre ses aveux sur la falsification des documents de l'Aman de 1954.

Mais une quatrième phase va s'ouvrir avec la libération, en février 1968, dans le cadre de l'échange des prisonniers de la guerre des Six Jours de juin 1967, des autres derniers détenus du réseau « Susana » : Nathanson, Levi, Dassa et Marcelle Ninio. Leur arrivée en Israël sera gardée secrète par la censure militaire jusqu'en 1970. Mais on apprend alors que le chef du Mossad, Meir Amit, qui a succédé à Isser Harel en 1962, avait menacé trois fois de démissionner si ces quatre détenus n'étaient pas compris dans la liste des prisonniers échangés contre 5 000 soldats égyptiens. Dayan, devenu ministre de la Défense, n'avait pas insisté pour les y inclure, lors de la négociation de l'échange. Amit a alors proposé à l'un des généraux égyptiens capturés dans le Sinaï de le libérer pour transmettre à Nasser un message dans lequel il s'engageait à garder secrète la libération des quatre. Quelques semaines plus tard, le président égyptien acceptait le marchandage.

Toutes les démarches antérieures avaient échoué : auprès de l'avocat américain Donovan (dont la médiation avait favorisé l'échange du pilote de l'U2, Gary Powers, contre le super-espion soviétique Abel), auprès du général Franco et des dirigeants grecs et autrichiens, qui, tous, avaient refusé d'intervenir. Seul Ben Bella, premier président de l'Algérie indépendante, était intervenu auprès de Nasser à la demande d'Henri Curiel, un des fondateurs du P.C. égyptien, qui avait monté un réseau d'aide au F.L.N., et qui soutenait l'action d'un comité Israël-Algérie créé à Tel Aviv. En vain.

Mais la question qu'on se pose maintenant en Israël est de savoir pourquoi aucune tentative n'avait été faite après la guerre du Sinaï, en octobre 1956, pour échanger les détenus du Caire contre le général Fuad el-Digwi, fait prisonnier à Gaza : ce général avait présidé le tribunal qui les avait condamnés ! Non seulement il n'y avait pas eu de pression sur l'Egypte, mais on n'avait même pas profité des circonstances pour faire parler ce général sur l'origine de la chute du réseau...

Au moment du limogeage de Lavon, en 1961, Dayan s'était laissé aller à une plaisanterie de vocabulaire : « This is the happy End — and the End of Eppi. » Il visait par là l'assistant de Lavon, resté fidèle à son patron, Ephraïm Evron, surnommé Eppi. Or, depuis, Dayan, comme Peres avant lui, n'aura eu de cesse de ménager ce fonctionnaire, appelé successivement par l'un et l'autre à la direction des Affaires étrangères et, pour finir, au plus haut poste de la diplomatie israélienne : l'ambassade de Washington. N'était-ce pas pour acheter son silence ? Evron était le dernier témoin des intrigues nouées par les deux adversaires de son ancien patron, au début de l'Affaire, à détenir les secrets révélés par Avri Elad à Yossi Hamburger...

Ce n'est pas, en tout cas, la seule bizarrerie de cette affaire Lavon qui, après avoir permis à Isser Harel de régler ses comptes personnels, a entamé sa disgrâce, conduit indirectement Ben Gourion à sa chute et, plus tard, un « establishment » cinquantenaire à sa perte. Et qui a surtout coûté à Israël l'échec de ses tentatives de contacts secrets avec l'Egypte.

En janvier 1955, un émissaire de Sharett avait rencontré à Paris un émissaire de Nasser pour envisager un projet de tête-à-tête au sommet. Parallèlement, à Washington, l'ancien chef du Mossad, Reuven Shiloakh, devenu ambassadeur, discutait avec le chef de la C.I.A., Allen Dulles, et son collaborateur Jim Angleton, d'une initiative de la centrale américaine de renseignement en vue d'un contact au Caire entre Nasser et un autre émissaire de Sharett. Et, à Londres, l'ancien chef d'état-major Ygael Yadin (le futur leader du parti Dash tombeur du front travailliste en mai 1977) attendait le feu vert d'Israël pour se rendre secrètement au Caire préparer une rencontre Sharett-Nasser, quand, le 27 janvier, un télégramme d'Isser Harel annulait sa mission. La condamnation à mort de deux des membres du réseau sioniste d'Egypte avait modifié les intentions de Sharett : « Nous ne négocierons pas à l'ombre des potences », dit-il à Harel.

L'ombre de l'Affaire, elle, allait faire avorter, quelques mois plus tard, une ultime tentative de rencontre à New York entre le diplomate israélien Joseph Tekoa et le représentant égyptien à la commission mixte, Salah Gohar.

Le retour de Ben Gourion à la Défense, puis à la présidence du Conseil, avait porté le coup de grâce à la politique modératrice du gouvernement Sharett. Elle se traduisit immédiatement par une escalade des représailles et une montée de la tension aux frontières. Quinze mois plus tard, c'était la guerre pour Suez. Et le premier succès de la pénétration soviétique au Proche-Orient.

VIII

1956 : LES RUSSES SONT LÀ !

Le 13 juillet 1956, un entrefilet à la page 3 du journal cairote *Al Ahram* annonce la mort accidentelle d'un officier supérieur de l'armée égyptienne en poste à Gaza, le colonel Mustafa Hafez, dont la voiture a sauté sur une mine.

La réalité était tout autre. Le « bikbachi » Hafez goûtait l'avant-veille à la fraîcheur du soir sous les ombrages du jardin attenant au sévère bâtiment du Deuxième Bureau, situé au centre de cette ville blanche perdue entre le désert du Sinaï et la ligne bleue de la Méditerranée. Un factionnaire du poste de garde vient respectueusement l'avertir qu'un de ses agents demande à le voir d'urgence. L'homme attend déjà dans la petite salle réservée aux agents retour de mission, près de l'entrée. C'est un bédouin du nom de Mohamed Soliman el-Talaka, dûment immatriculé au service du renseignement militaire. Il se met au garde-à-vous et raconte à son officier traitant qu'il arrive d'Israël où il vient de rencontrer, quelques heures plus tôt, trois officiers de renseignement israéliens qu'il connaît sous les pseudonymes de Sadek, Abu Nissaf et Abu Salim.

Ils l'ont chargé, dit-il, d'une mission ultra-confidentielle : remettre un livre contenant des instructions codées à un agent israélien très important qui n'est autre que... le chef de la police de Gaza.

Le bédouin sort le livre d'un pli de son pantalon bouffant. C'est là qu'il l'a dissimulé pour franchir la frontière et venir droit ici le remettre au colonel Hafez. Celui-ci pâlit un peu en saisissant le livre. Le chef de la police de Gaza, Lutfi el-Akawi, auquel Talaka le prétend destiné par les services israéliens, est non seulement un fidèle collaborateur. C'est de plus un ami avec qui il fait bon tirer sur la pipe du narguilé et jouer au shesh-besh. Pourtant, il n'y a pas de doute : Talaka lui tend une carte de visite d'El-Akawi que les Israéliens lui ont confiée avec le volume.

Intrigué, Hafez ouvre le colis pour examiner les messages avant de le rendre à Talaka et de suivre le cheminement de l'affaire. Une terrible déflagration secoue la pièce. Les deux hommes sont terrassés par le souffle de l'explosion du livre piégé. Mais seul le colonel Hafez qui tenait l'engin succombe à ses blessures.

Le chef de la police El-Akawi n'a pas de mal à se disculper. Son nom avait simplement été utilisé comme appât par l'Aman, le service de renseignement de l'armée israélienne, pour frapper la main qui dirigeait l'activité des fedayin dans la région de Gaza depuis le début de l'année.

Les premiers terroristes palestiniens ont en effet commencé à s'infiltrer en Israël à partir de la zone de Gaza vers les années 1953-1954. Cette zone occupée militairement par l'Égypte en 1948 constitue en fait un vaste camp de réfugiés de la première guerre israélo-arabe. Les incursions terroristes au-delà de la ligne de cessez-le-feu, qui, depuis lors, tenait lieu de frontière, firent plusieurs victimes dans les villages israéliens de la région et jusque dans la proche banlieue sud de Tel Aviv. La plupart de ces terroristes étaient, en fait, financés par le Deuxième Bureau de l'armée égyptienne et utilisés également comme informateurs. Mais même ceux qui ne servaient que d'agents profitaient de leur mission pour piller et tuer au passage.

En avril 1955, Nasser décide d'organiser officiellement des unités de fedayin (« volontaires de la mort ») à Gaza. Leurs infiltrations, devenues presque quotidiennes l'année suivante, créent une situation bientôt insupportable pour les populations frontalières. Les dossiers s'accumulent au siège de l'Aman toujours en alerte sur les tensions signalées aux fragiles frontières de l'État juif. Tous les renseignements recueillis font apparaître le rôle capital d'un homme dans la manipulation des fedayin : le colonel Mustafa Hafez, chef du Deuxième Bureau égyptien pour la zone de Gaza. Il est ainsi établi que, dans la seule semaine du 1er au 7 avril 1956, ce colonel a envoyé personnellement quelque 200 fedayin à travers la « ligne verte », qui ont fait en Israël plusieurs dizaines de morts et de blessés parmi les civils israéliens.

Un plan d'action est mis au point vers la fin du mois de juin par les responsables de l'Aman. Objectif : la liquidation de Mustafa Hafez. Il n'est pas simple à réaliser, car six ans d'expérience du renseignement à Gaza, d'où il contrôle l'ensemble de l'espionnage égyptien en Israël, ont rendu ce brillant officier d'une prudence proverbiale. Colonel à 34 ans, ses succès dans la formation, l'entraînement et les opérations de sabotage des fedayin, lui ont valu d'être distingué personnellement par le Raïs. En 1956, il se sent assez fort et sûr de lui pour engager le jeu le plus dangereux dans le domaine du renseignement : la manipulation d'agents doubles.

Soliman el-Talaka est l'un de ses meilleurs. Bédouin nomadisant facilement à travers la frontière, il a réussi à approcher des officiers de renseignement israéliens rencontrés au cours de ses pérégrinations dans le Néguev et à leur donner suffisamment de gages pour qu'ils acceptent ses offres de service. Il agit en réalité sur les instructions du colonel Hafez, qui lui a demandé de se prêter à ce double jeu pour pénétrer les services israéliens. Mais les Israéliens n'ont pas tardé à s'en rendre compte. Et quand, au mois de juin, divers plans sont mis à l'étude pour liquider le colonel Hafez, un des officiers de l'unité spéciale de l'Aman liée au réseau de l'affaire Lavon propose de se servir de cet agent double. Pour lui, le montage de cet attentat est une manière de venger également les pendus du Caire.

Le meurtre du chef du Deuxième Bureau égyptien de Gaza est en fait le signal de l'imminence d'une nouvelle confrontation armée entre les deux pays. Un premier clash a déjà eu lieu, seize mois plus tôt, quand, le 25 février 1955, un groupe de Palestiniens de Gaza s'est infiltré en Israël et a tué un cycliste juif près de Rehovot, au cœur du pays. Dans la poche d'un des terroristes, abattu par une patrouille, les Israéliens trouvent un rapport sur le mouvement des véhicules dans le sud du pays destiné au bureau des renseignements militaires égyptiens.

Le surlendemain, Ben Gourion, récemment revenu au ministère de la Défense, et le général Dayan, chef de l'état-major, se présentent chez le Premier ministre Moshe Sharett pour lui demander l'autorisation de lancer une opération de représailles contre les bâtiments d'une base militaire égyptienne à Gaza. Dayan évalue les pertes éventuelles à dix morts du côté égyptien. Le pacifique Sharett ne peut que s'incliner devant les nécessités de l'action. Il écrit même dans son Journal : « Je regrette que le crédit de cette opération aille sûrement à Ben Gourion. »

Bien que des divergences de vues profondes opposent les deux hommes notamment quant à l'inévitabilité d'un nouveau conflit armé avec l'Égypte, Sharett et Ben Gourion sont alors aussi désireux l'un que l'autre de venger, en ripostant militairement aux infiltrations des émissaires du renseignement égyptien, les deux leaders du réseau de l'affaire Lavon, Samuel Azzar et Moshe Marzouk, pendus au Caire le 31 janvier précédent. Sharett en fera d'ailleurs l'aveu à l'ambassadeur américain en Israël, Edward Lawson.

Dans l'esprit de Dayan, l'opération doit plutôt servir de tremplin à une offensive de grande envergure destinée à chasser les Égyptiens de la zone de Gaza, ce saillant enfoncé au flanc sud-ouest d'Israël. Il a même demandé à son état-major de préparer un plan de conquête de Gaza qu'il fera soumettre deux mois plus tard par son ministre, Ben Gourion, au gouvernement.

« Il faut transformer cette région en poing d'acier contre la menace égyptienne », avait dit le « Vieux Lion » à son secrétaire Elhanan Yshai, alors que, redevenu simple citoyen, il visitait vers la mi-juillet 1954 la région encore déserte de Lakhish. Cette réflexion avait étonné son compagnon :

– La Jordanie et la Syrie ne représentent-elles pas pour nous un plus grand danger ?

– Lorsqu'une mouche tourne autour de ta tête, répondit Ben Gourion, et qu'un serpent s'approche de tes pieds, c'est le serpent qui est plus dangereux. Le serpent, c'est l'Egypte.

Ben Gourion ne pouvait douter un instant de la volonté de revanche des Égyptiens. Il considérait le départ prochain des Britanniques de la zone du canal de Suez comme le début d'une période d'aventures étrangères auxquelles le nouveau régime issu de la révolte des Officiers libres serait tenté d'avoir recours. Le chef sioniste ne nourrissait aucune sympathie pour le jeune et dynamique Bikbachi Gamal Abdel Nasser qui était précisément en train de prendre en main le destin de l'Égypte. *La Philosophie de la révolution*, l'ouvrage de Nasser publié pour la première fois sous forme de brochure l'année précédente, témoignait à ses yeux d'une ambition qui n'entendrait pas se laisser confiner dans le cadre géographique et politique de l'Égypte.

Le triomphe de Nasser à la première conférence des pays non alignés, à Bandoeng, en avril 1955, allait fournir à Ben Gourion sa dernière pièce à conviction dans le procès historique instruit en son for intérieur contre le Raïs. La guerre avec l'Egypte devenait pour lui un danger très réel. Mais contrairement à Dayan qui croyait à son inévitabilité à laquelle il fallait se préparer toutes affaires cessantes, il pensait possible de reculer indéfiniment ce danger de conflagration par une politique de représailles de grande envergure qui ferait tenir les Egyptiens tranquilles, du moins sur leur frontières avec Israël.

Le 21 février 1955, Ben Gourion est sorti de sa retraite de Sde Boker pour succéder au malheureux Pinhas Lavon à la tête du ministère de la Défense. Ses conceptions vont vite se heurter à celles de Moshe Sharett resté à son poste de Premier ministre. La coopération entre les deux hommes ne va pas tarder à se révéler extrêmement difficile. Ben Gourion ne croit pas à l'éventualité d'une paix réelle avec les Arabes dans un avenir prévisible. Les événements ne découragent pas Sharett de poursuivre au contraire une politique de contacts avec eux, surtout avec les Égyptiens. Il s'est même efforcé de maintenir une liaison indirecte et discrète avec Nasser et s'oppose à la politique de représailles massives préconisée par Dayan et Ben Gourion.

Dayan n'a d'ailleurs de cesse de pousser Ben Gourion, dès le retour du « Vieux » au gouvernement, à accélérer le processus d'une confrontation armée, avant que l'Égypte ne reçoive d'armes modernes, en donnant à Israël l'avantage du choix du moment... et du terrain.

Trois jours après le retour de Ben Gourion, le Proche-Orient vit une de ses crises les plus dramatiques qui secouent périodiquement la région. A Bagdad, le Premier ministre turc Adnan Menderes signe ce jour-là avec le Premier irakien Nouri Saïd un pacte de défense dirigé contre l'Union soviétique, à l'initiative des Américains. Ceux-ci renoncent au dernier moment à se joindre officiellement au traité pour ménager aussi bien Nasser que Ben Gourion : l'Egypte et Israël sont, pour des raisons différentes, vivement opposés à l'institution d'un tel pacte régional. Nasser y voit le retour déguisé de l'impérialisme britannique et le succès de son rival pour le leadership du monde arabe, Nouri Saïd, le protégé des Occidentaux, qui n'hésitera pas à dire à Eden, à Londres, quand Nasser nationalisera la Compagnie de Suez : « Frappez-le, frappez-le à mort ! » Ben Gourion, lui, redoute pour Israël l'existence d'un traité liant à l'Occident un groupe d'États arabes.

C'est dans ce contexte qu'est décidée, le 27 février, avec l'accord de Sharett, la première opération de représailles contre l'armée égyptienne du territoire de Gaza.

La nuit suivante, le jeune colonel Arik Sharon, récemment nommé commandant des parachutistes de Tsahal, donne l'ordre à 150 de ses hommes de pénétrer dans la zone de Gaza, pour l'opération « Flèche noire », selon le nom de code qui lui est attribué par le poète de service à l'état-major. Les deux commandants qu'il s'est adjoints pour la circonstance sont Aharon Davidi, qui lui succédera plus tard à la tête des paras, et Dany Matt, qui, le 15 octobre 1973, sera le premier chef d'unité à franchir le canal de Suez sous ses ordres pour une percée décisive.

Au cours de cette action nocturne contre une base militaire égyptienne de Gaza, les paras de Sharon mettent définitivement hors de combat 38 soldats de Nasser. L'annonce du raid stupéfie le monde. En Israël, elle remonte le moral de l'armée et de la population ébranlée par les péripéties de l'affaire Lavon. Mais Sharett ne cache pas son inquiétude. L'objectif fixé à l'opération de représailles a été outrepassé.

En Égypte, Nasser confiera plus tard à l'émissaire spécial du président Eisenhower, Robert Anderson, que le raid de Gaza l'a surpris littéralement « le pantalon sur les chevilles » et l'a incité, d'une part, à enrôler les volontaires palestiniens de Gaza dans des unités combattantes, les fedayin, d'autre part, à se tourner vers l'Union soviétique pour se procurer de l'armement. Ce qui a, en réalité, déterminé Nasser à demander une aide soviétique c'est beaucoup plus le pacte de Bagdad, liant à l'Occident son principal rival de l'époque; et le projet qu'il caressait déjà de nationaliser le canal de Suez : tout en jouant encore un jeu très prudent de ce côté-là, il pensait qu'il serait bon d'avoir les Russes avec lui en cas de raidissement franco-britannique.

A l'un des principaux agents de la C.I.A. en poste au Caire, Kermit Roosevelt, avec qui il entretenait des rapports de confiance, il dit simplement avoir besoin d'armes soviétiques pour se défendre contre les intentions expansionnistes d'Israël. Et tout en constituant les premières unités de fedayin, il a d'abord donné des instructions très strictes au commandant de Gaza pour limiter à des opérations de renseignements les infiltrations palestiniennes en Israël.

A Tel Aviv, le gouvernement Sharett ne tient pas, de son côté, à envenimer davantage la situation. Il refuse le plan de conquête de Gaza que lui soumet Ben Gourion le 25 mars 1955. La tension ne s'apaise pas pour autant le long de la frontière. Le 28 août, un groupe de fedayin massacre six Israéliens à 18 kilomètres de Tel Aviv. Dayan propose une opération immédiate de représailles. Sharett s'y oppose formellement. Le général borgne offre alors sa démission de chef de l'état-major. Le ministre de la Défense, Ben Gourion, annonce qu'il prend un congé et part effectivement en vacances, en signe de protestation. Sharett baisse les bras.

Trois jours plus tard, les colonels Motta Gur et Rafaël Eytan, dit Rafoul, lancent leurs commandos à l'assaut de la station de police de Khan Yunes, au sud de Gaza : 37 soldats égyptiens restent aù tapis.

A terme, une guerre paraît de plus en plus inévitable. La politique modératrice de Sharett est battue en brèche par la ligne dure de Ben Gourion, redevenu Premier ministre à la faveur des élections de juillet à la Knesset.

Le 27 septembre suivant, Israël apprend avec stupeur la signature d'un accord de livraison de 200 chasseurs-bombardiers Mig soviétiques entre la Tchécoslovaquie et l'Égypte. Les forces aériennes d'Israël n'ont que 30 appareils à réaction à aligner en face.

« Nasser va partir en guerre dans six mois », estime Ben Gourion, qui consulte ses conseillers les plus proches sur la parade à adopter : déclencher une guerre préventive avant que l'aviation égyptienne devienne opérationnelle, ou contrebalancer les fournitures soviétiques à l'Égypte par un achat massif d'armes. Dayan est partisan d'une confrontation immédiate. Isser Harel, le chef du Mossad, préfère, comme Sharett, temporiser et aller chercher des armes aux États-Unis. Le directeur du ministère de la Défense, Shimon Peres, qui a déjà établi à l'époque des relations personnelles très étroites avec Maurice Bourgès-Maunoury, ministre de la Défense du gouvernement Edgar Faure, et son directeur de cabinet, Abel Thomas, penche pour un traité d'alliance avec la France, déjà engagée dans une épreuve de force redoutable contre le nationalisme arabe en Algérie.

Ben Gourion opte tout d'abord pour la thèse de Dayan, qu'il convoque, le 23 octobre, à l'hôtel President à Jérusalem : il lui demande un plan d'opération permettant une conquête rapide des détroits de Tiran, à l'entrée du golfe d'Eilat. L'attaque, qui reçoit le nom de code Omer — prénom du jeune fils du commandant désigné, le colonel Haïm Bar-Lev — est fixée pour la fin de décembre.

Mais, le 13 novembre, Ben Gourion se ravise et décommande l'opération. Il décide d'envoyer Isser Harel à Washington avec l'espoir de convaincre les Américains de fournir un armement moderne à Israël.

L'administration Eisenhower, qui a favorisé la création du pacte de Bagdad auquel elle s'abstient de prendre part et qui refusera plus tard d'aider Nasser à construire le barrage d'Assouan, entretient des rapports ambigus avec l'Égypte. Tout en essayant de développer de bonnes relations avec le Raïs, elle accumule toutes les erreurs qui vont favoriser la pénétration soviétique au Proche-Orient en poussant Nasser à faire appel à Moscou.

Depuis les premiers jours de la révolution égyptienne de juillet 1952, la C.I.A. était en contact avec Nasser, par deux de ses agents, d'abord Miles Copeland, qui, de son propre aveu, a versé jusqu'à 3 millions de dollars au Bikbachi, puis Kermit Roosevelt, dont les bonnes relations vont permettre à Nasser de calmer les appréhensions du Département d'État au moment de l'accord égypto-tchèque de septembre 1955. Ces relations ont en effet atteint leur apogée dans les années 54-55. Très souvent, Copeland et Roosevelt dînent sans cérémonie avec Nasser et ses collaborateurs, en manches de chemise, s'interpellant par leur prénom, se tutoyant, échangeant des plaisanteries salées, à l'américaine. Ils se font les meilleurs avocats du Raïs à Washington, obtenant même pour son armée pour 20 millions de dollars d'articles de parade : casques, bottes, étuis à revolver....

Quand Nasser a rencontré le Premier ministre de la Chine populaire, Chou En-lai, à Bandoeng, pour lui faire part de ses besoins d'armement, et que Chou a transmis la demande à Moscou qui a vu là une occasion inespérée de prendre pied au Proche-Orient, jusque-là chasse gardée de l'Occident, les deux anges gardiens de la C.I.A. expliquent la position de leur protégé : un contrat d'armement avec l'Est ne fera que renforcer la puissance de l'Égypte et son indépendance. Et ils conseillent à Nasser de devancer les critiques du monde occidental, en annonçant que le contrat a été signé avec la Tchécoslovaquie et non avec l'U.R.S.S. La Tchécoslovaquie n'avait-elle pas armé Israël en 1948 pendant la guerre d'indépendance ?

Quand Isser Harel arrive à Washington, il n'est pas au courant des liens secrets unissant Nasser et la C.I.A. Il constate avec effarement que l'administration républicaine considère cet accord égypto-tchèque non comme une tentative d'implantation soviétique mais comme un innocent accord commercial. Harel demande à ses interlocuteurs d'aider Israël à rétablir l'équilibre, pour prévenir l'éventualité d'une guerre. En guise de réponse, Ike envoie Robert Anderson, homme d'affaires républicain influent dans les milieux pétroliers et dont il a fait son ministre adjoint à la Défense, en mission secrète au Proche-Orient pour une nouvelle tentative de rapprochement israélo-égyptien.

En janvier 1956, Nasser accueille le visiteur incognito dans son palais présidentiel de Kobbeh et se dit prêt à engager des pourparlers avec Israël par son intermédiaire. Après cette entrevue secrète, Anderson part pour Athènes, change d'avion et atterrit à Tel Aviv.

— Dites à Nasser que je suis prêt à le rencontrer à tout moment et en tout lieu, même au Caire, afin de négocier avec lui un règlement pacifique.

A son retour au Caire, Anderson reçoit une douche écossaise :

— J'aurais été prêt à rencontrer Ben Gourion comme vous le proposez. Mais je serais assassiné une heure après. A quoi bon prendre ce risque ?

Déçu, Anderson revient à Jérusalem informer tout aussi secrètement Ben Gourion de l'échec de sa mission. Nasser continuera donc de s'armer auprès de ses nouveaux protecteurs. Quant à la demande d'armes d'Israël, elle est définitivement rejetée par les États-Unis le 3 avril. Le Département d'État ne semblera plus dès lors s'intéresser qu'aux projets israéliens d'opérations ponctuelles contre la personne même de Nasser. Le ministre plénipotentiaire d'Israël à Washington, Reuven Shiloakh, aura à ce sujet une conversation avec des fonctionnaires américains concernés. Le patron de la C.I.A. lui-même, Allen Dulles, se dira prêt à écouter les propositions éventuelles d'Israël en ce sens, après la nationalisation du canal de Suez qui, le 23 juillet, prendra de court ses propres services. Au Département d'État, on envisageait en vérité une solution à la Mossadegh, c'est-à-dire une action à long terme amenant l'élimination de Nasser par une opposition intérieure.

Fou de rage devant tant d'atermoiements, Ben Gourion décide de donner carte blanche à Shimon Peres pour resserrer les liens avec la France.

Depuis deux ans, en effet, la France est pratiquement le seul pays à vendre des armes à Israël : quelques avions Ouragan et des chars AMX. Elle soutient elle-même un effort de guerre en Algérie contre le F.L.N., aidé par Nasser. Peres effectue régulièrement la navette entre Tel Aviv et Paris — une cinquantaine d'aller et retour rien que dans l'année 1956 — et ses relations personnelles connaissent un nouveau développement avec l'arrivée du gouvernement Mollet en janvier 1956 et la nomination de Bourgès-Maunoury à la Défense.

Le 11 avril, la France livre à Israël douze premiers Mystère IV et, le 23, Peres et Bourgès signent l'accord de livraison d'une deuxième douzaine. En mai, les deux hommes concluent un accord secret de coopération militaire contre l'Égypte. Pour discuter des détails de son application, une délégation israélienne part discrètement pour la France le 22 juin. Elle est composée de trois hommes : Peres, le chef de l'état-major Moshe Dayan et le chef du service de renseignement de l'armée (Aman), le colonel Yehoshafat Harkabi. Le ministre des Affaires étrangères Moshe Sharett, qui s'oppose à ces préparatifs militaires combinés, a été démis de ses fonctions quatre jours plus tôt par Ben Gourion.

La réunion secrète de Paris aboutit à livrer à Israël 72 Mystère IV et 200 chars AMX dans les deux mois qui suivent. Au début de juillet commence l'« opération Brouillard », qui doit permettre l'acheminement des armes françaises à Israël dans le secret le plus complet. Le colonel Jacob Hefets, chef de la sécurité militaire, vient sur place en assumer la responsabilité, en coordination avec les chefs du Deuxième Bureau français. Les armes seront chargées à Toulon à bord de péniches de débarquement à destination d'Alger, mais, en haute mer, les bateaux mettront le cap sur Haïfa. Seuls les commandants et officiers de ces bâtiments seront mis au courant de la destination véritable des premières livraisons. Les marins ne doivent pas se rendre compte du changement de cap. C'est l'une des opérations les plus secrètes de l'histoire d'Israël. Dans la nuit du 24 juillet le premier bateau d'armes françaises arrive en vue du port de Kishon, près de Haïfa.

Le monde résonne encore de l'éclat de rire de Nasser annonçant, la veille, la nationalisation du canal.

Le nombre des conducteurs de chars et des porteurs amenés à Kishon est réduit au strict minimum. En une heure 30 chars complets et 60 tonnes de matériel sont débarqués à terre. La nourriture et les boissons préparées pour les marins français du transport ne portent aucune inscription en hébreu, aucune indication d'origine israélienne. Un soldat est spécialement affecté au ramassage systématique des centaines de bouteilles vidées pour rendre au port, le matin, son aspect le plus habituel. Les livraisons se prolongeront ainsi pendant un mois à raison d'un bateau par nuit. Un véritable pont maritime. Dayan assiste en personne à chaque débarquement, ou presque.

Ce n'est que le 19 août que Ben Gourion informe ses ministres — hormis Peres qui est à l'origine de l'opération Brouillard — de l'arrivée de matériel français. Le 18 septembre, Peres part pour Paris proposer officieusement une coopération militaire franco-israélienne, même sans participation britannique. Le 22 septembre, le président Guy Mollet et Bourgès-Maunoury donnent leur accord. Le 25, Peres rentre en Israël faire son rapport à Ben Gourion. Le 28, il reprend le chemin de Paris avec une délégation à la tête de laquelle se trouve Golda Meir, qui a succédé à Moshe Sharett aux Affaires étrangères, pour mettre au point les préparatifs d'une intervention tripartite avec les Anglais, décidés, malgré l'opposition américaine, à défier les Russes au Conseil de sécurité de l'O.N.U. qui doit se réunir les 13 et 14 octobre. Le premier rendez-vous clandestin depuis la libération se tient chez Louis Mangin, l'un des premiers compagnons de Résistance de Bourgès et de Chaban !...

A partir du 1er octobre se développe la seconde phase de l'opération Brouillard, car il devient impossible de camoufler plus longtemps l'état des préparatifs militaires. Il s'agit cette fois pour le colonel Hefets et son équipe de procéder à une intoxication stratégique de grande envergure : camoufler l'objectif réel de ces préparatifs de campagne, en faisant monter brusquement la tension à la frontière jordanienne.

Les circonstances se prêtent d'ailleurs à cette grande manœuvre. Les infiltrations de fedayin à partir de la Jordanie ont fait plusieurs morts en Israël depuis le début de l'été. Au surplus, l'attaché militaire égyptien à Amman, le colonel Salah Mustafah, s'était chargé de la manipulation de ces fedayin basés sur le flanc oriental d'Israël, en liaison avec le Deuxième Bureau de Gaza. Le 13 juillet, deux jours après l'attentat qui a coûté la vie au colonel Hafez, un colis lui est parvenu à l'ambassade d'Égypte à Amman. Expédié de Jérusalem-Est et portant le cachet du quartier général de l'O.N.U. dans cette ville, il contenait le livre du Feldmarschall von Rundstedt *le Commandant rouge*. L'ouvrage piégé a explosé dans les mains de son destinataire. Le colonel Mustafah a été tué sur le coup.

Dix jours plus tard, la nationalisation tonitruante du canal de Suez avait étouffé le bruit de ces deux explosions. Mais depuis la mi-juillet les infiltrations palestiniennes à partir de Gaza ont complètement cessé. Elles persistaient encore à travers la frontière jordanienne.

Enfin, un accord intervenu entre Amman et Bagdad prévoit l'entrée en Jordanie d'une brigade irakienne, renforçant la menace à l'Est dénoncée vivement par Israël.

La manœuvre d'intoxication déclenchée en octobre réussit à tromper tour à tour une bonne partie des officiers de l'état-major qui n'avaient pas été mis dans le secret de l'opération, la presse israélienne qui avait eu vent des préparatifs militaires, les services de renseignement arabes et les États-Unis eux-mêmes.

Cette dernière décision sera entérinée lors de la rencontre secrète qui réunit à Sèvres, dans la villa des Bonnier de La Chapelle – parents de l'auteur de l'attentat contre l'amiral Darlan en 1942, à Alger –, les chefs de gouvernement israélien et français avec le ministre britannique des Affaires étrangères, du 22 au 25 octobre. Arrivé le visage à demi dissimulé sous un grand chapeau, Ben Gourion a bien proposé à ses partenaires français et anglais de tenir les Américains informés de leurs intentions contre l'Égypte, mais il s'est heurté à une opposition catégorique de leur part. Les Britanniques, notamment, redoutent que les Etats-Unis, dont l'hostilité à toute action occidentale après la nationalisation de Suez s'était déjà manifestée en juillet et en août, ne fassent pression sur eux pour empêcher l'intervention tripartite.

L'équipe du colonel Hefets, responsable de l'opération Brouillard, reçoit donc l'ordre d'intoxiquer également les Américains.

A une semaine du jour J, une douzaine d'officiers d'état-major seulement sont au courant du plan de campagne. Et, au gouvernement, une douzaine de ministres et d'assistants également. Pour parachever l'intox, les officiers du commandement de la région centre ont pour instruction de préparer, « dans le plus grand secret apparent », un plan d'offensive contre la Jordanie.

Le 22 octobre, un groupe de ces officiers reçoit l'ordre de tâter le terrain en prenant position sur une colline dominant la dépression du Jourdain, au sud du lac de Tibériade. Plusieurs tonnes de matériel de fortification et de pontonnement sont acheminées et stockées à proximité du pont Hussein, dans la vallée de Beit Shean. Le responsable de la sécurité militaire du commandement du centre a donné des ordres très stricts pour veiller à la fermeture des routes civiles conduisant à la vallée du Jourdain.

Parti pour vérifier lui-même les rumeurs d'opération imminente contre la Jordanie, l'attaché militaire adjoint de l'ambassade américaine tombe effectivement sur un barrage routier bloquant l'accès à la vallée de Beit Shean et se trouve dans l'obligation de rebrousser chemin. A peine rentré à Tel Aviv, il alerte le Pentagone et le Département d'État à Washington.

Quelques heures plus tard, le chef de la C.I.A., Allen Dulles, fait contacter le patron du Mossad, Isser Harel, par son agent Jim Angleton pour lui poser directement la question : « Préparez-vous la guerre ? »

Le chef de l'espionnage israélien ne veut pas avoir à lui mentir. En guise de réponse, il fait transmettre à Dulles le discours prononcé la semaine précédente par Ben Gourion devant l'école des cadres supérieurs de l'armée. Il en ressort qu'Israël entend donner une dure leçon à la Jordanie pour l'obliger à réduire à son tour l'activité meurtrière des fedayin, mais qu'il ne s'agit pas de déclencher une guerre.

Aussi, quand, le 29 octobre à midi, une dépêche de Tel Aviv informe Allen Dulles, dans son bureau de Washington, qu'Israël vient d'entreprendre une opération militaire contre l'Égypte, le chef de la C.I.A. laisse éclater sa fureur devant ses proches collaborateurs : « They had me ! » (Ils m'ont eu !)

Le secret de la campagne de Suez et de l'intervention tripartite a pourtant bien failli être éventé quarante-huit heures plus tôt par l'étrange démarche d'un diplomate français en poste à Tel Aviv.

Catholique pratiquant, Monsieur X prétend n'avoir à connaître d'autres impératifs que ceux de sa conscience. Quitte à les faire passer avant ceux de sa propre hiérarchie. En désaccord avec son chef, l'ambassadeur Pierre-Etienne Gilbert, dont le prosionisme confinera au militantisme, il n'hésite pas à prendre sur lui la responsabilité de tenter de rendre public le plan d'opération tripartite et de déchirer le brouillard dont son gouvernement a pris soin, avec ses deux partenaires, de l'entourer.

Vendredi matin 26 octobre, Monsieur X décroche son téléphone et appelle à leur domicile deux journalistes pour les inviter à déjeuner. L'un, Donald Wise, est correspondant du *Daily Telegraph* de Londres, l'autre, Teddy Leviteh, collaborateur du grand quotidien *Maariv*, représente également un journal anglais. Au restaurant Yarden, il leur révèle le projet de l'intervention tripartite contre Nasser et leur conseille d'en donner l'exclusivité à leurs publications londoniennes.

En sortant de déjeuner, Leviteh rédige son « scoop » sur un coin de table et vient le présenter au bureau de la censure militaire qui contrôle, avant parution, tous les articles des correspondants de presse touchant aux problèmes de la sécurité, de la défense et de l'armée. Impliquée elle-même dans l'opération Brouillard du colonel Hefets, la censure a reçu pour instructions de retenir toutes les nouvelles ayant trait aux préparatifs contre la Jordanie.

Or, l'article de Leviteh sur l'éventualité d'une intervention à Suez apparaît aux yeux du censeur comme une aimable fantaisie, voire une manœuvre de diversion qu'il juge bon de laisser passer...

L'après-midi même, le journaliste israélien raconte son scoop au rédacteur en chef de *Maariv*, Aryeh Dissentchik. Ce dernier téléphone à Shimon Peres pour lui demander confirmation de l'étonnante nouvelle.

– Surtout n'en faites rien, répond le ministre. Et venez me voir demain à 17 heures à mon bureau.

Le lendemain étant jour de sabbat, la présence de Peres au ministère est pour Dissentchik l'indication qu'il y a bien anguille sous roche. A son arrivée, Peres est en train de téléphoner au secrétaire du parti à Haïfa, Yossef Almogui : « Il faut que l'usine d'Atta tourne vingt-quatre heures sur vingt-quatre. Nous avons besoin de 20 000 uniformes d'ici à lundi. Sapir te donnera tous les détails. »

Il raccroche. Dissentchik le dévisage et laisse passer quelques secondes de silence avant d'ouvrir la bouche : « Ça va, j'ai tout compris. Tu n'as pas besoin de me dire quoi que ce soit. » Peres sourit de son sourire triste, en lui demandant, bien sûr, de taire ce qu'il sait. Pas question de publier une ligne du scoop de Leviteh. Motus jusqu'à mardi.

Le même jour, Peres s'efforce de persuader en sens opposé le directeur du quotidien français *le Monde*, Hubert Beuve-Méry, de prolonger de vingt-quatre heures la visite qu'il effectue en Israël. Le grand journaliste doit regagner Paris le lendemain, dimanche. Peres lui fait savoir qu'il lui a arrangé un entretien exclusif avec le général Dayan pour le lundi. Histoire de ne pas lui faire manquer l'événement dont il ne peut évidemment lui parler.

— Trop tard, répond Beuve-Méry, j'ai une réunion de rédaction très importante après-demain. Il m'est impossible de différer mon départ.

Entre-temps, le directeur général de la Défense s'est empressé d'entrer en contact avec son homologue britannique, pour empêcher la publication de l'article de Leviteh. Le dimanche 28 octobre, le correspondant reçoit en effet un télex de son journal : « Les nouvelles de Corée nous ont contraints à ajourner votre papier faute de place. »

C'est ainsi que le secret de l'Opération Suez, fixée au lendemain 29 octobre, a été sauvegardé de justesse. On ne saura jamais comment le diplomate français a pu être informé d'une décision qui n'était même pas encore portée à la connaissance de l'ambassadeur Gilbert, puisque celui-ci n'en a été avisé qu'au dernier moment, le lundi matin. Son conseiller a-t-il eu un informateur au Quai d'Orsay désireux de torpiller une action à laquelle il aurait été opposé ? A-t-il appris la décision en Israël même ? Monsieur X parlait assez couramment l'hébreu et il s'était lié d'amitié avec un important investisseur juif français, propriétaire d'une villa sur la Côte d'Azur, qu'il avait souvent mise à la disposition de Ben Gourion...

L'énigme demeure. Elle n'a fait l'objet d'aucune enquête, ni en France ni en Israël. Monsieur X est d'ailleurs resté près de deux ans à son poste après la campagne de Suez. Et Pierre-Étienne Gilbert pas plus que Shimon Peres n'a gardé le souvenir de la fuite dont il était l'auteur. Sa carrière n'aura pas eu, en tout cas, à souffrir de cette ténébreuse affaire. Au contraire. Plus tard, Monsieur X a reçu la rosette de la Légion d'honneur. Il a été fait, ultérieurement, commandeur de l'Ordre national du Mérite...

En dépit des mesures exceptionnelles de sécurité et de la campagne d'intoxication des services secrets israéliens, d'autres fuites ont eu lieu sur l'Opération Suez qui relevaient, elles, de l'espionnage systématique et organisé.

Lorsque, le lundi 29 octobre 1956, Dayan lance ses blindés à travers les sables du Sinaï, les Soviétiques sont les seuls à n'être pas surpris. Ils sont parfaitement au courant du plan d'intervention tripartite, mais ils se gardent bien d'en souffler mot aux Egyptiens, pas plus qu'ils ne le feront en 1967. Parce que, dans les deux cas, ils auront appelé de leurs vœux l'explosion de la poudrière moyen-orientale. En 1956, ils en sont même encore à souhaiter une défaite arabe qui leur permettra d'accentuer leur pénétration dans la région. Leurs calculs seront différents onze ans plus tard et se révéleront momentanément erronés.

La pénétration soviétique au Proche-Orient a en gros suivi les grands axes de la politique russe depuis les tsars. Le 29 novembre 1947, l'U.R.S.S. a joué sa première carte en soutenant de son vote à l'O.N.U. le plan de partage de la Palestine et l'indépendance de l'État juif. Le texte du fameux discours de Gromyko reconnaissant les liens historiques du peuple juif martyr avec cette terre avait été rédigé par Staline et était parvenu à New York par courrier spécial quelques heures avant la séance.

En fait, les Soviétiques se sont intéressés au destin de la Palestine dès 1920, avant même l'attribution du mandat à la Grande-Bretagne. Le parti communiste palestinien (P.K.P.) a été le premier créé pour aider à la formation des autres P.C. de la région, et les Russes ont commencé en 1929 à implanter des réseaux d'information. Parmi les militants juifs du P.K.P. se trouvait, par exemple, Leopold Trepper, secrétaire de la section de Haïfa, qui devait être expulsé vers la Suisse par les Britanniques et diriger, dix ans plus tard, à Paris, le réseau d'espionnage soviétique connu sous le nom d'Orchestre rouge. A la tête de la section du Komintern pour le Moyen-Orient, Moscou avait placé un ancien du P.K.P., Berger Barzilaï, jusqu'aux purges staliniennes des années 36-39, qui ont liquidé la plupart des professionnels juifs de ces réseaux d'espionnage. Après vingt ans de Goulag, Barzilaï regagnera Israël en 1958, reprendra sa place dans le mouvement sioniste qu'il avait quitté en 1921, et deviendra le conseiller spécial de l'ancien chef de l'immigration clandestine, Shaül Avigour, pour le problème des Juifs soviétiques.

A l'issue de la Seconde Guerre mondiale, les services de renseignement soviétiques ont intensifié leurs efforts dans la région et, pour commencer, en direction du jeune État d'Israël. Le danger d'une mainmise communiste avait même été souligné à l'époque par plusieurs observateurs, qui ignoraient pourtant l'existence de deux agents importants infiltrés dès 1950 dans de hauts postes de l'administration israélienne. L'ambassadeur des États-Unis à Tel Aviv avait notamment envoyé un rapport au Département d'État sur le « danger rouge » en Israël.

Quand, l'année suivante, Staline a changé de cap pour jouer à fond la carte arabe, les services soviétiques ont redoublé d'efforts. D'abord, le K.G.B., centrale de renseignement politique. Puis, à partir de 1955, le G.R.U., service de renseignement militaire, avec l'accord d'armement égypto-tchèque. Les deux services se sont dès lors trouvés à diverses reprises en compétition entre eux, ainsi qu'avec un troisième service, le commissariat politique dépendant directement du Comité central du P.C.U.S. L'ambassade soviétique constituait une base essentielle pour leur activité en Israël. En février 1953, Staline en avait ordonné la fermeture en rompant les relations diplomatiques avec l'État juif : un groupe d'extrémistes israéliens avait lancé une bombe contre la légation de l'U.R.S.S. pour protester contre la vague d'antisémitisme à laquelle avait donné lieu la prétendue découverte d'un complot de médecins juifs (le complot des « blouses blanches ») contre les maîtres du Kremlin.

Peu après la mort de Staline, le mois suivant, ce sont les services de renseignement soviétiques qui ont poussé ses successeurs à renouer les relations avec Israël pour obtenir la réouverture de l'ambassade dès la fin de l'année.

En 1956, ils disposent de trois sortes de sources pour permettre une percée décisive de l'U.R.S.S. au Proche-Orient à la faveur de leur connaissance du plan d'intervention combinée franco-anglo-israélien contre l'Égypte : une source d'informations à l'intérieur de l'administration française et deux équipes de super-agents à Tel Aviv, à Beyrouth et au Caire.

Du côté français, une fuite au moins a été décelée dès le mois d'août par les services israéliens, en pleine opération ultra-secrète de livraisons d'armes à Israël. Au départ de Toulon, seule une petite poignée de responsables était au courant de la destination réelle des bâtiments de transport qui appareillaient à tour de rôle. Un jour, les Israéliens, stupéfaits, voient arriver au port un peloton de gendarmes, dont le commandant annonce qu'il est envoyé pour veiller à l'exécution d'une mission confidentielle. Les officiers israéliens demandent l'ajournement de l'appareillage et le renvoi immédiat du détachement incongru de gendarmerie.

Au Proche-Orient, les services soviétiques disposent au moins de quatre hommes clés : le correspondant de l'*Observer* à Beyrouth,

Kim Philby, honorable agent contractuel de la centrale d'espionnage britannique M I 6, qu'il a longtemps représentée officiellement à Washington; Sami Sharaf, chef de cabinet de Nasser au Caire; le colonel de réserve Israël Beer, conseiller spécial de Ben Gourion, et Zeev Goldstein, haut fonctionnaire du ministère israélien des Affaires étrangères à Tel Aviv.

Le 28 septembre 1956, Beer rencontre l'attaché de presse de l'ambassade soviétique pour un entretien qu'il qualifiera de « conversation sans importance ». Or, ce diplomate a été identifié comme l'un des manipulateurs dont le K.G.B. a truffé l'ambassade depuis sa réouverture. La date de cette rencontre, qu'il sait pouvoir être surprise par la surveillance exercée sur son interlocuteur, n'est pas, elle, sans importance. Travaillant à l'époque directement sous ses ordres, Beer n'ignore pas la navette mystérieuse que le directeur de la Défense, Shimon Peres, vient d'effectuer entre Paris et Tel Aviv : le 25, il l'a vu revenir de la capitale française et le 28 y repartir dans la plus extrême discrétion. Il ne lui a pas fallu un grand effort d'imagination pour deviner à travers ces mystérieux déplacements une mission secrète de coordination avec les autorités militaires françaises. Ce n'est donc pas par hasard qu'il rencontre ce jour-là, à son initiative, l'attaché soviétique. Connaissant les méthodes de travail du service de sécurité israélien (Shin Beth), il se rend parfaitement compte que ce contact risque fort d'être observé.

Beer pense aussitôt à se couvrir contre ce risque en allant raconter au secrétaire militaire de Ben Gourion, le colonel Argov, l'« échange de vues académique » qu'il vient d'avoir en toute innocence avec l'attaché soviétique. Argov lui conseille vivement d'entrer en rapport avec le chef du Shin Beth, Amos Manor. Loin de chercher à cacher son entrevue, Beer la rapporte aussi fidèlement à Manor, qui éclate en fureur :

– Quelle imprudence ! Nous avons identifié ton interlocuteur comme un agent du K.G.B. Évite à l'avenir tout contact avec lui.

Beer répond volontiers qu'il se le tient pour dit.

Une semaine plus tard, le chef du Mossad, Isser Harel, invite pour un entretien particulier un certain nombre de personnes dont il a couché le nom, à titre privé, sur sa liste personnelle de suspects à surveiller. Il tient à procéder à un examen discret de leur cas dans le cadre des mesures préventives à prendre en vue de la campagne du Sinaï. Israël Beer en fait partie. Pour camoufler ses arrière-pensées, Harel donne le change en lui disant qu'il l'a fait venir pour savoir si, à sa connaissance, des militants de son ancien parti Mapam (socialiste de gauche) ont pu maintenir un contact quelconque avec des Soviétiques. Déjouant le piège, Beer évoque sa propre rencontre fortuite du 28 septembre avec l'attaché de presse de l'ambassade, en prenant soin d'ajouter qu'il en a rapporté tous les détails à Manor, ce que Harel a la possibilité de vérifier sur-le-champ. Harel lui confirme qu'il s'agit bel et bien d'un agent du K.G.B. et lui interdit en conséquence de le revoir. Beer obtempère en toute humilité. Il a conscience que le chef du Mossad n'a pas encore saisi le caractère opérationnel de cette rencontre, qui était en fait un contact entre agent et manipulateur.

Quand, en 1948, il avait eu le premier la responsabilité du Shin Beth (l'équivalent de la D.S.T. française), Isser Harel avait accordé une attention soupçonneuse toute particulière à l'activité du Mapam, dans le cadre de la réduction des dissidences et des milices armées issues des mouvements de résistance sionistes. Jusqu'à la scission intervenue en 1954 en son sein, ce parti sioniste-marxiste comptait parmi ses chefs les principaux héros du Palmakh et de la Haganah, qui s'étaient distingués au cours de la guerre d'indépendance, d'Ygal Allon à Israël Galili, d'Ytzhak Sadeh à Ytzhak Rabin. Il pouvait paraître politiquement délicat d'en faire des suspects. Harel n'avait pourtant pas hésité à installer des micros au siège de leur parti, ainsi que dans les bureaux et au domicile de ses leaders. Pour pas grand-chose : cherchant à établir que des informations véhiculées par le comité du Mapam pour les affaires de la Défense aboutissaient parfois chez les Soviétiques, il n'avait pu détecter par son système d'écoutes clandestines que deux cas mineurs, dont un était un échange de caractère scientifique entre l'un des dirigeants du parti, Aharon « Aharontchik » Cohen, et un diplomate soviétique.

La découverte en juin 1953 d'un de ces micros du Shin Beth dans les locaux du Mapam fit en Israël l'effet d'un mini-Watergate avant la lettre. Mais Ben Gourion couvrit l'initiative d'Isser Harel de son autorité, et l'agitation provoquée par cette crise d'espionite s'apparentant à une sorte de chasse aux sorcières s'apaisa.

Harel avait également son réseau d'informateurs à l'intérieur de ce parti trop à gauche à ses yeux pour n'être pas le jouet des agents de Moscou. Nul autre que lui ne connaissait, même au Shin Beth, l'identité de ces informateurs pour lesquels il utilisait des noms de codes à son usage. Même après son départ du Shin Beth et sa nomination à la tête du Mossad, il a continué d'entretenir de tels contacts à titre personnel.

S'il a souvent fait ses meilleures prises grâce à son flair, il a, en 1953, passé la main à un professionnel plus porté sur les méthodes scientifiques de contre-espionnage : son adjoint Amos Manor, un émigré de Roumanie de 1947 rompu à l'état d'esprit et au mode opératoire des Soviétiques. C'est sous son règne, qui durera jusqu'en 1963, qu'une bonne douzaine d'as du renseignement soviétique seront démasqués en Israël. Et, parmi eux, le plus important par sa stature, sinon par ses agissements : le docteur Israël Beer, le traître avéré de la guerre de 1956, conseiller spécial de Ben Gourion et de Shimon Peres au ministère de la Défense.

Vingt ans après, l'affaire Beer reste l'énigme n°1 des dossiers secrets de l'histoire d'Israël. Son importance tient au rôle qu'a pu jouer au sommet de l'appareil d'État l'ancien lieutenant-colonel de la guerre d'indépendance, adjoint au chef des opérations, devenu au cours des années 1950 un des commentateurs militaires les plus écoutés du pays, gardant jusqu'à son arrestation en 1961 ses entrées au ministère de la Défense, dans le formidable jeu d'enfer international de l'Union soviétique. Dix ans après sa mort, sa véritable identité est toujours douteuse.

Cet homme tout en os longs, au crâne d'œuf, au visage de faux Mongol, à la denture chevaline, à la moustache dérisoire sur des lèvres sensuelles, est-il vraiment, comme il le prétend dans son autobiographie, « Israël Georg Beer, né le 9 octobre 1912 à Vienne », d'une famille juive assimilée émigrée d'Europe centrale en Amérique et revenue s'installer fortune faite en Autriche ? Ou bien agent envoyé par le N.K.V.D. à la faveur des troubles de 1936, a-t-il emprunté cette identité d'étudiant juif sans parents ni amis, disparu sans laisser de trace ?

A l'en croire, ce serait plutôt son identité qui aurait servi à un réfugié communiste de Berlin et qu'il aurait récupérée à son retour de la guerre d'Espagne après la dissolution des Brigades internationales dans lesquelles il aurait servi comme lieutenant-colonel... Était-il un « agent dormant » chargé par les Soviétiques de s'infiltrer au Proche-Orient quand, en novembre 1938, il a débarqué à Haïfa, autorisé à émigrer en Palestine comme « universitaire, assistant de recherche », auteur d'une prétendue thèse de doctorat ès lettres sur le roman bourgeois demeurée totalement introuvable dans les archives de l'université de Vienne ? Ou bien, perdu par sa vanité, n'a-t-il cédé aux sirènes des services soviétiques qu'à partir de l'affaire de Suez, comme persiste à le soutenir Isser Harel, qui n'avait d'abord vu en lui qu'un rival auprès de Ben Gourion ?

Il semble bien, pourtant, que l'homme, né effectivement à Vienne la même année que l'Anglais Kim Philby, ait été recruté par Moscou dès sa participation au soulèvement ouvrier du 12 février 1934 contre la dictature du chancelier démocrate-chrétien Engelbert Dollfuss, dans les rangs du Schutzbund, la milice d'autodéfense du puissant parti socialiste opposé au régime. Dans les deux centres ouvriers de l'époque, Karl Marx Hof et Goethe Hof, la garde nationale avait ouvert le feu sur les militants du Schutzbund. Israël Beer paraît avoir été traumatisé par cet affrontement armé auquel assistait, à titre d'observateur, un jeune et brillant étudiant de Cambridge venu parfaire sa formation universitaire à Vienne : le nommé Kim Philby. Lié aux activistes du parti socialiste autrichien par l'intermédiaire de sa petite amie, Litzi Friedmann, il avait alors aidé six combattants du Schutzbund blessés à s'enfuir par les égouts de la ville. La présence de Philby dans cette ambiance déjà semblable à celle du *Troisième Homme* de Graham Greene est sans doute susceptible de receler la clé du mystère Beer. Selon une étude spéciale faite conjointement par la C.I.A. et le M I 6 britannique, Vienne était, avant l'Anschluss, le centre européen du renseignement soviétique et du recrutement d'« agents dormants ».

Ainsi Philby y a-t-il été recruté en 1934 par un réfugié hongrois, Peter Gabor, qui avait fui la répression du régime de l'amiral Horty. Gabor était un haut dignitaire du P.C. hongrois réduit à la clandestinité depuis l'écrasement de la révolution. Après la victoire soviétique de 1945, il allait prendre la direction de la police secrète du nouveau régime. En 1934, son rôle était encore de détecter et d'embrigader au service du Komintern, parmi les émigrés communistes ou socialistes résidant à Vienne, de jeunes militants aptes à devenir plus tard des agents, de retour dans leur pays respectif.

Gabor avait fait la connaissance de l'étudiant anglais Philby grâce à Litzi Friedmann, une Juive autrichienne divorcée dont les parents avaient loué une chambre au jeune homme. L'ex-mari de Litzi, Karl Friedmann, était un des leaders du mouvement sioniste-socialiste Blau Weiss (Bleu-Blanc) qui devait émigrer par la suite au kibboutz de Moshe Dayan, Degania, au bord du lac de Tibériade. En dépit de sa laideur, Gabor avait beaucoup de succès auprès des femmes et n'avait eu aucune peine à convaincre Litzi de travailler pour le compte des Soviétiques après son divorce. Au lendemain de la répression de 1934, elle avait épousé Philby et était partie vivre avec lui en Angleterre.

Quarante ans plus tard, on la retrouvera installée à la Wildensteinstrasse, à Berlin-Est, avec domestique et voiture particulière, signes évidents de réussite bureaucratique en démocratie populaire...

A son retour de Vienne, Philby avait reçu de Gabor mission de pénétrer le service de renseignement britannique en y mettant le temps qu'il faudrait. Il ne se manifeste qu'en 1945 en permettant aux Soviétiques de récupérer un de leurs « défectants », le professeur hongrois Rado, qui a dirigé leur réseau d'espionnage en Suisse pendant la guerre. Suspect aux yeux de ses patrons d'avoir entretenu des relations trop étroites avec les Britanniques et de les avoir informés de son activité en Suisse, Rado a été rappelé à Moscou au lendemain de la victoire. L'avion qui le ramène fait escale au Caire. Il en profite pour descendre à terre et demander asile aux autorités britanniques d'Egypte. Personne ne s'est encore rendu compte de sa défection. Mais, en moins de vingt-quatre heures, les Russes l'apprennent par leur agent Philby et obtiennent de leurs « alliés » britanniques l'extradition de Rado.

Par un étrange cheminement du destin, l'un des jeunes espoirs du réseau de Rado en Suisse, Wolf Goldstein, deviendra en 1956, sous le nom hébraïsé de Zeev Goldstein, le troisième homme, aux côtés de Kim Philby à Beyrouth et d'Israël Beer à Tel Aviv, de l'espionnage soviétique au Proche-Orient.

Des fuites inexpliquées l'ayant rendu suspect aux yeux de ses collègues de la C.I.A., les chefs du M I 6 auraient alors rappelé Philby du poste de confiance qu'il occupait à Washington pour l'envoyer en 1956 à Beyrouth avec un contrat d'honorable correspondant et la couverture de correspondant du journal l'*Observer*. Il entretient des relations extrêmement amicales avec son chef de poste qui n'est pas au courant des soupçons dont il a pu être l'objet à Washington. Il le rencontre régulièrement au bar du Saint-Georges où il passe la plus grande partie de son temps à boire.

A quelques semaines de l'opération Suez, le M I 6 alerte ses antennes au Moyen-Orient : les forces britanniques, concentrées à Chypre, sont déjà sur le pied de guerre. Philby a vent de ce qui se prépare par son ami en poste et tient informés ses manipulateurs soviétiques. Son recruteur initial, Peter Gabor, lui, croupit depuis trois ans dans une cellule de la prison centrale de Budapest, victime des purges antistaliniennes de l'époque, et, tandis que Philby va rendre visite en Israël à ses anciens camarades du Schutzbund viennois, il pourra entendre dans les derniers jours d'octobre les chars russes étouffer de leurs grondements grinçants les clameurs de la révolte hongroise...

Lors de son pèlerinage nostalgique, peut-être Philby rencontre-t-il une autre recrue de choix de Peter Gabor parmi les anciens du Schutzbund, cette pépinière idéale d'agents au service du Komintern. Rien n'indique que Beer ait suivi le même cheminement que Philby, mais tout laisse penser que leur destin a été parallèle.

Pour donner le change après les émeutes de février 1934, Beer s'est enrôlé dans la milice gouvernementale et s'est fait admettre, selon ses propres dires, à l'école des officiers de Wiener Neustadt, afin de s'initier au métier des armes. La destruction des archives au cours de la guerre ne permet pas de le vérifier. Quand Beer débarquera en novembre 1938 en Israël, avec pour tout bagage le récit d'une vie romanesque pleine d'épopée et de combats, et se présentera sur la recommandation du légendaire Ytzhak Sadeh comme ancien officier du Schutzbund à l'école agricole du mont Thabor qui servait de centre d'entraînement clandestin aux forces spéciales de la Haganah, il fera bien piètre figure dans le maniement des armes. Il rejoint une unité en cours d'exercice au pied du mont Gilboa. A la fin de la journée, le commandant de cette unité se dit que la nouvelle recrue n'a visiblement jamais touché un fusil de sa vie. D'ailleurs, Israël Beer a disparu après l'exercice sans demander son reste. Il devait revenir au centre un an plus tard, pour donner cette fois des conférences sur les problèmes stratégiques.

Il semble, en effet, qu'il ait eu la possibilité d'étudier un dossier complet des combats livrés en Espagne par les Brigades internationales... pendant son stage à l'école des cadres du renseignement soviétique à Moscou, de 1936 à 1938 ! Après quoi il fut envoyé en Palestine pour une mission de longue haleine avec un passé fabriqué de lieutenant-colonel des Brigades. A cette fin, il avait réussi à se faire engager comme employé au Fonds national juif de Vienne, où il a très bien pu glisser son nom sur une liste de 200 étudiants juifs de l'université bénéficiaires de visas délivrés par les autorités britanniques dans le cadre du quota fixé pour l'immigration juive en Palestine.

Beer a tellement bien appris son rôle d'ancien combattant de la guerre d'Espagne que, rencontrant vingt ans plus tard un ancien volontaire tchèque, Jean Mikcha, commentateur militaire réfugié à Paris, en présence de l'attaché militaire de l'ambassade d'Israël il a évoqué, plus d'une heure durant, des épisodes de « leur » participation à ces combats. Interrogé après coup par un diplomate israélien, Mikcha avouera ne pas se souvenir d'avoir connu Beer en Espagne :

« Mais, ajoutera-t-il, il était tellement au fait de certains détails de mon séjour en Espagne que j'avais fini par me convaincre que nous nous y étions vraiment rencontrés. »

Beer a donc grimpé rapidement les échelons de la Haganah au point de compter parmi les six colonels de l'armée israélienne (Tsahal) lors de la guerre d'indépendance, opérant sur le front nord sous les ordres du chef de l'état-major par intérim, le général Yadin, et de devenir chef adjoint du plan et des opérations militaires à l'état-major général dès la fin de 1948. Il quitte l'armée après la dissolution du Palmakh en 1949 et suit les officiers de gauche dans le parti Mapam. Mais, après la scission de 1953, il revient dans le giron travailliste, tenant la chronique militaire de l'organe de la Histadrout, *Davar.*

— Il a beaucoup lu, mais il n'a rien appris, dit de lui le général Dayan, qui n'apprécie guère les manières viennoises de ce « docteur à tête de mort ».

Isser Harel, par jalousie plus que par méfiance, s'oppose également à sa réintégration dans l'armée. Qu'à cela ne tienne ! Le ministère de la Défense dirigé par Ben Gourion et son adjoint Shimon Peres l'engage pour écrire l'histoire officielle de la guerre d'indépendance, sur la recommandation du fondateur du Mossad, Shaül Avigour... Il se fait d'ailleurs le théoricien de la politique de représailles contre les villages arabes.

— Israël est un pays merveilleux, répète-t-il cyniquement à la cantonade. Il suffit de crier « Vive Ben Gourion ! » et on peut y faire tout ce qu'on veut.

Il sera donc à la fois conseiller spécial au ministère et professeur d'histoire militaire à l'université de Tel Aviv.

En mars 1956, au cours d'un long tête-à-tête sur le rôle de l'U.R.S.S. au Proche-Orient, il finit par persuader Ben Gourion que Moscou s'apprête à y défendre ses intérêts au besoin par la force des armes. Cet argument va peser très lourd sur la décision de Ben Gourion de ne pas camper dans le Sinaï après la campagne victorieuse de Suez : le « Vieux Lion » prendra en effet très au sérieux la menace soviétique d'envoyer des volontaires et des bombardiers au secours de l'Egypte.

C'est lors de sa rencontre du 28 septembre avec l'attaché de presse de l'ambassade soviétique que Beer a repris un contact actif avec les officiers traitants du K.G.B., en leur transmettant un rapport sur les préparatifs de cette campagne.

Beer profitait en effet du bureau mis à sa disposition au ministère de la Défense pour bavarder dans les couloirs avec ses anciens compagnons d'armes restés à la tête de Tsahal ou les officiers supérieurs auxquels il donnait des conférences à l'école de guerre. Il n'a pas son pareil pour donner l'impression d'être toujours le mieux informé, révélant aux uns ce qu'il vient d'apprendre des autres et vice versa. A la veille de la guerre de Suez, Dayan surprend même sa présence à une réunion secrète de l'état-major et doit le prier de prendre la porte.

S'il ne sait peut-être pas la date du déclenchement de l'intervention tripartite, il en connaît assez pour alerter son manipulateur à l'ambassade soviétique, qui a rang de troisième secrétaire, chargé des relations avec la presse.

Par la suite, il aura l'occasion de rencontrer des dignitaires du K.G.B. à Berlin-Est, où le conduiront ses voyages de plus en plus fréquents à travers l'Allemagne, à la faveur de la coopération instaurée entre Peres et Franz Josef Strauss, le ministre de la Défense du gouvernement fédéral. Les agents les plus importants des services soviétiques sont ainsi manipulés de préférence hors des pays où ils servent.

Profitant de ses visites en R.F.A., Beer publie un ouvrage chez un éditeur de Munich : *le Moyen-Orient, arène décisive entre l'Ouest et l'Est*. Chemin faisant, il est invité à inspecter les bases allemandes de l'état-major européen de l'O.T.A.N. De Berlin-Ouest il se rend facilement à Berlin-Est, passant outre aux recommandations formelles des services israéliens. C'est là qu'il maintient ses vrais contacts avec les Soviétiques.

Au milieu du mois de mai 1960 son audace franchira un nouveau degré : séjournant à Mönchengladbach, il y séduira le général Reinhard Gehlen, chef du service spécial des renseignements de la R.F.A., ancien de l'Abwehr et source principale d'informations sur l'U.R.S.S. dont dispose alors l'Occident !... Lorsqu'il le reçoit dans son quartier général pour procéder à un échange de vues sur le jeu soviétique au Proche-Orient, le « général gris » n'ignore sans doute rien des navettes de Beer entre les deux Berlin. Mais, loin de le rendre suspect, ces incursions en R.D.A. du conseiller spécial de Shimon Peres ne peuvent qu'intéresser au plus haut point le chef de l'espionnage ouest-allemand, qui se laissera ainsi intoxiquer par un maître espion soviétique.

Aussi est-ce avec un malin plaisir que le chef du Mossad, Isser Harel, lui annoncera moins d'un an plus tard, par un message personnel, l'arrestation de Beer à Tel Aviv. Il savourera de la même manière le télégramme « top secret » qu'il adressera à Peres de passage à Paris pour un voyage en Afrique, où il doit représenter le gouvernement israélien à diverses cérémonies d'indépendance d'Etats francophones. « Oh non ! » murmure

Peres en déchiffrant le télégramme à l'ambassade de l'avenue de Wagram.

Selon les rapports officiels, Beer a été arrêté la nuit précédant la soirée sacrée du Seder de Pâque, le 31 mars 1961, à 2 h 30 du matin. Comme il le révélera lui-même dans son autobiographie écrite en prison, cette arrestation a eu lieu en réalité le 28 mars, mais elle a été tue deux jours par le Shin Beth. C'est seulement alors que le colonel Haïm Ben David, son secrétaire militaire, communique la nouvelle à Ben Gourion parti passer les fêtes dans son kibboutz du Néguev :

— Le « Petit » a pris « Pifka » la main dans le sac.

Le « Vieux » éclate de rage :

— On m'a entouré de mensonges, s'écrie-t-il.

Beer aurait sans doute pu continuer longtemps ses activités d'espionnage sans une faute de son dernier manipulateur en date, l'attaché de presse Vladimir N. Sokolov, qui a passé pourtant plus de sept ans en Israël sans attirer l'attention, comme son prédécesseur.

Le vendredi 24 mars, Beer lui fixe un rendez-vous par téléphone pour le dimanche 26 dans un petit café tranquille proche de la place Dizengoff. Mis au courant, Isser Harel décide de ne pas avertir Ben Gourion avant de prendre Beer « la main dans le sac », depuis le temps qu'il en attend l'occasion.

Par précaution, Sokolov ne vient pas au rendez-vous. Il ne s'y rend que le lendemain soir, selon le système de « repêchage » sans doute préalablement convenu. Très intéressé par les analyses de son agent n°1 sur la crise politique qui secoue Israël, il demande à le revoir le lendemain soir avec des documents. Des agents du Shin Beth parviennent à surprendre cette seconde rencontre inopinée. Isser Harel, lui, s'apprête à passer la soirée au théâtre. Quand le chef du contre-espionnage lui téléphone que « l'homme est au rendez-vous », Harel, après quelques secondes d'hésitation, lui intime l'ordre de l'arrêter à tout hasard.

Mais la rencontre Beer-Sokolov n'a pas cette fois duré plus de trois minutes. Les agents du contre-espionnage n'ont eu que le temps de voir l'Israélien remettre une serviette noire au Soviétique.

Délaissant le théâtre, Harel se rend alors chez le commissaire Aharon Chelouche, chef de la section spéciale de la police, pour lui demander de se procurer un mandat de perquisition et d'arrestation contre Beer. Alerté par Chelouche, Manor s'oppose à cette procédure qu'il juge intempestive en l'absence de preuves plus formelles. Isser insiste. Chelouche s'inquiète de l'éventualité d'une erreur judiciaire.

C'est alors que le hasard sourit au chef du Mossad. Les agents du Shin Beth qui n'ont cessé de filer Beer et Sokolov depuis leur premier rendez-vous ont la surprise de retrouver les deux hommes ensemble de nouveau vers minuit : Sokolov est venu restituer à Beer sa serviette noire...

A 2 h 30 du matin, le commissaire frappe à la porte de Beer, un mandat de perquisition à la main. Beer vient lui ouvrir en pyjama. Après deux heures d'interrogatoire, Beer ne perd rien de son assurance. Il va nier imperturbablement ses contacts avec les Soviétiques, contre toute évidence, pendant encore quarante-huit heures. Le temps de permettre à Sokolov de quitter le pays. Quand enfin il se décide à coopérer, Isser Harel appelle le secrétaire militaire de Ben Gourion. Il sait que son initiative va précipiter la crise gouvernementale qui couve depuis l'épreuve de force engagée entre Ben Gourion et Pinhas Lavon au sujet de l'affaire de l'été 1954.

Une commission de sept ministres dirigée par Levi Eshkol vient en effet de réhabiliter l'ancien ministre de la Défense victime de l'exploitation du scandale. Ben Gourion a démissionné et, du coup, le parti travailliste a voté, le 5 février 1961, l'exclusion de Lavon et sa destitution du poste de secrétaire général de la Histadrout. Les autres partis de la coalition au pouvoir refusent de participer à un gouvernement Ben Gourion. En mars, la Knesset est dissoute, après deux ans seulement de législature : de nouvelles élections auront lieu en août. La presse, de droite à gauche, critique la « tyrannie » de Ben Gourion, qui s'enferme la plupart du temps à Sde Boker, tel un lion blessé dans sa tanière.

C'est l'époque où la presse mondiale publie également des révélations sur la construction d'un centre nucléaire à Dimona, dans le Néguev, sous couverture d'une usine de textiles. Le 3 janvier, l'ambassadeur américain Ogdan Reed est venu à ce sujet poser cinq questions à Golda Meir, ministre des Affaires étrangères, exigeant une réponse avant minuit. Les États-Unis demandent en effet un droit de regard sur ce centre, et leur pression n'a pas baissé après l'entrée du président Kennedy à la Maison-Blanche.

Avec l'arrestation de Beer, les attaques vont redoubler contre le « Vieux Lion » qui en avait fait son conseiller, car la campagne électorale bat déjà son plein. Et Ben Gourion verra désormais en Isser Harel le « petit diable » dont il a fait toute la carrière, le responsable de cette campagne de presse. C'est le début d'une rupture douloureuse entre les deux hommes.

A la demande de Ben Gourion, les éditeurs de journaux ont cependant accepté de différer au 16 avril la nouvelle de cette arrestation pour ne pas détourner l'attention de l'opinion sur l'ouverture, une semaine plus tôt, du procès Eichmann à Jérusalem. Mais, du coup, au moment où va éclater l'affaire Beer, plusieurs centaines de correspondants de la presse étrangère venus couvrir le procès Eichmann seront là pour lui donner une résonance internationale...

On ne saura jamais tout ce que l'agent n°1 de Moscou à Tel Aviv a pu transmettre à sa centrale. Au cours de son procès, des témoins viendront rapporter les questions indiscrètes que Beer leur a posées sur toutes sortes de sujets hors de ses compétences officielles. Mais il est possible de faire une évaluation des dégâts causés par son activité non seulement à Israël, mais aussi aux démocraties occidentales.

Outre les informations sur les préparatifs de la campagne du Sinaï d'octobre 1956, Beer a pu tenir les Soviétiques au courant des réactions de Ben Gourion et de son entourage à leurs menaces d'intervention. Deux ans auparavant, le chef du réseau israélien monté en Egypte, Avri Elad, avait, sur les conseils de Peres, présenté à Beer son rapport sur la formation, l'activité et la chute de ce réseau qui est à l'origine de l'affaire Lavon. Selon Elad, un espion russe arrêté en Israël, et dont il a partagé la cellule lors de son emprisonnement, était parfaitement au courant de l'histoire de son réseau. Et la transmission de son rapport à Moscou et peut-être au Caire a pu efficacement informer les ennemis d'Israël du mode opératoire de ses services spéciaux.... Sans doute Beer, à l'époque, n'occupait-il encore aucune fonction officielle, mais il ne manquait pas d'amis parmi les anciens du Palmakh, dont certains dirigeaient l'unité 131, utilisée pour l'opération de provocation antiaméricaine en Égypte.

Beer a également fourni aux Soviétiques des renseignements précieux sur l'armement de Tsahal, sur la composition de son état-major, sur les livraisons françaises ainsi que sur l'état des forces de l'O.T.A.N. qu'il avait été invité à inspecter.

Le général français Marcel Carpentier, qui avait eu l'occasion de le rencontrer, l'avait qualifié de « meilleur commentateur militaire au Proche-Orient ».

Pendant la campagne du Sinaï, notamment, Beer avait passé des heures dans le bureau de Shimon Peres à suivre les discussions et à émettre des avis. Le correspondant de *France-Soir* en Israël, Alain Guiney, l'a même trouvé le dernier jour de la guerre bavardant avec l'ambassadeur de France Pierre-E. Gilbert, qui développait en détail la position de son gouvernement.

D'autre part, Peres lui avait commandé à plusieurs reprises des études spéciales sur un grand nombre de projets « top secret ». Une partie des documents trouvés lors de la perquisition à son domicile avait trait à ces projets.

On ne saura jamais, en revanche, la valeur des informations qu'il a pu rapporter aux Soviétiques de ses quatre entretiens avec le général allemand Gehlen sur des questions de stratégie. Il semble que ses manipulateurs y aient attaché plus de prix encore qu'à son travail d'espionnage en Israël même.

Quand Isser Harel a appris que ce contact Beer-Gehlen risquait de tourner à une véritable coopération dans le domaine de l'action clandestine, sous prétexte de lutte commune antisoviétique, il a littéralement failli s'étrangler. Il a convoqué Beer à son retour d'Allemagne en juillet 1960 pour lui interdire d'y retourner. Beer a fait appel à Ben Gourion, qui lui a donné raison contre le chef du Mossad.

C'est alors que celui-ci a décidé de faire mettre le « cher professeur » sous surveillance. Mais Beer réussit à lui échapper encore quelque temps, suffisamment, en tout cas, pour rencontrer à son insu le diplomate soviétique Sokolov à la mi-décembre 1960, peu de jours avant que la presse mondiale ne consacre ses manchettes à la construction d'une centrale nucléaire à Dimona.

Ce jour-là, Sokolov a attendu Beer à l'entrée de son appartement pour lui fixer un rendez-vous le soir même en un lieu resté inconnu. L'objet du contact portait précisément sur les secrets nucléaires d'Israël.

De 1957 à 1961, il y a peut-être eu plusieurs dizaines de ces rencontres clandestines entre Beer et Sokolov. Comme dans les manuels élémentaires où l'on peut apprendre l'a.b.c. du métier d'espion, ils étaient convenus de codes anodins et de signes à la craie pour se fixer des rendez-vous dans des endroits déterminés avec possibilités de repêchage en cas d'empêchement.

Mais le document le plus intrigant transmis selon toute probabilité par Beer à son manipulateur de Tel Aviv est la copie d'un dossier de plans d'opérations militaires répondant à toutes les situations hypothétiques et élaboré en 1957 par le colonel Yuval Neeman, l'adjoint au chef du Deuxième Bureau israélien (Aman). Cette copie avait mystérieusement disparu et était demeurée introuvable. On pensait, à l'époque, qu'elle avait pu être jetée par erreur au rebut.

Les enquêteurs israéliens ont pourtant eu leur attention attirée, quelques années plus tard, par des articles de journaux étrangers proches de sources soviétiques critiquant les « visées expansionnistes » d'Israël et accompagnés de considérations visiblement inspirées du dossier Neeman. Mais, surtout, les Soviétiques utiliseront ce document pour fabriquer un faux que le chef du K.G.B. présentera le 14 mai 1967 à Sadate, envoyé à Moscou par Nasser, comme la preuve de préparatifs d'agression israélienne contre la Syrie.

Ce faux, fabriqué à partir d'un authentique document vieux de dix ans, jouera le rôle de la dépêche d'Ems (à l'origine des hostilités franco-allemandes de 1870) dans le déclenchement de la guerre des Six Jours.

Trois ans avant de confondre Beer, le flair d'Isser Harel avait permis de neutraliser l'agent n°2 des Soviétiques à Tel Aviv : l'ancien membre du réseau Rado, Zeev Goldstein.

Un jour de l'année 1957, un des informateurs qu'il avait gardés à la direction du Mapam, après son passage du Shin Beth au Mossad, à titre personnel, appelle Harel à son domicile. Ils conviennent d'un rendez-vous selon les meilleures règles de la clandestinité.

— Les Soviétiques cherchent à pénétrer le Mossad, lui révèle son interlocuteur. Ils s'efforcent d'introduire un agent auprès de toi.

Pendant un an, Isser cherche vainement à déceler un suspect dans son entourage immédiat. Au mois de mai 1958, il reçoit la visite d'un fonctionnaire israélien bien noté, Zeev Goldstein, employé à l'ambassade d'Israël à Belgrade, qui a déjà eu l'occasion de rendre quelques services à son organisme. Goldstein vient lui proposer d'organiser un réseau de renseignements en Yougoslavie au profit du Mossad.

— Pas question, tranche Isser. Nous n'avons aucun intérêt à travailler en Yougoslavie.

Puis il se tait un instant pour dévisager son interlocuteur en réfléchissant à l'étrangeté de sa proposition : « Il n'y a vraiment que les Soviétiques pour s'intéresser à ce pays », pense-t-il. Et, tout à coup, la confidence de son informateur du Mapam lui revient en mémoire : « Les Soviétiques cherchent à glisser quelqu'un auprès de toi. »

Alors il rompt le silence pesant qui règne dans la pièce :

— Vous êtes un agent soviétique !

Stupéfait, Goldstein reçoit l'apostrophe comme une gifle qui le fait vaciller et passe sur-le-champ aux aveux. Harel convoque

Amos Manor, son collègue du Shin Beth, pour le remettre entre ses mains.

Dans l'après-midi, Manor lui téléphone pour confirmer les aveux spontanés de Goldstein, recoupés par les premières vérifications immédiatement entreprises. Le soir même, Isser Harel réunit chez lui, pour le sabbat, un groupe de fonctionnaires supérieurs de son service :

– Tenez-vous bien, leur dit-il, Goldstein est un espion des Soviets.

Goldstein est le cas type de l'agent dormant implanté de longue date dans un appareil étatique. Né Wolf, en 1920, dans une famille russe émigrée en Suisse avant la Révolution d'Octobre, le futur Zeev a eu une enfance imprégnée d'idées socialistes en dépit de l'aisance financière de ses parents. Lénine avait souvent séjourné dans leur maison. A 22 ans, Goldstein a pris part à la lutte contre le nazisme en se mettant au service du réseau d'espionnage soviétique monté en Suisse par le professeur Rado. Il arrive en Israël dès la proclamation de l'État juif en 1948, déjà couvert de diplômes d'études supérieures et de connaissances linguistiques qui lui permettent de trouver tout de suite une place au ministère des Affaires étrangères. Il se voit promis à une belle carrière, courant les dîners en ville, fréquentant les soirées officielles, ne manquant aucune réception, aucune occasion d'entretenir des relations cordiales avec les dirigeants du ministère où il fait bien vite figure de diplomate modèle.

En 1952, il se porte volontaire avec un petit groupe de fonctionnaires pour venir en aide aux nouveaux immigrants logés dans des camps de fortune. Après avoir épousé une jeune fille élevée à Jérusalem, il est nommé en 1955 attaché commercial auprès de l'ambassade de Bruxelles. C'est là que d'agent dormant des Soviétiques il devient leur agent actif.

Aussi serviable que sociable, il accepte volontiers les petites missions dont le charge le Mossad, profitant, comme toutes les centrales de renseignement du monde, de sa couverture diplomatique. L'été 1956, il prend part aux réunions secrètes de l'ambassade de Paris, au cours desquelles sont réglés les détails des livraisons clandestines d'armement à Israël. Ses manipulateurs lui demandent évidemment de les tenir au courant des préparatifs de l'intervention tripartite qui, en septembre, est déjà dans l'air.

Toutes sortes de missions de confiance peuvent justifier sa présence de plus en plus fréquente dans la capitale française. Comme par hasard, il est toujours là quand Lou Kedar, chargée d'affaires d'Israël à Budapest, vient y passer de courtes vacances.

Ils s'étaient liés d'amitié à Jérusalem, où ils avaient fait connaissance quand Goldstein s'était fiancé. Tout heureux de la revoir à Paris, il lui pose des questions sur son travail à Budapest. Bien que son séjour en pays de démocratie populaire lui ait appris à se méfier des questions les plus anodines, elle ne voit pas malice à l'intérêt que lui porte Goldstein.

En 1957, Goldstein est muté à l'ambassade de Belgrade comme attaché commercial. C'est là qu'il va pouvoir jouer son va-tout : se frayer un chemin jusqu'à la direction du Mossad. Il demande une entrevue à Isser Harel pour lui faire une proposition capable de l'intéresser. Convoqué en Israël, il annonce à ses amis qu'il fait un saut au pays pour fêter l'anniversaire de sa fille.

Un vendredi à midi, à l'heure où les employés quittent les bureaux pour se préparer à la veillée sabbatique, il se présente à Isser Harel au quartier général du Mossad, se jetant de lui-même dans la gueule du loup.

Après son arrestation, qui ne sera pas ébruitée, un voile de mystère s'est abattu sur son sort. Ses collègues du ministère s'étonneront un peu de sa disparition pure et simple. Quant à l'ambassadeur d'Israël à Belgrade, Arieh Levavi, il aura attendu vainement son retour, car il l'a chargé d'acheter un bijou pour l'anniversaire de la femme de son homologue britannique. A ses télégrammes de plus en plus inquiets, le directeur du ministère finira par répondre évasivement : « Pour votre cadeau, trouvez-vous un autre courrier. »

Les aveux spontanés de Goldstein ont permis aux services israéliens de mieux connaître le mode d'action des services soviétiques. L'agent n'avait en effet jamais eu de contact avec des officiers traitants en Israël même. Tout s'est passé en Europe, en Suisse, en Belgique, en France, en Yougoslavie. Et c'est peut-être dans un de ces pays, la Yougoslavie, que Goldstein a commis le faux pas qui a entraîné sa chute. Mais Isser Harel n'a jamais voulu dévoiler la source qui lui a permis d'exercer son flair.

Condamné à douze ans de prison, Goldstein choisira de rester au pays après sa libération et de refaire sa vie dans un village tranquille. Son fils est aujourd'hui officier de Tsahal.

Condamné à dix ans de prison, puis à quinze en appel, Beer y mourra en 1966, en prétendant, dans son autobiographie qui reste l'unique témoignage sur un passé en grande partie inventé, avoir voulu œuvrer pour la sauvegarde d'Israël, parce qu'il redoutait la catastrophe d'un affrontement israélo-soviétique.

La crise de Suez pouvait être interprétée comme le premier acte de cette confrontation. Les Soviétiques en ont profité pour avancer leurs pions en Méditerranée orientale et recruter des espions au cœur du monde arabe. Le plus important de leurs agents en cette année capitale de 1956, ils l'ont trouvé au sein même de la présidence de la République égyptienne en la personne du futur chef de cabinet de Nasser, Sami Sharaf.

Au courant des préparatifs d'intervention à Suez, Moscou ne lève pas le petit doigt pour prévenir l'Égypte, son nouveau client via l'accord d'armement tchèque. Deux raisons à cette expectative volontaire : d'une part, l'intervention militaire tripartite allait lui permettre d'intensifier sa mainmise sur l'équipement de l'armée égyptienne et de se placer en défenseur du monde arabe face à l'agression de l'Occident. D'autre part, l'ouverture des hostilités au Proche-Orient allait créer une diversion opportune pour détourner l'indignation mondiale de sa propre décision d'intervenir militairement en Hongrie contre le soulèvement populaire.

Le rôle de la C.I.A. dans le déclenchement de cette révolte n'est pas encore tout à fait clair. Le chef de ses opérations spéciales de l'époque, James Angleton, reconnaîtra plus tard avoir entraîné des milliers de combattants hongrois qui sont passés trop précocement à l'action. Son patron, Allen Dulles, dont le frère Foster dirigeait le Département d'Etat, a-t-il alors voulu forcer la main au président Eisenhower ? Toujours est-il que le Kremlin pouvait se demander si les États-Unis assisteraient sans réagir à l'écrasement de la révolte hongroise. Leur réaction de surprise et de colère à l'opération tripartite de Suez l'a très vite rassuré. Et, grâce à l'équipe de super-agents dont il disposait au Proche-Orient, il allait faire coup double en réussissant la plus belle campagne d'intoxication jamais menée à bien depuis la Seconde Guerre mondiale.

Le 4 novembre 1956, les chars soviétiques sont dans Budapest. Le lendemain, 5 novembre, le Premier ministre Boulganine adresse trois messages en forme d'ultimatum à Tel Aviv, à Londres et à Paris. Sa menace à Israël s'en prend à l'existence même de l'État juif au cas où il ne retirerait pas sans délai ses troupes de la presqu'île du Sinaï. Les 6 et 7 novembre, le K.G.B. joue le grand jeu. Se fondant sur la crainte entretenue depuis le mois de mars par Israël Beer chez Ben Gourion d'une riposte militaire de l'U.R.S.S. à toute atteinte à la souveraineté de l'Égypte, il fait répandre une série de rumeurs comme une traînée de poudre :

demande de passage de bâtiments de guerre soviétiques aux Dardanelles, création d'un pont aérien entre Moscou et Damas, mouillage de sous-marins et arrivée d'hommes-grenouilles à Alexandrie, enrôlement de volontaires pour l'Égypte, état d'alerte dans toutes les bases des forces aéroportées soviétiques, etc.

Le 6 novembre encore, l'ambassadeur d'Israël à Moscou, Joseph Avidar, qui se trouve en vacances à Tel Aviv, vient trouver Ben Gourion : il s'agit à ses yeux d'un gigantesque bluff des Russes auquel il ne faut pas se prêter. Mais, dans l'après-midi du 7, Isser Harel vient à son tour lui faire part d'une inquiétude contraire : selon ses sources du Mossad, des pilotes soviétiques ont bel et bien atterri à Damas et s'apprêtent à partir en mission de bombardement. Une partie de ces renseignements a été recueillie à Beyrouth où sévit l'honorable correspondant britannique Kim Philby.

La C.I.A. apporte d'ailleurs sa contribution au succès de l'intox soviétique en inspirant une démarche de l'ambassadeur des États-Unis à Paris, Charles Bohlen, auprès des autorités françaises : le diplomate tient à les informer de l'imminence d'une attaque soviétique contre le territoire d'Israël. Et les Français de répercuter l'information aux Israéliens. Pour comble, le président Eisenhower, irrité du comportement de ses deux principaux partenaires occidentaux et des bévues de la C.I.A. tant en Europe centrale qu'au Moyen-Orient, se joint à l'appel du maréchal Boulganine pour obtenir l'évacuation immédiate de Port-Saïd et du Sinaï.

Ne prenant pas au sérieux la pénétration soviétique pourtant amorcée depuis deux ans au Proche-Orient, l'Amérique maccarthyste n'a réagi que mollement à la nationalisation du canal de Suez par Nasser — cet ancien agent stipendié de la C.I.A. — et a été incapable d'offrir une alternative à la résolution franco-britannique. Et, tout en essayant de maintenir les bonnes relations avec le Raïs, elle lui refuse les faveurs que les Russes s'apprêtent à lui accorder.

Mise en accusation à la Conférence des pays non alignés de Bandoeng, qui a fait un triomphe à Nasser, cette Amérique-là n'a pas su davantage retourner à son profit le courant d'indignation provoqué au moins en Europe occidentale par l'intervention soviétique en Hongrie.

Pris au dépourvu par la campagne de Suez, les représentants de la C.I.A. au Caire avaient tenu Nasser au courant des pressions exercées par le président Eisenhower sur Israël, la France et la Grande-Bretagne. Et ce sont en partie les rapports de la C.I.A. du

Caire exaltant la solidité du soutien populaire de Nasser qui auront déterminé les États-Unis à s'opposer de toutes leurs forces à la poursuite de l'intervention tripartite, permettant aux Russes de gagner sur tous les tableaux, l'année même où le rapport Khrouchtchev avait ébranlé le monde communiste.

IX
REVANCHE A L'OUEST

On l'a appelé le « débarquement de Coca-Cola ». Le 17 juillet 1958, les marines de la VIe flotte américaine basée en Méditerranée sautent sur la plage de Beyrouth et se rendent maîtres de la capitale libanaise, mettant fin à la première guerre civile qui, depuis le début de l'année, ravage le paisible pays du cèdre. Ils viennent, en fait, relayer avec éclat l'aide israélienne en fournitures d'armes qui a permis aux forces chrétiennes du président Camille Chamoun, mises en difficulté, de résister jusque-là à la poussée des éléments pronassériens. L'Histoire aura l'occasion de confirmer, une vingtaine d'années plus tard, la permanence de l'attitude d'Israël envers cette minorité menacée par la révolution arabe. C'est alors le chef du Mossad, Isser Harel, qui a fait du forcing à Washington, où il est allé convaincre les responsables du Pentagone et de la Sécurité américaine de ne pas abandonner à leur sort les chrétiens du Liban.

L'intervention armée des Etats-Unis a été décidée le 15 juillet par le président Eisenhower, conformément à la doctrine qui porte son nom d'empêcher toute tentative de déstabilisation des régimes en place à la limite de la zone d'influence soviétique.

Le lendemain, ils encouragent la Grande-Bretagne à répondre sans délai à l'appel au secours du roi Hussein de Jordanie, barricadé dans son palais d'Amman avec ses fidèles bédouins face à une émeute populaire, par l'envoi de parachutistes. Le 17 juillet, les troupes aéroportées britanniques basées à Chypre obtiennent l'autorisation empressée de Tel Aviv d'emprunter l'espace aérien d'Israël pour se poser en Jordanie et sauver de justesse le souverain hachémite, privé depuis quatre jours du soutien de l'armée irakienne par un putsch à Bagdad.

L'Occident, cette fois, a réagi sans tarder à la soudaine flambée qui vient d'embraser de nouveau le Proche-Orient. C'est sa première contre-offensive pour contenir la pénétration de l'U.R.S.S. dans cette région du monde.

Le jour même de la double intervention militaire anglo-américaine, conscient du rôle d'avant-garde dévolu à Israël dans cette gigantesque opération de sauvetage de la présence occidentale, Ben Gourion écrit dans son Journal intime, à la date du 17 juillet 1958 : « Notre but est maintenant d'obtenir des armes des Etats-Unis, notre participation aux débats politiques et militaires concernant le Moyen-Orient et le rapprochement de tous les pays de la région opposés à la volonté de puissance de Nasser et à l'expansionnisme soviétique. »

Cette revanche de l'Ouest est pour lui une revanche personnelle. C'est qu'il revient de loin, Ben Gourion. Exactement de la grande désillution du 8 novembre 1956 : Israël a mis près de deux ans à surmonter l'humiliant échec politique de l'opération Suez.

Ce jour-là, en début d'après-midi, Eisenhower a fait savoir directement à Ben Gourion qu'il ne laisserait pas Israël profiter de sa victorieuse campagne du Sinaï pour se soustraire à la résolution de l'O.N.U. ordonnant le retrait de toutes les armées étrangères du territoire égyptien. La Grande-Bretagne et la France ont déjà obtempéré la veille à l'ultimatum soviétique et commencé d'évacuer Port-Saïd sous la pression américaine. A peine remis de la mauvaise grippe qui l'a contraint à confier la conduite des affaires durant cette guerre éclair à son fidèle assistant Nehemia Argov, le « Vieux » a cédé, lui, à l'éphémère ivresse du moment :

— L'accord d'armistice (de 1949) avec l'Egypte est mort et enterré, proclame-t-il, le 7 novembre, à la tribune de la Knesset, en proposant l'ouverture de négociations directes pour définir des « frontières de paix » sur la base des gages territoriaux conquis par Tsahal.

Il ne se rend pas encore très bien compte que cette campagne militaire voulue, conçue et brillamment gagnée par le général Dayan ne pouvait rapporter à Israël que des fruits empoisonnés. Sa crainte obsessionnelle de l'isolement l'a entraîné à lier le sort d'Israël à la fortune de la coalition hâtive et impopulaire des deux dernières puissances coloniales. Cette peur pathologique, il finira par la communiquer en juin 1967, à la veille de l'offensive israélienne des Six Jours, au général Ytzhak Rabin en prophétisant une catastrophe – ce qui provoquera la dépression passagère du chef de l'état-major.

Indirectement, Rabin remettra plus tard en cause les options de Ben Gourion en écrivant le 11 mai 1978, pour le trentième anniversaire d'Israël : « Israël a pu montrer d'une manière convaincante que la guerre des Six Jours était une guerre de défense, grâce aux conditions politiques créées pendant la période d'attente (entre le 15 mai et le 5 juin 1967) et parce qu'il s'est battu seul, sans la coopération de la France et de la Grande-Bretagne, comme cela s'était passé en 1956. Ainsi, et contrairement aux suites de la campagne de Suez, la décision de cessez-le-feu a été indépendante d'une décision concernant le retrait des troupes israéliennes. Pour la première fois (depuis 1948) la guerre de 1967 a doté Israël d'atouts dans la lutte politique pour la paix. »

Les gages détenus le 7 novembre 1956 par Tsahal n'avaient, eux, aucune chance de se transformer en atouts dans la conjoncture internationale de l'époque.

Le 8, parallèlement au message d'Eisenhower à Ben Gourion, le sous-secrétaire d'Etat Edgard Hoover écrit à Golda Meir, ministre des Affaires étrangères d'Israël, pour menacer son pays de sanctions économiques et d'une procédure d'exclusion de l'O.N.U. Le soir même, à minuit trente, le « Vieux » lit à la radio, d'une voix brisée, le texte de sa réponse à l'ultimatum américain. Plus question d'annexer la presqu'île du Sinaï : « Nous retirerons volontiers nos forces dès qu'un accord sera intervenu aux Nations unies pour l'entrée d'une force internationale dans la zone du canal de Suez... »

Pendant quatre mois, il va s'acharner à sauvegarder au moins quelques fruits de la victoire de Dayan : le littoral de la mer Rouge et la bande de Gaza, en évacuant, pas à pas, le reste du Sinaï. A la fin de janvier 1957, après avoir démantelé toutes les installations égyptiennes, il s'accroche encore désespérément à Sharm el-Sheikh et à Gaza, en dépit des sommations répétées de l'O.N.U. Mais les Américains ont commencé d'appliquer leurs sanctions en bloquant un emprunt promis depuis longtemps à Israël, en menaçant d'interdire la collecte des fonds juifs et d'interrompre le paiement des réparations allemandes. Et le gouvernement français, lui-même, le dernier fidèle à l'alliance d'octobre, recommande d'y poster des garnisons de Casques bleus. Ce n'est pas, bien sûr, l'avis du général de Gaulle, qui n'a pas encore, à l'époque, terminé sa traversée du désert. Recevant dans son bureau parisien de la rue de Solférino le chef de l'opposition israélien Menahem Begin, en février 1957, il lui dit à plusieurs reprises en martelant ses mots :

— Surtout, ne quittez pas Gaza !

Il lui explique, au passage, son regret que l'offensive tripartite d'octobre ne soit pas allée jusqu'au Caire... Mais nécessité internationale fait loi.

Et, le 1er mars 1957, l'ordre d'évacuation totale est donné à Tsahal, contrainte de restituer jusqu'à la dernière parcelle du territoire conquis quatre mois plus tôt.

Mais les événements vont aussi contraindre les Américains à réviser bientôt leur position quant aux véritables objectifs visés par les Soviétiques et au double jeu de Nasser, en passe de devenir le champion d'un panarabisme révolutionnaire.

Un cordon de Casques bleus a beau camper sur le territoire égyptien, aux points névralgiques des détroits et de Gaza : l'armée et l'administration du Raïs, consolidé dans sa popularité, peuvent s'y réinstaller en force. Aucune garantie n'est vraiment assurée à Israël pour la suite, et le canal de Suez demeure obstinément fermé à ses navires.

Mais, surtout, la percée de Moscou en Méditerranée orientale devient si spectaculaire qu'elle ne peut laisser indifférents les responsables de la Maison-Blanche, à peine affranchis de l'hystérie maccarthyste. Dès le mois d'août 1957, la Syrie entre en effet à son tour dans le giron de l'U.R.S.S. Des envois massifs d'armes soviétiques arrivent au port syrien de Lattaquié. La C.I.A. est chargée de procéder à une réévaluation de la situation dans la région.

Du coup, Ben Gourion, essayant de profiter au maximum du regain de guerre froide et d'exploiter l'autocritique américaine, décide de jouer à fond la carte du péril rouge. Il y voit le meilleur moyen de combler le fossé creusé par l'opération tripartite de Suez entre Israël et les Etats-Unis et d'avoir la bénédiction de Washington à la constitution d'une sorte de Sainte-Alliance anticommuniste, dont il va se faire le champion au Proche-Orient.

Il est vrai qu'il craint la présence des Russes et qu'Isser Harel, le patron des services secrets, fait tout pour l'entretenir dans cette hantise, et l'a, depuis longtemps, poussé dans cette voie d'étroit rapprochement avec l'Occident. Dès le début des années 1950, il lui a dépeint sous un jour dramatique le danger que faisait courir au pays l'activité du parti de la gauche socialiste Mapam, auquel appartenaient alors plus de la moitié des généraux israéliens. Ben Gourion s'est interrogé à plusieurs reprises sur les véritables intentions soviétiques à l'égard d'Israël : les Russes veulent-ils la destruction de l'Etat d'Israël qu'ils ont été parmi les premiers, en 1948, à porter sur les fonts baptismaux de l'O.N.U. – et à équiper d'armes tchèques ? Il n'a jamais su, semble-t-il, se donner à lui-même une réponse très claire à ce sujet.

Il reste que, pour Moscou, Israël est en tout cas devenu une cible prioritaire sur le plan du renseignement. L'activité de ses services secrets, K.G.B. et G.R.U., ne fait que croître depuis 1954 : avant quatre ans, plus de cent diplomates des pays de l'Est vont y concourir. Aussi bien, toute la politique extérieure de Ben Gourion pendant l'année 1957 est-elle essentiellement axée sur la recherche d'une garantie militaire par l'intégration d'Israël dans le système de défense occidental. Tout faire pour parvenir à un tel pacte. Mais aussi tenter de mettre sur pied de nouvelles alliances tendant à encercler et à neutraliser l'expansionnisme nassérien.

Le réveil politique de l'Afrique noire en voie de décolonisation, d'une part, la crainte qu'inspirent les menées arabes sur leurs arrières aux Etats islamiques non arabes et limitrophes de l'U.R.S.S. – Iran et Turquie – d'autre part, peuvent fournir des bases à la nouvelle stratégie politique d'Israël : la solidarité des adversaires de la Russie et des ennemis de Nasser à la charnière ou à la périphérie des trois continents.

Au cours de l'année 1957, Ehud Avriel, l'ex-bras droit de Shaül Avigour à la tête du Mossad de l'immigration illégale (Alya Beth), est envoyé par Ben Gourion au Ghana occuper le premier poste d'ambassadeur d'Israël dans ce pays nouvellement indépendant. Il va ouvrir la voie à la pénétration israélienne en Afrique occidentale et équatoriale. Quelques mois plus tard il est rejoint par Shimon Peres, envoyé spécial du « Vieux » pour examiner avec le président N'Krumah la possibilité d'un pacte d'assistance tripartite avec l'Ethiopie dirigé contre le danger nassérien. L'Ethiopie chrétienne a été l'un des premiers pays africains à établir, dès avant 1956, des relations privilégiées avec l'Etat juif, dont le négus a accepté l'aide militaire face aux visées méridionales de Nasser.

La philosophie du « cercle africain » exprimée par le Raïs avait déjà fortement inquiété les dirigeants soudanais, dont le pays voisine avec le sud de l'Egypte. L'un d'eux, représentant le « parti de la Nation », s'était même rendu secrètement en Israël en 1955 pour envisager une éventuelle coopération.

Peres devient officiellement le conseiller chargé des relations spéciales avec l'Afrique, placées hors des attributions du ministère des Affaires étrangères.

En janvier 1958, Ben Gourion adresse au shah une lettre évoquant les relations spéciales unissant la nation perse et la nation juive depuis le temps du roi Cyrus le Grand pour renforcer les rapports discrets de coopération déjà établis entre les deux pays. Il fait également sonder la Turquie qui entretient des relations diplomatiques normales avec Israël, mais montre pour le moment de l'hésitation à aller plus loin, sa protection lui semblant suffisamment garantie par sa double appartenance à l'O.T.A.N. et au pacte de Bagdad.

Cette fois, Ben Gourion entend bien ne pas prendre d'initiatives sans l'accord et la caution des Etats-Unis. La leçon de Suez a été trop cuisante. Le secrétaire d'Etat Foster Dulles reconnaîtra lui-même plus tard que Washington n'aurait pas commis l'erreur d'intervenir aux côtés de Moscou si la France, la Grande-Bretagne et Israël l'avaient consulté et n'avaient pas cherché au contraire à l'intoxiquer. La meilleure preuve de la bonne volonté américaine est que dès juin 1956, avant même la nationalisation du canal, les fonctionnaires du Département d'Etat avaient pris contact avec le ministre plénipotentiaire d'Israël, Reuven Shiloakh, pour envisager avec lui les moyens de neutraliser Nasser. Et, au lendemain de la nationalisation, le chef de la C.I.A., Allen Dulles, avait répondu à Isser Harel, envoyé à Washington par Ben Gourion, qu'il était prêt à considérer les plans d'Israël pour renverser le Raïs...

Après l'arrivée des premiers transports d'armes russes à la Syrie, en août 1957, un haut fonctionnaire de la C.I.A. a tenu Tel Aviv au courant des plans américains de subversion en Syrie avec l'aide de la Turquie et de l'Irak. Un groupe de leaders syriens exilés à Bagdad devait fomenter un coup d'Etat militaire à Damas, mais la tentative n'a pu avoir lieu.

Au début de mai 1958, Moshe Dayan demande au vieux maréchal britannique Montgomery d'exposer au président Eisenhower, qu'il doit rencontrer prochainement à Washington, les projets d'alliances régionales de Ben Gourion. En juin, cette activité diplomatique secrète s'intensifie avec la précipitation des événements qui commencent d'ébranler le Proche-Orient. La guerre civile déclenchée en février au Liban menace de transformer ce pays pro-occidental en base extrémiste. En Jordanie, le régime pro-britannique du roi Hussein vacille sous le coup des manifestations antibritanniques dirigées par plusieurs officiers de la Légion arabe. Et voici soudain que tombe, dans un bain de sang, le régime protégé des Américains en Irak !...

Le 13 juillet, en vertu des accords de l'Union arabe liant ce pays à la Jordanie, la brigade blindée du colonel Abd Karim Kassem reçoit l'ordre de faire mouvement pour se porter à la rescousse du monarque hachémite chancelant. En cours de route, elle fait soudain demi-tour et, au lieu de franchir la frontière jordanienne, marche sur Bagdad.

Le 14 juillet, à 7 heures du matin, le monde apprend le massacre du jeune roi Fayçal d'Irak, du régent du royaume et du Premier ministre Nouri Saïd, l'homme fort des Américains. A leur place, Kassem proclame l'établissement d'une « république populaire ». A Washington, comme à Tel Aviv, le rouge est mis.

Ben Gourion écrit dans son Journal intime : « A 7 heures ce matin, coup de tonnerre à la radio : révolution en Irak. » Il convoque le soir même ses aides et conseillers militaires. Le chef de l'Aman, le colonel Harkabi, évoque l'éventualité d'une révolution pronassérienne en Jordanie, consécutive à la chute de la monarchie irakienne. Le nouveau chef d'état-major Haïm Laskov, qui vient de succéder à Moshe Dayan, propose que Tsahal pénètre en Cisjordanie et occupe préventivement la ligne des cols entre Naplouse et Hébron.

La C.I.A., informée des intentions israéliennes, présente un rapport au président Eisenhower, qui s'en inquiète et décide de prendre les devants en envoyant les marines à Beyrouth. De quoi stopper le processus de déstabilisation de la région, tout en rassurant Israël sur la volonté de défense de l'Occident. En quelques jours le paysage politique change.

Le 16 juillet, tandis que l'Angleterre décide d'intervenir à son tour en Jordanie, le ministre des Affaires étrangères de Turquie, Rustu Fatin Zurlu, exprimant les craintes subites de son gouvernement devant la nouvelle situation créée par les récentes secousses arabes, invite Israël à lui envoyer un émissaire. La rencontre secrète a lieu le 18 juillet à Ankara, où l'émissaire H. lui présente le projet de « pacte périphérique » cher à Ben Gourion entre la Turquie, l'Iran, l'Ethiopie et Israël, seuls pays non arabes et pro-occidentaux entre la Méditerranée et la Corne de l'Afrique. Zurlu accepte l'idée d'organiser une rencontre secrète dans la capitale turque entre les deux chefs de gouvernement.

Encouragé par la nouvelle attitude turque, Ben Gourion réunit des experts chez Golda Meir, au ministère des Affaires étrangères, pour étudier la possibilité d'associer les Etats-Unis à la création d'un tel pacte. La menace que les événements font peser sur la présence occidentale face à la pénétration soviétique dans la région donne à Israël un atout considérable pour rompre un isolement qui ne cesse de hanter le « Vieux » et retourner la situation à son profit.

Le 20 juillet, il envoie un message urgent au président américain pour lui demander un soutien moral et financier à son projet d'alliance « discrète » entre les quatre pays concernés : « Notre but, écrit-il à Eisenhower, est de créer une organisation capable de s'opposer à l'expansion soviétique qui se réalise à travers Nasser. Cette organisation pourrait sauvegarder à l'avenir l'indépendance du Liban et peut-être même celle de la Syrie. »

Il suffit, en effet, que Moscou lève le petit doigt pour que Ben Gourion affolé recule, comme il a reculé en novembre 1956 devant les menaces du maréchal Boulganine d'envoyer des « volontaires » dans le Sinaï. Quand, le 1er août, le vice-ministre soviétique des Affaires étrangères, Valerian Zorine, proteste avec quelque véhémence auprès d'Israël contre l'utilisation de son espace aérien par les parachutistes britanniques lancés au secours de Hussein, le « Vieux » demande aux Anglais de suspendre leurs vols. Il ne les autorisera de nouveau qu'à la demande expresse de Foster Dulles, qui, le 4 août, lui fait connaître le consentement d'Eisenhower au projet de pacte périphérique.

Les préparatifs s'accélèrent. Le 28 août, à 22 heures, Ben Gourion quitte secrètement Israël pour Ankara, à bord d'un avion militaire, en compagnie de Golda Meir et de Reuven Shiloakh. Au cours d'un séjour de vingt-quatre heures dans la capitale turque, il y rencontre en tête à tête le Premier ministre Adnan Menderes. Les deux délégations s'entretiennent des questions de coopération économique, scientifique et diplomatique à développer entre les deux pays, mais l'essentiel de l'entrevue au sommet porte sur la défense commune contre leur ennemi commun n° 1 : Gamal Abdel Nasser.

Dans l'esprit de Ben Gourion, à son retour, tout sera bon désormais pour encourager, d'où qu'elles viennent, toutes les oppositions à Nasser. Or, les oppositions ne manquent pas au sein même du monde arabe...

En Irak, le nouveau chef de l'Etat a eu la malencontreuse idée de gracier et de rappeler le vieux Rachid Ali Keylani, l'ancien auteur du coup d'Etat pronazi de mai 1941 contre les Anglais et qui s'était réfugié en Allemagne avec le mufti de Jérusalem. Quelques semaines après son retour à Badgad, Rachid Ali prend la tête, en octobre, d'un nouveau putsch, dirigé cette fois contre Kassem. Il est en relation avec Nasser, qui a financé en partie le complot. Mais la tentative avorte et Rachid Ali est arrêté et condamné à mort. Les Egyptiens accusent Kassem d'avoir accepté d'être sauvé par les services israéliens. Désigné par la radio du Caire comme l'informateur de Kassem, l'ambassadeur de Grande-Bretagne à Bagdad, Michael Wright, doit définitivement quitter l'Irak en décembre, pour ne pas envenimer davantage la situation.

La nouvelle politique d'alliances tous azimuts contre les ambitions prêtées à Nasser dépend en grande partie du domaine de l'action secrète, dans la mesure où il s'agit la plupart du temps d'établir ou de maintenir des contacts clandestins avec des services, des personnalités ou des gouvernements intéressés ou soucieux de contenir les risques d'implantation soviétique dans la région. Mais elle passe d'abord par la consolidation de rapports privilégiés avec les Américains et par un redoublement de vigilance pour démasquer les agents soviétiques infiltrés au Proche-Orient à proximité des hauts niveaux de décisions.

Dès le printemps 1956, alors que les Etats-Unis misent encore sur la carte Nasser et sur la politique de détente avec l'Est, les services de renseignement israéliens ont rendu un éminent service à l'Occident en parvenant à mettre la main sur la première copie du rapport secret de Nikita Khrouchtchev au XXe Congrès du parti communiste de l'U.R.S.S. sur les crimes de Staline. Les Américains, qui n'avaient jusqu'alors que des versions édulcorées du fameux discours prononcé à huis-clos par le nouveau maître du Kremlin, ont reconnu par la suite que l'intégralité du texte obtenue par les services israéliens leur a mieux permis de comprendre l'étendue, les limites et le sens de la déstalinisation entreprise par ceux qui, six mois plus tard, allaient noyer dans le sang le soulèvement de Budapest.

A partir de 1958, les services soviétiques cherchent à renforcer leur dispositif au Proche-Orient. En Israël ils comptent plus que jamais sur leur agent Israël Beer, infiltré auprès de Ben Gourion et donc bien placé pour les informer du projet d'alliance périphérique concrétisé par le voyage secret du « Vieux » à Ankara. En 1959, le K.G.B. fait venir dans la région un de ses meilleurs espions, le diplomate britannique William Blake, recruté sept ans plus tôt en Corée du Sud où il était vice-consul de Grande-Bretagne à Séoul. Blake était devenu quatre ans plus tard le chef de poste du M.I6 à Berlin. Suivant les instructions de ses manipulateurs de Moscou, il demande et obtient son transfert au Moyen-Orient, où il arrivera vers la fin de 1959. Entre-temps, il passe quelques mois à la centrale de Londres, où il est chargé, comme par hasard, du «.desk israélien ». Grâce à lui, d'importantes informations sur les relations clandestines d'Israël avec les pays du pacte périphérique en gestation trouvent le chemin de Moscou, et éventuellement celui du Caire. (Blake sera démasqué en mai 1960 à la suite de l'arrestation d'un agent double qui était un de ses adjoints à Berlin.)

Or, les rivalités entre les différents services israéliens et les querelles de personnes à leur direction vont affecter la politique « périphérique » de Ben Gourion . Il n'y a qu'en Israël que les affaires anecdotiques prennent une tournure à ce point démesurée.

La nomination, en février 1958, du général Haïm Laskov à la place de Moshe Dayan à l'état-major de Tsahal a été accueillie comme une bénédiction par Isser Harel, le patron du Mossad, responsable de l'ensemble de la communauté du renseignement auprès de Ben Gourion. Dès le mois d'octobre, le nouveau chef de l'armée, dont le plan de réformes mécontente tout un groupe de généraux, se heurte au chef de son service de renseignement (Aman), le colonel Yehoshafat Harkabi. Il va saisir la première occasion de débarrasser Harel de ce concurrent devenu inévitablement un rival en puissance.

Cette occasion, c'est la diffusion par la radio (Kol Israël), le 5 avril 1959 en soirée, de noms de code d'unités militaires en neuf langues. Il s'agit d'un exercice de rappel de réservistes selon une technique essayée pour la première fois sur les ondes nationales. Le simulacre déclenche une véritable panique dans la population et, par contrecoup, une alerte militaire en Égypte et en Syrie, dont les gouvernements procèdent à des mesures de mobilisation.

En entendant le premier appel à la radio, Ben Gourion, qui se trouvait seul dans son appartement de Tel Aviv, veut téléphoner à Kol Israël pour demander l'arrêt immédiat de l'émission, mais, en l'absence de sa femme et de son secrétaire, il ne savait pas se servir du téléphone...

Les observateurs de l'O.N.U. et les diplomates américains sont aussitôt intervenus pour faire baisser la tension aux frontières. Une commission d'enquête de l'armée rend coupables d'imprudence les deux responsables de la fausse alerte : le général Zoréa, n°2 de Tsahal, chef des opérations militaires à l'état-major, et le colonel Harkabi, chef de l'Aman. Le général Ytzhak Rabin est désigné pour succéder au premier : il devra sans doute à cet incident son ascension ultérieure à la tête de Tsahal et, plus tard, sa brève carrière politique à la tête du gouvernement. Le colonel Harkabi quitte l'uniforme pour se consacrer à une carrière universitaire, et cède la place au colonel Haïm Herzog.

Né à Belfast en 1918, d'une famille de rabbins irlandais, Herzog a fait son doctorat de droit à Cambridge et l'école d'officiers de l'armée britannique à Saunders, lors de la mobilisation de 1939. Il a participé au débarquement allié de 1944 en Normandie et quitté l'armée trois ans plus tard avec le grade de lieutenant-colonel. Premier directeur du département du renseignement au bureau des opérations militaires de Tsahal, à son retour en 1948 en Israël, il était depuis quelques années attaché militaire à Washington quand il est rappelé pour remplacer Harkabi en mai 1959 à la tête de l'Aman.

L'exercice de mobilisation qui a provoqué sa nomination n'était nullement une imprudence de son prédécesseur : il s'agissait en réalité d'une opération de guerre psychologique préparée soigneusement par les experts en intoxication de l'Aman. L'alerte déclenchée par le rappel fictif des réservistes à la radio devait leur permettre d'étudier les capacités de réactions des pays arabes. Mais cette opération n'a pas été soumise à l'approbation du Premier ministre et du chef d'état-major général.

Le nouveau chef de l'Aman – le quatrième en onze ans ! – ne va pas tarder à se heurter à son tour à Isser-le-Petit et à son grand ami Laskov. Dès le printemps suivant, ce dernier se plaint à Ben Gourion de cachotteries d'Herzog. Il lui reproche de ne pas l'avoir tenu au courant d'un mouvement de troupes égyptiennes dans le Sinaï décelé par l'Aman au cours du mois de février. Herzog n'a pas jugé ces manœuvres assez inquiétantes pour alerter son supérieur. Informé par des officiers subalternes de son service, le chef d'état-major demande, avec l'appui d'Isser Harel, une mobilisation générale des réservistes pour parer au danger. Mais le chef de l'Aman, dont le frère, Yaacov Herzog, est alors un conseiller personnel très apprécié de Ben Gourion, réussit à se faire entendre du « Vieux » et à lui faire partager son point de vue : il n'y a pas péril en la demeure. Le Premier ministre ne consent donc qu'à un rappel partiel de réservistes en demandant à Laskov de modérer son ardeur. Et pour bien montrer qu'il ne prend pas la menace militaire égyptienne au sérieux, il part pour les Etats-Unis en visite officielle.

L'opération de mobilisation partielle, qui a reçu le nom de code de « Rotem » et fait l'objet d'une commission d'enquête constituée par Laskov, se révélera pourtant comme une combinaison exemplaire de veillée d'armes et de modération verbale de nature à éviter toute escalade. Les brigades égyptiennes ont quitté progressivement leurs positions du Sinaï et le calme est revenu. Mais pas à l'état-major.

En septembre 1960, une deuxième crise éclate entre Laskov et Herzog au sujet d'une réunion de la commission mixte d'armistice israélo-jordanienne. Isser Harel réussit cette fois à convaincre Ben Gourion de remplacer Herzog. Un an plus tard, et avant le terme normal de son temps de service, le brillant colonel doit passer la main à un cinquième chef de l'Aman, le général Meir Amit.

Herzog quittera l'armée en 1962 pour ouvrir un cabinet d'avocat à Tel Aviv. Rappelé comme commentateur militaire à la radio en mai 1967, il deviendra une sorte de tranquillisant pour la population dans la période d'angoisse qui précédera la guerre des Six Jours. Nommé premier commandant militaire des territoires occupés de Cisjordanie, il sera limogé par Dayan pour son attitude favorable à l'émergence d'une entité palestinienne. Ambassadeur à l'O.N.U. en 1975, il se fera prendre à partie en Israël par un député du Likoud, Horowitz, qui demandera sa révocation au ministre des Affaires étrangères Ygal Allon pour son insubordination de 1960 ! Vulgaire règlement de comptes : Horowitz est le cousin de Moshe Dayan que Haïm Herzog n'aura guère ménagé dans un ouvrage remarquable sur la guerre de Kippour.

L'arrivée du général Meir Amit dans les services de renseignement ouvre en fait une page nouvelle. A l'opposé de ses quatre prédécesseurs, il jouit d'un prestige personnel dû à sa carrière militaire : numéro 2 du général Dayan pendant la campagne du Sinaï, il serait devenu chef de l'état-major si un accident de parachute ne l'avait alors immobilisé près de deux ans.

En prenant son poste au début de l'hiver de 1961, Amit renforce le statut spécial des renseignements de l'armée. L'Aman devient l'un des deux bureaux les plus importants de Tsahal. Nouveau rival d'Isser Harel, Amit finira par lui succéder à la tête du Mossad, en 1963.

Entre-temps, Isser-le-Petit aura pourtant atteint le sommet de la gloire. Il aura, plus modestement, rendu service à un autre chef d'Etat : le général de Gaulle. En contribuant peut-être à lui sauver la vie. Plusieurs versions circuleront sur la façon dont Israël est intervenu pour déjouer une tentative d'attentat contre le président français peu avant le putsch avorté d'Alger d'avril 1961. Voici celle du gendre de De Gaulle, le général Alain de Boissieu, grand chancelier de la Légion d'honneur.

A l'époque où, avec les galons de colonel, il dirige l'état-major de l'inspection de l'arme blindée, il reçoit, le 29 mars 1961, la visite d'un de ses anciens camarades de promotion de l'Ecole de guerre, le général israélien Uzi Narkiss (le futur conquérant de la vieille ville de Jérusalem en juin 1967). Celui-ci vient le trouver pour lui demander de faire transmettre à son beau-père un message oral de la part de Ben Gourion. Le « Vieux » tient à l'aviser personnellement, mais hors des voies diplomatiques, de l'arrestation en Israël d'un Arabe de Palestine membre d'une équipe de terroristes entraînée au Caire et commanditée par des extrémistes pour assassiner le général de Gaulle. L'homme a été appréhendé au cours d'un séjour dans sa famille restée en Israël, juste avant le départ de son équipe pour la France.

Dans sa biographie d'Isser Harel, l'historien israélien Michel Bar-Zohar donnera d'autres précisions. Il raconte que, au début de la deuxième quinzaine de mars, un Israélien en poste à Paris a reçu la visite d'un Français, fervent catholique ami d'Israël, venu le trouver pour lui demander une assistance éventuelle à un projet d'attentat contre le bradeur de l'Algérie française, mis au point depuis trois mois par certains milieux de l'armée : un Arabe israélien serait entraîné pour exécuter cette mission. Il se ferait passer à son arrivée en France pour un extrémiste algérien, ce qui permettrait de mettre l'assassinat de de Gaulle sur le compte du F.L.N. et retournerait l'opinion contre les partisans d'une négociation au profit des « ultras ». S'ils parvenaient ainsi à prendre le pouvoir, ceux-ci s'engageraient à fournir à Israël toutes les armes nécessaires à sa défense...

L'Israélien a rapporté cette conversation, d'un ton amusé, à son ambassadeur, Walter Eytan, qui adresse aussitôt une lettre confidentielle à son ministre des Affaires étrangères, Golda Meir. Celle-ci a réuni ses conseillers et ses collaborateurs, qui ont envisagé l'éventualité d'un piège destiné à tester la loyauté d'Israël envers le gouvernement français. Elle a alors porté l'affaire devant Ben Gourion, en présence notamment d'Isser Harel. Soutenu du regard par le chef du Mossad, le « Vieux » est entré dans une vive colère : non seulement il ne pouvait être question de prêter la main à un quelconque complot contre de Gaulle, mais il fallait en avertir le chef de l'Etat français sans perdre une minute. Un télégramme ultra-secret donnait sur-le-champ des instructions fermes et détaillées à l'ambassade d'Israël à Paris. Le lendemain, 29 mars, le colonel de Boissieu recevait de la visite. Et en rendait compte à Georges Galichon, le directeur du cabinet du président de la République.

Nous sommes en mesure d'ajouter deux informations à ce récit incomplet. D'une part, l'Israélien qui est à l'origine du renseignement aurait été pressenti, le 25 mars, par un vieux cheval de retour des services secrets, le colonel Claude Arnoult, qui, après avoir travaillé pour l'Intelligence britannique sous l'Occupation, entretenait d'étroites relations avec le secrétariat d'État au Vatican.

D'autre part, au cours de la réunion du 28 mars tenue chez Ben Gourion, Isser Harel se serait heurté une fois de plus à Shimon Peres, qui n'était pas partisan d'une démarche auprès de l'Elysée dans quelque sens que ce fût. Mais le responsable des services spéciaux d'Israël se savait alors le conseiller le mieux écouté. Il était celui qui, l'année précédente, au faîte de sa carrière, avait réussi l'un des coups les plus spectaculaires de l'histoire secrète d'Israël : la capture d'Adolf Eichmann, le bourreau du peuple juif.

X
RICARDO KLEMENT, ALIAS ADOLF EICHMANN

Le 23 mai 1960, à 16 heures, heure d'ouverture habituelle des séances du Parlement de Jérusalem, David Ben Gourion monta à la tribune pour lire une brève déclaration. Le bruit s'était répandu depuis une demi-heure dans les couloirs et les galeries de la Knesset que le Premier ministre allait annoncer un événement important. Derrière la table réservée aux membres du gouvernement avait pris place, pour la première fois, dans une travée spéciale, un petit homme chauve au regard d'acier, affligé de grandes oreilles. Le chef du Mossad, Isser Harel, que peu de gens, sur les bancs du public, connaissaient de vue, était exceptionnellement radieux.

— J'annonce à la Knesset, dit Ben Gourion d'une voix teintée de solennité, j'annonce à la Knesset qu'il y a peu de temps l'un des plus grands criminels nazis a été retrouvé par les services de sécurité israéliens : Adolf Eichmann, responsable, avec les autres chefs nazis, de ce qu'ils ont appelé la « solution finale du problème juif » — c'est-à-dire l'extermination en Europe de six millions de Juifs.

« Adolf Eichmann est déjà sous mandat d'arrêt en Israël et il passera sous peu en jugement en Israël conformément à la loi de 1950 sur les nazis et leurs collaborateurs. »

A la fin du seul ouvrage que le gouvernement israélien a autorisé l'ancien patron des services secrets à publier quinze ans après, *la Maison de la rue Garibaldi*, Harel écrit :

« L'annonce du Premier ministre provoqua la surprise la plus complète parmi les membres de la Chambre. On avait eu en général l'impression que le gouvernement réagissait de façon apathique aux rumeurs répétées selon lesquelles Eichmann était en vie. Personne à la Knesset ne savait que des volontaires israéliens étaient entrés en action avec l'intention de faire passer Eichmann en jugement.

« La nouvelle, de la Knesset, se répandit dans toute la nation d'Israël, parvint aux torturés qui avaient survécu à l'usine du meurtre, aux endeuillés qui avaient perdu tant d'êtres chers... Et la nouvelle parvint aux quatre coins de la terre, inspirant un sentiment de respect chez tous les hommes de bien; et avec elle parvint un avertissement aux meurtriers du peuple juif, à ceux qui se cachaient dans leur trou, à ceux qui pensaient que les années effaceraient leurs crimes et feraient taire les cris du sang répandu, à ceux qui croyaient que personne ne viendrait leur demander des comptes au nom des millions d'êtres humains sacrifiés à leur frénésie de meurtre. »

Le procès d'Eichmann, ouvert le 11 avril 1961 dans la grande salle, aménagée en tribunal, de la Maison de la Nation en voie d'achèvement à l'entrée de Jérusalem, marque un tournant dans l'histoire juive et dans la conscience collective des Israéliens. Pour les Sabras — nés en Israël — et pour les Juifs orientaux — originaires des pays méditerranéens et arabes —, c'est ce procès qui leur a fait comprendre ce qui s'était passé vingt ans plus tôt dans la lointaine Europe. L'inimaginable est alors entré dans l'intimité du peuple tout entier : c'est en tant que Juifs que les Juifs avaient été exterminés.

Ce jour-là, le procureur de l'Etat, Gedeon Hausner, commença de prononcer un pathétique « J'accuse » :

« Quand je me tiens devant vous, juges d'Israël, pour prononcer les paroles d'accusation contre Adolf Eichmann, je ne suis pas seul. Avec moi, en cet endroit et à cette heure, se tiennent six millions de procureurs. Mais ils ne peuvent se dresser, pointer leur doigt accusateur vers l'homme assis dans la cage de verre et crier : « J'accuse ! » Car leurs cendres sont dispersées sur les collines d'Auschwitz et les plaines de Treblinka, ou bien mêlées aux rivières de Pologne. Leurs tombes parsèment les étendues de l'Europe. Leur sang crie, mais leurs voix ne peuvent être entendues. »

Condamné à mort le 15 décembre 1961, le minutieux tâcheron de la solution finale fut pendu le 31 mai dans la prison de Ramleh et ses cendres furent répandues dans la mer, hors des eaux territoriales, pour qu'aucune parcelle de l'Etat juif n'en pût être souillée.

Aujourd'hui, plus de la moitié des Israéliens sont des Sabras, mais le souvenir de l'Holocauste, traumatisme ineffaçable, reste à la base du comportement national. Les six millions de victimes d'Eichmann et de la folie de ses chefs revivent sans fin sur cette terre de Palestine hantée de tant de fantômes. Cela explique en grande partie les peurs et les préjugés d'Israël, son obsession de la méfiance, ses réactions d'orgueil, son sentiment permanent de solitude dans un monde où de telles choses sont possibles. En même temps qu'il justifie l'existence de l'État d'Israël, l'Holocauste l'empêche de vivre normalement, en paix avec soi-même.

Avant le départ d'Isser Harel pour l'Argentine où il devait diriger personnellement l'enlèvement d'Eichmann, formellement identifié par une équipe du Mossad, Ben Gourion lui avait dit : « Amenez-le mort ou vif. » Puis il avait ajouté, pensif : « Plutôt vivant. Ce serait très important, moralement, pour les jeunes générations. »

Si l'exploit de l'opération réalisée à 18 000 kilomètres de Tel Aviv, dans la meilleure tradition du roman d'espionnage, est indéniable et restera son plus beau titre de gloire, le rôle de Harel dans la longue traque d'Eichmann en Argentine n'est pas tout à fait celui qu'il s'attribue dans son livre, encore moins celui qui a été auréolé par la légende.

La découverte d'Eichmann en Argentine est le fruit du hasard. Et son identification, celui de la ténacité d'un seul homme : le Dr Fritz Bauer, procureur général du Land de Hesse en Allemagne fédérale, un Juif allemand qui avait subi les persécutions nazies. Sans son insistance, ses interventions répétées, sa démarche pressante auprès du conseiller juridique du gouvernement israélien, Haïm Cohen, pour forcer la main du chef du Mossad, la piste du criminel de guerre eût été abandonnée. Et il lui a fallu deux ans de persévérance pour la faire aboutir. Sans sa détermination, le Mossad eût lâché prise. Avant la confirmation de sa présence en Argentine, il n'existait aucune section, aucun responsable chargé, au sein de la Centrale israélienne de renseignement, de suivre le dossier Eichmann. D'où la durée de l'enquête et le peu de zèle avec lequel elle a été menée au départ.

La première information était parvenue à Isser Harel vers la fin de l'automne de 1957. Elle lui avait été transmise par le Dr Shinar, chef de la mission israélienne à Bonn pour les réparations allemandes. Au cours d'un rendez-vous discret, le procureur Bauer avait dit, le 19 septembre, au Dr Shinar avoir reçu une correspondance d'Argentine permettant de retrouver la trace d'Eichmann à Olivos, dans la banlieue de Buenos Aires. Bauer a hésité à communiquer à son gouvernement l'adresse qu'il venait d'obtenir :

— Je ne sais pas, lui confia-t-il, si je peux compter entièrement sur notre justice ici, moins encore sur notre ambassade là-bas. C'est pourquoi je ne vois rien d'autre à faire que de me tourner vers vous, à condition que cela reste strictement secret entre nous.

En janvier 1958, Harel envoya l'un de ses agents en Argentine à l'adresse indiquée. De l'impression misérable que lui firent les lieux — une modeste maison dans une banlieue déshéritée —, l'homme du Mossad conclut qu'Eichmann ne pouvait y habiter, convaincu que, s'il vivait encore, ce serait dans l'opulence.

A tout hasard, Harel fit demander au Dr Bauer, qui avait eu l'air si sûr de lui, la possibilité de vérifier sa source et, le 21 janvier, le procureur n'hésita pas à satisfaire sa demande. Un enquêteur chevronné partit pour voir le correspondant de Bauer en Argentine, Lothar Hermann, un ancien déporté qui avait perdu la vue dans les camps de concentration. La fille de l'aveugle avait fréquenté un garçon du nom de Nicolas Eichmann, dont elle avait une fois aperçu le père dans cette maison, qui pourrait bien être Adolf Eichmann. Il s'offrait à poursuivre lui-même l'enquête, et le policier lui demanda de chercher à obtenir les pièces nécessaires à son identification : son identité actuelle, sa photographie, son lieu de travail, et, si possible, ses empreintes digitales. Puis, à la mi-mars, il regagna Tel Aviv.

Deux mois plus tard, Hermann lui écrivit que la maison avait été construite en 1947 par un émigrant autrichien, Francisco Schmidt, et louée à deux locataires du nom de Dagoto et de Klement. Pour lui, aucun doute : « Ce Schmidt est l'homme que nous cherchons. Les deux autresnoms lui servent de couverture. »

Harel ordonna à ses agents de vérifier ses dires. Toute une série de démarches fastidieuses leur prouva qu'en aucun cas le propriétaire ne pouvait être Eichmann. D'ailleurs, il n'avait jamais habité lui-même cette maison. A la lumière de ces résultats, le chef du Mossad arriva à la conclusion que les renseignements d'Hermann n'étaient pas dignes de foi. En août 1958, il leur fit abandonner le contact avec l'aveugle. Les investigations furent aussi abandonnées sans même qu'une photo fût prise des éventuels occupants de la maison ! Vers la fin de l'année 1958, la recherche d'Eichmann semblait plus problématique que jamais.

Il fallut une visite du procureur Bauer en Israël vers la fin de l'année suivante pour relancer l'enquête ! Il avait fait savoir au conseiller juridique du gouvernement israélien Cohen qu'il disposait d'un nouvel indice, émanant d'une source tout à fait différente, et qui conduisait une nouvelle fois à Buenos Aires. Le

6 décembre 1959, Cohen et Isser vinrent trouver Ben Gourion et lui racontèrent que Bauer se proposait de demander cette fois aux autorités argentines l'extradition d'Eichmann en Allemagne. Le « Vieux » écrivit ce jour-là dans son Journal intime la réponse qu'il leur fit : « Je leur ai dit d'empêcher Bauer de faire cette démarche. Qu'il ne dise rien à personne, qu'il nous donne simplement le moyen de retrouver Eichmann et, s'il est là, nous le capturerons pour l'amener ici. Isser s'en chargera. »

C'est alors que le procureur de Hesse vint apporter à Haïm Cohen une information d'une importance capitale. Sa nouvelle source, un ancien nazi qui voulait se venger d'Eichmann, lui avait fourni des détails sur l'évasion d'Allemagne du chef SS : Eichmann s'était caché après la guerre dans un monastère tenu par des prêtres croates, qui lui avaient procuré de faux papiers au nom de Ricardo Klement. Parvenu à Buenos Aires au début des années 1950, il s'y était fait délivrer une carte d'identité au même nom et, dans l'annuaire téléphonique de 1952, on trouvait ce nom à l'adresse d'une blanchisserie du quartier d'Olivos, mais ce commerce avait fait faillite. En 1958, il travaillait dans une société d'électricité proche de la ville de Tucuman.

Or, le nom de Klement figurait depuis mai 1958 dans le dossier d'Harel. Le premier informateur, Hermann, avait cru qu'il s'agissait d'un locataire bidon de la maison d'Olivos où sa fille avait aperçu les parents du garçon qui lui faisait la cour !... Haïm Cohen téléphona au chef du Mossad pour lui demander de vérifier les nouveaux renseignements.

– Envoyez quelqu'un à Buenos Aires, avait dû insister Bauer. Qu'il interroge les commerçants du voisinage, le boucher, le charcutier, pour savoir si Klement habite toujours là ou ce qu'il est devenu depuis.

C'est seulement à la fin de février 1960 qu'un des meilleurs enquêteurs d'Israël fut disponible pour aller en Argentine. Il s'arrêta dans deux autres pays d'Amérique du Sud afin de recruter une équipe de volontaires capables de l'assister dans sa mission. Le 4 mars, il fit envoyer un chasseur d'hôtel de Buenos Aires porter à la maison de Schmidt un cadeau à « Nicky » Klement de la part de la fille de l'aveugle : c'était en effet l'anniversaire du jeune Klaus Eichmann. La famille Klement venait de déménager depuis trois semaines sans laisser d'adresse. Mais, en insistant, le groom finit par retrouver le fils cadet qui travaillait dans le quartier pour lui remettre le paquet. Et pensa à relever le numéro de son scooter. La filature conduisit, le 10 mars, l'équipe du Mossad à un baraquement de brique de la rue Garibaldi dans le quartier San Fernando, plus misérable encore que la banlieue d'Olivos.

A partir de la mi-mars, un soi-disant représentant d'une compagnie de machines à coudre commença de fréquenter les maisons de la rue Garibaldi. Il portait une petite mallette à l'intérieur de laquelle était dissimulé un appareil photo actionné par la pression d'un simple bouton. Il photographia discrètement Mme Klement et ses fils. Ricardo Klement était en déplacement du côté de Tucuman.

La preuve finale arriva le 21 mars sous la forme d'un modeste bouquet de primeroses. Ce jour-là, le représentant en machines à coudre vit descendre d'un autobus, au crépuscule, un homme chauve, maigre, portant moustache sous son grand nez et lunettes sous son large front, avec ces fleurs à la main. Il pressa sur le bouton quand il le vit se diriger vers la maison de brique. Il savait que cette date correspondait au vingt-cinquième anniversaire du mariage d'Adolf et de Vera Eichmann.

L'opération Eichmann pouvait commencer. Isser Harel débarqua le 1er mai à Buenos Aires à la tête d'un commando trié sur le volet. Ricardo Klement fut enlevé le 11 en rentrant à son domicile, séquestré durant neuf jours sur place, drogué et embarqué, déguisé en steward, à bord du vol spécial 601 d'El Al du 20 mai, à l'occasion des cérémonies du 150e anniversaire de l'indépendance argentine. Ce fut là le grand mérite d'Isser Harel.

« Ma capture s'est déroulée de manière absolument correcte, devait reconnaître le prisonnier. L'opération a été organisée et préparée de façon exemplaire. Mes ravisseurs ont pris un soin tout particulier à ne pas me blesser physiquement. Je me permets d'exprimer mon opinion sur le sujet, parce que j'ai une certaine expérience dans les domaines de la police et des services secrets. »

La nouvelle de l'enlèvement avait été transmise le 13 mai à Golda Meir et au général Haïm Laskov par l'un des adjoints d'Harel. Le « Vieux » se reposait alors dans son kibboutz du Néguev. Un messager lui fut dépêché seulement deux jours plus tard. Ben Gourion médita en silence quelques minutes, puis interrogea le messager :

— Quand Isser rentre-t-il ? J'ai besoin de lui.

Le 5 mai, en effet, le Premier ministre avait eu son premier entretien orageux avec le secrétaire général de la Histadrout Pinhas Lavon, son ancien remplaçant au ministère de la Défense. Lavon ne lui avait pas caché qu'il détenait désormais la preuve des faux commis en 1954 par ses « poulains » pour l'écarter des allées du pouvoir et qu'il se préparait à livrer la bataille pour sa succession. Le 10 mai, le « Vieux » avait eu la confirmation par son secrétaire militaire, Haïm Ben David, de la falsification des documents de l'Aman relatifs à cette affaire. Il était alors parti de méchante humeur pour Sde Boker. Quand l'adjoint d'Isser Harel demanda à le voir le 13 pour lui faire part des nouvelles de Buenos Aires, Ben David lui répondit d'attendre deux jours s'il n'y avait pas « d'urgence ».

A la date du 15, Ben Gourion écrivit dans son Journal : « Eichmann a été identifié et arrêté. Il sera amené en Israël la semaine prochaine. S'il n'y a pas d'erreur d'identification, c'est une belle et importante opération. »

Le prestige d'Isser Harel atteint alors à son apogée. Mais c'est à partir de ce moment de gloire, assez rare pour un patron de services secrets, que sa carrière va connaître un déclin parallèle à celui de son maître. Il est pourtant prêt à lui rendre encore un éminent service personnel en répondant, en mars 1962, à une convocation pressante du « Vieux ».

Un drame familial privé qui remonte à plus de deux ans a coupé le pays en deux et menace le fragile équilibre de la coalition gouvernementale déjà minée par les divisions internes du parti travailliste : la disparition d'un enfant de 9 ans, Yossef Schumacher, enlevé à ses parents par une secte juive ultra-orthodoxe de Jérusalem. Militants laïcs et fanatiques religieux s'affrontent violemment, l'autorité de la loi est bafouée, la police ridiculisée, et toute la vie de la nation semble se polariser autour de la question qui bouleverse l'opinion et assaille les responsables : « Où est Yossélé ? »

L'impuissance des pouvoirs publics à y répondre apparaît à la majorité de la population à la fois comme un inquiétant signe de faiblesse et comme une concession de plus faite aux partis religieux opposés à toute séparation de la synagogue et de l'Etat.

– Où est Yossélé ? demande à son tour Ben Gourion au chef du Mossad. Tu as bien retrouvé Eichmann, démasqué Beer. Trouve-moi Yossélé, maintenant. Il y va aussi du prestige de l'Etat.

Isser Harel serait en position de se récuser. Il a accumulé assez de titres de reconnaissance et il s'est fait assez d'alliés au gouvernement, dont le principal est le ministre des Affaires étrangères Golda Meir, pour décliner un ordre aussi exorbitant. Mais il accepte, parce qu'il veut prouver une fois de plus à celui qui a fait sa carrière, qu'il est le plus puissant, le plus capable, le plus digne de son estime. Il ne sait pas, en se chargeant de cette affaire, qu'il va au-devant d'une de ses missions les plus difficiles et les plus ingrates, car elle l'amènera à en négliger de plus essentielles...

Le chef du Mossad se fait donc remettre le dossier de police 720-60 qui retrace les vaines recherches entreprises sur le sort du petit Yossélé.

L'enfant a été confié à son grand-père paternel Nahman Shtarkes, un religieux ultra-orthodoxe de Jérusalem, le temps que ses parents, récemment immigrés de Pologne, trouvent une situation et un logement décent à Tel Aviv. Quand, en décembre 1959, sa mère, Ida Schumacher, a voulu le reprendre, le vieux Shtarkes a manifesté ses craintes qu'elle n'élève le garçon hors des strictes règles de vie de la Thora, telles qu'elles sont pratiquées à Mea Shearim, ce quartier de Jérusalem, à la lisière de la frontière jordanienne, dont les habitants passent leurs journées à prier, à étudier le Talmud et à se conformer à tous les rites. Pis : il s'était persuadé qu'Ida et son mari s'apprêtaient à s'en retourner en Russie avec leur fils. Il refusa de rendre le petit Yossélé.

La mère saisit la justice, et la haute cour d'appel ordonna au vieillard, le 15 janvier 1960, de restituer l'enfant à ses parents. Mais Yossélé n'était plus chez son grand-père. Il avait disparu. La police se heurta à une consigne de silence donnée par la secte ultra-juive des Neture Karta (les Gardiens des murs de la Cité), qui n'a jamais admis le principe même de l'Etat d'Israël. Au bout de deux mois d'enquête impossible, la police déclara forfait. La Cour suprême lui adressa un blâme et fit arrêter Shtarkes. La presse s'enflamma en mai 1960 et l'affaire fut inscrite à l'ordre du jour de la Knesset. Le parti religieux le plus rigoureux tenta vainement d'intercéder auprès des ultras. La polémique dégénéra toute une année en une « guerre de culture » qui poussait insensiblement le pays au bord de la guerre civile. Le vieux Shtarkes fut remis en liberté sans avoir parlé. Et, à la veille des élections d'août 1961, les partis de gauche formèrent un « Comité national pour la libération de Yossélé », tandis que la Cour suprême qualifiait ce kidnapping de « crime répugnant ». Ben Gourion était obsédé par la tournure politique de l'affaire qui risquait de faire éclater sa majorité parlementaire, fondée depuis le début sur la coalition des travaillistes, des libéraux et des religieux. La tension atteignait à nouveau un point culminant quand, au début de mars 1962, il a fait appel à son fidèle agent secret n° 1.

Après avoir refermé le dossier 720-60, Isser Harel mobilise ses meilleures équipes du Mossad et du Shin Bet et les saisit d'un dossier opérationnel, sur la couverture duquel il inscrit lui-même un nom de code : « Opération Tigre ». Il leur ordonne d'y mettre tous leurs moyens.

Ses collaborateurs s'infiltrent systématiquement dans toutes les communautés de Juifs orthodoxes en Israël et essuient échec sur échec. Ils ont affaire à des gens rompus à la clandestinité et au secret, qui observent strictement les règles de la conspiration. Le monde des fanatiques leur apparaît comme un monde étranger, hermétique, hostile, une sorte de *terra incognita*, où ils se sentent perdus. Dans ce monde de longs caftans noirs, de chapeaux ronds et de toques de fourrure, de longues barbes, de papillotes bouclées, de crânes féminins rasés, les agents secrets des deux sexes sont trahis par leur aspect extérieur ou leur ignorance des rites.

« J'avais l'impression d'avoir atterri sur la planète Mars, avec la mission de me fondre dans la foule des petits êtres verts sans qu'ils s'aperçoivent de ma présence », racontera plus tard l'un d'eux.

Convaincu toutefois que, en l'absence de tout indice, l'enfant ne peut plus être en Israël, Harel prend personnellement en main sa recherche dans tous les foyers de fanatisme juif disséminés dans la diaspora. Il confie l'expédition des affaires courantes de la Centrale à l'un de ses adjoints et s'envole à tout hasard pour Paris, où il forme un état-major improvisé afin de lancer simultanément une série d'opérations en France, en Italie, en Suisse, en Belgique, en Grande-Bretagne et jusqu'en Afrique du Sud et aux Etats-Unis. Des centres communautaires, des écoles talmudiques, des orphelinats sont pendant des semaines passés au peigne fin.

Au début de mai, l'interception d'une lettre écrite par un Israélien effectuant son service dans un camp du Néguev et adressée à une femme disposant d'une boîte postale à Bruxelles attire son attention. Un phrase de l'expéditeur a été cochée par la censure parce qu'elle n'a aucun rapport avec le contexte : « Et comment va le garçon ? »

— Trouvez-moi cette femme, ordonne Harel.

Il apprend en même temps qu'une catholique française convertie au judaïsme, Madeleine Féraille, entretient des rapports étroits avec les milieux orthodoxes les plus fanatiques, qu'elle a connus et aidés dans la Résistance, lors de l'occupation allemande. Il lance à ses trousses plus de quarante agents secrets mobilisés à plein temps par l'« Opération Tigre ». Ils découvrent que cette belle prosélyte a hébraïsé son nom en Ruth Ben David et qu'elle correspond souvent avec le représentant à Londres de la secte Satmar, l'une des plus fanatiques de New York.

1

2

L'ALBUM DE FAMILLE DU FOYER NATIONAL JUIF.

1/ Le mariage de Sarah Aaronsohn (au centre), la future héroïne du réseau Nili, à Zikhron Yaacov, en 1915.

2/ Le chef du département politique de l'Agence juive, Haïm Arlosoroff (lunettes), au côté du président Haïm Weizmann (barbiche) et de cheikhs arabes de Palestine.

3/ Magda Friedlander avec son mari, Joseph Goebbels et leurs enfants.

4/ Le premier chef du Palmakh, Ytzhak Sadeh, avec ses deux disciples préférés, Ygal Allon (à gauche) et Moshe Dayan (à droite), au printemps 1941.

5/ Le garde-côte *Sea Lion,* disparu le 18 mai 1941 dans les eaux libanaises avec les vingt-trois meilleurs éléments du Palmakh.

3

4

5

6 7

8 9

10 11

12

A/ - L'AMAN (DEUXIEME BUREAU)

6/ Isser-le-Grand (Beeri), première victime des purges de 1948.

7/ Le colonel Benjamin Gibli, deuxième chef du service de renseignement de l'Armée (Aman), limogé en février 1955.

8/ Le colonel Yehoshafat Harkabi, troisième chef de l'Aman, limogé en mai 1959, victime d'un exercice d'action psychologique.

9/ Le colonel Haïm Herzog, quatrième chef de l'Aman, remercié en novembre 1961 (à gauche), et le général Meir Amit, cinquième chef de l'Aman et l'un des rares à avoir rempli son mandat sans problèmes (à droite).

10/ Le général Aharon Yariv, sixième chef de l'Aman (1963-1972).

11/ Le général Eli Zeira, septième chef de l'Aman, limogé en avril 1974 à la suite des défaillances de Kippour.

12/ Le général Shlomo Gazit, huitième chef de l'Aman, frère de l'ambassadeur d'Israël en France.

LES "TETES"

DES SERVICES SECRETS

D'ISRAEL.

13 14

15 16

17 18

B/ LE MOSSAD (CENTRALE DE RENSEIGNEMENT)

13/ Reuven Shiloakh, premier chef du Mossad (1951-1953).

14/ Isser Harel, deuxième chef du Mossad (1953-1963).

15/ Le général Meir Amit, troisième chef du Mossad (1963-1968).

16/ Le général Zvi Zamir, quatrième chef du Mossad (1968-1974).

17/ Israël Galili, ancien commandant en chef de la Haganah et homme mystère de tous les gouvernements travaillistes.

18/ Ehud Avriel, n° 2 du Mossad Aliya Beth, ambassadeur en missions spéciales.

19/ Shaül Meyerov-Avigour, chef du Mossad Aliya Beth devenu l'homme de l'ombre du régime.

19

20

21

22

23

AFFAIRES AVEC UN GRAND ''A''
ET DOSSIERS ''TOP SECRET''.

20/ Le Mig 21 soviétique enlevé en Irak et remis par le Mossad en août 1966 au général Motti Hod, chef de l'aviation israélienne.

21/ De Gaulle et Ben Gourion à l'Elysée après l'attentat déjoué par Israël en mars 1961.

22/ Le ministre de la Défense Pinhas Lavon et le chef d'état-major Moshe Dayan, en 1954, avant l'Affaire.

23/ L'homme de Lavon, Ephraïm Evron (au centre), devenu en 1977 l'homme de Dayan (serrant la main du secrétaire d'Etat américain Cyrus Vance).

24/ Septembre noir (1970) sur le Jourdain : un terroriste se rend à un soldat israélien pour échapper aux bédouins de Hussein.

25/ Radar soviétique tombé entre les mains de Tsahal en 1973.

24

25

26

LES RENCONTRES D'UN AUTRE TYPE

27

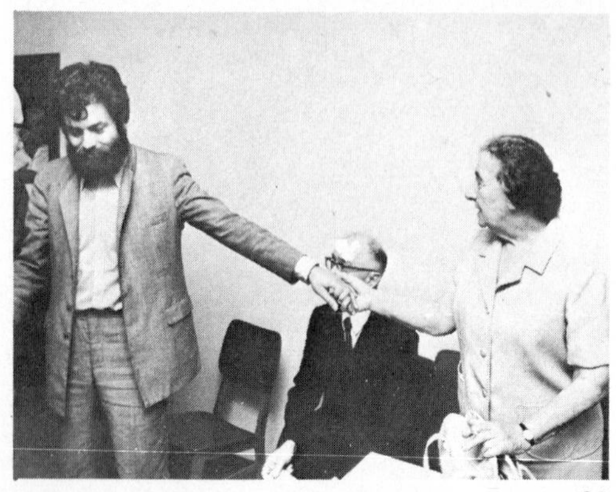

28

26/ Le jeune lieutenant-colonel Ytzhak Rabin (à droite) avec le général Saïd Taha Bey lors de la réddition des forces égyptiennes encerclées le 27 février 1949, à Faluja, dans le Néguev, où le général Ygal Allon rencontra le futur Raïs, le capitaine Abd el-Nasser.

27/ Le général-archéologue Ygaël Yadin (au centre) avant son rendez-vous manqué de février 1954 avec le colonel Nasser.

28/ Le peintre Marek Halter recevant le feu vert de Golda Meir pour l'Opération Eliav (juin 1970).

29/ Sadate apostrophant le général Motta Gur, chef d'état-major de Tsahal (souriant au centre entre Rabin et Golda Meir) le 19 novembre 1977, à l'aréoport de Lod.

30/ Le vice-président du Conseil égyptien Hassan el-Touhami, l'homme des contacts secrets avec Dayan.

29

30

طلائع حرب التحرير الشعبية
قوات الصاعقة
هوية فدائي
الاسم والكنية : محمد يحيى
مكان وتاريخ الميلاد : ١٩٦
رقم الفدائي :
الزمرة الدموية :

31

32

L'ESCALADE DE LA TERREUR

31/ Carte d'identité d'un terroriste de l'organisation palestinienne El Saïka, contrôlée par la Syrie.

32/ Le lieutenant-colonel Yonathan ''Yoni'' Nethanyahu, héros du commando de Beyrouth du 9 avril 1973 et chef du commando d'Entebbé, tué le 4 juillet 1976.

33/ Georges Habache, fondateur du F.P.L.P. et chef du Front du refus.

34/ Waddia Haddad, chef des opérations militaires du F.P.L.P.

33

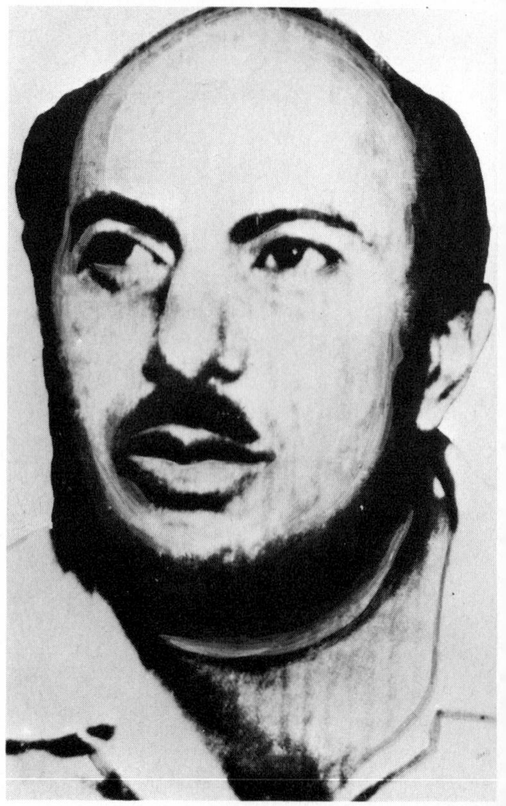

34

Le 21 juin, Isser Harel attire la jeune femme dans un piège et la séquestre au domicile d'un avocat — une villa de la banlieue parisienne. La Française ne se laisse pas impressionner pour autant par les yeux bleus perçants de son geôlier israélien. Après des heures et des jours d'interrogatoires intensifs, le chef du Mossad se rend compte qu'il ne parviendra pas à briser la volonté de fer de cette femme en alternant la manière forte et la manière douce.

Alors, il sort une troisième arme. A la menace et à la main tendue succède le chantage : la liste complète de toutes ses aventures passées, de ses amours tumultueuses qui ont précédé sa conversion. Un peu de publicité suffirait à ternir sa réputation aux yeux de ses nouveaux amis.

La belle Madeleine-Ruth craque. Elle raconte comment elle a accepté de venir chercher en Israël le petit Yossélé, qu'elle a déguisé en fille pour le conduire, à l'aide d'un passeport trafiqué « comme au temps de la Résistance », dans une famille de la secte Satmar à Brooklyn, où il vit depuis deux ans sous le nom de Yankulé.

Dès qu'elle lui a donné l'adresse, Isser Harel fait téléphoner en pleine nuit au ministre américain de la Justice, l'Attorney General Robert Kennedy, frère du Président, par l'ambassadeur d'Israël à Washington, pour exiger l'envoi immédiat d'un détachement du F.B.I. dans cette famille de Brooklyn. L'enfant retrouvé, il libère la jeune femme et l'encourage à venir s'installer en Israël, où elle finira par épouser un vieux rabbin de Mea Shearim.

Rendu le 4 juillet 1962 à ses parents, le jeune Yossélé deviendra plus tard officier d'artillerie, étudiant à l'université de Jérusalem, employé à la mairie de Holon, banlieue sud de Tel Aviv, pour la rééducation des jeunes déshérités, agent électoral du candidat de Begin à la mairie de sa commune en 1978...

Le prix de cet exploit d'Isser Harel se révélera, lui, beaucoup trop élevé. L'immobilisation pendant quatre mois de tout l'appareil des services secrets civils était disproportionnée à son objet : elle a englouti la quasi-totalité du budget annuel du Mossad. Mais, surtout, elle lui a fait rater l'occasion de mettre la main sur le Dr Josef Mengele, le criminel en blouse blanche d'Auschwitz, qui avait fui Buenos Aires au lendemain de l'enlèvement d'Eichmann.

Plus grave encore : la folle équipée de l'Opération Tigre a empêché le Mossad d'être informé à temps de l'activité déployée par les savants allemands réfugiés en Egypte.

XI
LE CRÉPUSCULE DES « VIEUX »

Il n'y a pas trois semaines que l'avion ramenant de New York le petit Yossélé a été accueilli à Lod dans une atmosphère de kermesse. Le retour de l'« enfant de la discorde » met fin à une aventure incroyable qui a coupé le pays en deux, accusant ses divisions entre pratiquants et libres penseurs. Israël est en passe de devenir le seul Etat au monde dont les services secrets fassent l'unité et l'admiration de la nation tout entière. La presse se répand en dithyrambes sur leur dévouement qui n'a d'égal que leur efficacité.

Isser Harel a reçu de ses collègues un bébé tigre en peluche, en souvenir l'opération Tigre, heureusement terminée ce 4 juillet 1962.

Le 21 juillet, c'est la douche écossaise. Devant un parterre de journalistes, en présence d'un Nasser triomphant, l'armée égyptienne procède au lancement de quatre fusées peintes en noir et blanc, deux grandes et deux petites, qui, après un départ parfait dans un nuage de flammes, vont atteindre leurs cibles. La nouvelle surprend le monde et stupéfie Israël, dont les dirigeants semblent pris complètement au dépourvu. Le surlendemain, vingt de ces engins, enveloppés dans les plis du drapeau égyptien, remorqués à travers les rues du Caire, constituent le clou de la grande parade militaire qui marque le dixième anniversaire de la révolution. Un communiqué officiel précise que deux des quatre fusées sol-sol expérimentées avec succès, du type Al Zafer (le Vainqueur), ont une portée de 280 kilomètres, et les deux autres, du type Al Kaher (le Conquérant), de 560 kilomètres. Devant la foule en délire, le Raïs proclame que les deux dernières sont capables « d'atteindre n'importe quel objectif au sud de Beyrouth ».

Là-bas, au sud de Beyrouth, une pluie de critiques s'abat aussitôt sur les services secrets d'Israël. Non seulement ils n'ont pas été capables de prévoir ces explosions fracassantes dans le ciel égyptien, mais ils ont, pendant des mois, mobilisé toutes leurs ressources au service d'une affaire de famille.

– Au lieu de s'occuper des dangers qui menacent la sécurité du pays, disent les adversaires d'Isser-le-Petit, il a passé son temps à chercher son Yossélé et à courir après la Française...

Pris de court par l'événement, le chef du Mossad décide de prendre les devants et de mettre les bouchées doubles. Il vient trouver Ben Gourion :

– Je m'engage, lui dit-il, à réunir en quelques mois tous les détails sur le programme balistique de l'Egypte et sur la fabrication de ces fusées.

Le 4 août, l'œil du Mossad au Caire, Wolfgang Lotz, implanté depuis un an en se faisant passer pour un riche éleveur de chevaux allemand à l'hospitalité généreuse envers les dignitaires de l'ancien et du nouveau régime et pour ses nombreux compatriotes de la colonie allemande d'Egypte, est convoqué d'urgence par ses chefs à Paris :

– Le Tout-Le Caire fait du cheval dans votre manège et le champagne coule à flots dans vos réceptions, c'est très bien. Mais vous n'avez pas été capable de nous renseigner sur l'essentiel. Les fusées de Nasser ont été mises au point par les savants allemands qu'il a engagés à son service et qui fréquentent vos brillantes soirées. Et vous n'en avez rien su ! Il vous faut réparer cet échec en prenant pied dans leur milieu, et en poussant dans ce sens votre prospection de manière radicale.

Non pas en quelques mois, comme l'a promis Harel à Ben Gourion, mais à peine en quelques semaines, les agents du Mossad parviennent à obtenir tous les renseignements nécessaires : le concours des savants allemands installés en Egypte aux programmes militaires spéciaux de Nasser n'a plus de secret pour eux.

Le 16 août, Isser Harel se présente au bureau de la présidence du Conseil, un épais dossier sous le bras. Moins d'un mois après leur lancement, il est en mesure de faire au « Vieux » l'historique des fusées germano-égyptiennes.

C'est au milieu de l'année 1959 que Nasser a décidé de battre le rappel des techniciens, ingénieurs et savants allemands redevenus disponibles – après leur écrémage par les Alliés – pour alimenter la section secrète dont il venait de doter son armée : le bureau des programmes militaires spéciaux, chargé de la mise au point d'armes secrètes et d'engins perfectionnés. Placé à sa tête, l'ancien chef du Deuxième Bureau de l'Armée de l'air, le général Mahmoud Khalil, partit pour l'Allemagne à la saison de la chasse. La sienne, aux cerveaux, l'a conduit le 29 novembre 1959 en Bavière, signer, dans une villa de Munich, un contrat avec le célèbre avionneur Willy Messerschmitt pour la construction d'une usine aéronautique en Egypte. Puis il a fait escale à Stuttgart, où il a trouvé une pépinière de scientifiques amers et frustrés, dont certains avaient déjà cherché asile en Egypte après la défaite du régime hitlérien qu'ils avaient servi : l'Institut de recherche sur la propulsion par réaction. Khalil a offert des contrats mirifiques au directeur de l'Institut, le professeur Eugen Sänger, au directeur du département des moteurs, Wolfgang Pilz, ancien ingénieur de Peenemünde, berceau des V2, au directeur du département d'électronique, Paul Goerke, au directeur du département de chimie, Ermin Dadieu, et au directeur administratif Heinz Krug, ainsi qu'au directeur d'un laboratoire électronique installé à Lörrach, près de Bâle, Hans Kleinwachter. Ce dernier avait travaillé en France avec Pilz et Goerke à la mise au point de la fusée Véronique.

Le Nemrod égyptien envoyé par Nasser leur a demandé de venir construite secrètement des engins balistiques sol-sol. Enfin, il a embauché, dans sa tournée, un ingénieur de la firme Daimler-Benz, Ferdinand Brandner, pour installer une usine de moteurs à réaction.

Quelques mois plus tard, un millionnaire égyptien résidant en Suisse a fondé, avec Messerschmitt et Brandner, deux sociétés de couverture pour l'achat des matières premières et des pièces de précision. Et le Dr Krug a été placé à la tête d'une autre société commerciale, l'Intra-Händel, chargée de l'achat de brevets et de l'acheminement d'accessoires, installée dans les bureaux allemands de la compagnie aérienne égyptienne United Arab Airlines.

Toutes ces équipes sont arrivées en 1960 sur les bords du Nil. Les Allemands ont apporté dans leurs bagages les plans de quelques types de fusées, versions modifiées des V2 et de Véronique, et commencé d'édifier leurs installations secrètes pour fabriquer leurs engins au début de 1961. Mais, vers la fin de cette année-là, les autorités fédérales allemandes ont découvert les liens de l'Institut de Stuttgart avec la société Intra-Händel et contraint le professeur Sänger à démissionner de ses fonctions et à cesser toute activité. Le professeur Pilz lui a succédé à la tête du programme balistique égyptien.

Les secrets du Bureau spécial se dissimulent sous trois chiffres : 36, 135 et 333.

36, c'est le code de l'usine blanche, près du Caire, où Messerschmitt construit les fuselages des futurs chasseurs à réaction supersoniques.

135, c'est celui de l'usine de moteurs installée par Brandner.

333, celui de la « cité interdite » d'Hélouan près d'Héliopolis, où Pilz dirige l'usine des fusées, assisté de Walter Shuran pour la propulsion et de Goerke pour le téléguidage. C'est donc à Goerke qu'il appartient de mettre au point le système qui permettra de diriger les engins sur les objectifs situés « au sud de Beyrouth ».

Et, pour finir, Isser Harel produit un document attestant à ses yeux l'ampleur de ce programme balistique : une lettre adressée le 24 mars 1962 par le professeur Pilz au responsable égyptien de l'usine et demandant 3,7 millions de francs suisses pour l'achat de pièces détachées nécessaires à la construction de 500 fusées du type 2, et 400 du type 5.

— Soit, au total, conclut Harel, 900 fusées opérationnelles !

Traumatisée par l'effet de surprise de ces révélations, l'armée israélienne prendra ces chiffres au sérieux. « Trop au sérieux », avouera plus tard le général Zvi Tsur, qui est à l'époque chef de l'état-major.

Fort de ce dossier, le chef du Mossad propose à Ben Gourion d'intervenir immédiatement auprès du chancelier allemand Konrad Adenauer pour lui demander de mettre fin à cette intolérable situation, en lui fournissant la preuve que des concitoyens participent à la production en Egypte d'armes interdites dans leur pays. Le « Vieux » refuse, car une telle démarche contrarierait le processus de rapprochement avec la « nouvelle Allemagne » qui est une des pièces maîtresses de sa politique étrangère. Mais il ne s'oppose pas à ce que son ministre adjoint de la Défense, Shimon Peres, écrive à son ami Franz Josef Strauss, ministre de la Défense du gouvernement de Bonn, pour le mettre au courant.

Le 17 août, Peres envoie donc un long message énumérant les informations apportées par Harel et exprimant sa conviction que son destinataire serait certainement bouleversé par l'idée que la République fédérale puisse, directement ou indirectement, participer aux tentatives égyptiennes et soviétiques d'anéantissement de l'Etat juif. Il laisse toutefois entendre que cette affaire de savants allemands au service de Nasser — sur laquelle il trouve étrange que l'ambassade d'Allemagne au Caire n'ait pas donné apparemment le moindre signe d'alarme — risque de rouvrir la profonde blessure infligée naguère par l'« autre Allemagne » au peuple juif. Il espère que Bonn fera en conséquence tout son possible pour rappeler ses ressortissants.

Le 20 août, Golda Meir s'adresse au président Kennedy pour lui demander d'user de son influence auprès de l'Allemagne fédérale afin de faire cesser ce scandale. Isser Harel, quant à lui, décide de mettre en œuvre un plan d'action. Celui-ci comprend deux volets : la collecte de renseignements complémentaires et l'exécution d'opérations ponctuelles de dissuasion.

Dès le début de l'automne, l'agent du Mossad au Caire Wolfgang Lotz fournit la liste complète des 44 Allemands employés aux trois usines du programme secret égyptien, dont le patron, le général Mahmoud Khalil, dit Herr Doktor Mahmoud, très lié au réseau d'espionnage ouest-allemand du général Gehlen représenté au Caire par Gerhard Bauch, est un de ses commensaux habituels. Cette liste contient les adresses privées de savants allemands, leurs fonctions exactes, les adresses de leur famille restée en Allemagne. Lotz remet également à ses supérieurs quelques-uns des plans de l'usine 333. Son microfilm permettra d'établir que les deux types de fusées expérimentés le 21 juillet sont loin d'être opérationnelles comme le prétend Harel. Il s'agit en fait d'engins aveugles, dépourvus de système de navigation électronique pour leur téléguidage.

Les actions de représailles et de dissuation ont commencé, elles, le 11 septembre. Ce jour-là, le directeur de la société Intra-Hände, le Dr Krug, disparaît à la sortie de ses bureaux de Munich. Deux jours plus tard, sa voiture est retrouvée à la campagne, maculée de boue. Un coup de fil anonyme annonce sa mort. Sa femme ne le reverra jamais plus.

Le 27 novembre, un paquet recommandé et expédié apparemment par un avocat connu de Hambourg arrive au domicile du professeur Pilz au Caire. Il explose à la figure de sa secrétaire qui l'a ouvert à sa place.

Le lendemain un énorme colis, acheminé par mer en provenance de Hambourg et portant la mention « ouvrages scientifiques », est déposé à la direction de l'usine 333 à Hélouan. Quand un employé égyptien déchire le papier d'emballage, se produit une déflagration qui fait cinq morts. Deux autres colis de livres également piégés sont désamorcés à temps.

Le 23 février 1963, le Dr Kleinwachter, qui séjourne pour quelques semaines en Europe, est assailli au volant de sa voiture en quittant son laboratoire de Lörrach, près de la frontière suisse.

Une balle de pistolet silencieux fait voler en éclats son pare-brise et se loge dans son cache-col. Mais, lui-même armé, le savant réussit à mettre ses agresseurs en fuite. La police ne parvient pas à démasquer les auteurs de ces attentats qui ne sont pas ébruités.

Entre-temps, informée de l'achat par l'Egypte de cobalt radioactif livré par la compagnie United Arab Airlines à l'adresse d'une gynécologue du Caire qui n'est autre que la sœur de « Herr Doktor Mahmoud », Golda Meir rencontre le président Kennedy, le 27 décembre, pour le prendre à témoin, de vive voix, de la gravité de l'affaire : ces fusées allemandes d'Egypte vont recevoir des ogives nucléaires ou radioactives, en tout cas non conventionnelles. Elle lui demande d'intervenir énergiquement tant à Bonn qu'au Caire.

Elle est d'autant plus sûre de ne pas se tromper sur les intentions égyptiennes que, au mois d'octobre, un ambassadeur d'Israël en Europe a reçu la visite d'un Autrichien, Otto Joklik, qui arrivait tout juste du Caire avec la preuve que les savants allemands y préparent une « bombe atomique du pauvre » à partir de déchets de cobalt 60 et de strontium 90. Il dit avoir été lui-même chargé de fournir des quantités considérables de déchets radioactifs à l'équipe du professeur Pilz. Il faut donc tout faire pour les empêcher de mettre au point les fusées porteuses de ces ogives meurtrières, à commencer par leur système de guidage.

Joklik se porte d'ailleurs lui-même volontaire pour convaincre ses « collègues » de cesser leurs néfastes activités. Vers la mi-février 1963, il vient rendre visite à la fille de Goerke, Heidi, avocate à Fribourg, en Allemagne. Il lui explique que son père a pris une terrible responsabilité en se chargeant de mettre au point le système de guidage des fusées égyptiennes qui vont détruire Israël. Il lui demande de persuader le professeur d'abandonner sans délai ses travaux criminels. Sinon il ne peut répondre de ce qui ne manquera pas de lui arriver : les pires ennuis.

— Si vous tenez à votre père, soyez le 2 mars à 16 heures à l'hôtel des Trois Rois à Bâle, je vous y attendrai avec un ami.

Heidi Goerke alerte la police de Fribourg, qui prend contact avec les autorités du canton de Bâle. La police cantonale truffe l'hôtel d'agents et de micros : c'était l'hôtel préféré de Theodor Herzl quand il avait organisé dans cette ville suisse les premiers congrès sionistes...

A l'heure dite, la jeune avocate arrive au rendez-vous. Joklik lui présente alors son ami, un Israélien, Joseph Ben Gal. L'entretien dure une heure. Les deux hommes lui répètent, en termes mesurés, que son père court de graves dangers. Ils lui offrent un billet d'avion pour Le Caire, afin qu'elle le détermine à regagner l'Allemagne.

— En ce cas, promettent-ils, il ne lui sera fait aucun mal.

Sur ces paroles, ils s'en vont tous deux prendre le train pour Zurich, où le Carnaval bat son plein. Dans la foule déguisée, ils ne remarquent pas la douzaine de policiers masqués qui les prennent en filature. Quand ils se séparent, Joklik pour prendre un autre train, Ben Gal pour se rendre au consulat d'Israël, les policiers leur tombent dessus. Et les soumettent à un interrogatoire en règle sur leur conversation, qu'ils ont enregistrée, avec la jeune avocate allemande.

Le soir même, la police fédérale allemande demande leur extradition : les deux hommes sont accusés par Heidi Goerke de menaces et contrainte sur sa personne; ils sont en outre soupçonnés d'avoir commis, deux semaines plus tôt, l'attentat manqué contre le Dr Kleinwachter, non loin de la frontière, à Lörrach. Mais rien n'a encore transpiré de cette double arrestation — pas plus que de la série d'attentats commis depuis six mois contre les savants allemands travaillant pour l'Egypte.

Dès qu'ils en sont informés par la voie diplomatique, les Israéliens tentent de fléchir les autorités helvétiques pour qu'elles libèrent en catimini Ben Gal et Joklik. Mais les Suisses refusent, car ils sont saisis de la requête judiciaire allemande. Isser Harel se précipite chez Golda Meir, aux Affaires étrangères, pour la mettre au courant de la vanité des démarches entreprises. Saisie pour la première fois de cette affaire, Golda pense qu'il faut intervenir auprès d'Adenauer et exiger le retrait de la demande d'extradition de deux « braves garçons ». Harel, encouragé, se rend à Tibériade, où Ben Gourion s'octroie quelques jours de repos. Il lui suggère l'envoi d'un émissaire à Bonn. Le « Vieux » s'y oppose catégoriquement.

— Mais si l'arrestation de Ben Gal et Joklik vient à être rendue publique, objecte le chef du Mossad, il nous sera impossible de nous taire et de garder le secret sur leurs motivations, c'est-à-dire l'activité des savants allemands en Egypte et leurs combines commerciales pour acheter en Allemagne même les équipements nécessaires à leurs engins de mort. Bref, c'est toute l'affaire qui éclatera au grand jour.

Ben Gourion hausse les épaules :

— On verra bien !

Le ton s'élève pour la première fois entre le chef du gouvernement et le responsable de ses services de sécurité. La confrontation de leurs points de vue sur cette affaire leur révèle soudain l'étendue prise en quelques mois par leurs divergences.

Si le « Vieux » s'est gardé de faire la moindre allusion aux savants allemands de Nasser dans son échange régulier de correspondance avec son ami Adenauer, c'est qu'il croit en l'Allemagne nouvelle, décidée à expier les crimes de l'autre, celle de Hitler. Aux termes d'un accord secret conclu lors de leur rencontre, en 1960, à l'hôtel Waldorf Astoria de New York, le chancelier a fait ouvrir un prêt d'un demi-milliard de dollars à Israël, après paiement des réparations allemandes au peuple juif victime du nazisme. Bonn livre secrètement des quantités d'armes pratiquement gratuites à Tel Aviv et lui achète des mitraillettes Ouzi pour en équiper sa police. Pourquoi risquer de compromettre cette coopération tacite en exigeant d'Adenauer des mesures à l'encontre de citoyens allemands qui, eux, coopèrent avec l'Egypte à titre privé ?

Isser Harel est resté profondément germanophobe. Il dénonce à tout propos la présence d'anciens nazis aux postes de commande de la République fédérale. Depuis qu'il a étudié le dossier Eichmann, son obsession n'a fait que se développer et il l'a communiquée à Golda Meir, braquée, elle aussi, contre tout ce qui peut subsister du temps de la barbarie allemande.

En revanche, le chef du Mossad se heurte une fois de plus dans ce domaine politico-sentimental au ministre adjoint de la Défense, Peres, qui partage toutes les vues du « Vieux », dont il apparaît de plus en plus comme le dauphin.

Furieux que Harel ne l'ait pas tenu au courant de ses initiatives pour faire pression sur les familles des savants allemands, comme dans cette malheureuse affaire Heidi Goerke, Ben Gourion prépare même une lettre lui interdisant désormais d'organiser des opérations spéciales à l'étranger sans son accord. Mais il renonce finalement à la lui envoyer après leur orageuse entrevue.

Le véritable orage éclate à partir du 15 mars 1963. Ce jour-là, une agence américaine de presse annonce la double arrestation de Zurich, survenue deux semaines auparavant, et les autorités helvétiques rendent publique l'inculpation de l'Israélien Ben Gal et de l'Autrichien Joklik. Après avoir consulté, une fois de plus, Golda Meir, Harel retourne à Tibériade voir Ben Gourion. Le « Vieux » ne veut toujours rien entendre. Mais il faut bien expliquer les agissements des deux inculpés.

Sous ce prétexte, le chef du Mossad déclenche une campagne de presse qui va rapidement tourner à l'intoxication de l'opinion mondiale et paniquer tout Israël. Une vague de révélations, plus ou moins fondées, submerge les grands moyens de communication :

« D'anciens nazis fabriquent en Egypte des armes atomiques, chimiques et bactériologiques. Ils fournissent à Nasser l'arme absolue : le Rayon de la Mort. Le gouvernement fédéral ne fait rien pour empêcher ce crime... »

De tous côtés la tempête se déchaîne. De l'extrême droite nationaliste à l'extrême gauche communiste, l'union sacrée se reconstitue pour dénoncer, derrière le scandale des savants allemands, le spectre de l'Allemagne revancharde. Le 20 mars, toujours en l'absence du Premier ministre, Golda Meir monte à la tribune de la Knesset :

— Si l'activité criminelle des savants et experts allemands en Egypte se poursuit, le peuple allemand ne pourra pas en décliner la responsabilité. Le gouvernement fédéral a le devoir de faire cesser immédiatement les agissements pernicieux de leurs ressortissants et de prendre toutes les mesures pour mettre fin à leur coopération avec le gouvernement égyptien.

Au cours du débat tumultueux qui s'ensuit, le leader de l'opposition, Menahem Begin, s'attaque vivement à la politique personnelle de Ben Gourion :

— On a envoyé des mitraillettes aux Allemands, et les Allemands, eux, livrent des microbes à nos ennemis.

Finalement, les députés adoptent une résolution vigoureuse à l'unanimité. Il est trop tard pour arrêter l'avalanche. La presse poursuit et amplifie sa campagne où le fantastique le dispute à l'imaginaire. A la panique initiale, provoquée par des récits apocalyptiques sur les armes secrètes de Nasser, succède une vague de germanophobie sans précédent.

Resté jusque-là passif, Ben Gourion sort alors de sa retraite à Tibériade pour prendre sérieusement l'affaire en main et tenter de redresser la barre. Fort avant dans la soirée du 24 mars, il convoque le chef du Mossad à la présidence du Conseil pour lui exprimer son indignation de la façon dont la presse, orientée par des sources tendancieuses, traite maintenant la question allemande. Il lui demande des explications et lui donne rendez-vous pour le lendemain.

Avant de le recevoir de nouveau, Ben Gourion consulte le chef de l'Aman, le général Meir Amit, qui lui présente une évaluation tout à fait différente du danger des usines allemandes du Caire et d'Hélouan. Que représente en réalité ce groupe de savants allemands ? Des laissés-pour-compte de la course mondiale aux armements balistiques, des experts d'un niveau assez médiocre. Les fusées sol-sol qu'ils ont mises au point sont dépourvues de système de guidage qui puisse les rendre opérationnelles avant longtemps et elles seront alors désuètes. L'état d'esprit qui règne dans le pays pour tout ce qui touche au passé allemand a certainement contribué à grossir démesurément la portée des projets militaires égyptiens. La panique générale qui a contaminé les dirigeants israéliens est tout à fait disproportionnée à la réalité du péril. Et le monde est en droit de s'étonner de leur affolement apparent devant l'arrestation d'un de leurs agents en Suisse. Cette affaire justifiait tout au plus un avertissement au gouvernement de Bonn, en aucun cas un tel scandale, et moins encore l'offensive intempestive dirigée contre l'Allemagne fédérale, accusée de fermer les yeux devant les préparatifs égyptiens d'anéantissement d'Israël, alors que, dès la fin de 1961, elle a limogé les savants de l'Institut de Stuttgart qui y collaboraient.

Fort de ces arguments, Ben Gourion fait savoir à Isser Harel qu'il désavoue toutes ses initiatives dans cette affaire, tant sur le plan des actions que sur celui de l'information, car elles n'ont fait que dresser Israël contre son alliée secrète d'Europe, en pure perte. Il lui fait également part de son intention de convoquer sans délai la commission parlementaire de la Défense et des Affaires étrangères, et de lui prouver que les craintes exprimées à la Knesset ne sont pas fondées, ou qu'elles sont très excessives. Le chef du Mossad tente de l'en dissuader. En vain. Alors il s'énerve, il s'emporte de se voir opposer l'évaluation du chef de l'Aman, lui qui en a éliminé jusqu'ici, l'un après l'autre, les cinq dirigeants successifs. Son fameux flair a été pris cette fois en défaut. Il n'a pas su contrôler la réaction en chaîne qu'il a déclenchée en lançant l'affaire des savants allemands. Un des proches du « Vieux » dira que, en matière de stratégie, « Isser-le-Petit n'est qu'un caporal-chef ». Mais Harel ne veut pas reconnaître ses torts.

Décidé à claquer la porte, il lui reste toutefois à aménager sa sortie.

De retour à son bureau, il dicte à sa secrétaire une courte lettre au président Ben Gourion : « En raison des divergences de vues fondamentales qui nous opposent sur la question des savants allemands au service de l'effort de guerre égyptien, avec tout ce que cela implique, j'estime de mon devoir de démissionner de mes fonctions de chef de l'Institution centrale de renseignement (Mossad) et de responsable (Memouneh) des services de sécurité. »

Puis il rentre s'enfermer dans sa villa de Tsahala et refuse de répondre au téléphone dont la sonnette retentit sans arrêt. Tard dans la soirée de ce 25 mars, une estafette apporte une lettre écrite de la main de Ben Gourion :

« Je ne puis accepter ta démission . En tout cas, tu devras rester à ton poste jusqu'à ce que le gouvernement et la Knesset décident de la politique à suivre sur la question dont nous avons discuté. Il se peut que ton opinion prévale au gouvernement ou à la Knesset et, dans ce cas, tu pourras poursuivre ta tâche comme tu l'entends, sous les ordres d'un nouveau président du Conseil. »

Le lendemain, Isser Harel revient à son bureau comme si de rien n'était. Il y reçoit une nouvelle lettre du « Vieux » qui lui demande pour le jour même ses sources d'information sur les préparatifs militaires égyptiens en matière d'armement non conventionnel. En guise de réponse, il décroche son téléphone et appelle le directeur de cabinet du ministère de la Défense. Il fulmine littéralement :

— Tu diras à ton ministre que s'il veut des réponses à ses questions, il n'a qu'à les demander à mon successeur. Si des vies humaines n'étaient en jeu, et si des hommes à nous n'étaient détenus en Suisse, je ne resterais pas ici une seconde de plus. Envoyez tout de suite quelqu'un pour prendre en main les affaires et les clés !

— Bon, mais qui envoyer ? demande Ben Gourion quand son directeur lui rapporte la colère d'Isser-le-Petit. Trouvez-moi Amos Manor.

Le chef du Shin Bet[1] est en déplacement dans la vallée du Jourdain. Personne n'arrive à le joindre.

— Alors, appelez Meir Amit !

Le chef de l'Aman est en tournée dans le Néguev, mais on réussit à le prévenir par radio : qu'il rentre d'urgence à Tel Aviv ! Une lettre l'y attend : Ben Gourion le prie d'assurer l'intérim du Mossad jusqu'à la nomination d'un nouveau titulaire, car Harel n'a pris aucune disposition pour la passation des pouvoirs... Aussi, quand, le 1er avril 1963, la presse annonce le surprenant départ de l'inamovible responsable des services de sécurité, dont le nom et le visage restent toujours inconnus du grand public, ceux qui connaissent Isser prennent-ils sa démission pour un acte de mauvaise humeur. Elle leur semble due à une impulsion qui n'est pas sans leur rappeler son brusque départ du kibboutz il y a vingt-cinq ans.

1. Service de sécurité.

Isser était arrivé en Palestine en 1930, à l'âge de 17 ans, en se débrouillant pour soustraire un revolver au rigoureux contrôle de la douane britannique. Ses parents — des bourgeois juifs aisés de Russie blanche — avaient été ruinés par la Révolution d'Octobre, qui avait fait du peintre juif Marc Chagall le premier commissaire politique de leur Vitebsk natal, et la famille avait alors émigré en Lettonie. C'est là que le jeune Isser avait appris à se battre pour se défendre contre les bandes fascistes et qu'il était devenu sioniste et socialiste.

Il s'engagea dans un kibboutz proche d'Herzlya, où il travaillait avec un tel sérieux qu'il mérita le surnom de « Stakhanovitch. » A l'étonnement de ses camarades, il épousa une Juive exubérante venue de Pologne, Rivka, et pendant longtemps leur toit conjugal fut une tente militaire plantée sur la dune sauvage où s'élevaient la tour et la clôture du kibboutz. Il croyait dur comme fer à la société égalitaire, mais, au bout de treize années de vie communautaire intégrale, il se fâcha un beau soir pour une médisance et, sur ce coup de tête, quitta le kibboutz avec toute sa famille et sans autre bagage que la chemise kaki qu'il portait sur le dos.

Devenu ouvrier agricole à son compte, travaillant le jour à la cueillette des oranges avec tous les siens, il rejoignit la nuit les rangs de la Haganah, où il se distingua tout de suite dans les missions de renseignement. Incorporé dans une unité de garde-côtes, il dut quitter sa base après une bagarre avec un capitaine britannique qu'il avait surpris en train de faire du marché noir. Pour le soustraire aux sanctions, ses chefs de la Haganah lui offrirent une planque au Shay, leur service clandestin de renseignement. C'est ainsi qu'avait débuté sa carrière dans l'espionnage et le contre-espionnage.

Remarqué par Ben Gourion au retour de la mission d'un de ses agents arabes en Jordanie, qui avait permis de prévoir l'entrée en guerre de la Légion arabe en mai 1948, il avait rapidemment gravi tous les échelons au fur et à mesure de la formation et de l'organisation des services secrets de l'Etat, en gagnant sa confiance et en écartant tous les rivaux éventuels appartenant à l'establishment : Isser Beeri, Reuven Shiloakh, Shaül Avigur, Ehud Avriel, Benjamin Gibli, Haïm Herzog, etc. Pour se retrouver, en février 1953, au sommet de la hiérarchie.

Il se comportait avec une telle discrétion que ses voisins n'avaient aucune idée de ses fonctions. Il faisait souvent les courses à la place de sa femme, que les commerçants du quartier appelaient « l'amazone », tant elle leur semblait porter la culotte dans le ménage. Quand Isser prit la tête du Shin Bet, créé le 30 juin 1948, et que son coiffeur habituel le vit tout à coup revêtu de l'uniforme de lieutenant-colonel, celui-ci ne put réprimer un cri de stupéfaction :

— Quoi ! Un client si petit et si tranquille ! Comment pouvez-vous être un officier de cette importance !

A son bureau, le doux et timide Isser-le-Petit devenait un géant. Ses agents, qui risquaient leur vie à tout instant et qui, sans jamais jouer les James Bond, n'avaient pas froid aux yeux, le respectaient et le craignaient. Mais il les couvrait toujours, en cas de coup dur.

— Son regard, disaient-ils, semble capable de percer à jour vos pensées les plus intimes. Il ne vous quitte jamais. Avec lui, on se sent toujours coupable de quelque chose.

Très puritain, jamais il n'avait bu ou fumé et ne s'était trouvé mêlé au plus petit scandale de mœurs ou d'argent. La seule concession qu'il faisait à la vie sociale étaient les réceptions hebdomadaires organisées dans sa villa pour les principaux responsables de l'Etat. Il était redouté des hommes politiques qui voyaient en lui, à juste titre, l'œil et l'oreille de Ben Gourion et le soupçonnaient de les faire espionner pour son compte.

Il n'avait pas non plus le moindre sens de l'humour. Dans ses rares moments de frivolité, il ne se laissait aller qu'à une plaisanterie, toujours la même :

— Les seuls êtres qui n'ont pas peur de moi et de mes yeux bleus sont les chiens et les enfants.

Sa méthode de travail consistait à tout compartimenter de façon à être le seul au courant de tous les aspects d'une question, tous les détails d'une affaire. Les agents qu'il envoyait en mission ne savaient que le strict minimum nécessaire à leur travail. Il formait d'ailleurs souvent des commandos de « volontaires » prélevés dans d'autres services que les siens en court-circuitant parfois leurs responsables.

Mais il était mû surtout par une ambition qui dépassait de loin le cadre de ses fonctions de fonctionnaire civil de l'Etat. Il intervenait dans toutes les intrigues et machinations politiques, les nominations ministérielles, les combinaisons gouvernementales, etc. Moshe Sharett l'avait qualifié de « petit diable » parce que, sous ses dix-huit mois de présidence, il exprimait ses avis contre le choix de telle ou telle personnalité (Dayan, Peres, Lavon) ou sur celle qui, par exemple, lui paraissait la plus apte à succéder au ministre de la Défense... Ses pouvoirs, son influence, ses opinions avaient plus de poids que ceux des membres du cabinet. Il occupait en fait une position égale à celle d'un super-ministre. La porte de Ben Gourion lui était toujours ouverte pour des échanges extrêmement laconiques. Les deux hommes avaient d'ailleurs en commun, outre leur petite taille et leur grande pudibonderie, de n'être pas liés par le respect d'une longue tradition démocratique.

Parce qu'il n'était pas simplement un responsable de la sécurité intérieure et extérieure de son pays comme dans les autres démocraties, la démission d'Isser Harel apparaît donc non pas comme celle d'un haut fonctionnaire, mais comme celle d'un dirigeant politique. Contrairement à l'impression initiale, elle n'a rien d'un coup de tête, d'une décision improvisée sous le coup de la colère ou de l'humiliation. Elle procède au contraire d'un calcul mûrement réfléchi.

Harel mise alors sur le prochain départ du « Vieux », que les retombées tardives de l'affaire Lavon et les plus récents développements rendent inéluctable. En démissionnant avant ce terme, il pense se rendre disponible pour pouvoir être plus sûrement rappelé par le successeur de Ben Gourion. Or, s'il voit juste en ce qui concerne le premier point, il se trompe sur le second, en se croyant indispensable à tout futur gouvernement, comme il l'a été pour les précédents.

Non seulement le général Meir Amit, qui assure son intérim, a osé le contredire devant Ben Gourion, mais il est clair, dès les premières semaines, qu'il va faire ses preuves à la direction du Mossad, aussi bien qu'il les a faites à celle de l'Aman, et que, une fois confirmé dans cette fonction, il n'en bougera pas avant longtemps...

Isser Harel ne refera surface que le 14 septembre 1965, quand le Premier ministre, Levi Eshkol, le nommera conseiller pour les problèmes de renseignement, mais, en butte aux chefs des services, il ne tiendra pas un an en poste.

Si l'affaire des savants allemands va encore émouvoir l'opinion quelque temps, la presse met soudain une sourdine à ses révélations et à ses campagnes germanophobes. En juin 1963 s'ouvre à Bâle le procès de Joseph Ben Gal et d'Otto Joklik dont les Suisses ont finalement refusé l'extradition en Allemagne. Pour leur défense, les accusés produisent le fameux bon de commande du 24 mars 1962 signé Wolfgang Pilz : 900 mécanismes et appareillages divers, 2 700 gyroscopes, et autres matériels nécessaires à la production de 900 fusées avant 1970. Cette perspective seule suffit à expliquer leur démarche auprès de la fille du Dr Goerke, responsable du téléguidage de ces engins. « Motif d'inquiétude honorable », conclut le tribunal, qui les condamne à deux mois de prison avec sursis. Succès moral pour Israël, qui récupère aussitôt ses deux agents.

Sur le terrain, pourtant, l'action entreprise pour intimider les savants allemands du Caire se poursuit. Le 2 avril 1963, au lendemain du départ d'Isser Harel, l'agent du Mossad, Wolfgang Lotz, dont les soirées mondaines, animées par sa femme Waltraud, sont de plus en plus appréciées du gratin de la colonie allemande et de la nouvelle bourgeoisie égyptienne, reçoit de ses supérieurs l'ordre de venir chercher à Paris un lot de savonnettes piégées. Il n'aura pas à s'en servir. Mais, le 18 juillet de l'année suivante, il sera chargé d'une tout autre mission : six lettres à poster le 20 septembre dans différents bureaux du Caire et destinées à des Allemands que la ligne modérée et silencieuse de Meir Amit n'a pas encore complètement persuadés de quitter l'Egypte, comme commencent à le faire certains d'entre eux, tels Paul Goerke et Walter Shuran.

Des pourparlers discrets avec Bonn et Paris ont en effet déjà porté quelques fruits en réduisant le nombre des savants allemands attachés aux projets militaires de Nasser.

Toutes les lettres expédiées le 20 septembre 1964 par Lotz au signal convenu portent la même mystérieuse signature : les Gédéons. Les destinataires pourront faire sans peine le rapprochement avec le nom du Juge de la Bible qui, douze siècles avant notre ère, affronta et battit la tribu des Madianites, ennemis héréditaires des Hébreux ... Une des lettres explosera, blessant un employé des postes. Les autres seront suivies d'une seconde vague de colis piégés, toujours postés du Caire, mais non de l'effet dissuasif espéré. Au même moment, d'ailleurs, le secrétaire d'Etat adjoint des U.S.A., Averell Harriman, dira sans ambages que « le départ des savants allemands d'Egypte pourrait amener leur remplacement par des équipes soviétiques capables d'accomplir le même travail, ce qui ne changerait rien à la situation au Moyen-Orient, sinon que la dépendance de l'Egypte à l'égard de l'U.R.S.S. en serait renforcée ».

C'est, en fait, un tournant diplomatique capital qui va mettre un terme à l'activité des Allemands du Caire et, par une étrange coïncidence, à celle de « l'œil de Tel Aviv » !

L'invitation lancée par Nasser au président de l'Allemagne de l'Est, Walter Ulbricht, sous la pression de Moscou, de lui rendre visite le 24 février 1965, déchaîne la colère de l'Allemagne de l'Ouest. Le porte-parole du gouvernement de Bonn avertit officiellement l'Egypte qu'une telle visite, équivalant à une reconnaissance par Le Caire du gouvernement de Pankow, entraînerait la rupture des relations diplomatiques avec la République fédérale et la cessation de son aide économique. Elle aurait même comme conséquence directe l'établissement de relations diplomatiques normales entre Bonn et Tel Aviv, ce qui n'était pas le cas jusqu'à présent. Mais Nasser, de plus en plus soumis aux effets de la pénétration soviétique, ne peut plus faire marche arrière. Du même coup, il va lui falloir couper court aux activités des agents du réseau Gehlen dont l'Egypte est le pivot au Proche-Orient. Du jour au lendemain cette présence sera donc décrétée subversive.

Le 22 février, à deux jours de l'arrivée de Walter Ulbricht, la police secrète égyptienne lance un coup de filet préventif et arrête une trentaine de citoyens de la colonie allemande. Parmi eux, Gerhard Bauch, 39 ans, le chef d'antenne du réseau Gehlen, Wolfang Lotz, 44 ans, l'éleveur de chevaux bien connu du Tout-Le Caire, et sa femme Waltraud. En fait, les Egyptiens viennent de faire coup double, comme le prouve l'article publié par *Al Ahram* dix jours plus tard :

« Plusieurs individus appartenant à un réseau d'espionnage terroriste allemand ont été appréhendés à leur domicile par les services de contre-espionnage. De l'aveu même des suspects, il ressort que le réseau en question était dirigé par les services secrets israéliens qui se sont servis de citoyens allemands. Israël avait sans doute estimé plus commode d'opérer des actes de terreur contre des citoyens allemands résidant en Egypte avec l'aide d'autres Allemands. »

Lotz a en effet jugé préférable de jouer le jeu et de tout avouer, en continuant à se faire passer pour un ancien officier de l'Afrika-korps recruté au prix fort par les Israéliens. Cette attitude lui vaudra un verdict de clémence de la Cour suprême de la sécurité de l'Etat, qui ne saura pas qu'elle a affaire à un Juif allemand émigré en Israël et travaillant depuis toujours pour le Mossad. Il recouvrera ainsi sa liberté moins de trois ans plus tard.

On croira pendant longtemps que l'arrestation de Lotz aura été le fruit du hasard, un concours de circonstances lié à la visite de Walter Ulbricht. Celui que l'on surnommera « l'espion au champagne », à cause du faste de ses réceptions, a été en réalité la seconde victime de la coopération technique entre les services soviétiques et les services arabes. Un mois avant lui était arrêté à Damas le fameux espion israélien Eli Cohen, à la suite du repérage de son émetteur radio par les appareils de détection soviétiques.

Mais les circonstances auront été infiniment plus favorables à Lotz, car elles lui auront épargné la pendaison.

La visite de Walter Ulbricht au Caire aura aussi été le coup de grâce porté aux projets de fusées et d'avions de fabrication germano-égyptienne.

Mais, au début de 1965, Ben Gourion n'est plus là pour présider au tournant historique des relations entre Bonn et Tel Aviv et goûter aux fruits de son patient travail de rapprochement avec l'Allemagne d'Adenauer, un moment menacé par la crise des savants allemands. Il y a alors près de trois ans qu'il a quitté les rênes du pouvoir. Son autorité, déjà battue en brèche par les séquelles de l'affaire Lavon, n'avait pas résisté trois mois au départ d'Isser Harel et au chantage à la démission de Golda provoqués par cette crise.

Le 26 mars 1963, il fait encore triompher son point de vue sur la question des fusées de Nasser devant la commission de la Défense et des Affaires étrangères de la Knesset, comme il en a exprimé l'intention lors de son ultime entrevue avec Isser Harel. Mais la perte de son chef des services secrets rendue publique, le 1er avril, le laisse désemparé. Un nouveau coup du sort vient, presque au même moment, de le frapper : la mort de son vieux camarade des années pionnières et de l'Hachomer, le président de l'Etat, Ytzhak Ben Zvi. Une autre crise précipite sa décision : le double échec d'une tentative de rencontre avec Nasser, pour entamer un processus de paix avant de quitter la scène politique, et d'une offensive diplomatique parallèle contre le traité de Fédération arabe entre l'Egypte, la Syrie et l'Irak.

Sa première initiative remonte à décembre. Profitant d'une baisse de l'influence de Nasser dans le monde arabe, il a envoyé un de ses amis, Chaïke Dan, en mission secrète à Belgrade pour sonder Tito. Chaïke Dan est un ancien combattant du Palmakh parachuté en Yougoslavie pendant la Seconde guerre mondiale. Il rencontre Tito à l'île de Brioni, mais le chef yougoslave refuse de s'entremettre. Plus tard, les agents du K.G.B. assassineront à Prague une personnalité du monde juif, Charles Jordan, qu'ils ont prise par erreur pour Chaïke Dan....

En janvier, le rédacteur en chef du *Sunday Times*, Charles D. Hamilton rencontre le Raïs qui lui dit, au milieu d'une longue conversation à bâtons rompus :

– Si Ben Gourion et moi étions enfermés ensemble dans une chambre pendant trois heures, je crois que nous arriverions à une solution pacifique du conflit judéo-arabe.

De retour à Londres, Hamilton rapporte cette phrase au baron Edmond de Rothschild qui s'empresse de la redire à Ben Gourion. Le « Vieux » saisit la balle au bond et invite le journaliste à venir le voir à Jérusalem. Le médiateur fait une navette entre les deux capitales, via l'Europe.

– Ben Gourion est prêt à vous rencontrer à n'importe quel endroit – même ici au Caire, transmet-il à Nasser.

– Il y a certaines choses, dont Israël, avec lesquelles il faut apprendre à vivre, répond Nasser en esquivant la question de la rencontre.

Il ne fera certes pas la guerre, même pour Jérusalem, ajoute-t-il, mais, pour le moment, il est trop préoccupé de consolider le monde arabe, menacé d'éclatement, pour envisager autre chose, d'ici à septembre, que de prendre la tête de la fédération qu'il vient de mettre sur pied avec l'Irak et la Syrie.

A la fin de mai, Hamilton rapporte à Ben Gourion une réponse négative qui brise son ultime espoir de faire une sortie triomphale. Sa décision finale est prise quand il essuie les refus successifs de Kennedy et de De Gaulle de prendre au sérieux les menaces que recèle à ses yeux le traité de Fédération arabe et de signer avec Israël un pacte d'assistance mutuelle.

Le 15 juin, il s'apprête à accueillir à Jérusalem la réunion hebdomadaire du Cercle de la Bible quand Golda fait irruption chez lui comme une furie, un télex à la main : l'agence télégraphique allemande annonce l'entraînement de soldats israéliens en Allemagne. C'est le comble ! Elle exige que la nouvelle soit arrêtée par la censure militaire.

– Je n'en ai pas le droit, bougonne le « Vieux » plus maussade que jamais.

Golda appelle à la rescousse Teddy Kollek, le directeur de cabinet du « Vieux ». La discussion, dans la cuisine de Ben Gourion, se prolonge, en vain, jusqu'à minuit.

Le lendemain, dimanche 16 juin, le « Vieux » arrive au bureau et dit au remplaçant de son secrétaire Ythzak Navon, parti en voyage de noces, qui lui apporte des documents à signer :

– Inutile. Je n'irai pas demain à la Knesset. Je démissionne.

Il prend tout le monde de court, à commencer par son dauphin,

Shimon Peres, en mission à Paris, en présentant d'une phrase sa démission « pour des raisons personnelles ».

— Ce n'est pas le moment, protestent les ministres de son parti.

— Il n'y en a jamais de bon, tranche-t-il.

Il avait déjà fait part à Galili de ses intentions lors de la fête de l'indépendance : quinze ans c'est assez. Il avait dirigé la Histadrout de 1920 à 1935, l'Agence juive de 1933 à 1948, le gouvernement de 1948 à 1963 — sauf pendant les dix-huit mois de l'intermède Sharett.

A l'issue de la dernière réunion du cabinet, il se rend au déjeuner d'intronisation du nouveau chef de l'Etat, le président Shazar. Et lui remet sa lettre de démission au dessert. Dans la soirée, il reçoit la visite des généraux Rabin, chef adjoint de l'état-major, et Amit, chef du Mossad. Il en est ému aux larmes.

— L'armée n'a pas à se mêler de politique, dit Rabin, mais je peux vous dire que les trois prochaines années seront éprouvantes pour le pays.

Le soir, Ben Gourion confie ses vraies raisons de partir à... son Journal intime : « En réalité, je m'y suis décidé il y a plus de deux ans, quand le Coyote *(il s'agit de Lavon)* a réussi à dresser tous les partis contre moi. Mais j'ai eu peur pour le Parti... La nouvelle coalition gouvernementale de 1961 ne permettait ni une politique sociale avancée, ni une politique étrangère et militaire audacieuse... Il faut être aveugle pour ne pas voir que l'affaire des savants allemands est le début de la prise du pouvoir par le Führer *(il s'agit de Begin).* Les libéraux et le Mapam lui prêtent la main pour dénoncer l'Allemagne fédérale comme l'ennemi n° 1 d'Israël. Au centre de cette nouvelle coalition qui risque d'entraîner Golda, se trouve sans doute le Memouneh *(il s'agit d'Isser Harel)*, qui joue un rôle analogue à celui du Coyote il y a deux ans. Rien de tel que cette folie pour amener le fascisme en Israël. »

Départ prématuré, comme le croit toujours Teddy Kollek ? Départ trop tardif, comme le laisse entendre son biographe Michaël Bar-Zohar ? C'est le départ d'un homme blessé, mais décidé à se venger des « Coyotes » au point de sacrifier les espérances de ses poulains de la nouvelle génération. Battu par la vieille garde sous la conduite de Lévi Eshkol au congrès du Mapaï de 1965, il entraînera Peres et Dayan dans la scission du Rafi pour revenir au Parlement à la tête d'un groupuscule de dix députés. Peres devra ronger son frein quatorze ans pour reconquérir le Parti travailliste et lui faire perdre le pouvoir en mai 1977. Dayan ralliera alors le camp de Begin...

Le départ presque simultané, au printemps de 1963, d'Isser

Harel et de David Ben Gourion, les deux plus vieux compagnons de pouvoir depuis la création de l'Etat, ne pouvait mettre plus symboliquement fin à une période de démocratie totalitaire.

L'arrivée de Levi Eshkol à la présidence du Conseil a ouvert en effet une nouvelle ère de démocratisation dans la vie publique comme au sein des services secrets. Celle de Meir Amit au Mossad et d'Aharon Yariv à l'Aman a rendu la priorité à l'aspect militaire du renseignement par une modernisation des techniques et une approche libérale des problèmes de sécurité.

Le succès de la guerre qui va, quatre ans plus tard, surgir à l'horizon, dépendra pour beaucoup de la fiabilité de ces services réputés les meilleurs du monde.

XII
LES SIX JOURS QUI ONT ÉBRANLÉ LE KREMLIN

Un dialogue échangé entre deux généraux israéliens, un jour de janvier 1965, sera l'un des secrets de la victoire de juin 1967. La scène se passe dans le modeste bureau du général Meir Amit, à l'époque chef du Mossad. Son interlocuteur se nomme Ezer Weizmann. Il commande les forces aériennes d'Israël. Il vient exposer les besoins de son arme dans le domaine du renseignement.

– Qu'est-ce qui t'intéresse le plus ? demande Amit.

– Il me faudrait un Mig-21, répond Weizmann sans hésiter. Quelques heures plus tard, Amit convoque un de ses chefs de département.

– Sais-tu où l'on pourrait trouver un Mig-21 ?

La question stupéfie son collaborateur. Le Mig-21 est le dernier-né de la chasse à réaction soviétique. L'usage en est réservé à l'élite de ses escadrilles et les forces aériennes des autres armées du Pacte de Varsovie n'ont pas encore été jugées dignes d'en être dotées. Toutefois, dans le cadre des efforts d'implantation soviétique au Proche-Orient, Moscou vient d'en livrer quelques exemplaires à l'Egypte, à la Syrie et à l'Irak, en les plaçant sous surveillance permanente de conseillers et d'agents du K.G.B., et en les confiant à des pilotes entraînés par leurs soins.

Une équipe spéciale est donc constituée, dans le secret le plus absolu, au sein même du Mossad, pour étudier la possibilité d'en détourner un. Après enquête préliminaire, le chef de cette équipe conclut à une plus grande vulnérabilité relative de l'Irak pour une telle entreprise. Des agents y sont envoyés en mission de repérage. Parmi eux, une Juive originaire de New York et titulaire d'un passeport américain. Ils vont mettre un an à sélectionner un pilote irakien capable de « défecter » : le commandant de groupe Munir Rufa, l'un des aviateurs les plus chevronnés du pays, formé initialement aux Etats-Unis dans l'U.S. Air Force, puis envoyé en Union soviétique se perfectionner en technique supérieure de pilotage. Testé avec soin par les services de sécurité russe et irakien, il s'était vu confier le pilotage d'un Mig-21 une fois promu à un rang privilégié de la hiérarchie.

C'est sur lui que la belle Américaine du Mossad jette son dévolu lors d'une réception mondaine à Bagdad. Munir Rufa résistera d'autant moins à ses charmes que, appartenant à la petite minorité chrétienne des Arabes d'Irak, il répugne à participer au génocide des populations kurdes auquel se livre l'aviation gouvernementale dans le nord du pays. Ses scrupules, il a tôt fait de les confesser à la jeune femme qui lui a accordé la faveur d'un dîner en tête à tête. L'intimité aidant, ils décident de prendre ensemble quelques vacances en Europe. C'est là qu'à son tour elle lui ouvre son cœur : elle a des amis sûrs à Tel Aviv qui pourraient l'aider à soulager ses scrupules. Elle a la possibilité de l'amener en Israël dans le plus total incognito. Elle a justement deux billets d'avion à un nom d'emprunt et un passeport vierge dans sa valise. Munir Rafa se laisse volontiers tenter.

De l'aéroport de Lod-Tel Aviv il est conduit directement dans une base secrète du Néguev, où il reçoit un accueil réservé aux V.I.P. Il accepte sans difficulté le marché qui lui est proposé : aller chercher son Mig-21 à Bagdad en échange de la citoyenneté israélienne pour lui et pour toute sa famille, mise préalablement à l'abri de toutes représailles, une maison et une rente garantie jusqu'à la fin de ses jours...

Le général « Motti » Hod, successeur de Weizmann à la tête de l'Armée de l'air israélienne, vient en personne lui rendre visite pour mettre au point avec lui les modalités et l'itinéraire de son évasion aux commandes de son Mig. La belle Américaine le raccompagne à Bagdad, via la capitale européenne de leur escapade amoureuse.

Les dernières semaines de l'opération seront les plus longues et les plus délicates. Il faut d'abord convaincre tous les membres de la famille du pilote de se rendre un à un à l'étranger, sous les prétextes les plus variés et à des dates différentes pour ne pas éveiller de soupçons. Il faut ensuite attendre l'opportunité d'un vol de routine. Les conseillers soviétiques veillent à limiter les quantités de carburant au strict minimum nécessaire aux exercices prévus. Or, pour éviter les radars et les bases aériennes irakiennes et jordaniennes par un vol en zigzag et en rase-mottes, Munir aura besoin d'un plein et même d'un réservoir supplémentaire. Il doit d'autre part prévoir une fourchette de dates et d'horaires précis d'entrée dans l'espace aérien d'Israël pour se faire escorter et non abattre par la chasse de Tsahal.

Un matin du mois d'août 1966, à l'heure où les surveillants russes de sa base prennent ensemble leur petit déjeuner, Rufa se dirige calmement vers son appareil et ordonne aux mécaniciens irakiens de remplir tous ses réservoirs. Il décolle en direction de Bagdad selon la routine de sa patrouille, vire brusquement cap au sud, puis disparaît vers l'ouest. Réglant sa navigation sur les 900 kilomètres d'itinéraire fixé, il poursuit son vol à basse altitude. Dès l'apparition du Mig au point convenu sur l'écran des radars israéliens, une escorte de Mirage file à sa rencontre au-dessus du Jourdain, violant allégrement l'espace aérien du royaume hachémite encore à cheval sur les deux rives, et accompagne sa descente jusqu'au terrain du Néguev, où l'attend « Motti » Hod, avisé de l'identification de l'appareil par l'officier de service.

Au moment de l'atterrissage, le général Amit se trouve à l'aéroport de Lod, en train de prendre congé d'un membre de sa famille en partance pour les Etats-Unis. Son chef de cabinet le fait appeler au téléphone.

– Le bijou est dans son écrin, lui dit-il.

« Bijou » était le nom de code donné par le chef du Mossad à cette opération de détournement alors sans précédent.

« N'épargnez aucune dépense », avait-il prescrit à l'équipe chargée de la mener à bien. Son coût total aura été finalement l'un des moindres en regard du résultat obtenu. Le Mig-21, agrémenté désormais du chiffre 007 sur son fuselage et de l'étoile de David, couvrira maintes fois les frais engagés pour sa capture. Il est le premier supersonique soviétique à tomber entre les mains de l'Occident. En lui apprenant à le piloter, le transfuge irakien révèlera au commandant israélien Danny Shapira tous les secrets de l'entraînement de ses instructeurs russes et de leurs techniques de combats aériens. De multiples manœuvres de simulation permettront d'analyser les qualités et les défauts de l'appareil, dont le point faible principal sera systématiquement exploité par la chasse israélienne au début de la guerre des Six Jours : l'extrême vulnérabilité du réservoir d'essence à la jonction de l'aile et du fuselage. Les aviateurs israéliens tireront également profit de deux autres défauts de structure du Mig-21 : des angles morts – contrairement aux 360° de visibilité de leurs Mirage — et une cadence de tir inférieure à celle des canons français.

L'exploit à la James Bond de l'« opération Bijou » n'aura fait que compléter l'un des dossiers les plus extraordinaires de l'histoire du renseignement : le dossier de la force aérienne arabe préparé par le Mossad. C'est ce dossier qui permettra à l'aviation israélienne de s'assurer en moins de six heures la maîtrise absolue du ciel et de devenir la reine de la bataille. Le 5 juin 1967, tout sera réglé entre 8 et 14 heures, quand les avions de « Motti » Hod auront surpris, cloué au sol ou abattu la totalité de la flotte aérienne égyptienne et permis aux blindés de Tsahal de crever le rideau défensif du Nord-Sinaï.

Le plan d'attaque aérienne a été conçu dès 1963 par son prédécesseur, le général Weizmann, qui est devenu entre-temps le chef des opérations militaires à l'état-major général de l'armée, pratiquement chargé de la conduite de la guerre auprès du chef d'état-major Ytzhak Rabin. Quand il avait alors exposé pour la première fois cette idée d'attaque préventive, ses collègues l'avaient considérée comme une folie bien dans la manière audacieuse de ce général non conformiste. Il lui a fallu près de deux ans de discussions pied à pied pour faire triompher sa thèse de la suprématie aérienne comme fondement de toute stratégie militaire israélienne.

Des dizaines d'agents du Deuxième Bureau de l'armée (Aman) ont alors commencé à recueillir et à envoyer au service d'étude des centaines et des milliers d'informations sur l'état et la composition de la force aérienne arabe, tandis qu'une masse impressionnante de détails personnels sur ses effectifs s'accumulaient au Mossad. Des récits, des biographies, des cartes d'archives, des plans d'aéroports avec l'emplacement précis des appareils et des installations, des renseignements détaillés sur chacun des pilotes de guerre arabes, concernant notamment sa formation, ses habitudes de vie, son statut social venaient grossir les dossiers « top secret » confiés à la mémoire des ordinateurs.

Le chef du service des renseignements de l'aviation, un jeune colonel très enthousiaste, connaissait pour sa part presque par cœur les détails les plus anodins sur chaque aviateur arabe nommément identifié. Rien ne lui fit plus plaisir que la lecture du rapport d'un agent du Mossad, selon lequel les chemises du chef de l'aviation égyptienne, le général Sidki Mammoud, étaient souvent maculées d'huile d'olive.

— Un officier qui néglige ainsi sa tenue ne doit pas être très porté sur la discipline, disait-il à ses collaborateurs. Son attention, en état d'urgence, sera probablement aussi relâchée que sa propreté.

Ces taches d'huile sur les chemises du commandant de l'Armée de l'air égyptienne joueront un rôle dans l'élaboration du plan d'attaque israélien.

Entre le 1er et le 5 juin, les espions du Mossad dans les pays arabes complètent à la hâte ce dossier sur la force aérienne ennemie. L'information continuera d'arriver jusqu'à la dernière minute avant l'heure H. Dans un cas au moins les pilotes recevront l'ordre de changer de cap pour atteindre les objectifs qui leur étaient assignés. En route pour anéantir au sol une escadrille d'Ilyouchine signalée sur un terrain proche du Caire, on leur donnera pour consigne de se diriger vers un autre terrain, éloigné de la capitale : on aura appris au dernier moment que les Egyptiens y ont transféré la veille cette escadrille de bombardiers lourds considérés à l'époque comme les plus redoutables au Proche-Orient.

A quelques jours du jour J, l'heure H est fixée dans le plus grand secret par les patrons du service des renseignements de l'aviation. Ils ne sont guère qu'une vingtaine d'officiers supérieurs à la connaître. Elle n'est pas habituelle dans les annales de l'histoire militaire. L'état-major avait le choix entre deux possibilités classiques : 5 heures du matin, au lever du soleil, et 14 heures, c'est-à-dire quatre heures avant son coucher, ce qui permet d'agir et d'esquiver la riposte à la faveur du soir. Cette dernière heure H sera d'ailleurs choisie par les Egyptiens et les Syriens pour surprendre l'armée israélienne le jour de Kippour en octobre 1973.

Au début de juin 1967, les responsables de l'attaque aérienne israélienne ont retenu une troisième possibilité planifiée par leur service de renseignement : ils ont choisi une heure insolite — 8 heures — pour obtenir un effet de surprise dans une situation qui ne permettait plus de surprise stratégique, puisque, sur le terrain, les deux armées se trouvaient, face à face, prêtes à l'épreuve d'une confrontation imminente. L'état d'alerte dans l'armée égyptienne était maintenu toute la nuit jusqu'à 7 h 30 du matin, heure à laquelle les officiers et les pilotes allaient prendre régulièrement leur petit déjeuner. C'est donc l'heure de ce petit déjeuner qui allait déterminer le choix des chefs du renseignement de l'aviation israélienne pour le déclenchement de la guerre.

Le secret est si bien gardé qu'il donne lieu à un incident quand se réunit le comité interministériel de coordination formé au début de juin sous la présidence du ministre adjoint de la Défense, Zvi Tsur : le représentant de l'Armée de l'air refuse de faire connaître le choix de l'heure H au représentant du ministère des Affaires étrangères.

Pour maintenir ce secret jusqu'au bout, l'aviation israélienne effectuera même le 5 juin, entre 6 heures et 7 h 30, des manœuvres de routine qui camoufleront à merveille les préparatifs d'une offensive sans précédent depuis le raid japonais sur Pearl Harbor en 1941.

La crise a éclaté inopinément un mois avant l'explosion de juin 1967. En réponse à une opération de représailles en Syrie au cours de laquelle les Mirage israéliens ont abattu six Mig, Nasser a soudain pris une série de décisions stupéfiantes : il a massé ses troupes aux frontières du Néguev, expulsé les Casques bleus de l'ONU de la bande de Gaza et de Sharm-el-Sheikh, fermé le détroit de Tiran à la navigation israélienne, bloquant ainsi le golfe d'Akaba, le second poumon maritime d'Israël. Le 24 mai, il était à Bir-Gafgafa – plus tard Refidim – où ses pilotes lui dirent leur certitude de tenir les villes israéliennes à leur merci. La photo de Nasser à Bir-Gafgafa fit le tour du monde et il devint clair que la guerre était inévitable.

L'escalade du Raïs semblait prendre tout le monde à contre-pied, à commencer par les Egyptiens eux-mêmes auxquels il avait déclaré quelques semaines auparavant que le temps de la vengeance n'était pas encore venu, que son armée n'était pas prête et qu'il convenait en priorité de construire le pays. Pourquoi a-t-il alors décidé de se lancer dans l'aventure ? « Parce que c'est un homme », sera la seule réponse qu'on pourra tirer, après sa mort en 1970, de son ministre des Affaires étrangères.

L'entreprise en tout cas a reçu l'approbation exaltée du monde arabe. « Jetons les Juifs à la mer jusqu'au dernier », s'écriait Ahmed Choukeiri, qui prétendait alors représenter les Palestiniens. « Partout où vous trouverez des Juifs, recommandait Hussein de Jordanie en se décidant à rallier sa cause, tuez-les avec vos armes, avec vos ongles, avec vos dents. » « Nous nous battrons jusqu'à la dernière goutte de notre sang », promettaient à leur tour ses alliés syriens. « Egorge ! Egorge ! » psalmodiait la chanteuse populaire Oum Kalsoum. En quelques jours, l'Irak, l'Arabie saoudite, la Libye, l'Algérie, le Soudan rejoignaient le chœur. Israël encerclé se sentait menacé comme aux pires jours de son histoire. Nasser ne savait pas, en ce mois de mai 1967, quels démons il allait déchaîner dans la mémoire blessée du peuple juif, ni de quel prix il allait le payer. Car l'Etat-ghetto, cette fois, avait des armes et des soldats.

Mais ni les uns ni les autres ne savaient que la mèche lente qui allait faire sauter la poudrière des passions israélo-arabes était en réalité allumée du Kremlin par une impitoyable lutte interne pour le pouvoir entre les successeurs de Nikita Khrouchtchev !

Entre 1965 et 1967, le Moyen-Orient est en effet devenu un facteur prédominant dans l'issue de cette rivalité entre les nouveaux dirigeants soviétiques, qui s'est parfois manifestée par des coups d'Etat dans les pays arabes – telle la Syrie en 1966 – et s'est traduite globalement par un renforcement considérable des positions soviétiques dans la région jusqu'au fin fond du désert d'Arabie, au Yémen, où des réseaux d'agents leur donnaient un contrôle quasi absolu de la conduite des affaires. Point culminant de cette bataille pour le pouvoir au sommet communiste, la crise de mai 1967 n'a été que le formidable enjeu d'un pari de Brejnev contre ses rivaux. Et les protagonistes de la guerre qui en est issue n'étaient que des pions manipulés de main de maître par le parieur du Kremlin. Pour l'emporter, celui-ci n'avait qu'à convaincre un Nasser encore hésitant et peu sûr du soutien de son armée. Le général Gamassi, l'actuel ministre égyptien de la Défense, racontera au début de l'année 1978 qu'il s'était alors opposé à la décision de Nasser de bloquer le golfe d'Eilat. En réalité Nasser lui-même avait essayé de résister à la pression de Moscou pour qu'il mette en marche la machine de guerre. Les services secrets soviétiques contrôlés par Brejnev ont alors dû monter l'une des plus fantastiques opérations d'intoxication, dont les détails seront révélés plus loin.

Après la destitution de Khrouchtchev, le 14 octobre 1964, un triumvirat s'était installé à la tête du Kremlin, réunissant le secrétaire général du P.C., Leonid Brejnev, le Premier ministre Kossyguine, et le ministre de la Défense, le maréchal Malinovky. Kossyguine et Malinovsky faisaient équipe pour exercer une influence prédominante en politique étrangère. Depuis le début de 1965, le maréchal est convaincu que la Chine est devenue le danger n°1 pour l'U.R.S.S. et que c'est de ce côté qu'il convient de faire porter le poids de l'effort de défense. Il entend à cette fin éviter toute confrontation inutile avec l'Occident aussi bien en Europe qu'au Proche-Orient. Dans la même perspective, Kossyguine offre ses bons offices de médiateur pour régler le conflit armé qui oppose alors l'Inde au Pakistan et organise avec succès une conférence de paix à Tachkent, en janvier 1966, dont l'heureuse conclusion augure d'une nouvelle politique de détente avec l'Ouest.

Mais, déjà, pour conquérir et assurer plus tard sa suprématie, Brejnev s'est mis en travers de cette politique en introduisant des hommes à lui dans le jeu soviétique au Moyen-Orient. Le

16 octobre 1964, quarante-huit heures à peine après la succession de Khrouchtchev, une délégation syrienne arrive à Moscou pour quémander une assistance militaire. Le maréchal Malinovsky, qui a la haute main sur l'équipement de l'Egypte, accepte d'accorder généreusement cette aide pour mieux contrôler à son tour la Syrie qu'il considère comme un « fauteur de troubles ». Or, Brejnev met à profit la visite syrienne pour imposer la présence d'agents du contre-espionnage de l'armée, sous prétexte de devoir protéger les secrets des armes soviétiques livrées à la Syrie de la curiosité des agents occidentaux. Comme par hasard, ce service se trouve placé sous les ordres du commissaire politique de l'armée, le général Ypishev, qui dépend lui-même du secrétariat général du P.C. tenu par Brejnev.

Les agents d'Ypishev, arrivés avec les armes promises par Malinovsky, contribuent effectivement quelques semaines plus tard à démasquer un colonel de l'armée syrienne recruté par la C.I.A. : ce colonel devait remettre à des agents américains à Chypre l'un des patrouilleurs soviétiques livrés au port de Lattaquié. Le traître sera pendu haut et court en février 1965, à Damas.

Le mois précédent, le contre-espionnage militaire soviétique relevant de l'homme de Brejnev élargit son activité. Il va devenir l'arme d'action privilégiée du chef moscovite en Syrie, le principal atout de sa politique proche-orientale jusqu'en mai 1967.

Il commence par introduire l'usage de voitures radiogoniométriques pour détecter les émetteurs clandestins des réseaux étrangers implantés en Syrie. C'est un véhicule de ce nouveau modèle, équipé d'un cerveau électronique, qui va permettre aux fonctionnaires de la Sécurité syrienne de capter les messages chiffrés et de repérer l'émetteur du fameux espion israélien de Damas, Eli Cohen. En se mettant dans la peau d'un riche marchand arabe émigré en Argentine et de retour dans sa patrie, sous le nom de Kamal Amin Taabès, l'agent du Mossad était parvenu à se faire admettre dans les milieux les plus influents de la société damascène. Il comptait parmi les hôtes de marque qu'il recevait chez lui en amis des officiers supérieurs de l'armée, tel le chef du Deuxième Bureau, le colonel Souweidani, et le président de la République, à l'époque Amin el-Hafez.

Cohen sera pendu à Damas en mai 1965. Son dossier fera admirablement l'affaire du service de contre-espionnage militaire soviétique, qui saura en jouer quelques mois plus tard pour prêter main forte au coup d'Etat réalisé par l'aile gauche du parti Baath. C'est au moment où le tandem Malinovsky-Kossyguine fait, en janvier 1966, triompher l'esprit de Tachkent, en trouvant une issue pacifique au conflit indo-pakistanais, que Brejnev amorce, avec l'aide du maréchal Gretchko, premier adjoint du ministre de la Défense et son allié dans l'armée, la mise à feu de la poudrière moyen-orientale. Il lui suffit de se fabriquer un client sur mesure en favorisant l'arrivée au pouvoir d'un régime radical dans l'Etat le mieux pénétré par le service à sa dévotion.

Le 23 février 1966, le général Jedid, chef de l'état-major, et le colonel Souweidani, chef du deuxième Bureau, renversent le président Amin el-Hafez, avec le concours de leurs amis du contre-espionnage militaire russe. Le général Jedid devient premier ministre, le général Hafez Assad, ministre de la Défense, le colonel Souweidani, chef d'état-major. Un ministre communiste fait pour la première fois son entrée dans un gouvernement arabe. Quelques semaines plus tard, une délégation du P.C. syrien participe, le 29 mars, au XXIIIe Congrès du P.C. soviétique à Moscou. Son chef exalte, dans un discours enthousiaste à la tribune du congrès, la veille de la clôture, l'étroitesse des relations instaurées entre le nouveau régime damascène et les communistes. Il s'agit, en fait, d'une contribution syrienne à la ligne dure du clan Brejnev-Gretchko, face à la politique de détente pratiquée par le clan Kossyguine-Malinovsky auquel s'est rallié le président du Soviet suprême Podgorny.

Aussi bien, lorsque les nouveaux maîtres du pouvoir à Damas, Jedid et Assad, conduisent, le 18 avril, une délégation syrienne à Moscou, le ministre de la Défense Malinovsky boude-t-il systématiquement toutes les réceptions officielles organisées en l'honneur de celle-ci.

Au milieu de l'année, le maréchal soviétique est porté malade. Ses médecins diagnostiquent un cancer très évolutif puisque, dès septembre, ils ne lui donnent que quelques mois à vivre. C'est alors que s'engage une lutte au couteau entre les deux clans pour sa succession à la tête de la politique de Défense. Que Brejnev parvienne à placer son candidat Gretchko, et sa domination au Kremlin est assurée.

En octobre, Malinovsky souffrant doit lâcher les rênes. Mais il ne passe pas encore officiellement la main, tant la décision reste douteuse. Le maréchal Gretchko reçoit toutefois *de facto* une partie des fonctions que le maréchal grabataire n'est plus désormais capable d'exercer. Il en profite pour prendre une série d'initiatives.

Le 4 novembre, la Syrie signe un pacte de défense avec l'Egypte. Dans les jours qui suivent, les Syriens provoquent une succession d'incidents le long de la frontière israélienne, qui vont se prolonger de décembre à janvier. Le 3 janvier 1967, l'organe du

Baath syrien *A Thaura* annonce le passage de la stratégie défensive de l'armée à une stratégie offensive.

Parallèlement à leur manipulation syrienne, Brejnev et Gretchko s'efforcent de réactiver les relations avec l'Egypte qui relevaient jusqu'alors des contacts directs entre Nasser et Kossyguine. Le 24 novembre 1966, le maréchal Abd el-Hakim Amer, vice-président de la République égyptienne et chef suprême de l'armée, était venu en visite officielle à Moscou pour une série d'entretiens avec les dirigeants soviétiques. Il a eu le maréchal Gretchko comme interlocuteur principal. C'est au cours d'une de ces rencontres en tête à tête que le premier adjoint du ministre de la Défense soviétique – définitivement disparu de la scène – encourage le maréchal Amer à prendre l'initiative de chasser l'O.N.U. du Sinaï. Il va jusqu'à lui promettre, en cas de guerre, le soutien actif de l'U.R.S.S. que Malinovky et Kossyguine n'avaient pour leur part jamais voulu accorder à Nasser.

Une semaine plus tard, Amer soumet pour la première fois au Raïs un projet visant à l'évacuation des Casques bleus qui montent la garde aux confins du Sinaï depuis le retrait israélien de 1957. Mais Nasser repousse ce plan dont il ne voit pas encore l'opportunité.

Invité officiellement au Caire en décembre, Brejnev annule son voyage en signe de mécontentement. Pendant ce temps les incidents se multiplient le long de la frontière israélo-syrienne.

A Moscou, toutefois, le Bureau politique du P. C. soviétique se réunit aux environs du 15 janvier 1967 dans le plus grand secret pour délibérer de cette situation. Le Politburo réprouve la nouvelle tension provoquée par la stratégie offensive des dirigeants syriens. Le moment ne lui paraît pas propice de fomenter des troubles au Moyen-Orient. Convoqué à Moscou, le Premier syrien Jedid se voit contraint d'accepter, à son retour à Damas, le 25 janvier une réunion de la commission mixte israélo-syrienne, en place depuis 1949, pour réduire la tension frontalière.

Au Comité central du Baath, Jedid rapporte qu'il a trouvé chez les dirigeants russes deux points de vue radicalement divergents sur le problème israélo-arabe. Syriens et Egyptiens se sont d'ailleurs rendu compte de l'âpreté de la lutte pour le pouvoir au Kremlin et de sa traduction dans l'opposition de thèses contradictoires sur la politique moyen-orientale entre les clans rivaux.

En mars 1967, le vieux maréchal Malinovsky n'est plus qu'un cadavre vivant. Quand il succombe à la fin du mois, Brejnev et Gretchko sont déjà passés à l'attaque pour régler le problème de sa succession. Ils savent que la majorité du Soviet suprême est plutôt favorable à la nomination d'un civil à la tête du ministère de la Défense : le ministre de l'Armement, D.P. Ustinov, candidat de Kossyguine. Pour renverser la tendance et imposer la nomination d'un militaire à ce poste — en l'occurrence son candidat le maréchal Gretchko — Brejnev a besoin d'un danger extérieur justifiant la présence au gouvernement d'un représentant de l'Armée. Cette menace ne peut venir que d'une aggravation de la situation au Proche-Orient. Il convient donc de créer au plus tôt un regain de tension aux frontières d'Israël.

Un émissaire de Gretchko arrive au Caire à la mi-mars. Il a une entrevue secrète avec le maréchal Amer. A l'issue de sa visite, le chef de l'armée égyptienne relance auprès de Nasser la demande d'évacuation des Casques bleus du Sinaï qui semble décidément lui tenir à cœur. Nasser est hésitant. Il tâte le terrain en envoyant un message à son ami Kossyguine. Le Premier ministre soviétique alarmé dépêche au Caire son ministre des Affaires étrangères, Andreï Gromyko, pour dissuader Nasser. Gromyko arrive en Egypte le 29 mars, deux jours avant la mort de Malinovsky. Il y reste jusqu'au 1er avril Il informe alors Nasser de la décision du Soviet suprême de nommer le civil Ustinov au poste de ministre de la Défense.

Cette décision est effectivement prise le 3 avril. Le lendemain, une délégation de maréchaux de l'Armée rouge vient exprimer au Soviet suprême son inquiétude devant la détérioration de la situation extérieure et le mauvais choix d'une personnalité non militaire en une période chargée de tensions. Mais Kossyguine et Podgorny tiennent bon : Le Soviet suprême refuse de céder.

Le 6 avril, la délégation syrienne aux funérailles du maréchal Malinovsky s'apprête à reprendre l'avion pour Damas. Parmi les militaires russes venus prendre congé d'elle à l'aéroport de Moscou, on remarque surtout la présence du général d'aviation Batuv.

Or, le lendemain 7 avril, pour la première fois depuis longtemps, l'aviation syrienne entre en action à la frontière israélienne. La chasse israélienne décolle et, au cours du combat aérien qui s'ensuit, abat six des Mig syriens. Cette confrontation explique sans doute la présence remarquée du général Batuv, la veille, à l'aéroport de Moscou.

Le 8 avril, un groupe de hauts dignitaires de l'armée soviétique se rend de nouveau au siège du Soviet suprême. Ils évoquent la gravité de l'incident aérien israélo-syrien pour renouveler leur objection à la nomination d'Ustinov et demandent celle du maréchal Gretchko. Leur démarche prend une tournure de putsch militaire.

Au bout de trois jours, le Soviet suprême capitule. Le 11 avril, il ratifie le décret nommant le maréchal Gretchko ministre de la Défense de l'U.R.S.S.

Ce succès remporté à la veille de la réunion des P.C. européens à Karlovy Vary, en Tchécoslovaquie n'est que la première étape de la mainmise totale de Brejnev sur le pouvoir soviétique. Le jour même de la nomination de son candidat au poste clé de la Défense, Brejnev envoie au Caire un émissaire spécial, le secrétaire du P.C. de Moscou, N.G. Yagoritsev, pour rencontrer les dirigeants du parti unique égyptien, l'Union socialiste arabe, Ali Sabri et Sharawi Gomea. Chargé par Brejnev des missions les plus délicates, il obtient leur soutien au projet militaire du maréchal Amer. Cette rencontre, de nature privée et marquée en particulier par un important tête à tête le 21 avril, entre Gomea et Yagoritsev, sera considérée plus tard par le confident de Nasser, Hassanein Heikal, comme l'élément déterminant de l'opération d'intoxication qui allait aboutir à la guerre de juin 1967.

On sait également aujourd'hui que la plupart des chefs militaires égyptiens étaient réservés, quand, quelques semaines après la mission de Yagoritsev, Nasser annonça sa décision de fermer le détroit de Tiran, à l'entrée du golfe d'Eilat, en se référant précisément à une délibération du Comité central de l'Union socialiste arabe. Au retour, le 15 mai, d'une tournée à la frontière israélo-syrienne, le chef de l'état-major égyptien, le général Mohammed Fawzi, se dit convaincu que les rumeurs relatives à des concentrations de troupes israéliennes sur le front nord ne sont que le fruit de l'imagination des Soviétiques. Au cours de son procès au Caire, en 1968, le ministre de la Défense, Shams Badran, dira avoir appris la décision de fermeture des détroits par les journaux ! Son successeur actuel, le général Gamassi, racontera plus tard s'être opposé à la dangereuse aventure dans laquelle s'engageait le président Nasser, poussé par Amer, Sabri et Gomea, eux-mêmes manipulés par l'envoyé de Brejnev et Gretchko. Au lendemain de la défaite arabe, Yagoritsev devait d'ailleurs être démis de ses fonctions de secrétaire du P.C. à Moscou, payant ainsi les pots cassés pour le compte de Brejnev.

L'un des meilleurs espions de Moscou dans le monde arabe, l'Egyptien Sami Sharaf, va jouer aussi un rôle important dans la campagne d'intoxication entreprise par le tandem Brejnev-Gretchko pour convaincre Nasser de provoquer son *casus belli*. Parmi les jeunes officiers de l'époque, Sharaf avait attiré l'attention du K.G.B. lors de la visite à Moscou en 1955 d'une des premières délégations qui ont suivi l'accord sur les livraisons d'armes à l'Egypte par la Tchécoslovaquie. Il devenait peu après, comme par hasard, le chef de cabinet du Premier ministre, le prosoviétique Ali Sabri. A ce poste, il s'était fait remarquer de Nasser qui, en 1959, en faisait son conseiller présidentiel chargé de l'information. Sous ce titre apparemment neutre, Sharaf devait en réalité organiser le service de renseignement personnel de Nasser.

Selon Vladimir Nikolaievitch Sakharov, un diplomate soviétique passé à l'Ouest en 1971 après avoir servi en Egypte entre 1968 et 1970, le K.G.B. aurait recruté Sharaf en 1958, lors d'une visite qu'il rendit au siège de l'O.N.U. à New York. C'est là qu'il rencontra clandestinement à deux reprises un membre de la délégation soviétique, Vladimir Suslev, agent du K.G.B. Suslev lui aurait indiqué la marche à suivre pour ses contacts avec les agents du K.G.B. en Egypte. A partir de ce moment, les documents du K.G.B. font effectivement référence à Sharaf sous un nom de code, Assad (Lion, en arabe). Au printemps de 1967, il va jouer un rôle capital dans le développement du plan d'intoxication de Brejnev et Gretchko.

La dernière phase de ce plan commence le 22 avril, quand Brejnev, en route pour la conférence communiste européenne de Karlovy Vary, fait escale à Berlin-Est afin de s'entretenir avec les dirigeants de la R.D.A., les plus proches de la ligne qu'il soutient. Selon le témoignage d'Erwin Weit, l'interprète personnel de Gomulka, Brejnev dit alors à Walter Ulbricht, en présence du leader du P.C. polonais : « Nos adversaires eux-mêmes doivent bien admettre les succès de notre politique au Moyen-Orient. Nous avons réussi à évincer en partie les Américains de la région et nous sommes en mesure de leur infliger un nouveau coup, très sérieux, dans un tout proche avenir. Face à la stratégie globale du président Johnson, nous allons opposer notre propre stratégie d'ensemble et nous ne tarderons pas à voir laquelle va l'emporter. »

Weit rapporte également qu'au cours de cet entretien auquel il assistait Brejnev dit de Nasser : « Il a prouvé qu'on peut compter sur lui pour fonder un pari. »

Devant les chefs des autres P.C., Brejnev tient, deux jours plus tard, un discours des plus belliqueux : « En vertu de quel droit la VIe Flotte américaine patrouille-t-elle en Méditerranée et dispose-t-elle de bases dans un certain nombre de pays riverains ? Le moment est venu de demander le départ de la VIe Flotte américaine de la Méditerranée. »

Le 27 avril, Nasser encore indécis dépêche Sadate en U.R.S.S. pour évaluer l'évolution du rapport des forces au sein du Kremlin. Le 29, Sadate rencontre Kossyguine. Il a alors le sentiment que

Moscou ne cherche, ni ne souhaite, l'épreuve d'une confrontation armée au Proche-Orient. Le 4 mai, il se rend en Corée du Nord. A son retour, le 12, à Moscou il trouve un tout autre climat. Au cours d'une série de réunions secrètes au Kremlin, Brejnev et Gretchko ont, dans la première semaine de mai, fait réaliser par le chef du G.R.U., le service des renseignements militaires, un faux destiné à convaincre Nasser d'une attaque imminente d'Israël contre la Syrie. Ils ont tout simplement utilisé à cette fin un document israélien authentique vieux de dix ans, le document Neeman. Ce document de travail avait été préparé en 1957 par le chef adjoint du Deuxième bureau israélien de l'époque pour couvrir toutes situations que pouvait avoir à affronter Israël.

On se rappelle qu'une copie de ce document avait disparu, sans aucun doute par les soins d'Israël Beer qui s'empressa de la transmettre à ses manipulateurs soviétiques. Il suffit de l'actualiser pour en faire une pièce à conviction capable de décider Nasser. Encore faut-il s'assurer de l'effet produit. Le mieux serait de faire appel à Sharaf, puisqu'il est devenu le plus proche collaborateur de Nasser et le patron des services secrets égyptiens. Le problème est que Sharaf dépend du K.G.B., où il est immatriculé sous le nom d'Assad, et que le chef du K.G.B. à l'époque, Smitchestani, est un confident de Kossyguine : pas question de le mettre dans le secret de l'opération. Le 10 mai, Brejnev joue son coup de maître : on ne sait par quels moyens il réussit à obtenir le limogeage de Smitchestani et son remplacement par un de ses hommes, Yuri Andropov. Ce changement de tête au K.G.B. ne sera rendu public que le 19 mai. La première mission d'Andropov consiste à passer un ordre à « Assad » : confirmer aux yeux de Nasser l'authenticité du document Neeman.

La falsification de textes authentiques est en effet la forme la plus courante d'intoxication en usage au K.G.B. Ainsi le quotidien de Bombay, *Free Press Journal*, publiera-t-il en février 1968 une lettre prétendument écrite à son rédacteur en chef par un membre de l'Office of Naval Research américain, Gordon Goldstein, pour affirmer que les Américains n'ont pas de mauvaises intentions en stockant des armes bactériologiques au Vietnam et en Thaïlande (ce que les Etats-Unis n'ont jamais fait). Le 7 mars, Radio-Moscou cite cette lettre comme un aveu pour accuser les Etats-Unis d'avoir provoqué une épidémie de maladies contagieuses au Vietnam. Et, le 9 mars, l'hebdomadaire indien *Blitz* publie à son tour la lettre fabriquée comme un aveu américain. Or, la signature et le papier à en-tête de la dite lettre provenaient, en fait, d'une invitation envoyée par Gordon Goldstein un an plus tôt à un symposium scientifique international dont il était le coprésident.

Les services israéliens n'auront d'ailleurs pas été sans remarquer que le même hebdomadaire *Blitz* a dénoncé les intentions agressives d'Israël au Proche-Orient à partir d'extraits du dossier Neeman utilisé par les services soviétiques pour intoxiquer Nasser.

Sharaf a également reçu de ses officiers-traitants russes un document, authentique, celui-là, d'évaluation du rapport des forces militaires entre Israël et ses voisins établi par les experts soviétiques. Elaborée à partir des rapports de l'ambassade de l'U.R.S.S. à Tel Aviv sur la situation économique et sociale en Israël, cette étude conclut à la possibilité pour la Syrie et l'Egypte de venir à bout de Tsahal en peu de temps. L'ambassadeur soviétique Tchoubakhine fait sans doute allusion à cette évaluation des experts militaires de son régime quand, le 2 juin 1967, il prophétise devant le leader du P.C. israélien (pro-juif) Moshe Sneh : « Israël sera battu en vingt-quatre heures. » Dans son rapport à Moscou, il avait ajouté : « Personne ne se battra en Israël où le moral est au plus bas. Il ne reste plus dans ce pays que la génération de l'espresso et des maquereaux. »

Cet optimisme sera si contagieux que, le 5 juin, au premier jour de la guerre des Six Jours, les généraux russes prédiront encore une victoire arabe rapide et écrasante au cours d'une réunion de l'état-major du Pacte de Varsovie.

Brejnev a fini par surmonter définitivement l'opposition de ses rivaux Kossyguine et Podgorny en leur présentant le faux Neeman fabriqué par le G.R.U. Le 13 mai, Podgorny a montré à Sadate, de retour de Corée, une copie de ce faux.

Arrivant au Caire le 14 mai dans l'après-midi, Sadate rapporte à Nasser la conclusion qu'il tire de son périple : loin d'être hostile à une initiative militaire de l'Egypte, le Kremlin tout entier paraît l'appeler de ses vœux. Le soir même, Sami Sharaf enfonce le clou en insistant sur la crédibilité du document fourni à Sadate par Podgorny.

Il n'est pas exclu que Sharaf ait eu recours à une autre méthode très spéciale de persuasion pour achever de convaincre Nasser : une séance de spiritisme. Sharaf a en effet recruté à son service un professeur de l'université du Caire, se disant pourvu de dons de médium pour communiquer avec les esprits des disparus et recevoir des prémonitions dans le sens des desiderata de son patron. Sharaf aura en tout cas recours à un tel subterfuge pour ourdir quatre ans plus tard, avec les leaders de la gauche socialiste et le soutien de l'U.R.S.S., un complot contre Sadate en mai 1971. Ce complot avortera, mettant un terme à la belle carrière d'espion du chef des services secrets égyptiens. Après l'arrestation de Sharaf, on découvrira dans ses tiroirs des dizaines de bandes magnétiques sur lesquelles étaient enregistrées des conversations privées de Nasser et de Sadate. Ces enregistrements avaient été réalisés à l'aide de micros installés dans les bureaux et au domicile de la plupart des leaders égyptiens. Parmi eux, on retrouvera notamment toute la conversation du 20 avril 1967 entre Gomea et Yagoritsev, déterminante dans le déclenchement des hostilités.

Les événements, dès lors s'enchaînent inexorablement. Le 15 mai 1967, Israël fête dans l'incertitude le XIXe anniversaire de son indépendance. Sur la tribune érigée à Jérusalem-Ouest, le Premier ministre Levi Eshkol et le chef d'état-major Ytzhak Rabin saluent le maigre défilé militaire. C'est le jour qu'a choisi Nasser pour envoyer son armée dans le Sinaï et demander le retrait des Casques bleus de l'O.N.U. Le soir, quand Rabin demande une évaluation de la situation au Deuxième Bureau de l'armée, le général Yariv lui répond : « Rien de sérieux. C'est un coup de bluff. »

C'est la première fois que le service des renseignements militaires se trouve pris en défaut, victime d'une erreur de conception. Mais l'entrée des forces égyptiennes dans le Sinaï et le départ hâtif des Casques bleus conduisent Israël à rappeler une partie de ses réservistes.

Le 22 mai, Nasser prend la décision fatale du blocus maritime du golfe d'Eilat. Il ne reste à Israël qu'à devancer son adversaire en lançant son attaque aérienne préventive pour lui briser les ailes.

Le Mossad, lui, a senti venir le vent. Il a discerné la présence de la main de Moscou derrière les dernières rodomontades de Nasser. A la fin de mai, les diplomates israéliens en poste dans la capitale soviétique recueillent des échos des luttes intestines qui s'intensifient depuis six mois au Kremlin. Au quartier général du Mossad, on pense déjà à un lien entre la crise qui se prépare dans la région et les événements du Kremlin. Étant donné la tournure prise par la pénétration soviétique au Proche-Orient, on estime important de se ménager cette fois le soutien des Américains.

Or, les entretiens du ministre des Affaires étrangères, Abba Eban, avec les dirigeants du Département d'Etat à Washington n'ont pas donné l'impression qu'Israël puisse compter au moins sur une attitude bienveillante des Etats-Unis.

Le 31 mai, le général Meir Amit décide de s'y rendre. C'est l'un des voyages les plus secrets d'un responsable israélien. Personne n'est au courant, ni au ministère des Affaires étrangères ni à l'ambassade d'Israël à Washington. Le chef du Mossad évite tout contact avec quelque représentant israélien que ce soit. Il se rend directement chez le patron de la C.I.A., Dick Helms, un des Américains les plus à même de comprendre les problèmes d'Israël. Helms venait de présenter au président Johnson une analyse du jeu soviétique après le sommet communiste européen de Karlovy Vary concluant à un raidissement des positions du Kremlin face à l'Occident et à l'ouverture d'un nouveau front conflictuel au Proche-Orient. Il y voit d'ailleurs une tentative des Russes pour réduire l'intensité de la pression américaine au Vietnam où l'intervention militaire a pris en quelques mois les dimensions d'une véritable guerre moderne. Helms estime néanmoins que les durs du Kremlin ne sont pas disposés à risquer une confrontation armée avec les Etats-Unis. « Si nous montrons les dents, les Soviétiques reculeront », dit-il.

Le général Meir Amit passe donc six heures à discuter dans le bureau de Helms à Langley, où se trouve le quartier général de la centrale américaine. Il lui explique à quel point la situation devient intenable pour son pays : Israël ne peut se permettre de garder sur le pied de guerre, le long de ses frontières compliquées, une armée de réservistes rappelés d'urgence sous les drapeaux, ni de continuer à se laisser gagner par un terrible sentiment d'asphyxie. Helms est d'accord qu'une défaite israélienne ferait tomber tout le Proche-Orient entre les mains des Soviétiques.

Le lendemain 1er juin, Helms présente Amit au secrétaire d'Etat à la Défense, Robert McNamara. Le ministre écoute sans réagir l'analyse du chef des espions israéliens. Vers la fin de l'entretien, alors que Meir Amit a le sentiment de perdre une bataille désespérée, McNamara laisse tomber une petite phrase :

– I read you loud and clear (Je vous reçois cinq sur cinq). Je viens d'apprendre la nomination du général Dayan au poste de ministre de la Défense. Je me suis longuement entretenu avec lui après sa visite au Vietnam en 1965. C'est un homme qui sait analyser les situations complexes. Dites-lui que je souhaite le succès de sa mission.

Le chef du Mossad rentre le soir même à Tel Aviv rendre compte à Eshkol et Dayan des résultats positifs de son voyage :

– Les Américains fermeront les yeux.

Le 3 juin dans la soirée, Eshkol réunit le gouvernement en séance extraordinaire pour prendre les dernières dispositions en vue d'une attaque préventive. Les ministres approuvent la proposition de Dayan fixant au surlendemain 5 juin la date du jour J.

Les diplomates des pays de l'Est en poste à Tel Aviv ne ménagent pas leurs efforts pour connaître la nature des décisions prises. Des membres du personnel de l'ambassade soviétique tentent même de filer les officiers de l'état-major israélien. Un commandant de l'aviation décèle ainsi la présence d'une voiture qui l'a suivi toute la journée et reste en stationnement toute la nuit devant sa maison : elle appartient à un diplomate tchèque. Mais ce n'est pas par ces méthodes un peu simplistes que les Soviétiques auront connaissance de la date fixée pour l'attaque israélienne. Le diplomate Sakharov, qui a servi au Caire entre 1968 et 1970 avant de choisir la liberté aux Etats-Unis parce que ses contacts avec la C.I.A. étaient sur le point d'être découverts, affirmera par la suite que les Russes étaient bel et bien informés de l'attaque préventive israélienne du 5 juin 1967. Une fois de plus, comme en 1956, ils n'en ont pas avisé leurs amis arabes, mais pour une raison différente.

La guerre était voulue par Brejnev et Gretchko afin de s'assurer la suprématie dans leur lutte pour le pouvoir soviétique. La guerre, mais non la débâcle des Arabes qu'ils avaient armés jusqu'aux dents. En dépit des pressions et de la campagne d'intox entreprise, Brejnev n'avait pas tout à fait la certitude qu'au dernier moment Nasser franchirait bien le pas. L'initiative israélienne lui paraissait donc de nature à faire son jeu. Il lui fallait absolument tenir le Raïs dans l'ignorance des intentions israéliennes pour l'empêcher de faire machine arrière en annonçant, par exemple, le retrait de son armée du Sinaï ou la réouverture des détroits de Tiran.

Israël a, en effet, fait transmettre le 20 mai à Nasser, par le canal d'un contact du Mossad, une proposition tendant à démobiliser les forces massées de part et d'autre de la frontière pour prévenir l'éventualité d'un affrontement. Au courant de ce message d'Israël, Brejnev et Gretchko pouvaient craindre à juste titre que Nasser ne saisisse la perche pour se sortir du guêpier. Par leur agent Sami Sharaf, ils pouvaient suivre l'évolution de ses pensées les plus intimes, de ses scrupules et de ses hésitations. Ils l'ont poussé jusqu'au dernier moment dans ses derniers retranchements, pensant d'ailleurs qu'il avait, avec l'aide des Syriens et peut-être des Jordaniens, la force de contrer l'attaque israélienne et de gagner la seconde manche du combat.

C'est là que les services secrets soviétiques allaient pourtant essuyer l'un de leurs plus retentissants échecs. N'ayant pu se procurer, malgré tous leurs efforts, le plan opérationnel de Tsahal, ils n'ont pu s'imaginer que le sort de la guerre serait réglé dans les six premières heures par le formidable coup de poing de l'aviation israélienne. Le G.R.U. s'était d'ailleurs trompé dans son évaluation du rapport des forces et de l'état du moral en Israël. Mais la plus grosse erreur d'appréciation commise par les services d'intelligence soviétiques résidait dans leur analyse des réactions américaines.

Le K.G.B. en particulier a failli : il est resté dans l'ignorance du voyage de Meir Amit aux Etats-Unis et de la décision du Pentagone de laisser faire les Israéliens tout en contre-carrant une intervention trop directe des Soviétiques.

N'empêche ! La connaissance que les Soviétiques avaient de la décision de Tel Aviv a plongé dans une nouvelle perplexité les services israéliens. Disposaient-ils encore d'un espion haut placé dans les sphères du gouvernement ou de l'appareil d'Etat ? La question avait de quoi troubler le Shin Beth qui, depuis l'arrestation de Beer, en 1961, n'a jamais démasqué d'agent de Moscou de cette importance. Pourtant la présence d'un nombre impressionnant de représentants du K.G.B. et du G.R.U. dans les ambassades des pays de l'Est à Tel Aviv témoignait du vif intérêt de ces services pour cet objectif clé au Proche-Orient.

A partir des années 1960, les services soviétiques ont en réalité quelque peu modifié leur méthode de travail pour surprendre les secrets d'Israël. Tout en poursuivant leur effort pour recruter le plus grand nombre d'informateurs possible, ils ont perfectionné leur système d'espionnage électronique à partir de trois navires spéciaux croisant dans les parages des eaux territoriales d'Israël camouflés en bateaux de pêche.

Hérissés d'antennes, de radars, d'équipements de télécommunications, ces bateaux, qui se sont mis à patrouiller 24 heures sur 24 tout au long du littoral, ont à leur bord non seulement des ordinateurs, mais aussi des douzaines de Russes possédant une connaissance parfaite de l'hébreu et enregistrant en permanence toutes les communications qu'ils peuvent capter en Israël. Aucune conversation radio ou même téléphonique ne peut échapper à ces grandes oreilles. Les liaisons interceptées sont traitées sur place et retransmises aussitôt à un grand ordinateur qui, en U.R.S.S., trie les renseignements politiques, économiques et militaires de la masse.

Les trois navires, qui portent les noms de *Caucase, Crimée* et *Youri Gagarine*, sont en outre appuyés par une flotte d'hélicoptères basés sur le *Leningrad* et le *Moscou*. Le *Youri Gagarine* a également la possibilité de communiquer avec les satellites soviétiques et d'espionner les satellites américains qui, depuis quelques années, constellent le ciel du Proche-Orient.

C'est l'écoute électronique à partir d'un de ces bateaux-espions qui a permis aux Russes d'obtenir leur information sur la date du jour J. La flotte soviétique avait triplé ses effectifs en Méditerranée dans les six premiers mois de 1967. Au début de juin, elle comptait plus de 80 bâtiments et 15 000 marins, dont la moitié étaient arrivés après le 31 avril, c'est-à-dire au moment de la titularisation de maréchal Gretchko comme ministre de la Défense et où Brejnev réclamait le départ immédiat de la VIe Flotte américaine devant les P.C. d'Europe réunis à Karlovy Vary.

Néanmoins, pendant les six premières heures de la guerre des Six Jours, les Soviétiques ne se sont pas rendu compte de l'anéantissement de la force aérienne arabe.

Le 5 juin à 7 h 59, heure de New York (13 h 59, heure de Tel Aviv), le « téléphone rouge » s'est mis à fonctionner entre Moscou et Washington pour la première fois depuis son installation en 1963 après la crise de Cuba. Kossyguine passe un message au président Johnson pour lui dire que l'U.R.S.S. n'a nulle intention d'intervenir directement dans le conflit.

Une heure plus tard, après avoir consulté ses conseillers à la Maison-Blanche et conversé avec le chef de la C.I.A., Richard Helms, Johnson répond à Kossyguine que les Etats-Unis ne tiennent pas davantage à se trouver mêlés à ce conflit. Le lendemain matin, le Kremlin, qui a eu le temps de prendre la mesure du désastre militaire auquel vont ses protégés, procède à un nouvel échange sur la « ligne rouge » pour tenter d'obtenir l'accord américain à une demande de cessez-le-feu dans les plus brefs délais.

C'est qu'au cours d'une séance secrète du Politburo les modérés l'ont enfin emporté, aidés par la ferme opposition du président américain à toute intervention directe des grandes puissances.

Au Mossad on sait déjà, dès le deuxième jour de guerre, que les Etats-Unis ont neutralisé toute velléité d'aide militaire soviétique à l'Egypte et à la Syrie. Mais les Américains ont délibérément laissé dans le vague les limites de la carte blanche ainsi donnée à Israël pour régler ses comptes avec ses voisins.

Contrairement aux prévisions du Mossad et de l'état-major de Tsahal, tous les deux convaincus que les Russes ne bougeront pas, Moshe Dayan exprime la crainte qu'ils n'aient en fait fixé une limite, une « ligne rouge » au-delà de laquelle ils seraient forcés d'intervenir. C'est qu'il a quelques raisons personnelles d'avoir une « peur bleue des Rouges » : il était le chef de l'état-major en 1956 quand le maréchal Boulganine a menacé Israël de ses fusées si Tsahal ne se retirait pas complètement et rapidement du Sinaï après sa victorieuse campagne de Suez. Et sa récente visite au Vietnam, où il était l'invité du corps expéditionnaire américain, l'a persuadé que les Soviétiques ne laissent jamais tomber un allié.

Il était revenu impressionné par les techniques de commando du Vietcong et par l'importance de l'assistance soviétique face à l'extraordinaire puissance de feu déployée par les Américains. Il ne croyait pas, dans ces conditions, à l'éventualité d'une victoire militaire américaine. Redoutant une assistance soviétique similaire pour sauver les Arabes d'un désastre total, Dayan demande, le 7 juin, à l'état-major de stopper la progression des forces israéliennes dans le Sinaï à 20 kilomètres du canal de Suez. Mais, le lendemain soir, il se trouve placé devant le fait accompli : les éléments avancés de Tsahal, ne rencontrant plus aucune résistance depuis la chute des cols de Milta et de Giddi, sont arrivés sur la rive orientale du canal. L'ordre de couper leur élan leur est parvenu trop tard.

Le 7 juin, le vice-premier ministre Ygal Allon demande que l'offensive contre la Syrie soit déclenchée à midi pour ne pas manquer l'occasion de prendre le plateau du Golan et d'atteindre le djebel Druse, peuplé d'une minorité opprimée par les Arabes. L'opération aurait, dans son idée, l'avantage de réaliser le vieux rêve pour lequel les Druses de Syrie et du Liban se sont battus pendant des années à l'époque du mandat français : la création d'un Etat druse au Golan et dans le djebel. Tout en permettant l'indépendance de la minorité nationale druse, Israël pourrait ainsi modifier à son avantage les données politiques de la région par l'instauration d'un Etat non arabe à sa frontière septentrionale.

Sur le plan militaire, Tsahal se trouve effectivement en mesure ce jour-là, comme le reconnaîtra plus tard Rabin, de passer à l'offensive contre les Syriens retranchés dans leurs casemates du Golan. Mais Dayan s'y oppose, par crainte d'une intervention directe de l'armée soviétique dont des officiers conseillent sur place les forces syriennes. Il sait pourtant, ainsi qu'il l'admettra dans ses Mémoires, que Washington n'est nullement hostile à une action contre la Syrie.

Procédant ce 7 juin à un échange d'évaluations avec des représentants d'Israël, les Américains estiment en effet que les Russes ne bougeront physiquement qu'en cas de traversée du canal de Suez par Tsahal. Donc pas au Golan. Les Israéliens ont les coudées franches au nord, mais Dayan attendra deux jours pour en profiter.

Le 10 juin à 9 heures du matin, heure de Washington, le « téléphone rouge » s'allume à nouveau : Kossyguine envoie cette fois un message très agressif au président Johnson. Il menace d'intervenir militairement si Israël ne cesse pas le feu immédiatement au Golan. Johnson répond calmement qu'il ne peut pas plus contrôler Israël que Kossyguine les Egyptiens et les Syriens. Et de donner l'ordre à quelques unités de la VIe Flotte de prendre position face aux côtes syriennes afin de décourager toute velléité soviétique de modifier les règles du jeu.

Tsahal donne l'assaut aux fortifications du Golan depuis la veille à 7 heures du matin. Pris de court par l'acceptation égyptienne du cessez-le-feu connu dans la nuit, Dayan, qui croyait à la poursuite indéfinie de la guerre par une Egypte à l'abri du canal, consent à ordonner l'occupation de la première ligne de défense syrienne au Golan -- et de la première ligne seulement. Mais quand, le 10 juin à 18 h 30, le cessez-le-feu des Nations unies entre à son tour en vigueur sur le front syrien, la totalité du Golan est tombée entre les mains d'Israël. Le ministre de la Défense s'incline une fois de plus devant le fait d'armes accompli par son armée.

Ainsi que l'ont prévu les Américains, l'Armée rouge ne vole pas au secours de son allié syrien. L'U.R.S.S. ne réagit que sur le front diplomatique. En rompant ses relations et celles de ses satellites – à l'exception de la Roumanie – avec Israël.

Au lendemain de l'écrasante victoire militaire israélienne, l'U.R.S.S. semble donc avoir perdu le pari de Brejnev : ses positions au Proche-Orient se sont effondrées en moins de six jours. En Egypte et en Syrie même, elle fait l'objet d'amères critiques, tant dans l'opinion publique que chez les leaders politiques.

Dès le début de juillet, pourtant, ces critiques s'estompent complètement. A Moscou, le Politburo vient en effet de décider l'octroi d'une aide massive pour permettre aux deux Etats arabes de reconstituer rapidement leur potentiel militaire. Un accord est intervenu au sein de la « troïka » entre Brejnev et ses deux rivaux pour mettre également un terme à la lutte des factions au sein du Kremlin. Ni Brejnev ni Gretchko ne sont rendus responsables de la faillite de leur politique de tension au Proche-Orient.

A la fin de l'année 1967, il semble même que la déroute de juin rende l'Egypte et la Syrie plus tributaires que jamais de leur protecteur soviétique. D'énormes quantités d'armes modernes affluent au Caire et à Damas avec un nombre croissant d'experts et de conseillers soviétiques. Jusqu'en 1970, où une série d'événements viendront inverser la tendance, les Soviétiques n'auront jamais été aussi bien implantés entre la Méditerranée et la mer Rouge. Au début de 1968, leur pénétration fait un bond en avant supplémentaire : l'Egypte paraît disposée à leur accorder ce qu'elle leur refusait encore. Des bases navales.

Dans le plus grand secret, les Russes commencent à construire en effet leur première base navale en Méditerranée, à Marsa-Matrouh, près de la frontière libyenne. Cette entreprise n'est sans doute pas étrangère à la mystérieuse disparition d'un sous-marin isréalien, le *Dakar*, entre Chypre et les côtes égyptiennes, le 25 janvier 1968.

Le bâtiment, qui faisait route de Portsmouth vers Haïfa, avec 64 marins à bord, n'a pas laissé la moindre trace. Certains indices donnent aujourd'hui à penser qu'il a été victime d'une attaque surprise alors qu'il croisait à la hauteur de Marsa-Matrouh. Cette énigme navale montre en tout cas que, moins d'un an après avoir perdu leur paru sur le terrain du champ de bataille, les activistes du Kremlin n'ont nullement renoncé à entretenir la tension au Moyen-Orient. Ils vont encourager les Arabes à continuer la guerre par d'autres moyens : guerre d'usure des Egyptiens sur le canal qui va conduire les Israéliens à ensabler leur système de défense dans l'illusoire ligne Bar-Lev;réactivation des organisations palestiniennes avec l'ouverture d'un nouveau front : celui de la terreur.

LIVRE TROIS

DEPUIS

La seule chose qui change en Israël,
c'est le passé

GENERAL EZER WEIZMANN.

XIII
L'ESCALADE DE LA TERREUR

« Tuez Ben Gourion ! » C'est par cet ordre donné à un commando cosmopolite que le Dr Waddia Haddad, chef des opérations du Front populaire pour la libération de la Palestine (F.P.L.P.), veut inaugurer, au début de l'été de 1969, sa sinistre carrière de « Docteur No » du terrorisme international. Dans la clandestinité, il se fait encore appeler Abu Hani.

Il a pris connaissance, au mois d'avril, de l'intention de l'ancien Premier ministre d'Israël d'entreprendre une tournée des communautés juives d'Amérique latine. Le « Vieux » n'est plus à l'époque qu'un simple citoyen de son pays et son voyage n'aura donc aucun caractère officiel. Mais le personnage privé garde son image de marque, qui incarne symboliquement l'Etat juif. En Israël, il a regagné une immense popularité en abandonnant définitivement la politique pour se consacrer à la rédaction de ses Mémoires. Son petit parti, le Rafi, est rentré au bercail en réintégrant le Parti travailliste, et Golda Meir vient de prendre la succession de Levi Eshkol, mort en mars.

Au troisième étage du building Kataraji, à Beyrouth, le Dr Haddad a réuni son état-major restreint dans l'appartement qui, depuis un an, lui sert de quartier général : deux jeunes assistants et une jeune femme, Leila Khaled. C'est là qu'il décide d'envoyer deux tueurs en Argentine, un Palestinien, Ismaël Souhail, et un mercenaire suédois, recruté par le représentant du FPLP en

Europe. Il rencontre le représentant du Front en Amérique latine, Jael el-Ardja, pour préparer leur voyage et leur hébergement. Originaire de Beit Jallah, près de Bethléem, el-Ardja a émigré au Pérou où il a rejoint, après avoir fait son droit au Caire, la colonie palestinienne que son village fournit régulièrement à Lima depuis le début du siècle. Cofondateur d'une organisation de fedayin, « Les Héros du Retour », qui a fusionné avec trois autres en août 1968 pour constituer le FPLP, il a noué des contacts avec divers mouvements terroristes sud-américains pour recruter, de Montevideo à Caracas, des mercenaires tels que l'étudiant vénézuélien Ilitch Ramirez-Sanchez, fils d'un riche médecin communiste, qui a fait un stage à Cuba avant de faire ses classes à l'université Patrice Lumumba de Moscou, où le K.G.B. forme ses agents pour le tiers monde. Ilitch s'illustrera quelques années plus tard en Europe sous le pseudonyme de Carlos. Mais il ne jouera qu'un rôle logistique mineur dans le complot fomenté en 1969 pour tenter d'assassiner Ben Gourion.

Au début de l'été, les deux tueurs ont rendez-vous à Copenhague, où l'une des maîtresses du Dr Haddad, Mona Soudi, jeune peintre arabe inscrit à l'Ecole des beaux-arts de la ville, a monté l'un des premiers réseaux de soutien au F.P.L.P. dans les universités danoises. Mais, vingt-quatre heures avant leur départ pour Buenos Aires, la police les surprendra en pleins préparatifs et l'arrestation du trio mettra fin à la tentative...

C'est à la suite de la guerre des Six Jours que la confrontation isréalo-arabe est passée au stade du terrorisme. De petites unités du Fatah, le tout premier et de loin le plus important groupement structuré des combattants palestiniens (qui n'avaient joué aucun rôle pendant cette guerre), ont commencé à s'infiltrer à travers le Jourdain dans les territoires occupés pour attaquer des véhicules et des objectifs civils israéliens. Créé en 1957 à Gaza, dès le retour des Egyptiens, El Fatah avait déjà effectué une soixantaine d'incursions terroristes en Israël entre 1965 et 1967, sous la conduite d'un ingénieur de 36 ans, installé au Koweït, un certain Abu Amar, alias Yasser Arafat. Il s'en était pris surtout, à l'époque, aux stations de pompage du Jourdain. l'Organisation de libération de la Palestine (O.L.P.) avait été fondée le 28 mai 1964 à Jérusalem-Est (en Jordanie), et une créature de Nasser, Ahmed Choukeiri, ancien délégué de l'Arabie saoudite à l'O.N.U., avait été placée à sa tête. Mais la déroute des armées arabes en juin 1967 avait emporté ce démagogue, dont l'ambition était de « jeter les Juifs à la mer ».

Pour reprendre ses activités, le Fatah comptait sur les réseaux qu'il avait implantés en Cisjordanie, sous l'administration hachémite, mais les dossiers de la sûreté jordanienne étaient tombés entre les mains de Shin Bet : les informations qu'ils contenaient avaient permis aux Israéliens de déjouer rapidement les premières tentatives d'organisation clandestine de « résistance » en Samarie et en Judée.

Contre les infiltrations à travers le Jourdain, Israël avait également réagi en installant une double ligne de barbelés électrifiés avec un dispositif électronique de détection tout le long de la rive occidentale. Les petites unités de fedayin qui parvenaient à la franchir étaient aussitôt traquées par des unités de parachutistes héliportées.

Le 20 mars 1968, Tsahal a franchi un degré dans la riposte aux actions terroristes en lançant une brigade blindée à l'assaut de la petite bourgade de Karameh, de l'autre côté du Jourdain. Cette agglomération abritait alors le quartier général opérationnel du Fatah. Yasser Arafat venait juste de sauter sur une moto, quelques minutes avant l'arrivée de trois hélicoptères transportant une unité spéciale de paras israéliens... et de gagner une base de l'armée jordanienne. Mais les documents saisis sur place ont permis aux officiers de l'Aman qui les accompagnaient de mieux connaître l'organisation du nouvel ennemi n° 1. Et de contribuer par la suite au succès de nombreuses opérations préventives.

Le hasard y a également eu parfois sa part. C'est ainsi qu'un groupe de fedayin s'est trouvé « marqué », en cherchant à traverser le Jourdain, par une couleur fluorescente utilisée pour peindre les poteaux de signalisation routière et déversée accidentellement dans le fleuve. Les Palestiniens ont fait demi-tour en Jordanie avec des récits terrifiants de leur aventure. Ils s'étaient persuadés que « les Juifs avaient empoisonné les eaux du Jourdain avec une poudre affectant la virilité ». Et, dans les deux mois qui suivirent, les infiltrations cessèrent.

Mais, si les services secrets et les parachutistes semblaient gagner la bataille du Jourdain, une autre se préparait sur un front plus difficile et plus compliqué : l'Europe.

Après avoir adhéré à la charte politicide du VIe Conseil national de l'O.L.P. de juillet 1968 au Caire, quatre représentants de petits groupes autonomes de fedayin se sont en effet rencontrés au restaurant du somptueux hôtel Phœnica Intercontinental de Beyrouth pour mettre sur pied une organisation de tendance marxiste, le FPLP, préconisant une ligne d'action plus radicale que le Fatah, et surtout une internationalisation du terrorisme. A sa tête, deux médecins qui ont commencé leur carrière à

Amman vers la fin des années 50 : Georges Habache et Waddia Haddad. Le premier avait fondé un mouvement politique, « Komeyoun el Arab » (Les « Nationalistes arabes »), favorable aux thèses développées par le colonel Nasser dans sa *Philosophie de la révolution* et considérée alors par les communistes jordaniens comme un mouvement de droite. Habache était avant tout un théoricien et un idéologue.

Haddad, lui, se voulait homme d'action autant qu'intellectuel. Né en 1930 à Safed, en Haute-Galilée, il avait fréquenté l'école écossaise où enseignait son père qui eut, notamment, pour disciple le Juif Zvi Berenson, futur juge à la Cour suprême d'Israël... Sa famille s'étant réfugiée en Jordanie pendant la guerre de 1948, il l'avait quittée pour aller faire ses études de médecine à Beyrouth et, de retour à Amman, il avait fait la connaissance de son confrère, le Dr Habache.

En 1963, ils avaient ouvert ensemble une clinique, qui servait de couverture à leurs activités politiques clandestines (tracts, brochures, complots contre le régime hachémite), car, leur mouvement interdit par les autorités jordaniennes, ses militants étaient traqués par la police du roi Hussein. Les deux médecins avaient été arrêtés et poursuivis à plusieurs reprises. A leur sortie de prison, en 1967, ils avaient quitté la Jordanie pour s'établir au Liban. C'est alors que les « Nationalistes arabes » virèrent à gauche pour se fédérer d'abord avec quelques groupuscules terroristes et un certain nombre de personnalités indépendantes et devenir le F.P.L.P. Au nom du marxisme dont il se réclamait, Habache en prit la direction idélogique et politique, qui en ferait le n° 1 de la nouvelle organisation, et Haddad prit celle des opérations spéciales, qui allait le maintenir quelque temps dans l'ombre.

« La route de Tel Aviv passe par Amman. » Avec cette devise, le F.P.L.P. allait forger l'arme terroriste la plus redoutable. Au nom de la révolution permanente, il se mit à entreprendre des opérations à l'extérieur du « champ de bataille » en nouant des contacts avec les mouvements terroristes d'Europe et d'Asie, jusqu'en Corée et au Japon. Le « champ de bataille » allait en fait s'étendre à l'ensemble du monde non-communiste : détournements d'avions, prises d'otages, enlèvements de personnalités, attaques d'aéroport, d'ambassades, et même empoisonnement d'oranges au mercure...

Encore inconnu, Waddia Haddad enregistre son premier succès le 23 juillet 1968 en détournant sur Alger un Boeing d'El Al de la ligne Rome-Tel Aviv. Pour un coup d'essai, c'est un coup de maître, assurant au F.P.L.P. un démarrage publicitaire foudroyant :

pour la première – et dernière – fois, Israël a dû céder, en acceptant de troquer la libération d'une vingtaine de fadayin pour celle des passagers et de l'équipage.

Le lendemain, les chefs des cinq services israéliens de renseignement se sont réunis dans le bureau du patron du Mossad, le général Meir Amit, président du comité de coordination. A l'ordre du jour : la réorganisation du travail pour répondre au nouveau défi. Leurs avis sont unanimes : il ne suffira pas d'intensifier l'effort de renseignement; il sera très difficile de combattre le terrorisme sans en frapper les têtes. Si la lutte contre la terreur doit mobiliser l'armée, la police, les services de sécurité des ministères et des compagnies de transport, elle repose en premier lieu sur les épaules de Shin Bet à l'intérieur et du Mossad à l'extérieur pour tenter de décapiter les organisations qui s'y livrent. Cette lutte revêtira donc des formes diverses, préventives et punitives : représailles militaires comme à Karameh, opérations de commandos, pénétration des organisations terroristes par des centaines d'agents et d'informateurs, mise à jour permanente d'un fichier de tous les dirigeants et membres de ces organisations, chasse aux « crânes » des responsables...

Si, à partir de 1969, Haddad tisse sa toile en nouant des liens avec les terroristes japonais de l'Etoile rouge, les anarchistes allemands de la bande Baader-Meinhof, les groupes révolutionnaires latino-américains, à partir de l'année suivante les services israéliens établissent une bourse d'échange d'informations avec la plupart des services de police européens, et un fichier international va leur permettre d'obtenir un tableau instantané des activités et des projets de l'Internationale de la peur.

En tête de la liste des objectifs assignés aux équipes de liquidation : Arafat. Le chef de l'O.L.P. aura la chance d'échapper à la mort à plusieurs reprises. Déjà, en décembre 1967, il a réussi à se sauver par la fenêtre d'une villa de Ramallah au moment où des soldats israéliens s'apprêtaient à la cerner, sur la base de bons renseignements. Le 20 mars 1968, il a pu fuir dans des conditions analogues le raid de Tsahal sur Karameh. Mais, en 1971, c'est sa voiture qui explose juste avant qu'il la prenne. Et il viendra à peine de quitter le bâtiment de son état-major au Liban quand, en 1973, celui-ci servira de cible à l'aviation israélienne.

Georges Habache et Waddia Haddad figurent également en bonne place sur la « Wanted list » des services israéliens.

Le 11 juillet 1970, à 2 heures du matin, Haddad échappe miraculeusement à un mystérieux tir de six obus de Katyoucha de fabrication soviétique, dont trois ravagent le salon et la chambre de son appartement, rue Mukhi Eldin Alkhayat à Beyrouth. Il se trouve dans sa pièce de travail avec Leila Khaled. Sa femme, Samiah, et son fils Hami, 8 ans, s'en tirent avec de légères blessures.

Il transférera bientôt son quartier général à Bagdad, d'où il se déplacera sans cesse en évitant de dormir deux nuits dans le même lit. A partir de ce moment, il va commencer d'ailleurs à s'émanciper de la tutelle de Georges Habache, en rompant, le 7 mars 1972, avec la direction politique du F.P.L.P., et en s'assurant le concours financier et logistique des services irakiens, libyens et algériens et, par chantage, celui de quelques riches Libanais. Il constituera alors le groupe de terreur à l'étranger du F.P.L.P., avec le trésor de guerre que lui rapportera le détournement sur Aden d'un Jumbo Jet de la Lufthansa : une rançon de 5 millions de dollars ! Deux mois plus tard, il conclura une sorte de charte pour la coopération et l'entraide avec les représentants de toutes les organisations terroristes internationales réunis dans un camp de réfugiés à Badawi, près de Tripoli, au Liban. En fait, il s'agira d'une véritable Bourse d'échange des attentats dont il pourra fixer les cours à loisir sur le marché mondial de la terreur. Ainsi se trouvera-t-il derrière 90 % des crimes politiques perpétrés aux quatre coins du monde. Son arme secrète : le recrutement de femmes séduites, de touristes naïfs et d'éléments révolutionnaires étrangers. « Cerveau » toujours en mouvement sous des identités changeantes et dont les traits, souvent contrefaits, se dérobent à toute publicité, il échappera, jusqu'à sa mort par cancer, aux équipes de liquidation israéliennes.

Mais, si Habache également sera épargné, d'autres têtes tomberont. Le formidable effort entrepris depuis 1970 par les services israéliens aura permis de réduire au minimum les dégâts d'une offensive terroriste sans précédent. Plusieurs centaines de cellules du Fatah et du F.P.L.P. auront été découvertes en Cisjordanie et leurs membres arrêtés et jugés. En dépit des ponts maintenus ouverts à la libre circulation des Arabes sur le Jourdain, avec 100 000 passages annuels, et d'une occupation militaire peu perceptible, le Shin Bet sera parvenu à déceler la plupart des nouveaux réseaux en cours d'organisation dans les territoires : il ne restera guère, en 1977, qu'environ 200 jeunes Palestiniens encore engagés dans les cellules de Cisjordanie et de Gaza; la dizaine de cellules encore repérées au début de 1978 ne réussira pas à intensifier l'activité terroriste destinée à saboter le processus de négociation entamé entre l'Egypte et Israël.

De même les services israéliens seront-ils parvenus à pénétrer la plupart des réseaux européens, dont 90 % des émissaires se feront prendre à leur arrivée en Israël. Mais ces succès ne pouvaient pas ne pas être contrebalancés par un certain nombre — relativement limité — de déboires, de ratés et d'échecs.

En août 1973, la chasse israélienne contraint un avion de ligne libanais à se poser à Lod. L'Aman a reçu la veille un renseignement, recoupé par différentes sources, selon lequel Habache devait prendre cet appareil de la compagnie Middle East Airlines pour se rendre de Beyrouth à Bagdad. Alerté par le chef du Deuxième Bureau, le général Eli Zeira, Dayan approuve l'interception et le détournement de l'avion. Mais l'opération est décidée à la hâte. Aucun effort supplémentaire n'est tenté pour s'assurer que le chef du F.P.L.P. a bien pris place à bord. Il était effectivement convenu de prendre ce vol. Pourtant, quand l'appareil se pose à Lod, il n'y est pas. Une simple enquête aurait permis de constater que cet avion en provenance de Vienne est arrivé à Beyrouth avec quatre heures de retard sur son horaire et que ce retard a tout simplement incité Habache à en prendre un autre.

Un premier raté important de l'« Intelligence » s'est déjà produit quelques semaines auparavant.

Le 21 juillet de cette année fatidique, les équipes spéciales, mises sur pied pour venger les victimes de la tuerie des Jeux de Munich, auront commis une grave erreur dans leur chasse au responsable n° 1 de ce massacre : Ali Hassan Salameh, chef des opérations de l'organisation Septembre noir, sorte de service action de la branche secrète d'El Fatah, le Rassad, chargée du renseignement. Comme il était le plus difficile à localiser, les équipes « Aleph » et « Beth » ont commencé leur opération « Vengeance de Munich » par des cibles placées un peu plus bas sur leur Wanted list. Quand, le 14 juillet, sa trace est signalée en Scandinavie par la filature d'un de ses agents de liaison, le Mossad ordonne à trois de ses hommes en mission à Stockholm de la repérer et de la suivre. Deux équipes sont envoyées à Oslo où les attend l'honorable correspondant du Mossad, Dan Arbel, Juif danois, heureux en affaires et titulaire de la double nationalité. La piste les conduit à Lillehammer, petite ville perdue en pleine campagne norvégienne. Les Israéliens trouvent enfin leur proie et l'abattent en pleine rue. Malheureusement, il s'agit non pas de celui que leur code désignait sous le sobriquet de « Prince rouge », mais d'un simple garçon de café marocain, Ahmed Bouchiki, marié à une Norvégienne. Dan Arbel et cinq de ses camarades sont arrêtés. D'où procès et scandale.

Jusque-là, pourtant, les équipes de liquidation avaient accompli leur mission sans bavures. Les premières ont été recrutées dès l'apparition de l'organisation de Septembre noir, montée par les services de renseignement du Fatah, après la destruction des bases palestiniennes de Jordanie par l'armée du roi Hussein en septembre 1970. A sa tête, Mohamed Youssef Najjar, dit Abu Youssef, bras droit de Yasser Arafat à l'O.L.P. pour le renseignement. Le n°2 est l'insaisissable Salameh, chargé du planning des opérations. Pour la nouvelle organisation terroriste, tuer en Europe un Juif ou un sympathisant a une plus grande valeur publicitaire que de tuer cent Juifs en Israël. Son principal théâtre d'action est donc l'Europe. Mais Septembre noir s'est fait la main en frappant son premier coup en Egypte : l'assassinat du Premier ministre jordanien Wasfi Tell, le 28 novembre 1971, à l'entrée de l'hôtel Sheraton du Caire. Tell était accusé d'avoir fait liquider par les bédouins de Hussein le dernier carré de fedayin en Jordanie, après le massacre de 7 000 réfugiés et l'exode des autres au Liban, et d'avoir personnellement torturé à mort le chef militaire d'El Fatah, Abu Ali Iyad.

Après l'échec d'une prise d'otages à bord d'un avion de la Sabena, le 8 mai 1972, à Lod, le F.P.L.P a engagé trois tueurs de l'Armée rouge japonaise qui avaient participé à la conférence secrète du terrorisme mondial organisée par le Dr Haddad au camp de Badawi. Et il les a lancés le 31 mai contre l'aérogare de Lod, où ils ont vidé leurs armes sur la foule des passagers qui se trouvaient être pour la plupart des pèlerins portoricains : 27 morts, 78 blessés.

Cette fois, le terrorisme international est à l'œuvre. Golda Meir, jusqu'ici opposée au principe d'opérations ponctuelles fondées sur l'implacable précepte biblique « Œil pour œil, dent pour dent », donne son feu vert à cette escalade dans la riposte : « Abattez les têtes de l'hydre terroriste. »

Le 8 juillet suivant, des hommes-grenouilles israéliens s'introduisent dans Beyrouth et dissimulent une bombe télé commandée sous la voiture du porte-parole du F.P.L.P., le poète palestinien Hassan Kanafani, qui saute avec sa jeune nièce dont le Mossad n'avait malheureusement pas prévu la présence.

Le massacre organisé par un lieutenant d'Arafat, Abou Daoud, au nom de Septembre noir, des onze athlètes de l'équipe olympique israélienne — l'un était un haltérophile juif de nationalité américaine —, le 5 septembre suivant, aux Jeux de Munich, détermine Golda à accepter le plan du chef du Mossad, Zvi Zamir, de former des commandos de tueurs, « Aleph » et « Beth ». « Envoyez vos hommes ! » lui ordonne-t-elle, après avoir fait de l'ancien chef de l'Aman, Aharon Yariv, son conseiller spécial pour la lutte contre le terrorisme.

Une impitoyable guerre secrète commence, par-delà les frontières. Prête au début d'octobre à entrer en action, l'équipe spéciale s'assigne treize objectifs ponctuels : douze seront atteints dans les six mois qui suivent. Le treizième sera Salameh, raté à Oslo par la tragique erreur de Lillehammer.

Le 16 octobre 1972, un autre intellectuel palestinien, Wada Abdel Zwaiter, responsable du premier détournement d'un avion d'El Al sur Alger, d'un attentat manqué à la bombe contre un autre appareil de la même compagnie, et devenu chef de Septembre noir pour l'Italie, est abattu sur le pas de sa porte, à Rome, par des « Aleph », en présence du général Zamir en personne. L'équipe de tueurs a passé moins de cinq heures en Italie pour réaliser cette exécution.

La seconde cible des « Aleph » et des « Beth » est le représentant officiel de l'O.L.P. à Paris, le Dr Mahmoud Hamshari, qui avait été impliqué dans le complot avorté contre la vie de Ben Gourion en été 1969 et dans l'explosion d'un jet de la Swissair de la ligne Zurich-Tel Aviv, qui avait fait 47 victimes. Un soi-disant journaliste italien réussit à l'attirer hors de chez lui, le 7 décembre, pour permettre à des spécialistes du Mossad de venir piéger son téléphone en toute tranquillité. Le « journaliste » le rappelle le lendemain et actionne un signal électronique qui fait exploser l'engin, blessant mortellement celui qui était considéré comme le chef de Septembre noir pour la France.

Le 24 janvier 1973, une machine infernale télécommandée tue dans sa chambre d'hôtel à Nicosie (Chypre) un agent palestinien du K.G.B. soviétique, Abad al-Chir, chargé de l'approvisionnement de Septembre noir en fusils d'assaut soviétiques AK 47. Son successeur, Zaiad Muchasi, subit le même sort, le 9 avril. Trois jours plus tôt, le responsable de l'arsenal, Basil al-Kubaissi, professeur à l'Université américaine de Beyrouth, a été abattu à Paris sous les colonnes de la Madeleine.

L'assassinat de deux diplomates américains pris en otage à l'ambassade d'Arabie saoudite à Khartoum (Soudan), le 1er mars 1973, par un commando de Septembre noir sous la conduite du représentant de l'O.L.P., Hassan Gassan, a incité entre-temps le chef du Mossad, Zamir, à monter une opération de très grande envergure encadrée par le chef de l'état-major, « Dado » Elazar. Il s'agit d'un raid contre le dispositif du commandement de Septembre noir, au cœur même de Beyrouth, combinant l'action d'unités militaires — parachutistes, commandos de marines, marins et aviateurs — avec celle des équipes spéciales du Mossad et des agents de l'Aman.

Au début d'avril, cinq hommes d'affaires européens arrivent séparément à l'aéroport de Beyrouth : un Belge, Gilbert Rimbert, venant de Francfort en compagnie de sa ravissante secrétaire, Monique Brun, un Allemand, Dieter von Altnoder, débarquant de Rome, deux Anglais, George Elder, de Birmingham, et Andrew Macy, via Francfort, et un joyeux Français, Charles Boussart, de Paris. Chacun d'eux loue une voiture de luxe, Buick, Plymouth ou Mercedes, et, après avoir vaqué toute la journée à leurs occupations, ils se retrouvent le soir pour quelque randonnée nocturne, en passant de préférence par la corniche de Ramlat el-Beida, dont les falaises surplombent d'étroites plages de sable. Sans en avoir l'air, ils s'intéressent en particulier à deux grands immeubles situés à l'angle de la rue 68 et de la rue Khaled-Ben-Al-Walid, aux abords desquels les mènent leurs pérégrinations amoureuses.

Le 9 avril à 0 h 47, deux vedettes lance-missiles israéliennes, parties de Haïfa à la tombée de la nuit pour gagner la haute mer, croisent en vue de la corniche de Beyrouth, où stationnent les six voitures de location. A bord se trouve une unité mixte d'hommes-grenouilles, de parachutistes et de commandos habillés en civil. Au coup de phares des voitures, ils embarquent à bord de canots pneumatiques Zodiac, halés par les hommes-grenouilles jusqu'au rivage, où ils opèrent leur jonction en silence avec les « hommes d'affaires » et la secrétaire. Armés de grenades, de pistolets Beretta et de mitraillettes, ils s'entassent dans les voitures qui s'égaillent aussitôt dans trois directions pour converger vers les deux immeubles dont les « hommes d'affaires » possèdent les plans détaillés. Se divisant en trois groupes, ils éliminent les trois gardiens rencontrés en chemin et s'élancent sans hésiter vers les étages où ils savent trouver les appartements des objectifs 7, 8 et 9 de leur « Wanted list ». Car ils ont déjà une parfaite connaissance des résidences des chefs de Septembre noir et du Fatah et des sièges de leurs organisations, avec cartes, photos, emplacements des gardes et du système de protection, et même un relevé minuté du trafic nocturne dans les rues de Beyrouth, de façon à ménager leur retraite.

Arrivés devant la porte de chaque appartement désigné par la « secrétaire » Monique Brun, ils font sauter gonds et serrures à la mitraillette et se ruent directement dans la chambre à coucher. Dans l'un, ils surprennent au lit le chef de Septembre noir, Abu Youssef, nu dans les bras d'une femme, et les tuent tous les deux, ainsi qu'une voisine qui a eu le tort d'accourir au bruit de la rafale. Dans un autre, ils fauchent Kemal Adwan, le bras droit de Youssef, sur le pas de sa porte, et, dans un autre, mitraillent le porte-parole de l'O.L.P., Kamal Nasser, qu'ils ont trouvé attardé à sa table de travail.

Au même moment, deux autres groupes faisaient sauter le QG du Front populaire démocratique, près d'un camp de réfugiés de la banlieue sud de Beyrouth et l'arsenal de Septembre noir au nord de la ville. L'un des deux immeubles attaqués par le premier groupe s'écroule sous l'effet de charges explosives placées contre ses pilotis, écrasant sous les décombres des dizaines de fedayin.

Tandis que dehors une bataille confuse fait rage, les membres du premier groupe fouillent minutieusement les appartements des leaders assassinés. L'un des tueurs de Kemal Adwan s'attarde à ramasser des documents. Il se nomme Jonathan Netanyahou, dit Yoni, 27 ans, étudiant en philosophie et en mathématiques à l'université américaine Harvard et à l'université hébraïque de Jérusalem, commandant d'une unité de commando. Il s'est porté volontaire dans la lutte contre le terrorisme. Dès le premier détournement d'un avion d'El Al en 1968, il avait écrit d'Amérique à sa famille : « Cet acte me persuade de rentrer le plus tôt possible en Israël. Si les hommes du FATAH viennent s'y battre, je me dois de le faire à plus forte raison. Je suis meilleur soldat que chacun d'eux, et ma conscience nationale est plus forte que la leur. S'ils veulent la guerre, nous n'avons pas d'autre choix que de nous battre pour notre existence. »

Yoni a demandé à participer à ce raid sur Beyrouth comme simple soldat, puisqu'on n'avait pas besoin de lui comme officier. Il s'est donc joint à l'unité spéciale qui opère sous le commandement de son propre adjoint. Cet officier redeviendra plus tard son adjoint quand, lieutenant-colonel, Yoni mènera l'assaut du commando israélien le 4 juillet 1976 à Entebbé, où il sera le seul combattant israélien à trouver la mort...

Ce qu'il s'attarde pour l'instant à récolter dans l'appartement de sa victime constitue pour les services de renseignement israéliens un véritable trésor : les plans de tous les projets d'opérations confiées aux réseaux de l'O.L.P. en Cisjordanie et en Israël même.

Il sort le dernier de l'immeuble et hisse son chargement dans la dernière voiture qui démarre à l'arrivée de deux jeeps de gendarmes libanais. Yoni saute du marchepied pour bloquer les deux jeeps. Son chauffeur fonce vers la corniche sans voir qu'il est resté en arrière. Quand ses camarades se rendent compte de son absence, ils font demi-tour pour le chercher. Le futur héros d'Entebbé a bien failli, cette nuit-là, être oublié à Beyrouth...

Mais des hélicoptères de l'Armée de l'air israélienne tournaient dans le ciel de la capitale libanaise, prêts à porter assistance aux combattants sans uniforme en difficulté. L'un d'eux se pose en pleine ville pour recueillir un officier blessé. Il en profite pour emporter une partie des dossiers trouvés dans les appartements des trois leaders terroristes exécutés. Tandis que le convoi regagne la corniche, d'autres hélicoptères sèment des clous sur la chaussée pour crever les pneus d'éventuels poursuivants. Mais l'effet de surprise est tel que personne ne tente d'intercepter le commando à son retour sur la corniche. Les militaires rembarquent... avec les hommes d'affaires et leur efficace secrétaire qui ont rangé leurs voitures de location sur le front de mer. L'opération n'a pas duré une heure et demie. Deux hélicoptères emportent deux tués et quatre blessés parmi les soldats de l'unité de commando. Un des agents du Mossad a eu la main écrasée par une portière de voiture trop hâtivement refermée.

Avant l'aube, les vedettes lance-missiles débarquent leurs passagers à Haïfa. Les documents trouvés par Yoni confirment les soupçons du Shin Bet concernant les Arabes de Cisjordanie et de Galilée affiliés à des réseaux terroristes. L'un d'eux révèle qu'un villageois de Galilée, payé par le Fatah pour chaque nouvelle recrue, avait monté un réseau bidon composé de ses petits frères âgés de 2 et 4 ans, et de personnes décédées ou imaginaires... D'autres éléments rapportés par le raid de Beyrouth permettent d'établir l'intervention des Soviétiques dans le domaine de la terreur. Avec l'aide de diplomate cubains, le K.G.B. a recruté des centaines de prétendus étudiants destinés à rejoindre par la suite les organisations terroristes d'Irlande, d'Allemagne, de France, d'Espagne et de Turquie, ainsi que les rangs de la « résistance palestinienne ».

Un seul objectif n'a pas été atteint par le commando de Beyrouth : Yasser Arafat. Il venait une fois de plus de partir. Du coup, il ne retournera plus dans son somptueux appartement de la rue de Verdun, préférant l'abri temporaire d'un camp de réfugiés, entouré d'une garde bien armée. Il changera ensuite fréquemment de résidence pour échapper au sort de l'Algérien Mohammed Boudia, dont les documents saisis à Beyrouth prouvaient qu'il jouait le rôle de ministre des Affaires étrangères de Septembre noir : Boudia sera tué, le 28 juin 1973, en s'installant au volant de sa voiture piégée au Quartier latin à Paris.

Cinq jours après le raid de Beyrouth, le paquebot *Queen*

Elisabeth, dernier luxe de la Cunard Line, appareille de Portsmouth avec 580 Juifs anglais et américains à son bord. Destination : le port d'Ashdod en Israël. But de la croisière : les fêtes du 25e anniversaire de l'indépendance.

Le bâtiment géant a fait, avant son départ, l'objet d'une fouille systématique des équipes de Scotland Yard et des experts de la marine royale. Les mesures de sécurité sont extrêmement sévères. Tous les bagages ont été passés aux rayons X. Les passagers en provenance des Etats-Unis ont été escortés depuis l'aéroport de Heathrow par des voitures de police précédées de motards. Une trentaine d'agents de la Sécurité britannique voyagent à bord, ainsi qu'une dizaine d'hommes-grenouilles et une dizaine d'agents spéciaux de la compagnie américaine Burns International Security Services Agency. L'équipage et le commandant Mortimer Hyer ont reçu des instructions et un entraînement spécial pour assurer la protection de leurs hôtes de marque. Les 580 passagers sont munis de badges personnels semblables à ceux des employés des installations militaires aux Etats-Unis.

A l'escale de Lisbonne, des hommes-grenouilles font cercle autour du bateau. A partir de Gibraltar, des bâtiments de la Home Fleet en Méditerranée jalonnent l'itinéraire du *Queen Elisabeth*. Jusqu'à Chypre, des avions de reconnaissance du type Lightening, détecteurs de sous-marins, survolent le navire. Et, de Chypre à Ashdod, la flotte de guerre israélienne lui fera une escorte d'honneur.

Pourquoi tant d'honneurs et de précautions, unique dans les annales de la marine commerciale en temps de paix ? C'est qu'il s'agit d'une « drôle de paix ». En ce mois d'avril 1973, l'activité terroriste du F.P.L.P. et de Septembre noir (service action du Fatah) a atteint un degré supérieur dans la sanglante escalade. Elle a visé une dizaine d'objectifs israéliens et étrangers. Mais l'état d'alerte en Méditerranée est provoqué par une menace précise.

Vers la fin du mois de mars, le chef de l'État libyen, le colonel Mouammar Kadhafi, a convoqué dans sa capitale les représentants de Septembre noir et leur fait une offre exceptionnelle : une somme de 10 millions de dollars pour faire sauter un avion israélien avec tous ses passagers. Il veut venger à tout prix la perte tragique d'un de ses appareils de ligne égaré au-dessus du Sinaï et abattu le 21 février par la chasse israélienne parce que son commandant de bord — un pilote français — n'avait compris ni son erreur de route ni les injonctions des aviateurs israéliens de se poser à la base aérienne de Refidim. Israël redoutait en effet à l'époque une tentative d'opération aérienne kamikaze au-dessus d'une de ses cités, dont ses services avaient été informés de bonne source.

Au cours de la réunion de Tripoli, le nom du paquebot *Queen Elisabeth* avait également été mentionné comme un objectif d'action éventuel.

Or, le 4 avril, deux terroristes de Septembre noir étaient arrêtés à Rome, porteurs de revolvers et de grenades. Membres de la « mission Kadhafi », ils s'apprêtaient à attaquer un avion d'El Al sur la piste. Le lendemain de leur arrestation, deux commandos de Septembre noir arrivaient en Angleterre, porteurs d'un ordre de leur état-major clandestin : « Sabotez le *Queen Elisabeth.* » Scotland Yard avait eu vent de leur mission.

Mais les Britanniques et les Israéliens ne craignaient pas seulement une action d'éclat de terroristes palestiniens dans le cadre de cette mission. Informés de la rencontre de Tripoli et des objectifs qui y avaient été assignés, les responsables de la Sécurité britannique avaient aussi envisagé un acte de folie de Kadhafi lui-même. L'ordre donné à quelque sous-marin arabe en Méditerranée : « Coulez le *Queen Elisabeth* ! » En conséquence, le commandant Hyer a reçu pour consigne de s'éloigner au maximum des parages nord-africains, tandis que les Lightening redoublaient leur surveillance des fonds marins.

Dans son livre *la Route du Ramadan*, l'ancien confident de Nasser, Hassanein Heykal, relatera en détail la tentative de Kadhafi d'utiliser un sous-marin égyptien pour couler le *Queen Elisabeth*. Selon ce récit, c'est le 17 avril que le colonel Kadhafi a donné cet ordre au commandant de ce submersible qui séjournait dans les eaux libyennes en vertu de l'accord existant alors entre les deux pays. Le commandant égyptien en a référé à ses supérieurs à Alexandrie, lesquels ont réveillé le président Sadate à 1 heure du matin. Et le Raïs aurait aussitôt fait envoyer un contrordre au commandant du sous-marin.

La réalité était quelque peu différente. Le commandant du sous-marin avait bien l'impression d'agir sur ordre de son président quand il a appareillé en direction de Malte pour exécuter la mission transmise par Kadhafi. Les avions britanniques ont décelé son mouvement et en ont informé l'amirauté. Le Premier ministre, Edward Heath, alerté, a demandé à son ambassadeur au Caire de réveiller Sadate. Le 18 avril, vers 1h30 du matin, le chef de cabinet de Sadate était saisi de la démarche britannique.

Or, le Raïs, qui préparait son agression militaire contre Israël et venait d'en différer la date en raison de la mobilisation partielle à laquelle était en train de procéder le chef d'état-major de

Tsahal, Dado Elazar, était désireux d'éviter tout geste prématuré qui, en précipitant la crise, risquait de le mettre en situation d'infériorité. C'est dans ces conditions qu'il a décidé de rappeler son sous-marin et de l'empêcher de passer trop hâtivement à l'action.

A son arrivée à Ashdod, le 21 avril, le paquebot est accueilli par le ministre israélien des Transports, Shimon Peres, dont la femme, Sonia, se trouvait à bord parmi les passagers. Aux journalistes qui l'assaillent de questions, le fidèle lieutenant de Ben Gourion répond :

– Toute cette publicité faite aux mesures de sécurité prises à l'occasion des 25 ans d'Israël est, comme toujours, une exagération de la presse. Vous voyez bien que le *Queen* est arrivé sans le moindre incident.

Tandis que le *Queen Elisabeth* jette l'ancre sain et sauf, le *France*, dont ce sera l'une des dernières croisières, stationne dans la baie d'Haïfa où brillent les feux d'une petite flottille bien alignée au milieu du port : les vedettes de Cherbourg.

XIV
LES PARAPLUIES DE L'AMIRAL

La nuit tombe tôt en cette veille de Noël. Campé devant la fenêtre de la chambre 214 du Sofitel de Cherbourg, un homme d'un mètre quatre-vingt-treize fume sa pipe en observant, au-delà du rideau de pluie, la mer grise et agitée. Il est nerveux. Il aurait voulu que le départ à la sauvette des cinq vedettes se fît de jour, à 16 heures très précisément.

Il est arrivé de Paris, à midi juste, dans sa Jaguar noire, immatriculée 59 CD 59. Il a demandé une chambre, rempli sa fiche sans masquer son identité : « Nom : Limon. Prénom : Mordekhaï. Age : 46 ans. Nationalité : Israélien. Profession : diplomate. » Et convoqué le colonel Ezra Koshinsky, un gars solide, paisible, toujours souriant sous son épaisse moustache et connu à Eilat sous le sobriquet de Karish (le Requin).

Karish est catégorique : la mer est mauvaise, et, surtout, la météo de Southampton, sur laquelle il est branché, prévoit une direction sud-sud-est, détestable pour la traversée du golfe de Gascogne. Il ne veut pas prendre le risque de s'attarder en face des côtes françaises.

L'amiral Limon, chef de la mission d'achats israélienne, délégué du ministère de la Défense, dévisage son interlocuteur en bougonnant. La mer, c'est la mer. Il la connaît. Que les marins affrontent la bourrasque, c'est leur métier ! Lui n'est pas venu à Cherbourg dans une voiture de l'ambassade, au risque de compromettre les relations diplomatiques entre la France et Israël, pour méditer sur les splendeurs de l'océan. Il a cinq vedettes à faire partir clandestinement pour Haïfa.

A 17 heures, il veut forcer les événements. Il donne l'ordre de réunir les responsables de l'opération et que tout soit prêt pour battre le rappel, en moins d'une heure, des quelque 90 marins juifs disséminés dans le port et qui ignorent encore tout. Sauf qu'un jour ou l'autre les vedettes qu'ils entretiennent depuis six mois finiront bien par arriver en Israël. Ils l'ont dit et redit à tous ceux qui voulaient bien l'entendre — y compris les informateurs du service départemental des Renseignements généraux (la police politique en France).

Dans Cherbourg dégoulinante, une première course discrète commence. Les officiers israéliens refusent catégoriquement de sortir. L'état de la mer les inquiète de plus en plus. Limon cède. Il demande seulement que les responsables restent en état d'alerte et précise que, accalmie ou pas, les bateaux seront partis avant l'aube.

Comme si de rien n'était, la colonie des marins israéliens prépare le réveillon des « goyim », retenant des tables pour 88 couverts au Café du Théâtre et faisant mettre des bouteilles de champagne au frais. Cherbourg n'est pas si drôle sous ses parapluies...

19 h 30. Southampton annonce une accalmie possible. L'amiral Limon fonce dans la brèche météo et ordonne le branle-bas de départ. Il ne craint ni le bruit ni la lumière. L'autorisation d'exportation, portant avis favorable de la Direction générale des Douanes, est arrivée de Paris le 18 décembre. L'agent transitaire agréé des chantiers des Constructions mécaniques de Normandie, qui fabriquent ces vedettes sous licence allemande depuis cinq ans, a reçu le bon à exporter quelques jours plus tard. Il a avisé les douaniers de la proximité de l'appareillage. L'opération est en règle. A ceci près que le destinataire n'est pas supposé être Israël...

A l'origine, certes, c'était bien le ministère israélien de la Défense qui, en 1965, avait commandé aux chantiers de Cherbourg, pour les besoins de sa marine de guerre, la construction de douze vedettes lance-missiles d'après les plans conçus par la société Lürsen, de Brême, mais que le gouvernement allemand avait alors des raisons politiques de ne pas laisser réaliser aux chantiers de Hambourg. Le P.-D.G. de la société normande fut donc enchanté de profiter de l'aubaine.

La première vedette, équipée d'un moteur diesel de 14 000 CV capable de la propulser à 74 km/h, fut mise à flot le 11 avril

1967, à titre de « patrouilleur ». Les Israéliens allaient en faire une canonnière en l'équipant eux-mêmes de fusées mer-mer de leur conception, d'une portée de 20 km et baptisées « Gabriel ».

L'embargo décrété par le général de Gaulle à la veille de la guerre des Six Jours étant devenu sélectif, les chantiers Amiot purent en livrer cinq autres en 1968. Mais, le 2 janvier 1969, le chef de l'État français décidait le retour à un embargo total contre Israël. Quelques jours plus tôt, un commando israélien héliporté s'était emparé de l'aéroport de Beyrouth en réponse à l'attaque d'un Boeing d'El Al à Athènes par des terroristes du F.P.L.P. venus du Liban : tandis que le commando détruisait, sans coup férir, treize avions des compagnies arabes, son chef, le général « Rafoul », buvait tranquillement le café au bar du salon de transit...

Le lendemain de l'entrée en vigueur du nouvel embargo, une septième vedette, dont la peinture n'était pas terminée ni les moteurs rodés, sortit de l'arsenal de Cherbourg pour un essai en mer et ne revint pas. Son arrivée à Haïfa provoqua la colère de l'Élysée, qui exigea des sanctions. Du coup, le préfet maritime refusait dorénavant de prendre en charge dans l'enceinte du port militaire les nouvelles unités produites par les chantiers d'Amiot, s'agissant de navires étrangers dont la marine française ne voulait plus être tenue pour responsable, d'autant que, non armées, elles ne pouvaient être considérés comme des bâtiments de guerre. D'où une admirable ambiguïté : personne — ni l'Administration maritime ni la capitainerie du port — ne savait de quelle autorité, civile ou militaire, dépendaient les vedettes à leur sortie des chantiers !

En septembre 1969, le contre-amiral Benny Telem, sous-chef d'état-major de la marine israélienne, vient en France, officiellement, pour accompagner à Lyon un membre de sa famille qui doit subir une opération de la cataracte. Il en profite pour faire un saut discret à Cherbourg, où il vérifie l'information de ses services selon laquelle les vedettes sont bien accostées dans le port de commerce, qui échappe à la surveillance de l'arsenal. La mise en eau de la dernière des cinq vedettes restant sous commande est fixée au 14 décembre.

Au début de novembre, le grand jeu se met en place. L'amiral Limon écrit à M. Amiot que son gouvernement se résigne à abandonner, contre remboursement de l'acompte, ses droits sur les vedettes bloquées par l'embargo de la France. Justement, le P.-D.G. du chantier de Cherbourg a reçu le 13 octobre une proposition qui tombe à pic, d'un nouvel acheteur, capable de les payer comptant : un homme d'affaires norvégien de bonne surface commerciale, M. Ole Martin Siem, directeur général de la compagnie Aker, bien connue des milieux de navigation, a manifesté soudain un vif intérêt pour ces bateaux dont les Israéliens ne veulent plus. Il désire les acquérir pour le compte de la compagnie panaméenne Starboat, qui s'occupe de forages pétroliers *off-shore* du côté de l'Alaska et possède une boîte postale à Oslo, n°25078 Soli-Oslo 2. Il a d'ailleurs rencontré à ce sujet l'amiral Limon et fait savoir qu'il est disposé à verser 55 millions, ce qui permettrait à M. Amiot de rembourser les 22 millions avancés par les Israéliens.

Il ne reste plus qu'à obtenir le blanc-seing de la commission interministérielle qui contrôle les exportations d'armements. Elle se réunit à Paris le 18 novembre, sous la présidence du général Bernard Cazelles, secrétaire général de la Défense nationale. L'inspecteur général Louis Bonte la saisit du rapport de son adjoint, le général de Montplanet, auquel M. Amiot a soumis le marché. Constatant que les vedettes abandonnées par leur commanditaire israélien sont des « bâtiments de guerre non armés militairement » et mouillés dans un bassin civil, la commission en autorise la revente à la société tiers qui consent à en régler le montant par deux chèques libellés en dollars – dont un sur la Discount Bank de Genève.

Ce dernier détail aurait pu mettre la puce à l'oreille des responsables français. Mais ils semblent ignorer que derrière M. Siem se trouve son ami intime, le transporteur d'agrumes israélien Mila Brenner, actionnaire principal de la société Arias Fabrega Y Fabrega à Panama, dont les trois avocats ont fondé pour la circonstance la Starboat Company, enregistrée le 5 novembre 1969 à l'Inscription maritime. Comme Panama, paradis fiscal des pavillons de complaisance, ne fait pas très sérieux, on a simplement donné à cette compagnie fantôme un petit air de Norvège, avec la complicité de Martin Siem, par une simple adresse postale...

L'enlèvement, doucement, s'organise, mais dans les règles. Car il faut encore attendre le lancement de la cinquième vedette, le 16 décembre. Les bateaux sont officiellement cédés ce jour-là à la Starboat. On fabrique en hâte des panneaux « Starboat 1 », « Starboat 2 » etc. On fait confectionner des pavillons norvégiens par une couturière d'Equeurdreville, qui n'auront pas le temps de servir. Le 18 décembre 1969, tout est enfin en ordre.

Et le soir de Noël, tandis que s'assoupissent les administrations préfectorale, portuaire, douanière et policière, réduites au minimum de leurs effectifs pour un pont férié de quatre jours, vingt diesels grondent dans la darse atlantique. Dix groupes électrogènes expédient une lumière crue sur les bateaux et sur les quais. Des estafettes cueillent les marins chez eux, dans les bistrots, à l'hôtel Tourville et à l'hôtel Atlantic (propriété de M. Amiot). Pour eux, pas de mystère : ils partent pour Haïfa, ils le savent et le disent. Ils bouclent leur barda, courent sous la pluie vers le quai illuminé. A 21 heures, tout est prêt. Sauf la mer, qui fait attendre son accalmie. Les petites amies des marins juifs, qui sont venues les accompagner sous leurs tendres parapluies, se lassent d'attendre.

A 2 heures du matin, le vent se retourne. Il passe au nord. L'amiral Limon donne l'ordre ultime. Les vedettes appareillent, tous feux allumés et sans aucun pavillon. En dix-sept minutes, elles quittent le port par la passe ouest, devant la vigie du Homet, sans que personne les remarque — et encore moins signale le départ nocturne de la flottille.

Tranquillement, Limon rentre au Sofitel, réveille le réceptionniste qui somnole et règle sa note. Un drôle de client, dira l'employé, qui comprend mal qu'on loue une chambre pour n'y point coucher. La Jaguar diplomatique reprend la route de Paris qu'elle atteindra à l'aube de Noël.

Ce que les responsables militaires français appelleront deux jours plus tard « le pépin de Cherbourg » est désormais accompli. Pour l'amiral Limon, ce genre de mission à la « Tintin », c'est presque une vieille routine.

Sabra de Tel Aviv, il a fait ses classes à l'école maritime clandestine du Palmach, avant de bourlinguer dans la marine marchande britannique pendant la guerre. Il est venu à Marseille en 1946 prendre le commandement de bateaux d'immigrants illégaux en Palestine. Arraisonné, il s'est sauvé chaque fois à la nage. En 1948, il a convoyé le premier transport d'armes tchèques pour la guerre d'indépendance. En août de cette année-là, à la barre d'une corvette dotée de vieux canons français baptisés, pour leur vétusté, « Napoléonchik », il a détourné un transport d'armes, également tchèques, destinées à la Syrie, en se servant d'une compagnie de navigation fictive montée à Rome par les services spéciaux juifs...

Quand la nouvelle de l'évasion des vedettes de Cherbourg est éventée, trois jours plus tard, le ministère français de la Défense dément maladroitement : « Il s'agit de bateaux civils qui ont fait l'objet d'une cession régulière à une société norvégienne. » L'ambassade de Norvège fait alors savoir que la Starboat ne figure pas sur ses annuaires commerciaux et que les vedettes, repérées par un avion au large du Portugal, n'ont pas le droit d'arborer le pavillon norvégien – ce que le colonel Kadish s'est bien gardé de faire. Non armées, ces futures canonnières sont aussi adaptées à des forages pétroliers en mer qu'une Porsche pour tirer une charrue...

– Nous nous sommes ridiculisés à cause de la légèreté incroyable et de la complicité intellectuelle de nos fonctionnaires ! tonne le président Georges Pompidou au Conseil des ministres du 31 décembre, qui décide de révoquer l'inspecteur général Bonte, de suspendre le général Cazelles et de demander à Israël le rappel de l'amiral Limon. A la même heure, Dayan accueille à Haïfa les cinq vedettes du « Requin ». Elles ont été ravitaillées deux fois en haute mer, notamment par un pétrolier norvégien affrété par l'agent danois du Mossad, Dan Arbel, qui sera compromis, trois ans plus tard, dans le crime de Lillehammer.

On découvre en France une complicité collective qui, bien au-delà de la vieille interpénétration des services secrets français et israéliens, dénoncée en Conseil par Georges Pompidou, met en doute la politique d'embargo appliquée à Israël. Un doute général qui n'incite pas les responsables à éplucher les dossiers.

Le « pépin de Cherbourg » et le parapluie norvégien de l'amiral Limon soulignent en fait le côté commando d'une diplomatie qui ne s'embarrasse pas outre mesure des règles du jeu traditionnel quand les intérêts vitaux d'Israël sont en jeu. Or, ils le sont en ce début des années 70, face aux vedettes lance-missiles Komar et Ossa, livrées par les Russes à l'Égypte et à la Syrie.

Équipées des fusées israéliennes « Gabriel » autoguidées par radar électronique, supérieures aux fusées Styx des Soviétiques, les vedettes de Cherbourg constituent la parade tactique à la présence de la flotte russe en Méditerranée. Aux premières heures de la guerre de Kippour, elles donneront un avantage décisif, dans le premier duel de missiles de l'Histoire, à la marine de guerre israélienne, considérée jusqu'alors comme le parent pauvre de Tsahal. Et, à Israël, la maîtrise totale de la mer, sans perte aucune, tandis que, sur la terre comme au ciel, sa suprématie mettra trois jours à se rétablir...

La petite flottille évadée de Cherbourg naviguait encore quelque part dans l'Atlantique en direction de Gibraltar qu'une autre opération à la James Bond se déroulait sur le littoral égyptien du golfe de Suez à 200 km au sud du canal. Au soir du 26 décembre 1969, un commando organisé dans le Sinaï par le nouveau chef de l'état-major, le général Haïm Bar-Lev, réussissait, après avoir neutralisé ses gardes et ses servants, à démonter entièrement un radar soviétique géant : il s'agissait d'un modèle de radar inconnu en Occident, capable de détecter les avions volant à basse altitude et jumelé avec une base de fusées sol-air Sam 2, installée à plusieurs kilomètres de là. Deux hélicoptères purent transporter les 7 tonnes d'éléments du radar en Israël, où il fut reconstitué en parfait état de fonctionnement.

C'était le premier acte dans l'escalade de la guerre d'usure qui allait mettre pour la première fois aux prises Russes et Israéliens.

XV
SEPTEMBRE NOIR POUR MOSCOU

« Rentrez-leur dedans ! » avait dit à l'ambassadeur d'Israël, Ythzak Rabin, et répété au ministre de la Défense, Moshe Dayan, le Dr Henry Kissinger, alors conseiller du président Richard Nixon pour la sécurité des États-Unis.

Ce n'était pas une patrouille de routine, comme les aviateurs israéliens en font quotidiennement aux frontières de leur pays qui n'ont jamais été que des lignes provisoires de cessez-le-feu. Ici, depuis près de dix-huit mois, le feu n'avait pas cessé. Ces avions à l'étoile de David faisaient partie du paysage, mais risquaient de ne plus en rester les maîtres froids.

Le 25 juillet 1970, des Mig-21 pilotés par des Soviétiques, engagés directement depuis cinq jours dans la zone du canal, s'étaient soudain levés de l'horizon et avaient fondu sur deux Skyhawk israéliens au-dessus du golfe de Suez. Stridences, éclairs, explosions, fumée noire : l'un des appareils israéliens a été touché, mais, comme l'autre, il a pu regagner sa base. C'était le premier affrontement armé opposant des Russes à des Israéliens.

Cinq jours plus tard, deux Mirage décollaient en direction du canal, comme pour une mission normale de reconnaissance des positions de l'artillerie égyptienne qui tirait une fois de plus sur les lignes israéliennes. Ils volaient lentement et à basse altitude. Ils virèrent au-dessus du golfe de Suez, vers l'endroit précis où les deux Skyhawk avaient été interceptés, le 25 juillet, par des Mig soviétiques. Exactement au moment prévu, leurs pilotes aperçurent douze Mig-21 rouges qui se précipitaient à leur rencontre. Alors, le piège tendu par un jeune colonel israélien — l'un des meilleurs pilotes du pays à qui avait été confiée l'opération — se referma. Huit Phantom, qui se tenaient à très haute altitude, plongèrent dans la mêlée, virant et filant dans toutes les directions pour engager le combat. Canons, missiles, roquettes, piqués, poursuites, géométrie savante qui dessinait son épure à deux mille kilomètres à l'heure sur l'azur imperturbable. Dans ces combats sans hasard, ces parades mortelles où, à Mach 2, l'entraînement et la maîtrise technique jouaient un rôle plus important que la sophistication du matériel, les aviateurs d'Israël dictèrent leur loi : en moins d'une minute, quatre Mig furent abattus; un cinquième tenta de regagner sa base à l'intérieur de l'Égypte, derrière une épaisse fumée noire, mais il ne tarda pas à s'écraser à son tour. Deux des pilotes russes avaient pu actionner leur siège éjectable et ouvrir leur parachute. Les opérateurs radio israéliens branchés sur leur longueur d'ondes avaient eu l'étonnement de les entendre jurer en russe : « Ah ! les sales Juifs ! » Les deux Mirage qui avaient servi d'appât et les huit Phantom du jeune colonel regagnèrent leur base sains et saufs : l'aviation juive restait bien l'image de marque d'une armée et d'un pays où il était à la fois satisfaisant et réconfortant de penser que la qualité continuerait longtemps encore à primer la quantité.

« Dès le début de l'engagement, raconte le pilote d'un des Phantom, A., 24 ans, étudiant en économie devenu depuis commandant d'escadrille, les deux Mirage et quatre Phantom qui se tenaient à l'écart se sont lancés à la poursuite des Mig qui étaient remontés à 20 000 pieds d'altitude (7 000 mètres). A ma droite j'ai vu une fusée air-air tirée par l'un des deux Mirage faire mouche sur le premier Mig qui a pris feu en quelques secondes. J'ai viré à droite et j'ai vu l'un des Mig foncer sur moi à environ 2 500 mètres de distance. J'ai basculé à gauche et c'est alors que je me suis rendu compte que, en dépit de l'avantage initial de sa position, le pilote soviétique manquait totalement d'expérience. Il a commis deux erreurs élémentaires en tentant d'abord d'esquiver le combat et en plongeant à 2 000 mètres d'altitude. A 1 500 mètres au-dessus de lui, j'ai réglé mon radar et tiré une fusée. Je l'ai touché du premier coup et l'ai vu disparaître dans le nuage de l'explosion. Les autres pilotes russes ont fait le même genre d'erreur. Ce combat qui a mis aux prises au total vingt-deux avions nous prouvait que les professeurs soviétiques n'étaient finalement pas meilleurs que les élèves arabes. »

Pour l'armée de l'air soviétique, dont c'était la première bataille depuis la fin de la guerre mondiale en 1945, l'événement constituait un désastre. Quelques jours plus tard, les rapports du Mossad témoignaient de la joie manifestée par les pilotes arabes dans les bases aériennes d'Egypte où l'on commentait la perte des cinq supersoniques :

— Les Russes nous ont toujours fait grief de notre incapacité professionnelle pour expliquer la supériorité des Mirage et des Phantom israéliens sur leurs Mig qu'ils prétendent les meilleurs chasseurs du monde. Maintenant que les Israéliens se mettent à descendre les Mig pilotés par les Soviétiques, c'est la preuve de l'infériorité des avions russes, et non celle des aviateurs égyptiens.

La défaite aérienne soviétique du 30 juillet 1970 ne fut pas rendue publique, mais, à la Maison-Blanche de Washington, la joie n'en était qu'encore plus grande. Quand Rabin lui détailla par téléphone les résultats de la confrontation dont Bar-Lev l'avait aussitôt tenu informé, Kissinger dit à un de ses assistants :

— Formidable ! Les Russes vont comprendre la leçon...

Les réactions soviétiques étaient évidemment guettées avec attention par le Mossad et l'Aman. Dès le lendemain, le maréchal Pavel Kutakhov, chef des forces aériennes soviétiques, débarquait au Caire pour enquêter personnellement sur les conditions de ce désastreux engagement. Il secouait la tête en répétant :

— Katastropha ! Katastropha !

Le 2 août, il ordonnait le retrait des pilotes russes de la zone du canal de Suez. Pas question pour eux de risquer l'humiliation d'une seconde défaite. A Moscou, cependant, le Politburo décidait à une forte majorité d'éviter toute confrontation armée avec les Américains : le K.G.B. était en effet convaincu que l'embuscade aérienne du 30 juillet avait reçu le feu vert des États-Unis. Il ne se trompait pas beaucoup.

Les dirigeants israéliens, eux, avaient de quoi exulter. Le lendemain du premier incident aérien survenu cinq jours après la pénétration des avions russes dans la zone du canal, Golda Meir avait convoqué dans sa « cuisine » un groupe de proches collaborateurs et de ministres pour discuter de la nouvelle situation ainsi créée. Selon les informations du Mossad, l'U.R.S.S. avait envoyé en Égypte ses meilleurs pilotes. Des hommes qui avaient à leur actif des centaines d'heures de vol sur chasseurs supersoniques. Ils avaient suivi un entraînement intensif pour s'habituer aux conditions européennes et s'étaient parfaitement adaptés au vol par mauvais temps et aux problèmes du combat aérien dans les nuages. Mais, dans le climat tout différent de la Méditerranée, ils répétaient toujours les mêmes schémas et les mêmes figures sans s'en écarter d'un pouce. Commentant cette étude du Mossad, intitulée en code « Kosher Salami », à cause du grignotage par les aviateurs soviétiques de la fameuse « ligne rouge » fixée par Dayan comme limite à ne pas franchir sur la rive occidentale du canal, le général Motti Hod, chef de l'aviation israélienne, expliqua à Golda :

– Les pilotes russes sont d'une parfaite orthodoxie dans leurs manœuvres, mais ils ont, par rapport aux nôtres, un grave handicap : aucun d'eux ne s'est trouvé en situation de combat réelle depuis la guerre mondiale. Nous ne craignons donc pas l'éventualité d'une confrontation.

Alors que faire ? Fallait-il attendre le cessez-le-feu proposé par les Américains sur le canal et tout juste agréé par Nasser, sans réagir à la provocation aérienne soviétique, comme le suggérait Dayan, hanté par sa crainte des « Rouges » ? Ou tenter de leur infliger une cuisante leçon, comme le proposait, avec son flegme habituel, le général Bar-Lev, que ses origines yougoslaves semblaient immuniser contre la peur de la puissance russe ? Plus que le désir de revanche de l'état-major, un autre rapport devait influencer la décision dramatique de Golda. Il faisait état de dissensions entre le président égyptien et les maîtres du Kremlin sur l'éventualité d'un cessez-le-feu. Un succès quelconque de l'intervention offensive des forces aériennes soviétiques aurait pour effet de prolonger la guerre en permettant aux Russes de s'implanter directement dans la zone du canal.

« Ils vont pénétrer de plus en plus profondément, ajoutaient les spécialistes du Mossad, et ils se montreront aussi audacieux que nous le leur permettrons. »

Le lendemain, en effet, encouragés par cette présence russe dans la région, les Égyptiens entreprenaient leur plus grande attaque aérienne depuis la guerre d'usure contre les positions de la ligne Bar-Lev. Convaincue, Golda Meir donna son feu vert le 30 juillet à l'état-major qui avait préparé son plan d'opération pour attirer les Russes dans un piège.

Cette décision d'abattre froidement des avions russes a été l'un des temps forts de l'année 1970 fertile en événements critiques et qui marque un tournant dans l'histoire du Proche-Orient : le coup d'arrêt à la pénétration soviétique.

Grâce aux succès coûteux remportés par Israël dans la dernière phase de la guerre d'usure, de janvier à août, grâce aux liens spéciaux et secrets noués entre Rabin et Kissinger à Washington qui ont influencé la politique israélienne et la stratégie américaine, les Soviétiques, en butte à toute une série de revers au Cambodge, en Chine, à Cuba, en Pologne, se sont également trouvés acculés à la retraite sur les principales cases de l'échiquier moyen-oriental. Et Israël, fort cette fois de sa position d'allié unique et indispensable des États-Unis dans cette région, a pu se payer le luxe de sauver, à quelques mois d'intervalle, le trône du roi Hussein de Jordanie et le régime du successeur de Nasser, le président égyptien Anouar el-Sadate !...

Tout a commencé avec la guerre d'usure – la quatrième guerre d'Israël – déclenchée en mars 1969 par une campagne de tirs égyptiens contre la rive orientale du canal. Pour ce genre de guerre de tranchées, l'Égypte disposait de meilleurs atouts qu'Israël, dont le moral et l'économie pouvaient être affectés à plus ou moins longue échéance par le nombre régulièrement croissant de vies humaines sacrifiées et le renforcement incessant du dispositif défensif le long du canal. Elle allait en outre pousser Tsahal à renier toute sa conception stratégique en s'enterrant peu à peu sous les bombardements d'artillerie et en puisant dans ses réserves...

Estimant qu'une pression suffisante obligerait Israël à maintenir en service des effectifs assez importants pour déséquilibrer son existence matérielle, Nasser commença en effet à pilonner jour et nuit la rive du Sinaï. A force de consolider les abris, les Israéliens en firent, peu à peu, de véritables bunkers bétonnés, solidement étayés par les rails de l'ancien chemin de fer El-Kantara-Gaza. La construction prit des mois, mobilisa des milliers d'ouvriers, et devait aboutir à enrichir un certain nombre d'entrepreneurs avisés.

C'est cette ligne de fortification, longue de 160 kilomètres, qu'on allait appeler ligne Bar-Lev, du nom du chef d'état-major alors en exercice. Son édification coûtera au pays entre 1 et 2 milliards de Francs, privant les Israéliens de ciment pendant des mois et favorisant la spéculation scandaleuse de quelques-uns, mais, achevée, elle allait permettre aux sentinelles de prendre enfin un peu de repos, avec même un confort relativement supérieur à celui du corps expéditionnaire américain au Vietnam, et devait fournir aux généraux de Tsahal une nouvelle doctrine – de béton armé. Entre les fortins des positions avancées et le canal proprement dit, les unités du génie, sous-traitant avec des sociétés formées pour l'occasion, ont édifié à coups de bulldozer une formidable digue de sable de 15 à 25 mètres de haut, atteignant jusqu'à 200 mètres de large. On y avait empilé des tonnes et des tonnes de sable blond, mais aussi toute la fatigue des jours de guerre et des nuits de veille, et on allait y engloutir toutes les illusions de la victoire de 67, toutes les nouvelles insouciances, et peut-être aussi trop de mépris pour ce qui pouvait se passer de l'autre côté de ce rideau de sable. Cette dune géométrique finit par boucher le paysage et, pour ainsi dire, l'aveugler. Elle signifiait en clair que, à l'ombre propice de la ligne Bar-Lev, Israël allait enfin vivre, se fermant les yeux et les oreilles, le temps de la normalité...

Ce n'était pas une ligne de défense a proprement parler : plutôt les avant-postes d'un système complexe qui comprenait en profondeur de l'artillerie, des blindés, de l'aviation, des hôpitaux souterrains, etc. Rien à voir, par conséquent, avec la ligne Maginot française, si ce n'est que la ligne Bar-Lev deviendra vite, sitôt terminée l'harassante guerre d'usure qui aura coûté la vie à plus de 400 militaires israéliens, le symbole d'une sécurité illusoire...

En décembre 1969, l'état-major de Tsahal se rendit compte que, sans l'emploi massif de l'aviation pour porter cette guerre d'usure profondément en territoire égyptien, il n'y aurait aucune chance d'en finir par un cessez-le-feu. Ministre de la Défense, Dayan s'y opposait, de peur de provoquer une riposte de l'U.R.S.S. au bombardement de l'Egypte. Chargé de sonder les Américains à ce sujet, Rabin fit alors savoir à son gouvernement que, à défaut d'une garantie formelle impossible à obtenir, une action en profondeur contre le territoire égyptien aurait l'assentiment de Kissinger, dont il connaissait intimement les pensées.

Certes, Kissinger n'était pas un expert du Moyen-Orient : avant de devenir le conseiller de Nixon en décembre 1968, il n'avait jamais mis les pieds dans un pays arabe et n'avait fait que deux séjours privés en Israël. Occupé à tracer une nouvelle politique au Vietnam, à restructurer le Conseil national de sécurité américain, à coordonner les relations d'ensemble avec l'U.R.S.S. – y compris les négociations sur les armements stratégiques – il laissait officiellement le problème israélo-arabe à la compétence du secrétaire d'État, William Rogers, et à son adjoint pour les affaires du Proche-Orient, Joseph Sisco, sans toutefois cacher sa sympathie personnelle pour l'État juif.

Or, Rogers et Sisco étaient précisément en train de présenter aux parties en conflit, ainsi qu'à l'U.R.S.S. un plan de paix essentiellement fondé sur la restitution des territoires occupés par Israël. Leurs propositions, en principe agréées par les Soviétiques, butaient encore sur le calendrier des retraits israéliens, la garantie de sécurité d'Israël, le statut des Palestiniens et de la ville de Jérusalem. Le plan avait été rendu public le 9 décembre.

Kissinger l'avait jugé inopportun. Il estimait qu'on ne pouvait traiter avec les Soviétiques qu'à partir d'une position de force. Pour imposer un accord entre Israël, client des États-Unis, et l'Egypte, cliente de l'U.R.S.S., il fallait d'abord permettre à Israël d'en finir avec la guerre d'usure. Loin de tenter le moindre effort pour soutenir le plan Rogers, Kissinger a alors fait comprendre à Rabin que les États-Unis ne s'opposeraient pas à des bombardements israéliens, même au risque de provoquer les Soviétiques. Il était en effet en possession d'un rapport de la C.I.A. sur les intentions agressives de Brejnev, tant au Moyen-Orient qu'au Vietnam.

En se fondant sur l'évaluation de son ambassadeur, décidé à s'adresser désormais directement et secrètement à la Maison-Blanche par dessus la tête du Département d'État, le gouvernement de Jérusalem approuva donc le plan Bar-Lev de bombardements d'objectifs stratégiques à l'intérieur de l'Égypte, bien au-delà des lignes du canal.

Le 7 janvier 1970, l'aviation israélienne lança son premier raid éclair contre le camp militaire d'Inchas, à 30 km au nord du Caire. Le 13, attaquait la base de Kanka, à 20 km de la capitale. Le 22, une unité de Tsahal enlevait et occupait l'île de Shadwan, dans le golfe de Suez.

Ce jour-là, Nasser, affolé, s'envole secrètement pour Moscou, demander une aide militaire encore plus importante. C'est l'occasion qu'attendait Brejnev pour se remettre en selle. Le gaspillage de ses cartes dans la tourmente de la guerre des Six Jours l'avait empêché de s'emparer du pouvoir absolu au Kremlin avec l'aide du maréchal Gretchko. Certes, Gretchko s'en était tiré en accusant son défunt prédécesseur à la Défense, le maréchal Malinovsky, d'avoir mal préparé les armées arabes; des fonctionnaires subalternes avaient payé pour leurs patrons et le statu quo avait été préservé à l'intérieur du Politburo pour maintenir le tandem Brejnev-Kossyguine à égalité de direction collégiale. Brejnev avait pu ensuite profiter de l'écrasement de la révolution tchèque, en août 1968, pour reprendre l'offensive en multipliant les points de tension mondiaux : en Asie du Sud-Est, en Corée même, et bien sûr au Proche-Orient. En Égypte, il avait encouragé Nasser à entreprendre la guerre d'usure, tout en tentant de le remplacer par un dirigeant plus docile parce que plus dévoué à la cause du socialisme, le chef de l'Union socialiste arabe, Ali Sabri. Il venait enfin de faire capoter le plan Rogers, pourtant favorable aux Arabes, en posant aux Américains toute une série de conditions impossibles à remplir.

Avec l'appui du fidèle Gretchko, Brejnev offre à Nasser une couverture aérienne complète : des batteries de fusées sol-air Sam 2 et Sam 3 avec des servants soviétiques, des Mig-21 pilotés par des Soviétiques, des conseillers militaires pour encadrer ses unités jusqu'au niveau de la compagnie. Il avait convaincu ses collègues hésitants du Politburo de la nécessité d'envoyer des soldats russes en Égypte en exploitant l'incident du radar enlevé par un commando israélien, parce qu'il n'était pas bien gardé.

Pour prix de son assistance, Brejnev demande à Nasser de réintégrer Sabri au secrétariat général de l'Union socialiste arabe et d'en faire son dauphin. Le Raïs ne peut permettre qu'une réintégration, qui sera effective en mars, quand même pas une promotion, à celui qui a cherché à prendre sa place, avant sa succession.

Le 25 janvier 1970, tandis que Nasser conclut son marché secret avec Moscou, Rabin rencontre tout aussi secrètement Kissinger à son bureau de la Maison-Blanche, à l'insu surtout du Département d'État indigné par les raids aériens d'Israël à l'intérieur de l'Égypte. Kissinger est informé du voyage du Raïs par la C.I.A., Rabin par le chef de l'Aman, Yariv, qui continue de lui adresser des rapports du Deuxième Bureau de l'armée, comme le général Zvi Zamir continue à le tenir au courant de toutes les opérations du Mossad – privilège exceptionnel dont ne jouit aucun autre ambassadeur d'Israël. C'est sans doute ce privilège qui fait de l'ancien chef d'état-major de Tsahal l'interlocuteur apprécié de Kissinger et du Pentagone. Et Rabin, de son côté, est littéralement subjugué par la hauteur de vues du conseiller de Nixon, plus sensibilisé au jeu mondial des rapports de forces.

Kissinger ne fait aucune difficulté pour accéder à la demande de livraison de bombes à retardement formulés par Rabin, à défaut des Phantom supplémentaires refusés jusqu'ici par Nixon.

Le 6 février, il fait répondre très fermement par le président à une lettre de Kossyguine demandant aux États-Unis d'user de leur influence pour arrêter l'agression israélienne contre le territoire égyptien. En fait, c'est Kissinger qui use de son influence croissante sur Nixon pour arracher au tandem Rogers-Sisco le monopole de leur mission au Proche Orient et pousser le président américain à « rétablir la crédibilité des États-Unis » en ordonnant deux mois plus tard l'invasion du Cambodge.

En mars et en avril, les Russes commencent effectivement d'assumer un rôle opérationnel direct dans la défense de l'Égypte.

Ils installent autour du Caire leurs batteries de Sam 2 et 3, qu'ils font fonctionner eux-mêmes, et leurs pilotes patrouillent dans le ciel de la capitale.

Le 18 avril, à l'heure où les Juifs se réunissent en famille pour célébrer la Pâque, c'est-à-dire la miraculeuse sortie d'Egypte de leurs ancêtres esclaves chez Pharaon, deux Mirage israéliens, en mission de reconnaissance au-dessus du territoire égyptien, découvrent à leur hauteur, au milieu d'une tempête de sable y gênant la visibilité, huit Mig qui semblent leur faire escorte. Dans leurs appareils radio, les pilotes captent les instructions ouvertement données en russe par le chef de l'escadrille. Comme si les Soviétiques tenaient à bien faire connaître leur présence aux Israéliens. Message en clair : « Attention ! Maintenant nous sommes là. »

Message transmis à leur retour par les deux pilotes israéliens. Dayan, qui prend au sérieux la menace soviétique, ordonne l'arrêt immédiat des raids aériens au-delà de la zone du canal. Il fixe publiquement une « ligne rouge », à 30 km à l'ouest du canal, que les appareils israéliens ne dépasseront plus à condition que les aviateurs soviétiques ne la franchissent pas dans l'autre sens. Cette décision met Kissinger en fureur.

– N'ayez donc pas peur de ces bâtards ! dit-il à Rabin. Pourquoi renoncer unilatéralement à vos bombardements en profondeur ? Il fallait dans ce cas me laisser négocier un accord sur la question et j'aurais extorqué aux Égyptiens quelque concession en échange. Ce Dayan ne connaît pas les Russes !...

Dayan lui donne l'impression de ne pas connaître non plus les Américains, car il les croit trop occupés au Vietnam – et en mai au Cambodge – pour s'occuper d'une intervention soviétique au Moyen-Orient. D'une certaine manière, il a bien vu que les raids en profondeur de l'aviation israélienne n'ont pas manqué d'appeler l'installation par les Russes d'un réseau de missiles antiaériens qui aura, par la suite, l'occasion de faire ses preuves. Mais surtout ce que redoutait Dayan, de tout temps, est arrivé : les Soviétiques sont directement intégrés au conflit israélo-arabe...

La tactique Kissinger prend forme. Le 29 avril, il réussit à obtenir de Nixon le contrôle direct de la politique américaine au Proche-Orient. C'est lui qui est chargé de préparer une évaluation de la situation dans la région face à l'effort de guerre soviétique. Il concentre sa réflexion sur l'équilibre des forces, la stratégie des deux superpuissances, les risques d'une guerre mondiale allumée par les étincelles de conflits locaux.

Le 26 juin, à San Clemente, Kissinger livre ses conclusions

« toutes crues » à un groupe de rédacteurs en chef invités à la résidence de Nixon. Le cadre géopolitique de la question israélo-arabe lui rappelle celui de la question balkanique au début du siècle :

— Le cauchemar, explique-t-il, c'est que personne n'a voulu la Première Guerre mondiale, sauf, à un moment donné, l'Autriche et la Serbie. Tous les dirigeants des grands pays partirent en congé en juillet 1914 : à leur retour, ils se trouvèrent engagés dans un conflit général. La poudrière, aujourd'hui, ce ne sont plus les Balkans, c'est le Moyen-Orient... Une guerre d'usure indéfinie signifie matériellement la mort pour Israël. Aussi, les Israéliens doivent-ils viser la supériorité. Or, voilà que les Soviétiques viennent d'injecter leurs propres effectifs dans la région, littéralement d'un mois sur l'autre. Leur présence, quelles que soient leurs intentions, représente la plus grave menace, à long terme, pour l'Europe occidentale et le Japon — et donc pour nous.

Cette menace, aux yeux de Kissinger, est la suivante : une subversion extrémiste en Jordanie et au Liban, encouragée par les Russes, mettrait en péril l'Arabie saoudite, à la merci d'un coup d'État, ses ressources pétrolières, celles des émirats du golfe Persique, et finalement l'Iran. La richesse et la valeur stratégique de la région échapperaient définitivement à l'Occident et feraient irrémédiablement pencher la balance en faveur de l'U.R.S.S.

— Il nous faut essayer de « chasser » cette présence militaire, conclut-il, en martelant ce verbe. Pas tellement les conseillers, mais les pilotes et les servants des batteries de missiles.

Chasser ! Le surlendemain, le mot fait la « une » du *Washington Post*. Cette diplomatie tout à fait hétérodoxe a de quoi ravir l'ambassadeur Rabin et de quoi inquiéter l'ambassadeur Dobrynine, mais elle sème surtout la panique au Département d'État, dont le secrétaire, Rogers, vient, une semaine plus tôt, de proposer à l'Egypte, à Israël et à l'U.R.S.S., un cessez-le-feu de 90 jours sur le canal de Suez formulé en deux parties : « Arrêtez de tirer, commencez à parler. » La bombe verbale de Kissinger ne risque-t-elle pas de saboter l'initiative ? C'est un peu l'idée de son auteur, qui craint qu'à la faveur d'un tel cessez-le-feu les Russes ne s'implantent définitivement en Égypte.

Sur le terrain, les duels d'artillerie et les bombardements aériens prennent l'allure d'une véritable guerre. Vers la fin du mois de juin, au cours d'une opération militaire montée et contrôlée par les Soviétiques, les Égyptiens réussissent à installer en une nuit une douzaine de batteries de Sam 3 le long du canal. Car, à Moscou, Brejnev ne veut pas plus d'un cessez-le-feu immédiat que Kissinger à Washington. Il veut obtenir un résultat militaire clair et net.

C'est compter sans Nasser qui, lui, craint la catastrophe. Le 14 juin, il a déjà déclaré à la télévision américaine qu'il était prêt à accepter l'interruption de la guerre d'usure. Le 29, il s'envole pour Moscou afin de discuter avec ses « partenaires » de la nouvelle initiative Rogers. Il trouve deux dirigeants du Kremlin favorables au cessez-le-feu : Kossyguine et Podgorny, les chefs du clan modérateur toujours en quête d'un système de sécurité collective qui permette à l'U.R.S.S., par une ouverture vers l'Ouest et la dissolution des deux pactes antagonistes, de réduire le fardeau des dépenses militaires, d'accroître la consommation populaire et de faire face au danger chinois. Mais le troisième, Brejnev, fait traîner les choses en longueur. Le séjour de Nasser se prolonge : 19 jours au lieu de 5. En partie à cause d'un traitement qu'il doit subir à la clinique de Barvikha, près de Moscou, en partie à cause du différend Brejnev-Kossyguine sur la suite à donner à la proposition Rogers.

Le 18 juillet, le Raïs rentre enfin au Caire en promettant à ses protecteurs de tout faire pour gagner du temps. Or, quatre jours plus tard, il les prend de court en informant l'ambassadeur américain qu'il accepte le cessez-le-feu. Surpris, les Soviétiques ne peuvent faire autrement que d'acquiescer à leur tour le 23 juillet. Mais Brejnev est furieux. Il ordonne au chef du K.G.B. d'enquêter pour savoir pourquoi les services de renseignement n'ont pas été en mesure de connaître la décision de Nasser, contraire à ce qu'ils étaient convenus à Moscou. Que fait donc l'œil de Moscou au palais présidentiel, Sami Sharaf, patron des services secrets égyptiens ? Et les médecins russes qui surveillent le traitement médical de Nasser ? Et le groupe prosoviétique d'Ali Sabri, de nouveau aux postes de commande proches du pouvoir ?

C'est alors que l'aviation soviétique entre en action dans la zone du canal et que Kissinger dit aux Israéliens :

– Rentrez-leur dedans ! S'ils avancent sur le terrain, nous ne resterons pas sur la touche.

Le jour de leur victoire aérienne, les Israéliens acceptent à leur tour le cessez-le-feu, qui ne sera effectif que le 7 août, à cause d'un éclat de mauvaise humeur entre Sisco et Kissinger sur les conditions de son application. L'une des clauses de l'accord prévoit l'interdiction de tout mouvement de troupes, de tout renfort militaire dans une zone de 50 km de part et d'autre du canal.

Dès le 8, Égyptiens et Soviétiques commencent à construire de nouveaux emplacements de fusées à proximité du canal et en rapprochent sensiblement les batteries déjà existantes. Rabin en apporte les preuves photographiques à Kissinger. Mais il faudra près de quatre semaines à Rogers et à Sisco pour reconnaître ces violations. Sceptique sur les chances de faire reculer davantage les Soviétiques, Kissinger se contente cette fois de dire à Rabin :

— Si vous pensez que ces violations sont trop dangereuses pour vous, vous n'avez qu'à bombarder ces silos et ces bases de missiles !

Il en résulte une brouille passagère entre Israël et les États-Unis, que Golda Meir tentera de dissiper en allant demander à Nixon des Phantom supplémentaires. Elle sera d'ailleurs de très courte durée, cette querelle de ménage. Dès le mois suivant, les Russes lancent un nouveau défi à l'Occident en attisant le feu qui soudain embrase un autre pays du « champ de bataille » moyen-oriental : le royaume de Jordanie.

La douteuse épreuve de force qui y débute le 1er septembre va rapidement devenir le reflet, par Palestiniens, Syriens et Jordaniens interposés, du match planétaire que se livrent Brejnev et Kissinger. Une guerre civile larvée couvait depuis que, au mois de juin, le souverain hachémite et son armée étaient entrés en conflit de compétence avec les organisations de fedayin qui contrôlaient une partie du pays, où elles ont créé des institutions indépendantes de celles de l'État. De nouveaux troubles ont éclaté peu de temps après l'agrément donné par Hussein le 23 juillet au plan Rogers.

Au cours d'une rencontre secrète au bord de la mer Rouge, le monarque avait dit au vice-Premier ministre d'Israël, Ygal Allon, qu'il ne pouvait entreprendre la moindre démarche en vue d'un accord de paix entre les deux pays tant qu'il n'aurait pas mis un terme au pouvoir parallèle exercé par les organisations palestiniennes sur son territoire, peuplé en majeure partie de réfugiés des guerres de 1948 et de 1967.

Il était d'ailleurs poussé vivement à cette confrontation par sa légion et ses bédouins. La plupart des officiers supérieurs de l'armée jordanienne supportaient de plus en plus mal l'arrogance des Palestiniens qui faisaient leur propre police militaire et contrôlaient la circulation à l'entrée des villes. Ils craignaient d'autre part que leurs activités terroristes au-delà du Jourdain ne les entraînent vers une nouvelle confrontation avec Israël. Les commandos des différentes tendances de l'O.L.P. semblaient décidées, El Fatah en tête, à renverser le régime pro-occidental d'Hussein afin de pouvoir utiliser la Jordanie comme base de raids contre Israël, en plus des bases établies au Sud-Liban et au Golan syrien. Mossad et Aman suivaient avec inquiétude l'évolution de la situation.

L'état-major de Tsahal avait présenté à Golda Meir une évaluation sur la possibilité d'un affrontement sanglant entre l'armée jordanienne et les fedayin. Un Conseil des ministres au moins avait même été consacré, un dimanche, à Jérusalem, aux options offertes à Israël par l'éventualité d'une victoire palestinienne à Amman. Ygal Allon s'y était prononcé en faveur d'une intervention militaire pour sauver le petit roi. Dayan, lui, se montrait indifférent au sort de celui qu'il n'avait jamais considéré comme un interlocuteur idéal, mais il n'était pas pour autant partisan de la politique du pire : Arafat à la place d'Hussein. Au contraire, le commandant de la région sud, le général Arik Sharon, trouvait un avantage à l'établissement d'un gouvernement palestinien au-delà du Jourdain, car le problème israélo-palestinien serait ramené du coup au niveau d'un conflit entre deux États. Or, au milieu de l'été de 1970, l'analyse intéressante de Sharon n'avait aucune chance de l'emporter : après l'installation de Sam 2 et 3 sur le canal, une victoire d'Arafat à Amman amènerait des Sam sur le Jourdain, menaçant Israël d'étouffement stratégique.

Au mois d'août, les rapports du service des renseignements de Tsahal indiquaient clairement l'imminence d'un choc entre les Palestiniens et l'armée de Hussein. Mais, accaparés par la crise des missiles introduits dans la zone du canal en violation de l'accord de cessez-le-feu, les dirigeants israéliens avaient détourné leur regard de la frontière de l'est. Hussein, cependant, exposait à l'ambassadeur des Etats-Unis et au représentant de la C.I.A., qui avait déjà financé ses « opérations spéciales », sa volonté de se débarrasser des Palestiniens. Il avait d'ailleurs précisé à Nasser qu'il s'agissait non pas d'écraser la résistance palestinienne, mais d'éliminer la mauvaise herbe, les éléments subversifs : la répression lui permettait de dissocier les musulmans modérés du Fatah des chrétiens révolutionnaires du F.P.L.P. de Georges Habache et du F.D.P.L.P. gauchiste de Nayef Hawatmeh.

Informé des intentions de Hussein, Kissinger leur avait donné sa bénédiction par le truchement du chef de la C.I.A., Dick Helms, Restait à choisir la date de l'opération. Par le vaste réseau des informateurs du Rassad, le service de renseignement du Fatah les chefs palestiniens savaient, eux aussi, à quoi s'en tenir et se préparaient à la prochaine explosion.

A Beyrouth, quelques semaines après le tir de Katyoucha

auquel il a miraculeusement échappé, dans la fièvreuse atmosphère de sa résidence du quartier huppé de Hamra, le Dr Waddia Haddad tramait une fois de plus l'assassinat d'Hussein, son ennemi juré, avec en prime la perspective d'une prise de pouvoir conforme à la doctrine du F.P.L.P. à laquelle Arafat semblait enfin se ranger : la route de Tel Aviv passe par Amman. Le plan de l'opération conçu en août par Haddad prévoyait deux actions combinées : une équipe serait chargée de tendre une embuscade à Hussein pour le tuer en pleine rue, pendant que cinq autres équipes de terroristes détourneraient simultanément sur Amman cinq appareils commerciaux de différents aéroports d'Europe, l'assassinat du roi et l'arrivée dans la capitale de centaines de passagers de toutes nationalités, pris en otages à bord de ces avions, donnant le signal d'un soulèvement populaire pour porter le F.P.L.P. au pouvoir.

Se méfiant d'Arafat, Haddad ne voulait pas le mettre dans le coup de son complot, dont il préférait confier l'exécution, d'une part aux hommes d'Hawatmeh, dont l'organisation prédominait dans certains quartiers de la capitale jordanienne, d'autre part à ses commandos du F.P.L.P. pour le détournement d'avions étrangers. Les service secrets jordaniens ont toutefois eu vent de la première partie de ce plan.

Le 1er septembre, afin de prévenir un attentat contre le roi qui doit, ce jour-là, aller chercher sa fille, la princesse Alya, à l'aéroport, l'armée déclenche un tir de nettoyage contre les concentrations palestiniennes à la périphérie d'Amman. Les combats font rage quatre jours durant dans les faubourgs les plus populeux. Mais Hussein hésite à aller plus loin, car il n'est pas tout à fait sûr de son chef d'état-major, le général Mashur Hadita, qui entretient de bons rapports personnels avec Arafat. Il ordonne le cessez-le-feu.

A peine le calme est-il revenu que, le 6 septembre, les commandos du F.P.L.P. à l'étranger passent à l'action correspondant à l'autre phase du plan de Waddia Haddad. Sous l'égide de sa femme de confiance, la belle Leila Khaled, quatre groupes de terroristes s'emparent en vol de quatre avions à destination de New York : un Jumbo Jet de la Panam, parti d'Amsterdam avec 171 passagers, un Boeing 707 de la TWA au décollage de Francfort, avec 151 passagers, un DC 8 de la Swiss Air au départ de Zurich avec 155 passagers et un 707 d'El Al ayant embarqué 145 voyageurs à Londres. Seul ce dernier ne sera pas détourné : la tentative à laquelle prend part Leila Khaled en personne échoue, un agent de la Sécurité israélienne réussissant à maîtriser la jeune femme blessée au bras, après avoir abattu son compagnon. Livrée presque aussitôt aux autorités britanniques, l'égérie du terrorisme palestinien ne restera pas longtemps sous les verrous.

Le Jumbo de la Pan Am ne parvient à se poser qu'au Caire où les terroristes le feront sauter après en avoir libéré les otages. Les deux autres appareils sont autorisés par les autorités jordaniennes à atterrir sur un ancien terrain d'aviation britannique désaffecté, Dawson Airfield, en plein désert de Zarka, à 25 kilomètres d'Amman. Ils sont rejoints trois jours plus tard par un Viscount de la BOAC détourné à son tour entre Bombay et Londres. Au total, 477 otages, pour la plupart des touristes américains, hommes, femmes et enfants, de retour de vacances en Europe. Les unités militaires jordaniennes acheminées autour de la vieille piste où les otages cuisent au soleil sous la menace de leurs geôliers restent impuissantes devant ce défi direct à la souveraineté hachémite. Le roi Hussein n'a pu empêcher son royaume de servir de base aux pirates de l'air. Les télévisions du monde entier transmettent les images dramatiques de cette terrible partie de poker engagée par le F.P.L.P. Pour commencer, ses porte-parole exigent la libération de tous les terroristes palestiniens détenus en Allemagne, en Suisse et en Israël. Jérusalem refuse catégoriquement de céder au chantage.

Sur l'intervention de l'O.N.U., les otages quittent, le 12 septembre, leurs inconfortables prisons chauffantes pour des camps palestiniens de la région. Les trois avions explosent sitôt après leur départ. Puis les terroristes libèrent successivement la plupart des otages, pour n'en garder que 56 d'origine juive.

Entre-temps, les fedayin passent à l'offensive contre les forces royales de leurs zones d'implantation. Les 13 et 14 septembre, ils se sont emparés de la ville d'Irbid et contrôlent la presque totalité du nord de la Jordanie. Le F.D.P.L.P. d'Hawatmeh proclame l'indépendance de la région, premier pas vers la libération totale du pays.

A Amman et à Zarka, des officiers supérieurs de l'armée jordanienne confèrent clandestinement pour pousser le roi à prendre une décision. Parmi eux, des officiers des tribus tcherkesses, dont l'un a un frère dans l'armée israélienne. Le 15 septembre, à minuit, après la signature d'un nouvel accord de cessez-le-feu entre Arafat et leur chef d'état-major, le général Hadita, ils se rendent au palais royal et présentent un ultimatum à Hussein. Le petit roi accepte de déclarer l'état d'urgence et de former un gouvernement militaire, à la tête duquel il place l'officier d'origine palestienne le plus gradé de l'armée jordanienne, le général Mohammed Daoud. Les vrais pouvoirs sont concentrés entre les mains du maréchal Habbas el-Majali, ancien ministre de la Défense, nommé gouverneur militaire du royaume. Daoud n'est qu'une façade qui permet à Hussein de diviser les Palestiniens en « bons » — avec lui — et « mauvais » — avec les fedayin. Natif de Silwan, près de Jérusalem, il a une autre qualité : il a représenté pendant plus de vingt ans la Jordanie à la commission mixte d'armistice avec Israël et entretient comme tel des rapports cordiaux avec les autorités militaires juives, de Dayan aux officiers de l'état-major. C'est notamment lui qui a établi, en 1955, un « téléphone rouge » entre les délégations israélienne et jordanienne à cette commission, permettant une consultation immédiate en cas d'incidents graves.

Il est plus de minuit à Londres quand le chef du MI 6 appelle la résidence du Premier ministre, Edward Heath, à Downing Street, pour lui annoncer la décision nocturne d'Hussein. Heath cherche aussitôt à joindre par téléphone Kissinger qui se trouve à Airlie House, en Virginie, où il assiste en tenue de soirée, aux côtés de Dick Helms, le patron de la CIA, de l'amiral Moorer, le chef de l'état-major interarmes, et de Joseph Sisco, à un dîner en l'honneur du secrétaire d'État à la Défense, Melvin Laird, récemment décoré. Il est 20 h 30 pour lui quand, de la Maison-Blanche, son adjoint, le général Haig, lui transmet l'appel de M. Heath. Kissinger commande un hélicoptère pour regagner Washington en smoking avec ses trois convives et tenir dans son bureau une réunion d'urgence du W.S.A.G. (Washington Special Action Group), un comité *ad hoc* créé en avril 1969 pour affronter les crises internationales. Des renseignements imprécis fournis par la C.I.A. sur la guerre civile qui vient d'éclater en Jordanie signalent l'arrivée de chars syriens encadrés de conseillers soviétiques à la frontière syro-jordanienne. Kissinger demande au comité d'étudier deux éventualités en cas de malheur pour Hussein : une intervention américaine ou une intervention israélienne, selon les possibilités.

En attendant, il donne l'ordre de renforcer la VIe Flotte. Le porte-hélicoptères *Guam* ira la rejoindre en Méditerranée. Les deux porte-avions *Saragota* et *Independance* s'approchent jusqu'à 160 km des côtes du Liban. Des Hercules C 130 partiront pour la Grèce et la Turquie où l'état d'alerte est décrété dans toutes les bases américaines. Mais l'amiral Moorer attire l'attention de Kissinger sur les limites des forces américaines disponibles : avec un budget de 75 milliards de dollars, les marines de la VIe Flotte manquent d'hélicoptères capables de les transporter en Jordanie. Il faudra une semaine au *Guam* pour arriver à pied d'œuvre. La

VIIe armée américaine d'Allemagne, entièrement motorisée, est intransportable par la voie des airs. Les C 130, avec leur rayon d'action de 4000 km auront besoin d'une escale technique. Impossible d'utiliser les bases britanniques de Chypre. Quant aux bases italiennes et turques, elles ne sont utilisables que dans le cadre de l'O.T.A.N. ou pour une action humanitaire. Bref, un cauchemar tactique auquel n'avait jamais songé Kissinger qui, le soir même, téléphone à son ami Rabin, histoire d'échanger quelques idées, sans rien suggérer d'autre pour l'instant. L'ambassadeur israélien lui fait part de la crainte de son gouvernement de voir les 20 000 soldats irakiens stationnés en permanence en Jordanie intervenir en faveur des fedayin.

Le 16 septembre, le maréchal Majali déclenche une offensive contre les positions palestiniennes à Amman et à Ramtha, leur poste de ravitaillement, à proximité de la frontière syrienne. En Israël, Jérusalem décide une mobilisation partielle et concentre des blindés dans la vallée du Jourdain pour occuper les hauteurs de Gilead, sur la rive orientale, en cas d'intervention irakienne. A Chicago, Kissinger s'interroge publiquement sur les intentions soviétiques et sur la violation « flagrante » du cessez-le-feu par les Egyptiens pratiquement depuis le premier jour. C'est une façon de choyer Golda Meir à la veille de sa visite à Nixon.

Le 17, tandis que l'armée d'Hussein poursuit son avantage sur le terrain, Nixon décide d'accorder l'aide de 500 millions de dollars demandée par Israël et de lui envoyer dix-huit Phantom d'avance.

Le 18, tandis que le président s'emploie à amadouer Golda, Kissinger reçoit une note soviétique de mise en garde contre toute intervention étrangère dans le conflit jordano-palestinien. Mais le soir même, à l'heure où la crise semble sur le point de se dénouer en faveur d'Hussein, il reçoit deux coups de fil alarmants : le premier de Rabin, le second du jeune ambassadeur de Jordanie, lui annonçant tous les deux l'entrée en Jordanie d'une centaine de chars syriens T 55, de fabrication soviétique.

– Ah ! les bâtards, s'exclame-t-il, ils vont me payer ça !

Il convoque sur-le-champ une nouvelle session du W.S.A.G. Jamais la Maison-Blanche n'a été plus animée qu'en ce samedi matin 19 septembre 1970, où Kissinger s'apprête à présider une réunion ininterrompue du comité dans la Sit Room, une pièce insonorisée du sous-sol avec une table rectangulaire de quatorze places, d'épais tapis, des boiseries, des cartes murales, un éclairage indirect, etc. En contact direct avec le Pentagone et l'Agence pour la sécurité, il va se livrer au premier Kriegspiel de sa carrière. Avec l'accord de Nixon, il met les forces américaines en état d'alerte, notamment la 82e division aéroportée de Fort Bragg en Californie, et ordonne à la 81e division aéorportée d'Allemange de faire mouvement sur les autoroutes allemandes de façon très perceptible pour les Soviétiques. Un troisième porte-avions, le *J. F. Kennedy,* fait route à son tour vers la Méditerranée.

« Ce fut son vrai baptême du feu dans une situation de direction d'une crise majeure », dira plus tard un de ses collaborateurs en racontant comment Kissinger se penchait sur les cartes, déplaçant des modèles réduits de bateaux d'un bout à l'autre de la Méditerranée, discutant avec les amiraux, téléphonant aux chefs d'état-major interarmes pour modifier la disposition de la VIe Flotte.

« L'ancien sergent de la Seconde Guerre mondiale, écriront ses biographes, les frères Kalb, était devenu d'un seul coup général et amiral, et, pendant cette crise, une sorte de commandant en chef adjoint. » Le chef de la diplomatie américaine, Rogers, n'apprécie guère ce remue-ménage.

A Moscou, pendant ce temps, les avis sont une fois de plus partagés entre le clan Kossyguine et le clan Brejnev. Les deux dirigeants n'ont été d'accord que pour reporter d'un an le XXIVe Congrès du P.C.U.S. Devant la multiplication des points de friction avec les États-Unis, Kossyguine rechigne à laisser ouvrir une nouvelle crise au Proche-Orient. Brejnev, lui, cherche à prendre sa revanche de sa récente déconvenue égyptienne et pense que l'engagement militaire des États-Unis au Cambodge réduit leur possibilité de réaction en Jordanie. Il peut compter sur l'inconditionnalité du Premier ministre syrien, le général Salah Jedid, qui lui doit d'être resté au pouvoir alors qu'en avril 1969 le Comité central du Baath penchait en faveur de son rival, le ministre de la Défense Hafez Assad. L'aide soviétique au mouvement palestinien passe d'ailleurs par Damas, devenu le centre de rayonnement de l'O.L.P. et l'organisation la plus disciplinée, El Saïka, est intégrée à l'armée syrienne.

Pour ne pas dégager le Golan et ne pas se priver du concours de sa fidèle division blindée de 300 chars contre l'éventualité d'un coup d'État, le président Jedid a d'abord fait montre de prudence : les premiers chars syriens qui ont pénétré en Jordanie le 18 au matin étaient peints aux couleurs de l'Armée de libération de la Palestine. Mais dans la soirée une centaine de chars y sont entrés sans ce camouflage. Assad, qui commande l'aviation, refuse de leur fournir une couverture aérienne, peu soucieux de provoquer une riposte aérienne d'Israël, seul facteur permettant aux Américains de déjouer le coup de poker Brejnev-Jedid.

Le 19 septembre, l'armée d'Hussein parvient à contenir l'arrivée de nouveaux renforts syriens. Mais, le 20, une nouvelle centaine de blindés syriens fonce sur Irbid, portant les effectifs déjà dans le nord de la Jordanie au niveau d'une division.

En face, Hussein ne peut lui opposer que les Patton de sa 40e brigade bédouine et une trentaine d'avions britanniques. L'autre brigade blindée dont il dispose défend Amman. Ses chars battent en retraite sur la route qui mène d'Irbid, la deuxième ville du royaume, déjà tombée aux mains des Palestiniens, à la capitale. Son aviation est impuissante à réduire la progression syrienne. Sa situation paraît désormais militairement bien compromise.

Il est 5 heures du matin, le 20 septembre, à Washington, quand la voix hystérique du petit roi retentit dans la Sit Room, relayée de la chancellerie américaine d'Amman :

– Je suis encore O.K. là-haut, mais j'ai beaucoup d'ennuis en bas.

Façon de dire que, si son aviation tient, ses forces terrestres craquent. Et de lancer un S.O.S. désespéré.

Quand Sisco rappelle son palais, situé en dehors d'Amman, c'est Hussein lui-même qui décroche le téléphone pour répondre. Il est seul, son personnel lui a faussé compagnie, et son palais complètement isolé, subit les tirs des mortiers palestiniens.

– Ça doit vraiment aller mal pour lui, dit Sisco en rejoignant Kissinger dans la Sit Room, où Nixon descend de temps en temps superviser l'action de son conseiller.

Le gouvernement israélien, réuni à Jérusalem sous la présidence d'Ygal Allon, autorise le général Bar-Lev à renforcer le dispositif du Golan et à envoyer des vols de reconnaissance au-dessus de la Jordanie. Un rapport de bonne source fait état de la discorde qui a éclaté entre les dirigeants syriens Jedid et Assad.

Vers 18 heures, heure de Washington, nouvel appel direct d'Hussein à Kissinger toujours enfermé dans la Sit Room de la Maison-Blanche. Il supplie les Etats-Unis d'intervenir sans délai ou de laisser intervenir Israël pour le sauver, lui et son trône. Nixon autorise Kissinger à faire appel aux Israéliens.

Alors se produit un événement sans précédent dans la crise internationale la plus grave à laquelle un président des États-Unis ait eu à faire face depuis l'affaire des fusées soviétiques à Cuba en 1962. Kissinger fait appeler Rabin qui se trouve à New York accompagné du général Yariv, avec Golda Meir, vedette d'une soirée de gala au profit des Bons d'Israël, dans la grande salle de bal de l'hôtel Hilton. Il est 22 heures passées et Golda parle depuis une heure devant une assistance de 3 000 personnes. Elle avait averti que son discours serait long si ses pieds enflés ne la faisaient pas souffrir, court si elle avait trop mal. Un collaborateur tend un billet à Rabin : « Rappelez d'urgence la Maison-Blanche. » Dans une cabine du lobby de l'hôtel, l'ambassadeur obtient Kissinger au bout du fil. D'une voix tendue, le conseiller de Nixon lui transmet le message d'Hussein : Israël est-il prêt à fournir à la Jordanie un appui aérien pour contrer l'invasion syrienne ?

Rabin promet une réponse dans les trois quarts d'heure à condition d'obtenir une garantie américaine en cas d'escalade. Dans une petite antichambre, où parviennent les échos de la grande salle de bal, Golda confère maintenant avec ses assistants : Rabin, qui l'a fait sortir discrètement, le ministre des Affaires étrangères, Abba Eban, Yariv, Simha Dinitz et Shlomo Argov. Etrange scène, où l'on voit un Premier ministre en longue robe de soirée, un ministre et un ambassadeur en smoking et un général en tenue de parade discuter autour d'une petite table, du sort de la guerre et de la paix qui se joue à 10 000 kilomètres de cette ambiance de carnaval !... Golda appelle Allon, plus favorable que jamais à l'intervention. Il est 6 heures du matin à Tel Aviv quand elle réveille Dayan. Le ministre de la Défense se montre plus réservé :

– La Syrie est le protégé favori de Moscou. Si nous intervenons contre elle, nous risquons d'avoir les Russes dans notre dos, sur le canal.

Au moment de se séparer, elle pour l'aéroport Kennedy, où l'attend le courrier d'El Al à destination d'Israël, lui pour celui de La Guardia où Kissinger lui a envoyé un Jetstar, Golda donne à Rabin une double réponse à faire à la Maison-Blanche : l'aviation israélienne interviendra si les Syriens dépassent Irbid ou font donner leur aviation; les États-Unis devront intervenir par les armes en cas de réaction militaire soviétique.

Quand elle rouvrira les yeux, en cours de vol, après un profond sommeil, Golda étonnera son entourage en demandant si les Syriens sont toujours à Irbid.

Arrivé à sa résidence à 3 heures du matin, le 21 septembre, Rabin tient une conférence téléphonique en circuit fermé avec Kissinger qui ne quitte pas la Sit Room et ses maquettes, et Sisco, enfermé au centre d'opérations du Département d'État. Plus tard dans la matinée, Nixon charge son conseiller de négocier avec Rabin un arrangement sans précédent pour une action militaire commune. Dans le sous-sol de la Maison Blanche, les deux hommes, sur les épaules de qui reposent désormais toutes les responsabilités, se mettent au travail, tandis que, dans une petite pièce voisine, l'ambassadeur de Jordanie absorbe café sur café. Ils passent en revue la gamme complète des plans militaires israéliens.

Pendant ce temps, des chars israéliens montent au Golan par des routes secondaires, soulevant des nuages de sable bien en vue du quartier général syrien. Des avions israéliens survolent ostensiblement les positions syriennes et une brigade blindée file droit dans l'axe d'Irbid. A 10 heures du matin, un appareil de reconnaissance américain en provenance du porte-avions *Saratoga* se pose à Tel Aviv. Il transporte un groupe d'officiers de renseignement. Le vol a été intercepté par le radar d'un bateau-espion soviétique croisant à proximité de la VIe flotte. C'est une idée de Kissinger pour montrer aux Russes que l'affaire devient sérieuse. Une coordination entre les forces israéliennes et jordaniennes est envisagée, peut-être même sur les ponts du Jourdain.

Le Kremlin commence à donner des signes d'inquiétude qui se manifestent par une démarche du chargé d'affaires soviétique à Washington pour s'élever contre toute intervention étrangère en Jordanie. Le Politburo dépêche un émissaire à Damas pour demander aux Syriens d'arrêter leur progression sur le terrain. Mais de nouveaux renforts de chars s'apprêtent à franchir la frontière. Dans la soirée, Hussein lance un nouveau S.O.S. Rabin donne l'accord d'Israël à Kissinger contre l'assurance d'un « parapluie américain ». Nixon lui fait transmettre sa garantie. Golda accepte qu'en soit différée la confirmation écrite. L'état-major de Tsahal fixe l'heure H de l'intervention israélienne au 23 septembre à l'aube.

Encouragé par l'annonce de l'accord américano-israélien, que Kissinger porte à sa connaissance le 21 à minuit, heure d'Amman, Hussein ordonne au maréchal el-Majali de jeter toutes ses réserves dans la bataille pour passer à la contre-offensive. Le 22 à l'aube, le maréchal lance la moitié de la brigade blindée qui protège Amman vers la vallée du Jourdain pour la faire remonter sur Irbid, donnant ainsi l'impression qu'il s'agit d'une colonne blindée israélienne venue du Jourdain. Toute l'aviation jordanienne plonge sur les positions syro-palestiniennes, détruisant plus d'une centaine de chars. Vers 18 heures, les forces syriennes reçoivent l'ordre de décrocher et de repasser la frontière.

Informé par Rabin du brusque retournement de la situation militaire, Kissinger se rend à un cocktail où il est sûr de rencontrer le diplomate soviétique qu'il boude sciemment depuis quarante-huit heures :

– Vos clients ont commencé le cirque, c'est à eux d'y mettre fin, lui dit-il, assuré que les Soviétiques ne bougeront plus, car la crise est virtuellement terminée.

Le 23, les Syriens achèvent d'évacuer le territoire jordanien. Après un échange radio de mots de passe en code, la commission de conciliation de la Ligue arabe rencontre Arafat réfugié à l'ambassade d'Egypte. Les précautions du chef de l'O.L.P. ne sont pas inutiles. Ses hommes sont à bout de souffle et lui-même est traqué par toutes sortes d'agents secrets, dont certains ont enlevé la femme et la fille de Daoud, en mission au Caire, pour le contraindre à démissionner de la présidence du gouvernement jordanien. Les Palestiniens, abandonnés à leur sort, sont pilonnés par des canons de 155 et des obus au phosphore, les camps de réfugiés broyés par les Patton des bédouins. Sept mille morts. Fuyant la terrible vengeance de l'armée royale, des dizaines de fedayin traversent le Jourdain pour chercher asile en Israël, préférant la prison à la certitude de la mort. Quand ils en sortiront, ils seront autorisés à rester en Cisjordanie occupée. L'un de ces rescapés se trouvera sept ans plus tard sur la grande place de la mosquée d'Omar, à Jérusalem, pour acclamer Sadate...

Le 29 septembre, au lendemain de l'accord de cessez-le-feu Hussein-Arafat, signé le 27 au Caire, et de la mort subite de Nasser, terrassé le 28 par le mal qui le minait depuis son dernier séjour à Moscou en juillet, les six derniers otages de Zarka sont libérés, abandonnés par leurs geôliers. Il n'y aura pas la guerre. Mais les massacres de septembre des Palestiniens constituent surtout un septembre noir pour la politique de Brejnev, battue en brèche sur tous les fronts.

Les Américains sont encore au Cambodge, où leur débarquement en force a surpris les Soviétiques au mois de mai. Les livraisons d'armes au Vietnam par la longue route du Cap posent des problèmes aux dirigeants du Kremlin. Mais, surtout, un changement considérable s'est produit à Pékin, le 6 septembre – le jour du détournement d'avions sur Zarka en Jordanie : au cours d'une séance secrète du Comité central du Parti communiste chinois, le clan modéré de Chou En-lai, favorable à une ouverture vers l'Ouest, l'a emporté sur la ligne dure du clan extrémiste de Lin Piao. Et, quelques mois plus tard, Mao Tsé-toung manifestera sa volonté de nouer des relations avec les États-Unis de Nixon en faisant inviter secrètement Kissinger en Chine.

Le 15 septembre, les clichés d'une série de vols de reconnaissance, effectués routinièrement par un avion-espion U 2 au-dessus de Cuba, révèlent à la C.I.A. l'installation en cours d'une base pour sous-marins nucléaires à Cienfuegos, en violation de l'accord Kennedy-Khrouchtchev de 1962. Le 16 septembre, à Chicago, Kissinger lance aux Soviétiques un discret avertissement public à ce sujet. Le 25, il les prévient solennellement que Nixon considérerait la construction d'une telle base offensive à Cuba comme un acte d'hostilité. La tension américano-soviétique redoublera jusqu'au 22 octobre, jour où la C.I.A. aura la preuve photographique de l'interruption des travaux au port de Cienfuegos. Une crise de première grandeur entre les deux superpuissances aura été étouffée dans l'œuf par la diplomatie préventive de Kissinger.

Entre-temps, la pression exercée par le chantage à la coopération militaire israélo-américaine a stoppé l'avance des chars syriens en Jordanie et permis à Hussein d'écraser et de chasser de son territoire le foyer de subversion palestinien.

Au moment où la tactique de Brejnev semblait sur le point de triompher et où l'amiral Moorer qualifiait de « très critique » la situation pour les États-Unis devant le Conseil national de sécurité au début de ce mois de septembre 1970, tout un ensemble d'événements venait de modifier radicalement les rapports de forces entre Moscou et Washington, obligeant les Soviétiques à faire marche arrière et à perdre notamment l'initiative au Proche-Orient.

L'échec de Brejnev en Jordanie a joué un rôle déterminant dans la succession de Nasser en Egypte, qui va consacrer le recul de l'influence soviétique dans la région. Une victoire syro-palestinienne à Amman aurait renforcé les chances du leader marxiste Ali Sabri au Caire.

Quand il vient assister, le 29 septembre, aux funérailles de Nasser, Kossyguine exprime au nouveau Raïs, Anouar el-Sadate, le souhait de l'U.R.S.S. de voir le vice-président de la république Ali Sabri devenir Premier ministre. Aussi, quelle n'est pas la surprise de Moscou, en novembre, à l'annonce de la nomination à ce poste de Mahmoud Faouzi ?

Ali Sabri, qui a déjà refait surface à deux reprises sous Nasser, grâce à l'appui des Russes, décide alors de s'allier avec le ministre de l'Intérieur, Sharawi Gomea, et le ministre d'Etat chargé des liaisons entre la présidence de la République et le gouvernement, Sami Sharaf, pour tenter de reprendre sa place au sommet de la pyramide du pouvoir. L'importance de Sharaf – dont il ignore qu'il est l'œil de Moscou au Caire – s'est encore accrue depuis la mort de Nasser dont il contrôlait les services secrets. A ce contrôle, il joint maintenant celui des nominations importantes dans l'administration. Jouant le rôle de superministre, le petit fonctionnaire ambitieux, repéré en 1955 par le K.G.B. dans l'une des premières délégations militaires égyptiennes reçues à Moscou et recruté en 1958 à New York par Vladimir Suslev qui l'a fait immatriculer à sa centrale sous le nom de code d'Assad (le Lion), est en passe de devenir « l'homme le plus puissant d'Égypte », selon les termes du correspondant du *Figaro* au Caire.

Avec ses épaules voûtées, son estomac proéminent, ses yeux sombres et globuleux, sa moustache tombante, cet homme d'un mètre soixante-quinze a quelque chose d'une poire blette. Percevant des émoluments réguliers du K.G.B. versés en Suisse sur un compte numéroté, ce maître espion, à qui ses fonctions officielles permettaient de rencontrer ouvertement l'officier général du K.G.B. au Caire, Vadim Kirpichenko, avait eu l'habileté de se séparer de Sabri en 1959 et de jouer le rôle d'un supernationaliste arabe, selon le plan minutieusement préparé par ses manipulateurs. Ce qui lui avait donné plus de poids pour diriger la campagne antioccidentale auprès de Nasser et de façonner sa politique...

En novembre 1970, Sharaf fait nommer par Sadate un homme à lui, Ahmed Kamel, à la tête de la Centrale égyptienne de renseignements, la Mukhabarat, s'assure le contrôle quasi absolu de l'information intérieure et manipule le service spécial de l'Union socialiste arabe. Il dispose d'un groupe de « plombiers » pour mettre sur écoute, à leur bureau, comme à leur résidence, tous les dignitaires du régime. Il en a même fait installer dans la chambre de Sadate, pour constituer un volumineux dossier sur la vie privée, les habitudes et les relations conjugales du nouveau président !

La plupart des anecdotes qui, à partir de cette période, vont circuler sur le compte de Sadate et chercher à le ridiculiser sortent tout droit de ce dossier. Ainsi celle du Raïs à la moustache grotesque en train de répéter pendant un quart d'heure devant son miroir les mots anglais sur lesquels il trébuche.

Sharaf apprend également par les enregistrements de ses « plombiers » les recommandations, les critiques, les interventions que formule la femme de Sadate, Jihan, à l'heure sacrée du petit déjeuner. Et prend soin de garder les doubles des bandes originales qu'il fait parvenir régulièrement au K.G.B.....

Au mois de décembre 1970, Ali Sabri se rend à Moscou à la tête d'une délégation de l'Union socialiste arabe pour rencontrer les dirigeants du Kremlin. Il leur faire part, en privé, de la fragilité de Sadate et de ses intentions d'aider à sa chute. Kossyguine et Podgorny objectent, une fois de plus, que le moment leur paraît mal choisi pour mêler l'U.R.S.S. à une nouvelle crise au Moyen-Orient. Mais Brejnev, qui ne pense qu'à relever un prestige gravement atteint par la succession d'échecs infligés à sa politique, lui promet son soutien.

Il a absolument besoin d'un succès qui puisse consolider sa première place au Politburo. En mars, il a été encore obligé de composer avec ses deux collègues du triumvirat pour reporter d'un an le congrès du parti qui doit trancher le débat amorcé en 1968, avant le coup de Prague, entre les conservateurs dont il s'est fait le porte-parole et les réformateurs représentés par Kossyguine. Mais, en mai, il a imposé inopinément sa présence aux réunions du cabinet gouvernemental, ce qu'aucun secrétaire général du Parti n'avait osé faire avant lui sans être en même temps Premier ministre. Il est également revenu au culte de la personnalité en faisant placer son portrait agrandi au centre de la galerie de portraits des onze membres du Politburo et non plus dans l'ordre alphabétique. Il exige de devenir officiellement le n° 1 pour entériner la politique d'ouverture vers l'Allemagne de l'Ouest pratiquée avec succès par Kossyguine. Né un 19 décembre, il fait célébrer son anniversaire le 31 décembre 1970 pour qu'il coïncide avec le jour de fête traditionnel de l'URSS et en profite pour adresser un discours télévisé à « son peuple ».

Or, deux événements vont contribuer à lui faire reprendre d'un coup à son compte la ligne modérée et réformatrice de ses rivaux : la chute de Gomulka en Pologne et la perche tendue discrètement par Kissinger, passé maître dans l'art de manier alternativement la carotte et le bâton. Même maté dans le sang, le soulèvement ouvrier qui a éclaté en décembre au port de Gdansk a fait tomber le vieux dirigeant polonais et contraint son successeur, Edward Gierek, à satisfaire les revendications économiques des révoltés, dont l'action risquait de contaminer les autres démocraties populaires de l'Europe de l'Est. Et il fait prendre conscience à Brejnev de la nécessité de débloquer le système économique, d'assouplir le régime, s'il ne veut pas risquer de connaître un jour le sort de Gomulka. En se fondant sur un rapport de la C.I.A. relatif à cette vulnérabilité, Kissinger convainc Nixon de tendre une main secourable à Brejnev : lui proposer une aide économique massive en échange d'une détente extérieure. Le 9 janvier 1971, le président américain adresse un message secret en ce sens au secrétaire général du P.C. soviétique. Il lui indique que le test de ce marché serait la négociation d'un accord sur la limitation des armements stratégiques (S.A.L.T.) qui handicapent l'essor de leur coexistence pacifique. La réaction de Brejnev est immédiate. Il autorise l'ambassadeur Dobrynine à entamer avec Kissinger une procédure qui aboutira, quatre mois plus tard, à la conclusion d'un premier accord. Au XXIVème congrès du PCUS, qui s'ouvrira le 29 mars 1971 à Moscou, avec pour la première fois une minorité (45 %) d'apparatchiks, Brejnev prend la tête d'un virage à 180° en faveur d'une économie de consommation rendue possible par une politique de détente avec l'Occident. « Plus de beurre et moins de canons grâce à la paix ! »

La mutation ornithologique de faucon en colombe du n° 1 du Kremlin ne fait pas les affaires du marxiste égyptien Sabri et de ses alliés. D'un voyage secret à Moscou en février 1971, son ami, le ministre de l'Intérieur Gomea, est rentré cette fois bredouille. Le K.G.B. demande même à Sharaf de surveiller le complot tramé contre Sadate par Sabri et Gomea. Mais le tout-puissant agent est aussi décidé à passer à l'action pour son compte. Au début d'avril, il fait partie de la délégation égyptienne au congrès du P.C.U.S. et il tient ses patrons au courant de ses intentions : prendre la tête du complot imparable qui réunit autour de Sabri et de Gomea le général Fawzi, ministre de la Défense, le ministre de l'Information, le chef de la Mukhabarat (centrale de renseignements) et le secrétaire général de l'Union socialiste arabe.

Le 25 avril, Sabri fait rejeter par son parti unique l'accord de fédération entre l'Égypte et la Libye que Sadate vient de signer à Benghazi avec Kadhafi. Ce vote hostile au Raïs a été orchestré par le « service spécial » que manipule Sharaf. Gomea fait cerner l'immeuble de la radio par sa police secrète pour empêcher Sadate d'en appeler à la nation. Le 1er mai, Sadate dénonce le vote truqué de l'Union socialiste arabe, et, le 3, il révoque Sabri de son poste de vice-président de la République. Le 13, il révoque Gomea de son poste de ministre de l'Intérieur : la nuit précédente, un agent de la Mbakhas (police de sécurité) lui a en effet apporté des enregistrements d'écoutes téléphoniques commandées par Gomea à ce service. Dans l'après-midi, le ministre de la Présidence, Sami Sharaf, le ministre de la Défense, Fawzi, le ministre de l'Information, le ministre du Logement et le ministre de l'Energie démissionnent en bloc et annoncent leur décision à la radio-télévision, avant même d'en avertir Sadate. C'était compter sans les officiers de l'armée fidèles à leur président : ils font capoter la manœuvre en arrêtant sur-le-champ le général Fawzi et en assignant à résidence tous les ministres démissionnaires et le chef de la Mukhabarat.

C'est que Sadate, averti du complot, avait fait sa tournée des popotes. Il s'est assuré, bien avant le 13 mai, du soutien des officiers supérieurs dans toutes les bases militaires qu'il a ainsi visitées. Comment avait-il été averti ?

En juin 1970, les agents de la C.I.A. au Caire ont obtenu de leur informateur au consulat soviétique d'Alexandrie, Vladimir Nikolaïevitch Sakharov, un « tuyau » stupéfiant : Sami Sharaf est un agent de Moscou ! Sakharov le tenait lui-même d'une imprudence verbale du « résident » du G.R.U. (service de renseignement de l'armée soviétique), Sbinourov, qui, au cours d'une réunion chez le consul général Choumilov, a laissé échappé cette petite phrase :

— Sharaf est notre atout le plus solide en Égypte. C'est sur lui que nous comptons.

La C.I.A. a mis six mois à recouper le récit de Sakharov. En avril 1971, les autorités israéliennes ont, selon l'ancien chef du service de renseignement de l'Armée de l'air américaine, le général George Keagan, transmis aux Américains ce qu'elles-mêmes avaient appris du complot ourdi par Sabri, Gomea et autres, auquel était mêlé Sami Sharaf.

Le 26 avril, Sadate, mis au courant par la C.I.A. de cette dernière information, convoque le chef de la Mukhabarat, Ahmed Kamel, qu'il n'a pas encore vu depuis sa nomination en novembre sur les conseils de Sharaf, et vérifie que son interlocuteur doit bien être dans le coup, puisqu'il ne lui souffle pas un traître mot de ce qui se trame. Au contraire, il dit à Sadate son intention de se rendre le 15 mai à Moscou sur l'invitation des Soviétiques.

— Ça m'étonnerait, lui répond Sadate d'un ton sibyllin, que vous puissiez vous absenter le 15 mai. Sans insister davantage...

Au début de mai, le secrétaire d'État américain William Rogers vient au Caire relancer son plan de paix. Sadate lui demande le concours de ses agents de sécurité pour explorer électroniquement son bureau : ils découvrent une demi-douzaine de micros implantés par les « plombiers » de Sharaf.

C'est la fin de la carrière de Sharaf, dont la démission, le 13 mai, avec les ministres comploteurs ne surprend pas Sadate. Après son arrestation, le 15, le Raïs procède à la réorganisation complète des services secrets égyptiens qu'il épure de tous les éléments prosoviétiques. Tous les liens professionnels tissés par Sharaf pendant douze ans entre les services russes et égyptiens sont rompus. Dans une cache de sa résidence, la police découvre un magot de plusieurs centaines de milliers de dollars, dont on ne saura jamais à quoi il était destiné. Elle trouve aussi les doubles des enregistrements d'écoutes téléphoniques. Notamment la conversation secrète tenue au Caire le 20 avril 1967 entre Gomea et le secrétaire du P.C. moscovite, Yagoritsev, qui joua un rôle important dans la décision de Nasser de provoquer un *casus belli* avec Israël.

Parmi ces bandes magnétiques figurent également les enregistrements de deux séances de spiritisme organisées par Sami Sharaf, le 20 avril et le 4 mai 1971, pour raffermir la détermination défaillante de Gomea. Au cours de ces séances, un assistant de l'université Ein Shams, recruté par Sharaf comme médium, invoquait l'esprit d'un cheikh nommé Abdel Rehim. L'« esprit » avait répondu à Gomea que le complot serait couronné de succès, tout en déconseillant une action hâtive après le renvoi d'Ali Sabri, et au général Fawzi que son plan de bataille contre Israël était très valable !

Il est probable que Sharaf avait déjà utilisé le truc pour influencer les décisions d'autres dirigeants politiques égyptiens. Condamné à mort le 9 décembre 1971, il verra, comme Sabri et Gomea, sa peine commuée en travaux forcés à perpétuité, mais il sera seul à ne bénéficier d'aucune grâce ultérieure. Personne n'entendra plus jamais parler de lui.

Contré par Israël sur le canal de Suez et en Jordanie, le Kremlin aura perdu, moins d'un an après, son meilleur agent au Proche-Orient, à cause d'un renseignement en provenance d'Israël qui va permettre à Sadate de débarrasser l'Égypte de la tutelle soviétique après avoir sauvé sa personne.

Un an plus tard, en mai 1972, Sadate peut expulser en toute quiétude les 3 000 experts et techniciens soviétiques dont la présence humiliait son armée : le souvenir du septembre noir de Brejnev lui sert de parapluie.

Les Russes, qui ont accru entre-temps leur capacité d'espionnage électronique de la région, déplacent alors le centre de gravité de leur politique proche-orientale de la porte de Suez à la Porte des Larmes, qui commande l'accès à la mer Rouge par le sud, à la corne de l'Afrique par l'ouest, aux réserves pétrolières de la péninsule Arabique et du golfe Persique par l'est.

XVI
LA PORTE DES LARMES

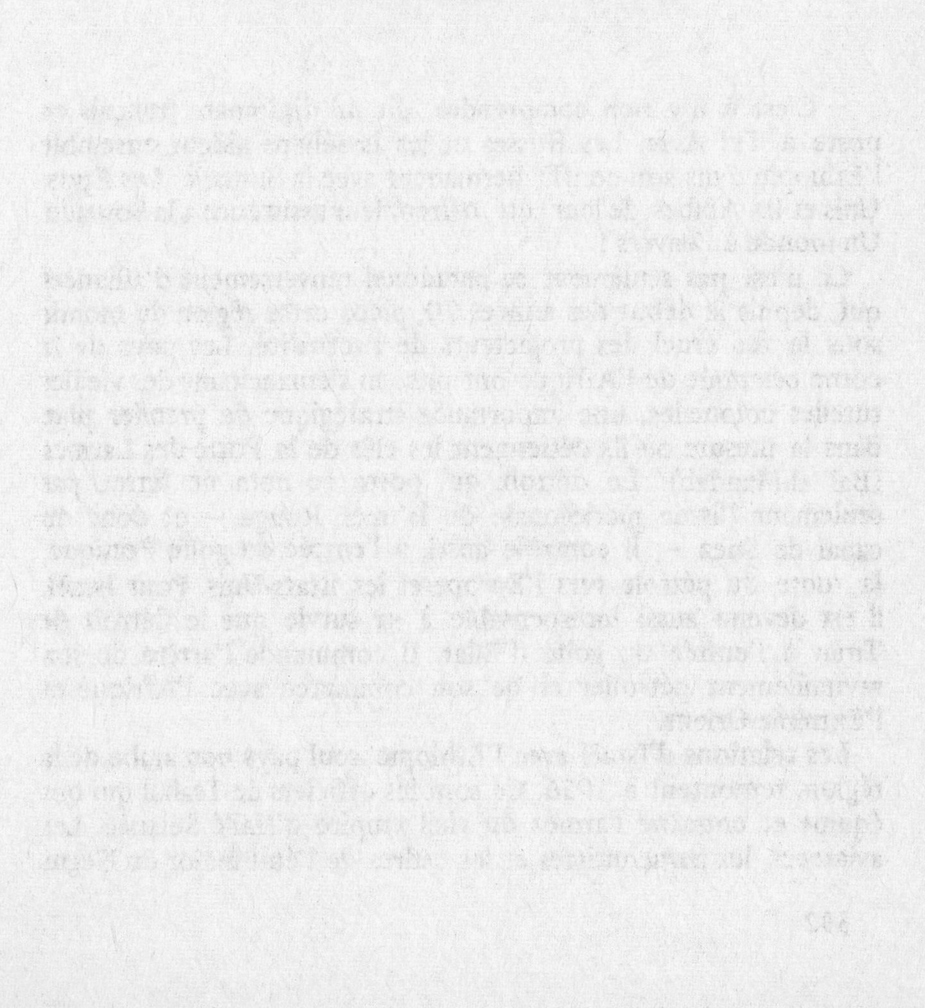

– C'est à n'y rien comprendre, dit un diplomate français en poste à Tel Aviv. Les Russes et les Israéliens aident ensemble l'Ethiopie dans son conflit permanent avec la Somalie. Les Etats-Unis et les Arabes, de leur côté, offrent leur assistance à la Somalie. Un monde à l'envers !

Ce n'est pas seulement ce paradoxal renversement d'alliances qui, depuis le début des années 70, place cette région du monde sous le feu cruel des projecteurs de l'actualité. Les pays de la corne orientale de l'Afrique ont pris, en s'émancipant des vieilles tutelles coloniales, une importance stratégique de premier plan dans la mesure où ils détiennent les clés de la Porte des Larmes (Bal el-Mandeb). Le détroit qui porte ce nom ne ferme pas seulement l'issue méridionale de la mer Rouge – et donc du canal de Suez –, il contrôle aussi, à l'entrée du golfe Persique, la route du pétrole vers l'Europe et les Etats-Unis. Pour Israël, il est devenu aussi indispensable à sa survie que le détroit de Tiran à l'entrée du golfe d'Eilat. Il commande l'artère de son ravitaillement pétrolier et de son commerce avec l'Afrique et l'Extrême-Orient.

Les relations d'Israël avec l'Ethiopie, seul pays non arabe de la région, remontent à 1956. Ce sont les officiers de Tsahal qui ont équipé et entraîne l'armée du vieil empire d'Hailé Sélassié. Les aviateurs, les parachutistes et les cadres de l'état-major du Negus ont tous fait un stage en Israël, et ses gardes du corps y ont reçu leur instruction.

Les pays arabes n'ont d'ailleurs pas manqué d'accuser l'Ethiopie de servir de base à l'activité des services secrets israéliens en Afrique. Il est vrai que les liens entre l'Israël de Ben Gourion et l'empire d'Hailé Sélassié avaient revêtu un caractère très spécial. Le 14 décembre 1960, alors que le Négus se trouvait en visite officielle au Brésil, un groupe d'officiers éthiopiens s'était emparé du pouvoir à Addis-Abeba par un putsch militaire.

L'empereur prit aussitôt le chemin du retour, mais, à l'escale nocturne de Monrovia, il descendit d'avion pour prendre contact avec l'ambassade d'Israël au Libéria. Il voulait savoir si la province de l'Erythrée était également tombée entre les mains des conjurés ou si elle lui était restée fidèle. Dans ce dernier cas, il demandait à Israël d'informer le gouverneur de son intention d'y atterrir pour partir à la reconquête de son trône.

Or, un haut fonctionnaire du gouvernement israélien se trouvait par hasard de passage à Monrovia. Il prit l'affaire en main et télégraphia à son bureau de Tel Aviv. Mais les responsables du ministère israélien de la Défense hésitaient à prendre position et à répondre favorablement à la démarche du Négus, car ils connaissaient la plupart des officiers putschistes, qu'ils considéraient comme des amis d'Israël. Le haut fonctionnaire dut insister pour qu'on soumît d'urgence la question à Ben Gourion en personne.

Réveillé à 4 heures du matin par son secrétaire militaire, le « Vieux » ne fit qu'une réflexion :

— Le Négus est notre allié, n'est-ce pas ? Alors il faut l'aider.

En quelques heures, le premier coup d'Etat militaire éthiopien fut maté et Hailé Sélassié retrouvait son palais.

C'est que, pour Ben Gourion, les relations avec Addis-Abeba revêtaient également un aspect quasi mystique. Il évoquait souvent avec passion les amours bibliques du roi Salomon et de la reine de Saba. A plusieurs reprises, il avait envisagé de se rendre en grande pompe en Ethiopie, mais il n'eut jamais le temps de matérialiser ses projets.

Même après la destitution de l'empereur en septembre 1974, Israël continuera cependant d'entretenir des relations avec le nouveau régime. Et les coopérants israéliens, qui auront dû, entre-temps, quitter l'Ethiopie après la guerre de Kippour en octobre 1973, y reviendront discrètement trois ans plus tard à la faveur du conflit ouvert avec la Somalie. Moshe Dayan reconnaîtra lui-même l'envoi par Israël de matériel militaire à Addis-Abeba, pour faire pièce à l'assistance accordée par l'Egypte aux

Somaliens, déjà soutenus depuis longtemps par les Libyens et les Syriens.

Ces aides militaires ne sont toutefois qu'un des aspects de la bataille pour le contrôle de la région de Bab el-Mandeb. La guerre secrète que s'y livrent les principaux services de renseignement du monde a fait de ce décor pittoresque, entre la côte des Pirates et la côte des Esclaves, l'un des carrefours les plus connus des espions et des agents doubles. L'exotique port d'Aden partageait déjà avec Tanger et Hong Kong le privilège douteux des villes internationales au mystère cosmopolite. Capitale des activités clandestines du temps des Anglais, Aden est devenu, depuis l'accession du Sud-Yémen à l'indépendance, le paradis du terrorisme international. Le gouvernement de la République populaire qui y a été proclamée se montre dans ce domaine l'un des plus « activistes » du monde, en donnant refuge à toutes sortes de mouvements terroristes. C'est ainsi que l'un des plus importants camps d'entraînement de l'organisation du Dr Waddia Haddad, chef des opérations du F.P.L.P., se trouve dans la banlieue d'Aden.

Depuis la pris de Sharm el-Sheikh en juin 1967, la région de Bab el-Mandeb figure en bonne place dans la salle des cartes de l'état-major de Tsahal. Elle figure également dans la zone des objectifs des services secrets israéliens.

Sur cette carte, le feu rouge s'est allumé pour la première fois le 11 juin 1971.

Ce jour-là, un pétrolier battant pavillon libérien, le *Coral Sea*, faisait route vers le port israélien d'Eilat, avec un chargement en provenance du golfe Persique, quand, à la hauteur de l'île de Perim, en mer Rouge, il fut approché par une embarcation à moteur camouflée en bateau de pêche. A bord de l'embarcation se trouvaient quatre terroristes du F.P.L.P. armés de bazookas. Six des obus qu'ils tirèrent touchèrent le pétrolier qui prit feu. Dès les premières flammes, les assaillants s'éloignèrent à pleins gaz, de crainte d'être atteints par l'explosion, et filèrent se mettre à l'abri dans le port le plus proche, Hodeïda, au Nord-Yémen.

Mais l'équipage du *Coral Sea*, qui comptait 25 Israéliens sur 37 marins, réussit, sous la conduite de son capitaine grec, à maîtriser l'incendie à temps et à gagner Sharm el-Sheikh.

Lorsque, à 12h30, le capitaine avait lancé son message radio à la station d'Eilat : « Nous sommes attaqués par un faux bateau de pêche », la base aéronavale de Sharm el-Sheikh avait été placée en état de première alerte. A la présidence du Conseil,

Golda Meir avait convoqué ses collaborateurs avec Moshe Dayan, et, le soir même, le ministère des Affaires étrangères avait câblé un message urgent à l'adresse des gouvernements britannique, italien et américain pour leur exprimer l'inquiétude d'Israël devant l'ouverture de ce nouveau front au sud de Suez. A Washington, Ytzhak Rabin informait même la Maison-Blanche que son gouvernement ne pouvait rester sans réagir à ce genre d'agression.

Les Américains s'étaient alors tournés vers les Soviétiques pour leur faire part des graves préoccupations que leur causait la menace créée par l'action de piraterie entreprise en Mer Rouge contre la navigation internationale. Divers signes montrent que Moscou est aussitôt intervenu auprès de ses nouveaux alliés du Sud et du Nord-Yémen pour qu'ils cessent de prêter assistance à de telles opérations. Les Russes n'avaient en effet aucun intérêt à trop attirer l'attention sur leur présence dans cette région où ils étaient en train d'intensifier leur mainmise. Une action de représailles ne pouvait que compliquer leur travail de pénétration. Ils se rappelaient que des Phantom israéliens avaient, quelques années auparavant, bombardé et coulé des bâtiments de guerre égyptiens dans le port de Ras Banas, à 600 kilomètres au sud de Suez, en riposte à un attentat commis par des hommes-grenouilles égyptiens dans le port d'Eilat contre un navire de fret commandé par l'ancien capitaine de l'*Exodus*.

L'Arabie saoudite, qui était encore à l'époque la principale source de financement des organisations palestiniennes, a également exercé, de son côté, une influence modératrice, car, selon le *Time* du 25 juin 1971, son pétrole ne dédaignait pas la route d'Eilat, d'où un pipe-line d'une capacité de 30 millions de tonnes par an en assurait l'acheminement vers la Méditerranée et l'Europe...

Mais cette action diplomatique n'était qu'un des volets du dispositif des mesures préventives prises par Israël. Le général Zvi Zamir avait convoqué une réunion spéciale dans son bureau du Mossad pour faire face à la situation nouvelle créée par l'émergence du terrorisme dans la région vitale de Bab el-Mandeb. Il chargea le chef des opérations de la centrale d'y intensifier ses activités de recherche.

Quelques jours plus tard, un agent de renseignement, le capitaine Barukh Zaki Misrahi, était dépêché sur les lieux avec mission de collecter le maximum d'informations. C'est ainsi que l'on apprit que les quatre assaillants du *Coral Sea* avaient suivi un entraînement spécial de deux mois au Liban avant de partir pour le Sud-Yémen où le représentant du F.P.L.P. leur avait fourni le bateau, les bazookas et les instructions pour attaquer le pétrolier. Pour ne pas compromettre les autorités de la nouvelle République populaire, ils devaient se replier sur le port d'Hodeïda, où ils pouvaient compter également sur la complicité des dirigeants de la République du Nord-Yémen.

Selon les récits ultérieurs parus dans la presse arabe, Misrahi était arrivé à Aden sous l'identité d'Ahmad al-Sabag, homme d'affaires marocain en relations commerciales avec différents pays arabes. Juif égyptien né en 1928 au Caire où il avait fait des études supérieures de commerce à l'université, il n'avait pas eu de mal à utiliser cette couverture pour monter son réseau et collecter des informations.

En fait, toujours selon ces récits, il avait émigré depuis 1956 en Israël et a commencé sa carrière comme agent de police à Ramat Gan, une banlieue de Tel Aviv. Promu en 1965 à la section spéciale de la police chargée de la lutte contre les ennemis de l'intérieur, il était entré au service de sécurité (le Shin Bet) en 1968, puis à la centrale d'espionnage (le Mossad). Un journal égyptien précisera même qu'il avait eu pour première mission de procurer au Mossad d'authentiques passeports arabes et qu'il avait réussi à acheter, pour une caisse de whisky, le passeport d'un ambassadeur arabe en Ethiopie...

Surpris en train de surveiller le déchargement d'une cargaison d'armes soviétiques dans le port d'Hodeïda – où avaient trouvé refuge les quatre assaillants du *Coral Sea* –, Barukh Zaki Misrahi fut arrêté le 18 mai 1972.

Pendant près d'un mois, les agents de la sécurité yéménite auxquels les Soviétiques l'avaient livré n'ont pas su à qui ils avaient affaire, ni pour qui il travaillait. Ils l'ont d'abord considéré comme un espion d'un pays arabe antisoviétique, puis comme un agent du Sud-Yémen alors en lutte contre la République du Nord. Faute d'information adéquate, il semble qu'Israël ait alors laissé passer l'occasion de le tirer d'affaire.

Mais une fois que les services yéménites furent parvenus à « casser » sa couverture, il dut endurer les pires tortures. Quand, le 12 juillet 1972, le ministre de l'Intérieur de la République du Yémen rendit publique la capture d'un espion israélien originaire d'Egypte, Le Caire demanda et obtint son extradition. Jugé par un tribunal militaire égyptien, Misrahi a été condamné à la réclusion.

Après la guerre de Kippour, son nom figurera sur la liste des prisonniers qu'Israël demandera à échanger contre la libération de prisonniers égyptiens dans le cadre des premiers pourparlers militaires consécutifs à l'application du cessez-le-feu. A plusieurs reprises, au cours de leurs entretiens sous la tente du kilomètre 101, le général Yariv demandera à son interlocuteur, le général Gamassi, d'inclure Misrahi parmi les soldats israéliens appelés à être échangés contre des soldats égyptiens. Il faudra une intervention personnelle de Kissinger auprès de Sadate pour que, au terme du premier accord de désengagement des forces en présence dans la zone du canal, Misrahi soit rendu à Israël le 4 mars 1974, contre la libération de 65 agents arabes détenus par les Israéliens pour espionnage au profit de l'Egypte. Ramené en Israël par l'intermédiaire de la Croix-Rouge internationale, le malheureux sera accueilli avec chaleur par ses camarades du Mossad, mais il aura tôt fait de s'éclipser pour refaire sa vie quelque part en Israël, loin des caméras et de la publicité.

Parmi les 65 agents arabes restitués le même jour à l'Egypte se trouve l'espion égyptien le plus important des dernières années, Abd el-Rahim Abd el-Raouf Karaman. Il s'agit d'un Arabe de nationalité israélienne, dont l'hebdomadaire cairote *Ahar Saah* révélera en 1976 qu'il avait livré les plans de la ligne Bar-Lev à la Mukhabarat, dont il était devenu l'agent n° 1 en Israël. Toujours selon cette publication, il avait réussi à gagner l'amitié du ministre israélien de la Défense, Moshe Dayan – dont on connaît le faible pour les antiquités –, en lui offrant en cadeau une fausse miniature égyptienne que lui avait procurée à cette fin la centrale du Caire.

Démasqué malgré tout par le contre-espionnage israélien, Karaman avait été jugé en 1970 à Haïfa pour crime de haute trahison. Selon l'accusation, il avait été recruté à Paris en 1968 par un agent des services secrets égyptiens en poste à l'ambassade d'Egypte en France. Karaman appartenait à une famille arabe de Haute-Galilée que le futur président de la commission de la Défense et des Affaires étrangères de la Knesset, David Hacohen, avait aidé, pendant la guerre de 1948, à se maintenir chez elle, à Ibtan, un village arabe près de Haïfa. Devenu citoyen d'Israël, le jeune et beau Karaman, qui avait appris à parler parfaitement l'anglais, l'hébreu et même le yiddish, avait épousé en 1956 une Juive originaire de Turquie. Après avoir divorcé parce qu'elle ne lui avait pas donné d'enfant, il s'était remarié deux fois, en 1964 et en 1967, avec des Françaises. N'ayant toujours pu assurer sa descendance, il s'était rendu à Paris en 1968 afin de trouver à adopter un enfant d'origine palestinienne ou égyptienne. C'est ainsi qu'il avait fait la connaissance du consul d'Égypte à Paris, qui s'était empressé de lui présenter un agent de la Mukhabarat pourvu d'une offre alléchante : un enfant adoptable pour une poignée de renseignements.

La poignée était devenue moisson quand, heureux père de famille, Karaman rentra en Israël après un stage sur le littoral belge dans une résidence de la Mukhabarat, où il s'était initié au maniement des caméras invisibles, des micro-émetteurs et des encres sympathiques, qui font partie de la panoplie moderne des espions.

A son retour en Israël, il a profité de ses relations avec les autorités pour photographier le Golan sous toutes les coutures, soudoyer les travailleurs arabes des entreprises attachées à l'édification de la ligne Bar-Lev et se procurer auprès d'eux des passeports israéliens. Il avait également mission de noyauter le groupuscule israélien d'extrême gauche Matzpen qui militait contre l'occupation des territoires.

Condamné à douze ans de prison en première instance, il a vu sa peine portée à seize ans en appel par la Haute Cour. Libéré, lui aussi, le 5 mars 1974, dans le cadre de l'accord de désengagement sur le canal, il laissera sa nombreuse famille en Galilée : sa sœur Suat Karaman continuera d'exercer sa collaboration aux émissions en arabe de la radio nationale israélienne...

La presse égyptienne relatera l'intervention personnelle du président Sadate auprès de Kissinger pour obtenir l'échange de Karaman contre celui qui fut l'homme d'Israël à Bab el-Mandeb.

L'arrestation de Misrahi en 1972 faisait, après tout, partie des risques normaux du métier d'espion. L'année suivante, les services secrets d'Israël devaient connaître une série d'accidents autrement graves de conséquences : l'appareil commercial libyen abattu par erreur en février au-dessus du Sinaï où il s'était égaré, l'avion de ligne libanais intercepté et détourné en août sur l'ordre de Dayan parce que l'Aman croyait trouver le chef du F.P.L.P. Georges Habache à bord, le barman marocain exécuté en juillet à Lillehammer en Norvège parce que les agents du Mossad l'avaient pris pour l'organisateur du massacre de l'équipe olympique israélienne de Munich...

Leur patron, le général Zvi Zamir, s'était immédiatement rendu à Oslo et, à son retour, avait offert sa démission à Golda Meir qui l'avait refusée, ayant eu l'occasion de juger par elle-même la popularité dont il jouissait auprès de ses hommes, en se faisant présenter les agents permanents du Mossad dans la petite ferme de Beit Berl, au milieu d'une orangeraie.

N'empêche que la réputation d'infaillibilité des services israéliens se trouvait sérieusement ébréchée quand, au début de l'automne 1973, une ultime manœuvre de diversion va les attirer loin des préparatifs militaires pourtant déjà perceptibles aux frontières du pays. Le 29 septembre 1973, à huit jours de l'attaque-surprise égypto-syrienne de Kippour, un commando terroriste venu de Tchécoslovaquie s'empare d'un wagon du train « Chopin-Express » qui transporte à Vienne des émigrants juifs d'U.R.S.S. Ils obtiennent du chancelier autrichien Bruno Kreisky la fermeture du château de Schoenau, centre de transit de l'Agence juive pour diriger les réfugiés sur Israël. Toute l'attention des responsables israéliens se polarise autour de cette affaire. Personne ne semble s'apercevoir que le commando des « Aigles de la révolution », auteur de la prise d'otages, appartient en réalité à l'organisation palestinienne El Saïka (la Foudre) entièrement contrôlée par les Syriens. Si les Syriens avaient voulu détourner l'attention des Israéliens, ils ne s'y seraient pas pris autrement.

XVII
KIPPOUR

« Faible probabilité. » Cette expression classique dans les évaluations des responsables du renseignement agaçait le député Begin au plus haut point. L'ancien chef de l'Irgoun qui, depuis l'été 1970, avait repris la tête de l'opposition nationaliste et continuait d'amorcer ses mots comme on pose des bombes, voulait qu'on en prohibât l'usage :

– La logique des Arabes n'est pas la nôtre, répétait-il dans les couloirs de la Knesset. On ne sait jamais en vertu de quoi ils peuvent décider ou non de déclencher la guerre...

L'expression « faible probabilité » revenait pourtant, jusqu'au matin même du 6 octobre 1973 – le jour sacré de Kippour où chaque Juif rend ses comptes annuels à Dieu –, dans les conclusions du chef de l'Aman, le général Eli Zeira. Déjà, au mois de mai, quand des informations de bonne source faisaient état, pour la seconde fois en cinq mois, d'une offensive imminente et d'un plan de bataille égypto-syrien, le nouveau patron du service de renseignement de l'armée avait accordé une « faible probabilité » à la menace. Le chef de l'état-major, David Elazar, dont c'était la première alerte sérieuse, avait convaincu le gouvernement de mobiliser, juste à la veille du défilé du XXVe anniversaire de l'indépendance. Pour rien. Dissuasion ? Intoxication ? Il n'y avait pas eu la guerre. « Dado » Elazar s'était vu reprocher une mobilisation qui avait coûté 60 millions de Francs à une économie devenue dangereusement prioritaire. Et les évaluations de Zeira n'étaient plus désormais discutées.

D'autres sources, dont la C.I.A. américaine, avaient-elles, le 25 septembre, prévenu les responsables de la sécurité d'Israël de l'imminence d'une attaque simultanée sur les deux fronts, nord et sud ? L'estimation de l'Aman était restée inchangée. Les Américains s'inquiétaient-ils, ce jour-là, de l'objet non identifié photographié par l'équipe de leur Skylab au-dessus du Proche-Orient - et qui était en fait l'un des satellites-espions lancés par les Soviétiques ? Les Israéliens s'employaient à les rassurer.

Un officier de renseignement du commandement sud, le lieutenant Benjamin Siman-Tov, transmettait-il, le 1er octobre, à son supérieur un rapport intitulé : *Préparatifs de guerre dans l'armée égyptienne ?* Ses observations étant en contradiction avec l'évaluation officielle, le lieutenant-colonel David Guedalia ne le faisait pas suivre...

Les armées arabes étaient-elles, le 3 octobre, au vu et au su de tous les correspondants de presse, massées aux frontières et prêtes à donner l'assaut ? Les journalistes, soigneusement « briefés » par le porte-parole de Tsahal et surveillés par la censure militaire, ne voyaient, dans ces mouvements de troupes égyptiennes et syriennes, qu'une « volonté politique de réchauffer un peu le secteur ». Et le général Arieh Shalev, adjoint de Zeira, malade ce jour-là, disait à Elazar :

— Je ne considère pas la menace comme concrète pour un proche avenir. L'Aman se fait d'ailleurs fort d'alerter le gouvernement au moins 48 heures d'avance de toute attaque ennemie.

Informé du départ précipité de Syrie des familles des conseillers soviétiques, le chef de l'état-major décidait-il, dans la nuit du 4 au 5 octobre, de mettre Tsahal en état d'alerte maximum ? Le général Zeira restait d'avis que la guerre était peu probable. Et le dossier remis le 5 octobre à 11 heures par le colonel Yona Bendman, directeur du département Egypte au service des renseignements militaires, concluait de façon péremptoire : « Bien que l'existence d'un dispositif en état d'alerte sur le front du canal soit à première vue le signe d'une volonté offensive, au mieux de nos évaluations, il n'y a aucun changement dans l'estimation des Egyptiens sur le rapport des forces entre Tsahal et eux. En conséquence, la probabilité d'une intention belliqueuse réelle des Egyptiens est faible. » Pour le général Zeira, interrogé alors par le Conseil des ministres improvisé à Tel Aviv, la probabilité la plus faible était une tentative de franchissement du canal de Suez, la probabilité la plus forte, des raids et des tirs d'artillerie sur les deux fronts.

Le 6 octobre, à 4 heures du matin, Dayan était-il réveillé par un coup de téléphone du Mossad annonçant une attaque combinée des Egyptiens et des Syriens avant le coucher du soleil ? Zeira, convoqué à 5 h 30 au ministère de la Défense, campait sur les mêmes positions qu'en janvier et en mai quand un renseignement de même nature s'était révélé faux. Et il rappelait que les services américains qui, dix jours plus tôt, pensaient la guerre possible, avaient eux-mêmes fini par changer d'avis : le franchissement du canal était, selon eux, une performance technique au-delà des capacités de l'armée égyptienne...

Ce que le chef de l'Aman oubliait dans son raisonnement – qui retarda jusqu'à 10 heures le rappel des réservistes –, c'était la possibilité d'intoxication des services américains par les services israéliens, lesquels bénéficiaient, dans ce monde clos de l'espionnage, du préjugé favorable que leur avaient valu leurs multiples exploits, notamment pendant la guerre des Six Jours. Le service de renseignement de l'armée israélienne avait en effet su organiser un système d'analyse et d'évaluation à la fois souple et développé. Au niveau de la collecte des faits et des données – agents, écoutes, observations, compilations, recoupements –, la plupart des grandes agences de renseignements se valent. C'est au niveau de l'évaluation que se fait la différence quand, par-delà la logique des analyses et des synthèses, le responsable appelé à trancher fait aussi entrer en ligne de compte la valeur de sa subjectivité, l'irrationnel de sa personnalité.

Eli Zeira, un ami de Dayan, avait pris la difficile succession d'Aharon Yariv un an plus tôt, et n'avait pas encore eu le temps de modeler son service à sa manière, totalement opposée à celle de son prédécesseur. Passé par l'école des paras et des blindés, il n'avait pas la réputation de remettre volontiers en cause sa façon de voir.

Moins de quatre heures plus tard, le miaulement lugubre des sirènes, déchirant le silence recueilli de Kippour, interrompait le briefing de Zeira devant les journalistes accrédités auprès du porte-parole de Tsahal. Au rendez-vous presque mortel de l'imprévu et de l'imprévoyance, les Israéliens allaient découvrir non seulement que les armées arabes étaient désormais capables de tenir plus de six jours, mais qu'elles avaient de bonnes raisons de se lancer dans une guerre qu'elles n'étaient pas sûres de gagner militairement.

Le 1er avril 1974, la commission d'enquête présidée par le juge

Shimon Agranat sur les défaillances enregistrées au début de la guerre de Kippour rend public un rapport intérimaire de 32 pages mettant en évidence l'aveuglement du service des renseignements de l'armée, obstinément attaché à ses conceptions erronées, et dégageant du même coup de toute responsabilité majeure les chefs politiques détenteurs des pouvoirs de décision : le ministre de la Défense, Moshe Dayan, et le Premier ministre, Golda Meir.

La commission a pris soin, en effet, de faire la distinction entre les responsabilités de l'exécutif militaire, qu'il était dans ses attributions de tirer au clair, et celles du pouvoir politique, qu'elle ne s'estimait pas habilitée à juger. Ni conseil des sages ni superparlement, elle n'avait pas à définir cette fameuse responsabilité ministérielle qui n'existe pas dans les dispositions constitutionnelles de l'Etat d'Israël...

Elle recommandait en conséquence que soit mis fin aux fonctions du général Eli Zeira et de ses adjoints le général Shalev et les lieutenants-colonels Yona Bendman et David Guedalia. En faisant également payer au général Elazar son rôle de bouc émissaire à sacrifier en priorité...

Le nom d'Eli Zeira s'ajoute ainsi à la longue liste des chefs de services de renseignements israéliens limogés ou partis à la suite de désaccords avec leurs supérieurs. Les chefs de l'Aman y occupent une place prépondérante : cinq sur sept n'ont pu accomplir leur mission jusqu'à son terme normal. Le premier, Isser Beeri, avait été limogé par Ben Gourion à cause de l'affaire Tubiansky. Le second, Benjamin Gibli, à cause de l'affaire Lavon. Le troisième, Y. Harkabi, à cause d'un exercice avorté d'action psychologique. Le quatrième, Haïm Herzog, n'est pas resté plus de deux ans en poste à cause de ses accrochages avec le chef d'état-major, le général Laskov. Seuls les généraux Meir Amit et Aharon Yariv ont pu y faire leur temps.

Les autres services de renseignements n'ont pas été pour autant mieux traités et leurs chefs épargnés par des vagues successives d'épuration. Le premier chef du Mossad, Boris Gourel, n'a pas tenu un an. Son successeur, Reuven Shiloakh, a dû renoncer à sa tâche, mais, envoyé comme ministre plénipotentiaire aux États-Unis, il a continué à jouer un rôle actif dans des opérations secrètes, non sans s'opposer souvent à Isser Harel, son successeur, qui a joué le sien dans nombre de ces limogeages.

Le « patron » qui détenait le record de longévité, Harel lui-même, est parti deux fois en claquant la porte, en 1963, sur l'affaire des savants allemands, et, en 1966, quand, chargé de la coordination des services de renseignements au cabinet de Levi Eshkol, il s'est heurté au refus de coopérer du Mossad et de l'Aman.

– Quel métier ! s'exclamait un jour le chef d'un de ces services. Le Talmud nous enseigne que, depuis la destruction du Temple, seuls les fous sont prophètes en Israël. Et à nous, on nous demande d'être des prophètes permanents !

Terre de prédilection des plus importants services secrets du monde, le Moyen-Orient a aussi creusé leur tombe. Après Hong Kong, c'est la région qui aura absorbé le plus d'agents au kilomètre carré : Aden, Beyrouth, Jérusalem, Nicosie, Le Caire, Riyad, Téhéran, Istanbul, Bahreïn, Koweït, autant d'objectifs concentrés sur la carte mondiale de l'espionnage !...

En trente ans, les deux plus grandes centrales, la C.I.A. et le K.G.B., y auront subi chacune une dizaine d'échecs cuisants. Mais Kippour reste avant tout la grande faillite des services israéliens, ou plutôt de celui qui avait pris le pas sur les autres : l'Aman, le service de renseignements de l'armée.

Il ne s'agit pas seulement d'une erreur d'évaluation sur les intentions égypto-syriennes. Il s'agit de la grave défaillance d'une machine qui avait besoin d'un check-up complet après des années de bon fonctionnement devenu routine.

Cette lourde succession à sa tête témoigne de la difficulté et de l'ingratitude de la tâche du renseignement militaire dans un pays qui, depuis son indépendance, se tient constamment sur le qui-vive. Elle est le reflet d'une vie politique elle-même pleine d'aléas, car Israël est un pays où l'exercice du leadership n'est pas une fonction de tout repos. Aucun Premier ministre non plus n'y a achevé son mandat : ni Ben Gourion, qui a abandonné les rênes du pouvoir à deux reprises, ni Moshe Sharett, ni Levi Eshkol, qui a succombé à la lourdeur du fardeau, ni Golda Meir, qui sera déboulonnée par l'onde de choc du séisme de Kippour, ni Rabin, qui trébuchera dans les chicanes du système économico-financier laissé par le grand argentier Pinhas Sapir. L'immensité des problèmes d'une société en perpétuel état de siège et l'aspiration à la normalité font de ce peuple indocile une nation difficile à gouverner. Israël, qui s'accommodait de demi-vérités et de demi-mesures pour mieux s'adonner au rêve mirobolant de la consommation, dans l'ombre engageante de la ligne Bar-Lev, a été victime, à la veille de Kippour, d'une triple erreur d'évaluation : sur les intentions égyptiennes, sur les intentions soviétiques et sur les intentions américaines.

La première lui a coûté le plus cher en vies humaines et à son image de marque. Ce n'était pourtant pas faute d'informations. Depuis quinze jours, les renseignements abondaient tous dans le même sens. Au niveau tactique, des dizaines de rapports de soldats et d'officiers en poste sur le canal et des observations aériennes signalaient des préparatifs dépassant nettement le cadre des manœuvres militaires. Dans son rapport du 1er octobre, le lieutenant Siman-Tov – en français « bon signe » – énumérait toutes les indications prouvant que les forces égyptiennes se déployaient pour passer à l'attaque : « S'il s'agissait des simples manœuvres qu'ils sont censés avoir entreprises, pourquoi démineraient-ils la rive du canal ? »

Sur le plan stratégique, l'Aman était au courant du départ de Syrie des familles des techniciens soviétiques et des mesures de coordination prises par les Syriens et les Egyptiens. Et le mot *guerre* revenait de plus en plus fréquemment dans les rapports des agents du Mossad sur le terrain. Leur chef, le général Zvi Zamir, partit pour l'étranger dans le plus grand secret afin de se rendre compte par lui-même de la valeur de ces avertissements. Quand, le 6 octobre, à 4 heures du matin, il câbla frénétiquement « la guerre est pour aujourd'hui », il était déjà trop tard.

– Que vouliez-vous que je fasse de plus ? répondra-t-il plus tard à ses critiques. Que je les menace de mon revolver ? Ou que je me suicide pour attirer leur attention ?

Au cours de son enquête, la commission Agranat a pu retrouver et comptabiliser 400 documents qui étaient autant de messages d'alerte.

– Si leur contenu avait été porté à ma connaissance, protestera le général « Dado » Elazar, j'aurais à coup sûr réagi autrement dès le retour de Vienne de Golda.

Le problème était que personne n'a jamais lu ni vu cet ensemble impressionnant de messages avant qu'il ait été réuni par la commission ! Cette absence de communications entre les différents services et avec les dirigeants tenait à une conception erronée de la situation par « l'establishement » politico-militaire. Selon la théorie élaborée par Dayan depuis que, dans la foulée du triomphalisme de juin 1967, il était devenu le responsable suprême de la sécurité israélienne, les Arabes n'étaient pas capables de surmonter leur handicap et de déclencher une nouvelle guerre avant dix ans. « Aravi ze Aravi » – ce qui peut se traduire, avec une nuance péjorative : « Un Arabe sera toujours un Arabe » – était une de ses formules clés, mais il n'en tirait pas la même conclusion apocalyptique que Begin : il prétendait qu'il n'y avait qu'à taper sur des casseroles pour faire fuir les Syriens, comme on faisait dans son enfance au kibboutz Degania pour chasser les sauterelles.

Des messages contradictoires étaient parvenus à la section de recherche et d'évaluation du renseignement militaire dont les responsables étaient convaincus par lui ou comme lui qu'une guerre était impossible. Pour être sûrs d'avoir raison, ils écartaient de leurs yeux les preuves contraires. Le plan de l'attaque conjuguée Egypte-Syrie était connu depuis des mois, le jour J depuis quelques heures, mais pour extraordinaire que cela puisse paraître aujourd'hui, les chefs militaires israéliens n'arrivaient pas à admettre, jusqu'au dernier moment, que les Arabes allaient vraiment les attaquer...

Ce qui semble, après coup, ressortir à l'aberration pure et simple, n'était que la manifestation d'un blocage mental absolu : admettre une telle éventualité, c'était non seulement remettre en cause un système de valeurs qui a fait ses preuves, c'était en même temps se remettre en cause soi-même ! Les généraux victorieux et glorieux ont rarement de ces vertiges. Les faits, les évidences, les constats les plus simples étaient limés, rabotés, tordus, forcés jusqu'à ce qu'ils s'intègrent, comme les pièces d'un puzzle différent, dans une conception d'ensemble qui était devenue, en cette veille d'élections générales — prévues initialement pour le 30 octobre — une véritable profession de foi politique.

En pleine campagne électorale de septembre 1973, Dayan militait pour une réduction du service militaire qui améliorerait l'image de la coalition travailliste ! Ce complexe de supériorité n'avait d'ailleurs pas épargné le général Ariel Sharon (Arik) qui posait devant le canal de Suez pour un film de propagande de la coalition opposée (Likoud) :

— Ce que vous voyez ici, disait-il face à la caméra, est le fossé antichar le plus formidable du monde.

Pour mettre fin au monopole de l'Aman dans le domaine de l'alerte et de l'évaluation, la commission Agranat a préconisé la nomination d'un conseiller auprès du Premier ministre, doté de pouvoirs réels dans ce domaine, et la création d'un centre d'études au ministère des Affaires étrangères. Mais ces recommandations-là n'ont pas été suivies d'effets et Dayan, devenu ministre de Begin, s'est employé à les vider de leur substance...

En octobre 1973, les responsables de la sécurité du pays avaient également mal évalué les buts de guerre des Arabes. Au troisième jour du conflit, Dayan envisageait une « guerre longue de plusieurs mois ». Cette erreur de jugement a eu deux conséquences néfastes : l'arrêt d'une contre-offensive sur le canal lancée dès le 8 octobre par les généraux Adan et Sharon et la pénible mise en place d'un pont aérien qui a fait passer Israël sous la dépendance trop évidente des Etats-Unis. Or le plan de Sadate se limitait à camper sur la rive du Sinaï en attendant la médiation américaine et le cessez-le-feu de l'O.N.U.

Israël s'est également trompé sur la signification de l'expulsion d'Egypte des experts soviétiques en 1972 : le général Yariv avait estimé que Sadate s'était alors privé de toute option militaire. Et le défaut d'un instrument d'analyse des intentions du Kremlin, en dépit de succès spectaculaires dans la collecte des informations, a empêché les Israéliens de mesurer, à la fin de la guerre de Kippour, le degré de bluff de la menace d'intervention russe, dans la nuit du 24 au 25 octobre, pour sauver la troisième armée égyptienne encerclée au Sinaï – et celui de la mobilisation nucléaire américaine pour obliger Tsahal à rompre cet encerclement.

Jérusalem a d'ailleurs fait trois erreurs importantes dans l'évaluation des intentions américaines, évaluation dont la charge incombe en grande partie à son ambassade à Washington. Les services israéliens ont commencé par détromper la C.I.A. qui, dix jours avant Kippour, les avait avertis du danger de guerre. L'avant-veille encore, au cours d'une rencontre au Waldorf Astoria à New York, le ministre israélien des Affaires étrangères, Abba Eban, a montré à Kissinger l'analyse de Zeira concluant à sa « faible probabilité », confirmée du coup par la C.I.A. La veille, il reçoit d'Israël un message sous enveloppe avec mention : « Top secret. A remettre d'urgence à Kissinger. » Sans même prendre connaissance de son contenu, il ne pense à le faire porter que très tard le soir à l'hôtel, puis débranche son téléphone et se couche « parce que c'est Kippour ». Il est tiré de son sommeil à 6 heures du matin (heure de New York) par son secrétaire personnel qui tambourine à sa porte du Plaza depuis un quart d'heure, avec à la main un télégramme annonçant la mobilisation en Israël. Il se met alors en rapport avec Kissinger qui, dans sa suite du Waldorf Astoria, n'a toujours pas reçu la fameuse enveloppe et qui lui demande :

– S'agit-il d'une initiative militaire israélienne ?

– Je vais me renseigner.

Or, le message de la veille, que Kissinger n'aura en main que deux heures plus tard, c'est-à-dire après le début des hostilités, était une nouvelle réévaluation beaucoup plus pessimiste des préparatifs égypto-syriens ! Si cette enveloppe, qui contenait de précieuses indications avec photos aériennes à l'appui, était arrivée à temps à Kissinger, soit 24 heures avant, Israël aurait pu ne pas se priver de l'atout majeur d'une opération préventive refusée la veille par Golda et Dayan au général Elazar, sous prétexte de ne pas s'aliéner la sympathie américaine...

Par la suite, Eban ne comprendra pas davantage l'appel téléphonique de Kissinger, au soir du 19 octobre, l'informant « qu'il se passe quelque chose d'important ». Ce soir-là, le ministre israélien reprend l'avion pour Tel Aviv sans même savoir de quoi il s'agit. En faisant escale à Orly, le lendemain matin, il apprend l'envol pour Moscou du « Dear Henry » en compagnie de l'ambassadeur soviétique Dobrynine... Il pense que le chef de la diplomatie américaine fait ce voyage pour permettre à Israël de gagner du temps. Le 21 octobre, en visite sur le front du canal, Ygal Allon dit à Sharon qui veut donner l'assaut à Ismaïlia :

— Inutile de faire du forcing, Arik, tu as tout ton temps !

Enfin, le gouvernement de Golda Meir manquera cruellement d'instrument de réflexion et se trouvera totalement pris de court devant le jeu joué par Kissinger avec les Soviétiques dans la nuit du 24 au 25 octobre pour frustrer Israël d'une victoire sur le terrain. Même le traumatisme de Kippour et les recommandations de la commission Agranat ne parviendront pas à doter Israël d'un système de prise de décision capable de le mettre à l'abri d'une surprise politique, parfois aussi dangereuse qu'une surprise militaire.

Mais le pouvoir de décision américain dans les affaires « balkaniques » du Proche-Orient n'est pas plus à l'abri des aléas de la C.I.A. En moins d'un quart de siècle, pas moins de dix bévues ou carences graves y ont placé les Etats-Unis en porte à faux face au joueur d'échecs moscovite :

1/ En suscitant le pacte de Bagdad, vers la fin de 1954, Washington a poussé Nasser dans les bras des Russes.

2/ En pleine chasse aux sorcières rouges à l'intérieur, les Américains ont minimisé l'importance du premier contrat d'armement communiste à l'Egypte, passé inaperçu de la C.I.A. alors que cet événement a ouvert la porte à la pénétration soviétique dans la région.

3/ La C.I.A. s'est laissé surprendre par l'opération tripartite de Suez en 1956, qui a fait le jeu des Russes.

4/ Elle s'est laissé surprendre par la chute du régime pro-américain d'Irak le 14 juillet 1958.

5/ Elle a soutenu en avril 1970 un rapport du Pentagone excluant la participation directe de militaires russes à la guerre d'usure sur le canal de Suez et bientôt démenti par le victorieux combat aérien d'Israël contre des pilotes soviétiques.

6/ Elle s'est laissé gagner par l'aveuglement israélien à l'échéance de Kippour.

7/ Son ancien chef, Dick Helms, compromis dans l'affaire de Watergate et ambassadeur à Téhéran, n'empêchera pas, en 1975, Kissinger de sacrifier les Kurdes dont la C.I.A. avait soutenu la révolte contre l'Irak en 1970.

8/ La C.I.A. n'aura pas prévu la décision du sommet arabe d'octobre 1974 à Rabat de reconnaître à l'O.L.P. le monople de la représentation palestinienne, au détriment du roi Hussein de Jordanie. Cette décision aura d'ailleurs également surpris les services israéliens et... égyptiens. Elle aura pourtant reçu la bénédiction préalable du K.G.B., dont les agents à Nicosie (Chypre) ont rencontré des émissaires du quartier général de l'O.L.P. à Beyrouth porteurs d'un plan mis au point par deux adjoints d'Arafat, Abou Ayad et Farouk el-Kadoumi, pour venger le septembre noir palestinien de 1970. Ce plan prévoyait l'assassinat d'Hussein en cours de route vers Rabat, l'occupation des services d'information de la conférence et l'intimidation des participants à ce sommet.

Une semaine avant l'ouverture, 200 Palestiniens armés se sont infiltrés dans la capitale marocaine et ont investi le ministère chérifien de l'Information, imposant leur censure sur tous les documents de la conférence. Il aura fallu que Sadate menace Arafat d'expulser tous les Palestiniens résidant en Egypte pour faire renoncer l'état-major de l'O.L.P. à la liquidation physique d'Hussein.

9/ Misant sur le maintien au pouvoir de ses interlocuteurs travaillistes, la C.I.A., avec beaucoup d'autres, ne prévoira pas la victoire électorale de Begin et du Likoud en mai 1977.

10/ La C.I.A. interprétera de travers la visite éclair de Dayan au Maroc en septembre 1977 pour préparer la rencontre Begin-Sadate de novembre, estimant que la montée de la tension sur la ligne de cessez-le-feu israélo-égyptienne en octobre fera obstacle à une telle rencontre. C'est que le département de l'évaluation de la C.I.A. à Langley, en Virginie, n'aura pas su apprécier la vive réaction du Raïs à la déclaration américano-soviétique du 1er octobre, réintroduisant Moscou dans le processus des négociations diplomatiques au Moyen-Orient.

— Quelle bêtise monumentale ! s'écriera l'un des proches collaborateurs de Sadate en prenant connaissance du projet de communiqué commun.

Le rapport de la commission formée à la fin de 1975 à la Chambre des représentants, sous la présidence d'Ottis Pike, pour enquêter sur les défaillances de la C.I.A., s'attarde en particulier sur l'échec du bureau de Langley à prévoir la crise d'octobre 1973 : le rapport d'un agent haut placé dans un pays arabe sur les intentions belliqueuses de l'Egypte et de la Syrie a été écarté sans examen. Et l'évacuation des civils soviétiques n'a pas allumé de feu rouge. Confirmation de Kissinger . « Nous avons demandé à notre service de renseignements ainsi qu'au service israélien, et cela à trois reprises pendant la semaine qui a précédé la guerre, de nous donner leur évaluation. Les Etats-Unis et Israël ont été d'accord pour estimer que le déclenchement d'hostilités était si peu sûr qu'on pouvait en estimer la probabilité à zéro. »

Le rapport Pike révèle encore que la commission spéciale de sécurité siégeant en période de crise avait conclu, sur la base des informations en sa possession le 6 octobre, deux heures après le début de la guerre, qu'il ne s'agissait que « d'un raid syrien très limité »...

Selon ce rapport, la C.I.A. n'avait demandé que deux vols de reconnaissance limités, les 13 et 25 octobre, préférant se fier sans réserves aux évaluations israéliennes. Ce qui a coûté leur carrière à deux fonctionnaires de l'agence et à un officier du Pentagone... Les liens privilégiés — dont le rapport Pike déplore la trop grande dépendance — entre services américains et israéliens n'auront toutefois pas toujours eu que des aspects négatifs.

« Les fabricants de matériel militaire et les spécialistes américains des problèmes de défense ont reçu d'Israël un flux constant d'informations sur les performances des équipements américains et soviétiques aux prises durant la guerre de Kippour. Cet échange leur a permis de procéder à des modifications importantes. » Ainsi s'exprime un ancien officier de renseignement de l'Armée de l'air américaine dans le quotidien israélien *Maariv* du 6 mai 1977. Son chef de service, le général George Keagan, a dit à des correspondants américains qu'il a pu examiner à loisir une quantité d'armement soviétique comme jamais ils n'auront l'occasion d'en voir jusqu'à la fin de leur vie.

— L'apport d'Israël a contribué d'une façon capitale à l'amélioration de notre sécurité nationale, a-t-il encore déclaré le 17 mai 1978, lors d'un séminaire à Washington. Cette contribution inappréciable vaut bien dans les 50 milliards de dollars, et cinq C.I.A. n'auraient pas pu nous en procurer autant.

Aussi bien le nouveau chef du gouvernement israélien Menahem Begin a-t-il inauguré sa première visite aux Etats-Unis, le 5 juillet 1977, en présentant au président Carter un dossier « top secret » énumérant en détail tous les cas où Israël a contribué à l'effort de défense américain. Le lendemain, Carter dit à Begin :

— C'est incroyable ! J'ignorais tout de la question...

De la campagne du Sinaï en 1956 à celle du Sud-Liban en avril 1978, les Israéliens auront en effet mis la main sur d'énormes stocks d'armes soviétiques : des chars T-34, T-64 et T-65, des avions Mig-17, 19, 21, des fusées Sam 2, 3, 6 et 7, des stations radar et des missiles antichars, etc. Toutes ces prises de guerre, probablement mentionnées pour la plupart dans le rapport Begin, ont été, selon les publications américaines, mises à la disposition des Etats-Unis. Mais c'est dans le domaine expérimental que la contribution israélienne reste de loin la plus importante : l'effort de guerre américain au Vietnam, avec ses 50 000 morts dans les combats antiguérillas, ne peut se mesurer à l'expérience de combats en grandes formations accumulée par Tsahal, notamment durant la guerre de Kippour où ont été engagés plus de 5000 chars, soit l'équivalent des forces blindées de l'O.T.A.N. en première ligne !

Israël est le seul pays occidental à avoir livré bataille dans le ciel à l'aviation soviétique et à avoir adopté des dispositifs de contre-mesures électroniques dans la guerre des missiles. Les chars dotés, selon *Aviation Week* de mai 1978, d'un système de protection magnétique, n'ont ainsi essuyé aucune perte en pénétrant au Sud-Liban.

Ce n'est donc pas par simple politesse que le général Brown, chef d'état-major interarmes des Etats-Unis, a adressé en avril 1978 un message de félicitations au nouveau chef de l'état-major de Tsahal, le général Rafaël (Rafoul) Eytan. Les liens unissant les deux armées s'étendent à l'échange d'évaluations stratégiques et à d'autres domaines depuis la correction des défaillances de Kippour.

L'ancien chef du Mossad, Isser Harel, a notamment admis, dans le numéro du 10 mars 1977 de *Yedioth Aharonoth*[1], l'existence d'opérations menées en commun par la C.I.A. et la centrale de renseignements israélienne. Selon le témoignage d'un transfuge de la C.I.A., Philip Agee, les relations entre les deux services ont été maintenues dans un département bien compartimenté, à l'abri de fuites éventuelles, par le chef de la section de contre-espionnage James Jesus Angleton, jusqu'à la démission de celui-ci à la fin de 1974.

Sa réputation de champion de l'anticommunisme a valu à ce poète sensible, grand amateur de pêche aux coquillages, de se tailler pendant un quart de siècle une position quasi inexpugnable à la tête des opérations spéciales du contre-espionnage. De son bureau situé dans une aile interdite du quartier général de la C.I.A. à Langley, près de Washington, il dirigeait à la fois le travail de détection des agents doubles et de contre-intoxication et les

1. Le plus grand quotidien israélien du soir.

menées antisoviétiques en Europe centrale et au Proche-Orient.

C'est en janvier 1956 qu'il a tissé les premiers liens avec les services israéliens à l'occasion de la mission secrète de l'envoyé spécial d'Eisenhower à Jérusalem et au Caire, Robert Anderson, chargé d'organiser — en vain — une rencontre Ben Gourion-Nasser avant l'irréparable. Angleton supervisait à l'époque l'entraînement de centaines d'agents hongrois, polonais, roumains et tchèques dans un camp secret d'Allemagne de l'Ouest dirigé par un ancien officier yougoslave de l'académie militaire des Habsbourg, en vue de déclencher des soulèvements populaires dans les pays satellites de l'U.R.S.S. En recevant du Mossad, en avril, la première copie intégrale du rapport inédit de Khrouchtchev au XXe Congrès du P.C.U.S. de février, il avait décidé d'accélérer la formation de ces groupes et leur entrée en action. Mais peu soucieux de compromettre le climat de détente Est-Ouest en pleine année électorale, en ayant l'air de jouer les fauteurs de troubles, Eisenhower avait alors préféré tirer un avantage politique immédiat de la publication de ce rapport, à laquelle s'opposait Angleton, tout à ses préparatifs de révoltes. Le chef du contre-espionnage de la C.I.A. devait attribuer, par la suite, l'échec du soulèvement hongrois d'octobre à la publication prématurée du rapport Khrouchtchev sur les crimes de Staline avant que ses groupes d'agents aient été en mesure d'intervenir efficacement. Cette tension entre la Maison-Blanche et la C.I.A. ne fut d'ailleurs pas étrangère à la décision d'Eisenhower de faire cause commune au même moment avec le maréchal Boulganine contre l'agression tripartite à Suez.

Quelques semaines après avoir été accusé par la presse américaine d'avoir contribué à la chute du régime socialiste d'Allende au Chili en septembre 1973, Angleton devait trébucher sur un nouveau scandale soulevé le 22 décembre 1974 par le *New York Times* : une affaire d'interception illégale de correspondance privée et de mise en fiches de dizaines de milliers de citoyens américains suspectés d'opinions subversives sous la présidence de Richard Nixon. Le service de sécurité, F.B.I., en rivalité permanente avec la section de contre-espionnage de la C.I.A., et le nouveau patron de la centrale d'espionnage William Colby, nommé par le président Gerald Ford après le scandale du Watergate, en ont profité pour exiger dès le lendemain la démission d'Angleton.

Mais la véritable raison de sa disgrâce était son entêtement à établir un lien entre le K.G.B. et le meurtrier officiel de John F. Kennedy, Lee Oswald. Il avait fondé sa conviction sur le fait que, peu après l'assassinat de Kennedy et celui d'Oswald, un transfuge du K.G.B., Yuri Nussenko, ancien officier-traitant d'Oswald lors du séjour de ce dernier à Moscou, avait demandé asile aux Etats-Unis. Nussenko eut beau répéter pendant trois ans aux enquêteurs du F.B.I. et de la C.I.A. que la centrale soviétique était parfaitement étrangère à l'attentat contre Kennedy, Angleton était resté le seul à n'en rien croire. Lui qui avait consacré sa carrière à démasquer les agents doubles, il s'était persuadé que Nussenko en était un, envoyé par le K.G.B. aux Etats-Unis pour effacer précisément toute trace de son rôle dans l'affaire. Il croyait également dur comme fer à la présence d'un agent double très haut placé dans l'Administration américaine.

— Cherchez bien autour de vous, confiait-il à Isser Harel, et vous trouverez sûrement un agent soviétique.

Le départ d'Angleton en décembre 1974 n'a sans doute pas été sans affecter les rapports entretenus par son service avec Israël à un moment où le rééquilibrage de la politique américaine au Moyen-Orient, consécutif au tournant décisif de Kippour, à l'évolution contre-révolutionnaire du régime égyptien et à l'importance croissante de l'Arabie saoudite, allait faire prendre à la C.I.A. des initiatives peu favorables à l'Etat juif.

Depuis 1975, la C.I.A. a multiplié les fuites sur la supériorité israélienne dans le rapport des forces avec les pays arabes et sur la puissance de feu nucléaire que détiendrait Israël. Ses évaluations de la situation au Moyen-Orient servent les efforts de la Maison-Blanche pour modifier la position du Congrès américain traditionnellement favorable à Israël. A la mi-mai 1978, un rapport secret de la C.I.A. sur la pénétration soviétique dans la corne de l'Afrique a influencé le vote à huis clos du Sénat américain en faveur de la vente d'avions de combat à l'Egypte et à l'Arabie saoudite présentées comme les mieux placées pour s'opposer à cette pénétration.

La C.I.A. n'a fait qu'accentuer sa présence dans la région depuis que la faillite de Kippour l'a amenée à la couvrir de satellites et d'avions de reconnaissance du type SR 71, à raison d'une photo toutes les six heures ! Les photos aériennes sont développées, agrandies et étudiées régulièrement au centre de surveillance de la C.I.A., le fameux bâtiment 213 de la rue « M » à Washington, non loin du Capitole. Leur précision est telle qu'on peut y lire l'heure sur la montre-bracelet d'un soldat en faction dans le Sinaï.

Les bateaux-espions captent plus que jamais toutes les communications radio et par téléphone de la région et, comme par hasard le chef de la mission d'observation américaine sur la ligne des cols se trouve être un cadre supérieur de la C.I.A.

En Egypte, même pendant les années difficiles de la lune de miel entre le Caire et Moscou, la C.I.A. a maintenu une liaison discrète avec Nasser — qu'elle avait initialement soutenu avec Kermit Roosevelt — par l'intermédiaire d'un proche collaborateur du Raïs. « Les contacts avec les Américains durant toute cette période étaient d'autant plus compliqués qu'ils insistaient pour garder deux voies de communications, note H. Heikal dans son livre *la Route du Ramadan :* le message de Rogers prenait la voie diplomatique par Riyad, celui de Nixon celle des services secrets. »

La C.I.A. a évidemment joué son rôle dans la prévention du complot contre Sadate fomenté par ses ministres prosoviétiques en mai 1971. Dans une interview accordée à *Business Week* en janvier 1975, Kissinger n'a pas caché que, dans certaines conditions, les Etats-Unis pourraient tout aussi bien renverser un gouvernement étranger par une « pression politique ». Il n'était donc pas inimaginable de se demander en 1978 dans quelle mesure la C.I.A. pourrait participer à une pression politique tendant à renverser le gouvernement de Menahem Begin à Jérusalem. Au lendemain de la surprise électorale de mai 1977, la C.I.A. a préparé un dossier sur le degré de popularité du nouveau gouvernement et l'évolution probable de l'opinion à son égard, sur l'état de santé du Premier ministre et sur les chances de ses successeurs. Son rapport spécial donnant un avantage au général Ezer Weizmann dans cette lutte pour la succession a été transmis à Sadate en novembre, avant son départ pour Jérusalem. Ce qui pourrait expliquer la première question posée, sur un ton volontairement familier, par le président égyptien à son arrivée à Lod : « Où est Ezer ? »

S'il n'est pas question pour la C.I.A. d'entreprendre une action subversive contre Begin, elle peut lui rendre la vie difficile, de même qu'elle avait fait tourner en catastrophe la visite du Premier ministre Rabin aux Etats-Unis, en mars 1977, de manière à lui faire perdre la compétition qui l'opposait alors à son ministre de la Défense, Shimon Peres, pour conduire le Parti travailliste aux élections.

La C.I.A. ne s'était d'ailleurs jamais gênée, dans le passé, pour « pénétrer » l'ambassade d'Israël à Washington et mettre sur écoutes toutes les conversations qui s'y tenaient. Elle avait même pris soin, semble-t-il, d'enregistrer toutes les communications téléphoniques échangées en septembre 1970 entre Golda Meir et Rabin, quand ce dernier était en train de monter avec Kissinger l'opération conjointe destinée à sauver Hussein de la subversion syro-palestinienne appuyée par Moscou. Kissinger voulait s'assurer, par toutes les voies possibles, de ce concours israélien !

Beaucoup plus récemment, un vice-consul des Etats-Unis en Israël a été surpris, en mai 1978, dans la base militaire de Khares, près de Tulkarem, en Cisjordanie occupée, en train de suivre l'installation d'une nouvelle colonie israélienne...

Contrairement aux apparences, les services soviétiques, le K.G.B. et le G.R.U., auront, en fin de compte, été à meilleure enseigne que les autres services de renseignement au Moyen-Orient lors de la crise d'octobre 1973. Non seulement les Russes ont été mis au courant au moins dix jours d'avance des intentions égypto-syriennes, grâce à leurs antennes à Damas, mais, tirant la leçon de leurs déboires antérieurs, ils ont décidé de fournir à Sadate toute l'assistance matérielle nécessaire au succès de ses objectifs : c'est paradoxalement après avoir chassé les experts soviétiques en juillet 1972 avec la bénédiction des Américains que le Raïs a reçu le maximum d'aide en équipement militaire de Moscou ! Avions, fusées et chars lui ont été livrés sans compter par l'U.R.S.S. entre juillet 1972 et juillet 1973. L'assistance des Russes s'est même étendue aux techniques d'interception des communications radio. Quand ils ont franchi le canal de Suez dans l'après-midi du 6 octobre, les Égyptiens étaient en possession de la carte des codes baptisée *Sirius* utilisée par Tsahal pour son dispositif de défense du Sinaï et traduite en arabe. Ils étaient en mesure d'écouter et de déchiffrer presque instantanément les conversations et les messages des unités israéliennes au niveau tactique et de diriger avec précision le feu de leur artillerie sur l'emplacement des quartiers généraux et principaux postes de commandement des divisions, des brigades et des bataillons de Tsahal.

C'est ainsi que le général Abraham (Albert) Mandler, chef de la force blindée de première ligne dans le Sinaï, a été tué d'un coup au but tiré sur son véhicule quelques instants après avoir donné par radio sa position au commandant du front sud, le général Shmouël Gonen,qui survolait la route du col de Giddi en hélicoptère : une petite crête portant la cote 61 sur la carte Sirius. L'état-major du général Adan (Brenn), chef des forces blindées de Tsahal, était exposé en permanence au tir des canons égyptiens et les officiers du quartier général devaient sans cesse se déplacer pour éviter leurs salves.

De même le colonel Dany Matt, le premier à franchir le canal le 15 octobre, à 17 heures, à la tête d'une unité de parachutistes, avait pu observer que chacun de ses échanges radio lui valait une pluie d'obus de Katyoucha et de mortiers.

Le 16 à 6 h 50, le général Sharon commençait à faire passer ses chars sur des barges de l'autre côté du canal sans attendre la construction du premier pont, contrairement aux instructions du général Bar-Lev. Il l'appelle à son quartier général d'Oum Kheshiba pour lui annoncer qu'il a envoyé trois chars sur la rive africaine afin de protéger les 200 parachutistes de Dany Matt. En fait, trente blindés ont déjà traversé le canal. Mais les Egyptiens qui ont capté son message radio à Bar-Lev s'en tiennent au chiffre indiqué pour estimer qu'ils ont affaire à une opération de diversion limitée à l'échelle d'un commando.

Quand, à 16 heures, Golda Meir annonce à la tribune de la Knesset qu'« une force israélienne opère en ce moment même sur la rive occidentale du canal », Sadate reçoit un coup de téléphone rassurant de son ministre de la Défense qui lui dit :

– Il ne s'agit que de trois chars israéliens infiltrés de l'autre côté du canal.

Devant le président du Conseil soviétique Alexeï Kossyguine, qui a annulé ce soir-là une rencontre avec le Premier ministre danois pour se précipiter aux nouvelles au Caire, Sadate brandit victorieusement le communiqué 45 du haut commandement égyptien annonçant l'anéantissement d'une unité ennemie infiltrée sur la rive ouest du canal. Mais, le lendemain, le représentant du K.G.B. au Caire fait part à Kossyguine des photos inquiétantes prises par les caméras du satellite Cosmos 597, lancé le 3 octobre à 300 kilomètres d'altitude, et dont l'orbite, inclinée à 65°4, « rase » les champs de bataille aux frontières d'Israël : une opération israélienne de grande envergure se développe à l'ouest du canal. Les Soviétiques sont les premiers à comprendre la portée de l'offensive Sharon. Kossyguine alerte Sadate qu'il rencontre à trois reprises dans la journée du 18 avant de reprendre l'avion pour Moscou et de faire fonctionner dès le lendemain le « téléphone rouge » reliant le Kremlin à la Maison-Blanche...

Cette juste appréciation de la situation ne compense pas pour autant les erreurs commises par le K.G.B. depuis son implantation en Egypte : il a eu tort de fonder toute la stratégie soviétique au Moyen-Orient sur la capacité de Nasser à lui en ouvrir les portes, à commencer par celle du Yémen que le corps expéditionnaire égyptien a échoué à conquérir; il a mal calculé le rapport des forces en lançant l'Egypte et la Syrie dans la guerre des Six Jours; il n'a pas cru les Israéliens en mesure de prendre le risque d'une confrontation armée avec les aviateurs russes en 1970; il a été surpris par la décision de Nasser d'accepter, à la même époque, le cessez-le-feu sur le canal; il a sous-estimé la réaction américaine à l'intervention syrienne en Jordanie de septembre 1970; il n'a pas prévu la décision de Sadate de renvoyer les experts et les techniciens soviétiques, etc.

En 1974, le Kremlin décidera de changer l'axe de sa politique moyen-orientale à la suite d'un rapport du K.G.B. présenté au cours d'une réunion secrète du Politburo. Ce rapport recommande d'une part de prendre désormais appui sur les éléments extrémistes, tels le F.P.L.P. de Waddia Haddad, le réseau terroriste international de Carlos et le front pro-irakien d'Abu Nidal, capables de semer le trouble au sein des pays de la Ligue arabe; d'autre part, de concentrer les efforts de pénétration soviétique dans la région du golfe Persique et à la corne de l'Afrique. Le Politburo adoptera du coup une nouvelle orientation en Méditerranée orientale en faveur de la Libye anticommuniste de Kadhafi, où Kossyguine sera reçu officiellement quelques mois plus tard. Il s'agit en fait pour les Russes de torpiller toute tentative de négociations directes entre Juifs et Arabes en utilisant au besoin l'arme de la terreur. Ainsi peut-on comprendre l'assassinat du journaliste britannique David Holden au Caire avant l'ouverture de la conférence israélo-égyptienne, du journaliste égyptien Youssef Sebaï, ami de Sadate, à Nicosie, du représentant modéré de l'O.L.P. Saïd Hammami à Londres, et peut-être celui d'Henri Curiel en mai 1978 à Paris...

C'est, en tout cas, le 24 octobre 1973 que les dirigeants du Kremlin auront commis leur plus grave erreur. Leur provocation verbale pour tenter d'imposer le cessez-le-feu a donné à Kissinger le prétexte dont il rêvait pour sauver la troisième armée égyptienne de l'encerclement israélien en tirant le signal d'alarme nucléaire...

Kissinger avait amorcé le virage de la politique américaine au Proche-Orient dès le quatrième jour de la guerre de Kippour :

— Puisque vous n'avez pas tenu votre pari de casser rapidement l'initiative militaire arabe, dit-il à une personnalité israélienne, c'est à moi de jouer maintenant.

Il avait saisi là l'occasion de jouer la deuxième manche de sa conquête de l'Egypte après l'expulsion de la présence militaire des Soviétiques en 1972. Dès la fin de cette année charnière, il avait pris l'initiative d'une rencontre avec son *alter ego* à la présidence de la République d'Egypte, Hafez Ismaïl, en envoyant auprès de l'ancien conseiller de Nasser, Heikal, le P.-D.G. de la société Pepsi-Cola, Donald Kendall, dont Nixon avait été l'avocat d'affaires et était resté l'ami intime.

Après une réception protocolaire à la Maison-Blanche, où Nixon développa pendant 70 minutes le thème, cher à son conseiller, de la réduction du conflit israélo-arabe à une équation entre souveraineté égyptienne et sécurité israélienne et proposant la poursuite des négociations secrètes sous la direction de Kissinger à l'insu du Département d'Etat, le représentant personnel de Sadate eut, les 24 et 25 février 1973, trois longs entretiens secrets avec Kissinger dans la maison de campagne de Kendall au Connecticut. Les deux interlocuteurs ont alors pratiquement esquissé les grandes lignes des futures relations américano-égyptiennes : confiance mutuelle, absence de tricherie et secret complet à l'égard d'Israël. Kissinger offrait une *pax americana* sous forme de procédures de règlements séparés et négociés pas à pas sous son égide. Avec une phrase clé jetée au milieu de la conversation :

– Les Etats-Unis ne peuvent imposer de solution à Israël, mais ils ont les moyens d'exercer une pression à partir d'une certaine base morale.

C'est en écoutant Ismaïl lui rapporter cette phrase à son retour que Sadate a pris la décision de déclencher une guerre avec pour objectif de fournir cette « base morale ». Prévue initialement pour mai, elle a été reportée à octobre afin de permettre une opération d'intoxication préalable. Sa nouvelle orientation a conduit Kissinger à jouer alors cinq fois en moins de trois mois contre les intérêts d'Israël.

Au quatrième jour de la guerre de Kippour, il a d'abord profité de l'affolement de Dayan, trompé par une erreur d'ordinateur sur l'état des réserves d'armes et de munitions de Tsahal dans la perspective d'un conflit prolongé, pour retarder la mise en place du pont aérien réclamé par Israël. C'est ainsi que la plus grande partie du matériel acheminé par une noria d'avions géants Galaxy, après le début du pont aérien soviétique vers la Syrie, n'aura pas le temps d'être utilisée dans les combats.

Le 16 octobre, Kissinger a fait savoir au chef de la rébellion kurde en Irak, le général Mustafa Barzani, soutenu jusqu'ici par la C.I.A., qu'il s'opposait à ce qu'il accède à la requête des Israéliens lui demandant, le 14 octobre, d'attaquer les arrières de l'armée irakienne, dont une intervention au Golan risquait de gêner la tentative de traversée du canal par la division de Sharon.

Or, une offensive kurde aurait à l'époque non seulement permis de soulager Tsahal d'une menace sur son front nord, mais aussi donné aux Kurdes un avantage important pour sauvegarder leur survie nationale, cyniquement sacrifiée deux ans plus tard par Kissinger.

Le rapport de la commission Pike révèle en détail la tragédie kurde. Pour répondre à la pénétration soviétique en Irak, la C.I.A.

avait, selon ce rapport, fait livrer par l'Iran aux rebelles kurdes des armes russes tombées aux mains d'Israël pendant la guerre des Six Jours. Le chef de l'antenne de la C.I.A. à Téhéran s'était assuré facilement la complicité des autorités iraniennes qui disputaient alors à Bagdad le contrôle de la région de Shatt el-Arab, sur le golfe Persique. Mais, en février 1975, Irakiens et Iraniens ont conclu à ce sujet un compromis, dont une des clauses secrètes stipulait l'arrêt de toute aide à la révolte kurde. Le 10 mars, le chef de l'antenne C.I.A. à Téhéran a supplié Kissinger de ne pas signer l'arrêt de mort du peuple kurde d'Irak en l'abandonnant à ses bourreaux. En vain. Kissinger a laissé perpétrer le génocide des Kurdes après les avoir empêchés de se sauver en aidant les Israéliens dans leur contre-offensive.

Dès 1966, pourtant, Israël avait apporté aux Kurdes une aide humanitaire avec une mission médicale conduite par le vice-ministre du Commerce et de l'Industrie, Aryeh (Lova) Eliav. Celui-ci avait rencontré le vieux Barzani en décembre dans les montagnes du Kurdistan irakien et lui avait transmis les vœux de son Premier ministre, Levi Eshkol, en lui offrant un hôpital de campagne. Le chef rebelle lui a remis son épée pour en faire présent au président de la Knesset. Selon l'un des fils de Barzani, Oubidallah, passé aux Irakiens en 1971, l'assistance israélienne à la révolte kurde comprenait également des équipements militaires avec conseillers, instructeurs et contact radio direct. Selon l'éditorialiste américain Jack Anderson : « Le chef du Mossad a rendu visite au moins une fois à Barzani dans sa forteresse montagnarde. »

Mais, le 16 octobre 1973, cette alliance n'était déjà plus du goût de Kissinger, qui s'est empressé, trois jours plus tard, de s'envoler discrètement pour Moscou quand il a compris la portée du rétablissement militaire israélien sur le front sud. Alors qu'il avait la possibilité de faire traîner en longueur ses tractations au Kremlin, il a conclu en moins de 48 heures l'accord de cessez-le-feu sans même consulter ses anciens partenaires de Jérusalem. Il a mis cette « absence de coordination » sur le dos des mauvaises transmissions télégraphiques entre Moscou et Washington.

Pour forcer Tsahal à respecter le cessez-le-feu, qui n'a pu entrer en vigueur le 22 octobre à 18 heures, et à lâcher prise aux portes de Suez, où l'encerclement de la IIIe armée égyptienne risquait de tourner à la catastrophe militaire et politique pour Sadate, Kissinger n'a pas hésité alors à simuler la crise mondiale en plaçant, le 24 octobre, les réserves stratégiques des Etats-Unis en état d'alerte au troisième degré face à la menace d'intervention soviétique. Le secrétaire d'Etat à la Défense James Schlesinger avait tenté de s'opposer à cette mesure « qui n'était pas justifiée » selon ses propres termes. En fait, l'appel au secours de l'Egypte s'était limité à l'envoi d'observateurs soviétiques et américains sur le terrain pour contrôler le cessez-le-feu. Et Moscou s'était contenté d'envoyer effectivement 70 observateurs le 24 octobre.

Le document sur lequel s'était appuyé Kissinger, dans la nuit du 24 au 25, pour justifier l'alerte atomique était un télex échangé entre Assad et Sadate, duquel on pouvait déduire à la rigueur que le président syrien avait, lui, demandé une aide aux Russes. Et comme Brejnev menaçait dans un message à Nixon de prendre ses responsabilités à défaut d'une action commune, Kissinger l'a emporté sur Schlesinger. Il n'a d'ailleurs pas eu de mal à forcer la main de Nixon qui venait de limoger son ministre de la Justice, le 20 octobre, à cause des développements judiciaires de l'affaire des « plombiers » du Watergate. Une crise était la bienvenue pour détourner l'attention...

A Kissinger l'état d'alerte fournissait la « base morale » d'une pression sur Israël. Le 26 octobre à minuit, il répondait à Golda Meir qui lui demandait par téléphone de lier le ravitaillement de la IIIe armée égyptienne à l'échange des prisonniers de guerre :

— Si vous voulez que des hélicoptères russes viennent ravitailler la IIIe armée, allez-y, mais sans nous !

Et il a joué une cinquième fois contre Israël à quelques jours de l'ouverture, le 21 décembre, de la conférence de Genève. Déconcerté par le progrès des pourparlers entrepris sous la tente du kilomètre 101 entre les généraux Gamassi et Yariv en vue d'un accord de désengagement des forces armées en présence sur le front israélo-égyptien, Kissinger téléphone à Golda Meir :

— Si vous faites ces concessions aux Egyptiens maintenant, que vous restera-t-il à négocier à Genève ?

Le Premier ministre, qui a intérêt à un succès diplomatique à Genève, à une semaine des élections générales — reportées du 31 octobre au 30 décembre pour cause de guerre — ordonne à Yariv de freiner les pourparlers du kilomètre 101.

Quelques semaines plus tard, au cours d'une navette impressionnante entre Jérusalem et Assouan, Kissinger obtient la signature d'un premier accord de désengagement auquel aurait pu aboutir le tête-à-tête Gamassi-Yariv. « Cet accord aurait pu être directement conclu au kilomètre 101. Pas plus, certes, mais pas moins », constatera amèrement l'ancien chef de l'Aman.

L'occasion d'un vrai dialogue israélo-égyptien a été ainsi manquée au lendemain du choc de Kippour. Il faudra l'exploit du raid sur Entebbé, en juillet 1976, pour permettre à Israël de surmonter son traumatisme et lui rendre confiance en Tsahal.

XVIII
COUP DE TONNERRE SUR ENTEBBÉ

Du délire ! Dans tout Israël en proie à l'exaltation retentissent les shofars, ces cornes de bélier dont sonnent les rabbins aux jours de fête. La foule, qui a envahi de bonne heure l'aéroport Ben Gourion pour accueillir les cents otages libérés et faire un triomphe au commando retour d'Entebbé, vient de reconnaître Menahem Begin, son visage impavide au sourire figé, son austère complet sombre, son éternelle cravate à pois, sa raideur de mannequin sorti tout droit du musée de cire de Tel Aviv. Elle le soulève de terre et le fait tanguer au-dessus des têtes, d'épaules en épaules, au milieu des vivats, des accolades et des œillets rouges.

Le chef historique de l'opposition nationaliste est en effet arrivé bon premier à Lod en cette chaude matinée du dimanche 4 juillet 1976 : les ministres et les chefs militaires, Rabin et Peres en tête, ont discrètement gagné la base du Néguev où font escale les Hercules de l'opération Coup de Tonnerre, lui laissant ainsi le bénéfice du bain de foule à l'arrivée des otages. Cette ovation populaire confère ce jour-là à Begin une sorte de légitimité qui va lui servir de tremplin pour accéder, un an plus tard, au pouvoir. Mais il ne le sait pas lui-même quand il vient à la tribune de la Knesset, réunie à 15 heures en session extraordinaire, saluer le Premier ministre du gouvernement travailliste par ce cri du cœur : « Kol Hadavod ! » (« Tout l'honneur ! »), formule surannée de félicitations que l'ancien dirigeant de l'Irgoun réservait encore respectueusement à la seule armée.

La joie communicative noie tout : les dissensions; le sentiment de solitude et le découragement qui gagnait le pays encore sous le choc de Kippour; les difficultés économiques, les grèves, l'inquiétude devant les troubles arabes de Cisjordanie et même de Galilée. Israël ne veut savoir qu'une chose : qu'il est vainqueur et que personne d'autre au monde n'aurait pu réussir cette victoire-là...

La réception organisée dix jours plus tard par l'ambassadeur de France, dans les jardins de sa résidence à Jaffa, afin de célébrer le 14-Juillet, sera l'occasion, pour la classe politique israélienne d'offrir le spectacle de son unité, cimentée par le fantastique exploit du raid éclair en Ouganda. Clou du spectacle : Begin dans les bras de Rabin ! Il y a deux ans, le leader des faucons n'avait pas assez de sarcasmes pour fustiger le successeur de Golda Meir : « Des colombes comme lui, on n'en a pas vu depuis l'Arche de Noé ! »

Le col largement ouvert, Rabin, ce soir, sourit aux anges. Il vient d'apprendre que les propagandistes du parti préparent un film en vue des prochaines élections, dont le morceau de bravoure sera la scène de félicitations de Begin à son adresse. Un militant facétieux propose même d'intituler le programme électoral : « plan Ouganda ».

Du coup, Entebbé entre dans la légende avant d'entrer dans l'Histoire. La rumeur et la presse, relayées bientôt par l'édition et le cinéma, se nourrissent de récits colportés le plus souvent de sources étrangères, dont le ministre de la Défense Shimon Peres se plaît à souligner qu'ils n'ont qu'un trait commun : la fantaisie... Ainsi en est-il du mythe d'un faux Amin Dada amené par le commando israélien pour tromper la vigilance des soldats ougandais et des terroristes qui gardaient les otages de l'Airbus d'Air France dans la vieille aérogare. Ainsi des parachutistes largués avec des canots pneumatiques, au clair de lune, sur le lac Victoria. Ainsi des prétendus messages du premier Hercules à la tour de contrôle annonçant l'arrivée de fedayin libérés en échange des otages. Ainsi d'un bombardement de diversion qui aurait été effectué avant l'atterrissage du commando aéroporté...

– Le seul secret de l'opération, ajoute Peres, c'est qu'elle ait pu être gardée secrète jusqu'au bout.

Begin est justement l'un des rares privilégiés à avoir été mis dans le coup par la volonté de Rabin d'associer l'opposition à l'une des prises de décision les plus difficiles de sa carrière militaire et politique.

Il ne restait plus, le 1er juillet 1976, que quarante minutes : l'ultimatum des pirates de l'air, qui ont, le 27 juin, détourné l'avion français de la ligne Tel Aviv-Paris à l'escale d'Athènes, expire ce jour-là à 11 heures GMT. S'ils n'obtiennent pas la libération de 53 terroristes détenus, dont 40 en Israël, les 206 otages encore entre leurs mains seront massacrés. Les otages – la moitié sont Israéliens – le savent. Ils savent aussi que, jusqu'à présent, Israël n'a jamais cédé.

A 10h20 GMT, Jérusalem fait savoir à Paris sa décision d'entamer des négociations par le biais de la France. Israël cède ! C'est incroyable. Mais est-ce vrai ? A ce moment-là, oui, sans doute.

– Le sablier se vidait, expliquera Rabin. Nous avions bien songé, sitôt après l'arrivée de l'Airbus détourné à Entebbé, dans la nuit du 27 au 28 juin, à monter une opération militaire. Mais, avant l'expiration de l'ultimatum, nous n'avions pas le temps.

Le cabinet de guerre constitué d'urgence à Jérusalem allait donc, pour la première fois depuis juillet 1968, s'incliner devant le chantage terroriste. Il se sent si impuissant à forger une alternative en un délai si bref qu'il se résigne à l'humiliation : les morts de Munich, de Kyriat Shmoneh, de Maalot n'auront servi à rien. Il suffit à l'Internationale de la terreur d'emmener ses otages dans un Etat éloigné et complice pour réduire Israël à capituler.

L'alternative, ce serait le raid foudroyant qui mettrait fin au chantage, quitte à sacrifier bon nombre d'otages. Mais, pour l'organiser, il faudrait gagner du temps.

Tout à l'euphorie de leur succès, les terroristes commettent deux erreurs. Avant même de connaître la réponse israélienne, ils ont décidé de prolonger leur ultimatum de 72 heures – jusqu'au 4 juillet 11 heures – et de libérer encore 100 otages non-Israéliens. C'est sous-estimer la capacité d'audace et d'imagination de leurs adversaires. Les otages libérés vont compléter les renseignements collectés par les services secrets israéliens auprès des 48 passagers déjà rapatriés. Les trois jours de sursis inespérés vont permettre à l'état-major de Tsahal de mettre au point une expédition militaire sans précédent, à 4 000 kilomètres de distance, dans le secret le plus absolu. Le général « Motta » Gur, vivement stimulé par Peres, a chargé son chef des opérations de prévoir tous les détails du plan d'intervention baptisé en code « Kadoor Haraam » (Boule de tonnerre). Mais c'est Rabin qui, le 3 juillet, après un débat de conscience dramatique, assumera la responsabilité de donner le feu vert... En attendant, son gouvernement garde deux fers au feu : le projet d'opération, qu'une élite de l'armée prépare sans perdre une seconde, avec l'aide du Renseignement. Et la négociation, à laquelle il croit de moins en moins, les exigences des terroristes se compliquant de celles d'Idi Amin Dada en une constante surenchère.

– Ce plan est tellement impossible qu'il est tout à fait réalisable, dit Ygal Allon le 2 juillet en Conseil restreint.

Une « task-force » de 150 hommes appartenant à six différents corps d'armes placée sous le commandement du patron des parachutistes, le général Dan Shomron, s'envole le lendemain après-midi à bord de quatre Hercules C-130, dont le voyage au-dessus de l'Afrique passera totalement inaperçu. En liaison avec l'état-major par un Boeing 707 servant de Q.G. avancé, elle se posera dans la nuit sur la piste principale d'Entebbé sans attirer l'attention de la tour de contrôle. En 45 secondes, l'une des unités met hors d'état de nuire les quatre terroristes qui gardaient les otages et en abat encore trois dans la minute qui suit, tandis que les autres unités s'emparent des installations de l'aéroport. Au cours de la fusillade, trois otages sont tués, ainsi que le chef du commando le colonel Jonathan (Yoni) Netanyahu. Entre l'atterrissage du premier appareil et l'évacuation des 102 otages rescapés à bord du second, il ne se sera écoulé que 42 minutes...

Mais, jusqu'au dénouement final, l'équivoque aura été maintenue. Aux dépens de l'ambassadeur d'Israël à Paris lui-même que Rabin et Allon appellent, le 3 au soir, pour discuter longuement des modalités de la négociation. Les Hercules ont déjà décollé depuis plus de trois heures pour Entebbé et Rabin et Allon parlent de la salle des opérations de Tel Aviv. Ils savent que leur conversation est écoutée par des oreilles indiscrètes et qu'elle donnera le change. Mais ils savent aussi que si, pour une raison quelconque, les Hercules doivent faire demi-tour au dernier moment – une escale est discrètement aménagée à Nairobi, au Kenya ami – il ne restera pas d'autre issue que la négociation. Même si celle-ci n'a, à leurs yeux, aucune chance d'aboutir, il faut bien lui laisser la porte ouverte. C'est cette incertitude, imposée par les circonstances jusqu'au dernier moment, qui fera crier certains au « double jeu » et soulèvera, après le raid, l'irritation de quelques chancelleries européennes. Notamment à Paris, en principe responsable du sort des passagers d'Air France.

En l'absence du président Giscard d'Estaing et du ministre des Affaires étrangères Jean Sauvagnargues, en déplacement à Porto Rico, le Quai d'Orsay a réagi au détournement de l'Airbus, le 27 juin, en envoyant le lendemain soir, à Kampala, un inspecteur d'ambassades, Marc Bonnefous, pour « coiffer » son ambassadeur en Ouganda, Pierre-Henri Renard. Dans l'Elysée désert, le secrétaire général de la présidence, Claude Pierre-Brossolette, n'a pas éprouvé le besoin de déranger Giscard à Porto Rico. Prévenu plus tard par le Quai, Giscard lui recommande, le 28, de ne rien entreprendre avant que soient connues les exigences des ravisseurs. Le 29, Amin Dada les soumet à Bonnefous en présence de l'ambassadeur de Somalie que les Palestiniens ont chargé de négocier en leur nom. Le 30, Amin Dada fait remettre 47 otages aux deux diplomates français, qui ne peuvent entrer en contact avec les 206 autres. Un message de Giscard à Amin Dada, placé avec confiance et courtoisie en face de ses responsabilités, est télexé à l'ambassade de Kampala, mais les deux diplomates passeront une partie de la nuit à le déchiffrer et à le traduire en anglais, et il ne sera remis à son destinataire que le lendemain après-midi à l'aéroport, où les terroristes libèrent encore 100 otages et prolongent leur ultimatum. Bonnefous et Renard confirment à Amin Dada la décision israélienne d'accepter le marchandage, dont la soudaineté les a étonnés dans la mesure où le délai initial fixé par les terroristes leur paraissait d'avance devoir être prolongé. Brossolette, entre-temps, a appelé Giscard à la préfecture d'Angers pour l'informer de cette stupéfiante décision de Jérusalem.

Ce « ballon d'oxygène » fait penser aux Français que les choses vont maintenant traîner en longueur et s'achemineront vers une solution de compromis.

Le 2 juillet, la délégation israélienne au Quai d'Orsay reproche à ses interlocuteurs de faire confiance à Amin Dada et de croire à une issue heureuse d'une négociation dont les fils se nouent si difficilement. A Kampala, l'ambassadeur somalien tend à Bonnefous une demande de rançon formulée la veille par le F.P.L.P. auprès de l'ambassade de France à Aden. Bonnefous refuse de la prendre en considération.

Le 3, il présente au Somalien les 14 points soulevés par la délégation israélienne à Paris sur les modalités d'un échange. Il a l'impression de pouvoir obtenir un nouveau délai, avec le sentiment d'être en mesure, à la longue, de grignoter les prétentions des terroristes.

Le 4 à 1h10 du matin, Brossolette, réveillé par un coup de téléphone de Sauvagnargues lui annonçant le raid israélien, décide de ne pas déranger Giscard qui passe le week-end au château familial d'Authon. Quand l'ambassadeur d'Israël l'appelle à son tour pour transmettre un message de Rabin au président français il lui répond de le faire déposer à la loge de l'Elysée, où le fonctionnaire de permanence en prendra connaissance au début de la matinée. A 8h30, Brossolette sonne enfin le château d'Authon, mais Giscard est allé promener les chiens. Il a appris la fin du drame par la radio. Etonné de n'avoir pas été tenu au courant de l'opération, il fait publier un communiqué de satisfaction par l'Elysée, sans un mot de félicitation à Israël...

Israël s'en moque. Le retour triomphal du 4 juillet porte d'un coup son moral au zénith. Moins de trois ans après le séisme de Kippour, les Israéliens retrouvent le sourire. Mais leur exaltation, après l'Opération Tonnerre, n'est pas comparable à la griserie qui avait suivi la victoire des Six Jours en 1967. Elle est tempérée par la vengeance bestiale qui a frappé cette passagère de 75 ans de l'Airbus détourné, Dora Bloch, transférée à l'hôpital Mulago de Kampala, par suite d'un malaise, l'avant-veille du sauvetage, et que quatre sbires ougandais sont venus arracher de son lit, le lendemain, pour lui faire payer l'échec du chantage. Les démarches d'un représentant britannique et de l'attaché culturel français à Kampala, qui sont les derniers à lui avoir rendu visite en début d'après-midi, ont été trop timorées pour prévenir cette horrible action de représailles.

Pour Israël, Dora Bloch était plus qu'un symbole. Née à Jaffa au début du siècle, fille de Joseph Feinberg, un des quatorze pionniers venus de Russie en Palestine, à la tête de la première vague d'immigration juive, elle faisait partie, avec sa famille, de la légende du Mayflower israélien et de l'élite juive de Jérusalem. C'est dans la maison de son père, fondateur du village de Richon-le-Zion, qu'un poète bohème du nom de Naphtali Imber avait composé, sur le piano de sa mère, l'hymne à l'espérance qui devait devenir l'hymne national d'Israël. Theodor Herzl était venu danser avec sa mère sur la terrasse de l'hôtel Kamenitz à Jaffa lors de sa visite en Palestine avec le Kaiser Guillaume II. Puis son père s'était vivement opposé à la « trahison » de Herzl quand l'auteur de « l'Etat Juif » avait transmis au Congrès sioniste de 1903 l'offre du ministre britannique Chamberlain à son retour des bords du lac Victoria : « Voilà un pays qui conviendrait admirablement au Dr Herzl ! »

Cruelle et tragique ironie de l'Histoire : la vieille dame de Jérusalem, qui était également la cousine d'Absalon Feinberg, l'ami de la famille Aaronsohn, animatrice du réseau Nili, a trouvé la mort dans le pays dont son père ne voulait pas comme foyer national pour le peuple juif, et où son propre fils, Bertram, avait travaillé comme ingénieur à la construction de l'aéroport d'Entebbé !...

Mais Entebbé aura également été le tombeau des rêves sanguinaires du « Dr No » du F.P.L.P. : Waddia Haddad.

Au début du mois de mai 1976, les services israéliens avaient averti leurs homologues occidentaux d'un nouvelle vague d'attentats en préparation, notamment des détournements d'avions. Ecrasés sous les obus phalangistes, trahis par les « frères » syriens, les mouvements palestiniens venaient en effet d'accorder la prépondérance au groupe extrémiste du Dr Haddad.

Le 4 juin, la radio libanaise annonçait laconiquement la signature d'un accord militaire entre l'O.L.P. et le Front du refus qui consacre en particulier la reprise des activités terroristes à l'étranger. C'est le moment que choisit Haddad pour préparer une opération dont l'envergure dépasse le cadre habituel des détournements aériens et des prises d'otages. Il s'agit d'impliquer d'autres gouvernements pour exercer une pression diplomatique sur Israël, avec des complicités étatiques autres que celles du monde arabe, à l'abri des possibilités de représailles israéliennes, et de s'assurer un succès stratégique qui serve d'avertissement aux régimes « modérés » et d'exemple aux minorités activistes.

A la mi-juin, Haddad convoque son état-major dans un appartement d'Aden. Sept des douze dirigeants de l'organisation vont participer aux réunions de travail — auxquelles il est toujours le dernier à arriver — pour planifier une action d'éclat répondant à ces objectifs : choix de la cible, modalités d'opération, répartition des tâches, constitution des équipes, préparatifs logistiques, etc. Bien que leurs relations soient affectées depuis un an à la fois par une rivalité amoureuse et par des initiatives intempestives, Haddad a fait venir exprès de Tripoli le fameux Carlos, l'homme qui, six mois plus tôt, a réussi l'enlèvement spectaculaire des onze ministres du pétrole au siège de l'O.P.E.P. à Vienne, symbole de la domination des régimes modérés sur le monde arabe. Ce Vénézuélien de 27 ans s'était composé ce jour-là une silhouette à la Che Guevara pour imposer son image de vedette du terrorisme sans frontières. Muni de l'alibi fréquent des espions qui viennent du froid — une expulsion de Moscou pour mauvaises mœurs — passé par Berlin-Est et Beyrouth — itinéraire habituel d'infiltration dans les réseaux palestiniens — il avait, en juillet 1974, succédé à Mohamed Boudia à la tête d'un commando opérant à Paris sous les ordres d'un adjoint libanais d'Haddad, Michel Moukarbal. Il avait notamment organisé une prise d'otages à l'ambassade de France à La Haye, un attentat au Drugstore Saint-Germain à Paris (2 morts, 34 blessés), deux attentats manqués contre des Boeings d'El Al à Orly. Le 27 juin 1975, il avait abattu Moukarbal et trois policiers de la D.S.T. que celui-ci avait conduits à l'un de ses repaires parisiens.

De Libye, il amène avec lui à la secrète réunion d'Aden ses deux adjoints dévoués : son acolyte du réseau londonien, l'Equatorien Antonio Dagues Bouvier, et son complice des derniers attentats parisiens, l'Allemand Wilfried Boese, éditeur gauchiste de Francfort associé à la bande à Baader. C'est à Boese et à Bouvier qu'Haddad va confier le commandement de chacune des phases successives de l'opération envisagée, car il reproche à Carlos de n'en faire qu'à sa tête. Aux séances de planning assistent également trois des principaux responsables du groupe Haddad : Jaël el-Ardja, recruteur de Carlos et de Bouvier et chef adjoint des relations extérieures du F.P.L.P., Abd el-Razak, représentant d'Haddad en Allemagne, et Fayez Jaaber, chef des opérations militaires du F.P.L.P. Ils prendront tous part à l'exécution du plan que leur soumet Haddad : il s'agit de s'emparer d'un avion gros porteur en provenance d'Israël et de le dérouter sur l'Ouganda, au cœur de l'Afrique, où les fedayin disposent d'une représentation officielle et d'un centre d'entraînement.

Le choix se porte sur la compagnie Air France, qui se croit à l'abri en raison de la politique « méditerranéenne » de son gouvernement. Et sur l'escale idéale d'Athènes, où le retour de la démocratie et du tourisme a supprimé tout contrôle sérieux, notamment en salle de transit. Haddad installera le P.C. de l'opération en Somalie, d'où il se tiendra en liaison avec l'ambassade à Kampala.

Le 20 juin, le représentant du F.P.L.P. au Koweït reçoit l'ordre d'acheter deux billets en classe « éco » pour Paris via Bahreïn et Athènes, en ayant soin de réserver deux places pour le dimanche 27 sur le vol AF 139 Athènes-Paris. Et de les remettre à deux jeunes Palestiniens recrutés sur place, Abou Ali et Abou Khaled. Le 25, Haddad s'entretient longuement avec une jeune Allemande qu'il a décidé d'adjoindre à Boese pour encadrer ces deux hommes de main : Ingrid Siepmann n'est peut-être pas une femme sexuellement très équilibrée, mais c'est déjà une terroriste avertie. Condamnée à douze ans de prison pour sa participation au meurtre du procureur de la cour d'appel de Berlin-Ouest, elle a été libérée en avril 1975 en échange du député Peter Lorenz, enlevé par des émules de Baader-Meinhof, et mise dans un avion pour Aden. Membre du commando de Carlos à Vienne, c'est elle qui a abattu de sang-froid un garde autrichien du siège de l'O.P.E.P.

Le 26, les deux Allemands quittent Aden à 7h15 pour le Koweït où ils achètent deux billet de 1re à destination de Paris via Bahreïn et Athènes. A 17 heures, ils s'envolent en compagnie des deux jeunes Palestiniens qui transportent deux énormes boîtes de dattes « made in Irak » contenant en réalité un lot de grenades et des charges explosives. Les quatre passagers portent sur eux un revolver 7,65. Ils passent toute la soirée dans la salle de transit du nouvel aéroport de Bahreïn : l'avion SQ 763 A de la Singapore Airways est annoncé pour 3 heures du matin.

Pendant ce temps, Haddad a pris à 12h10 le vol de la Somaly Airlines qui l'a fait arriver à Mogadiscio à 16h30. Par prudence, l'équipe de Bouvier prévue pour la réception des otages en Ouganda a pris le vol précédent.

Le lendemain, dimanche 27, le couple allemand et les deux Palestiniens débarquent séparément à 7 heures dans la salle de transit de l'aéroport d'Athènes. Ils voyagent bien entendu sous des identités d'emprunt. A 10 h 45, ils se mêlent aux 56 passagers munis de cartes jaunes qui s'apprêtent à embarquer à bord de l'Airbus. L'appareil d'Air France vient de se poser avec un quart d'heure de retard. Comme prévu, aucun contrôle des bagages à main, aucune fouille à la sortie du transit. De la terrasse de l'aérogare, un autre couple d'Allemands surveille le mouvement des passagers. L'homme s'appelle Rolf Pohle et porte un passeport péruvien : il a été libéré de prison en avril 1975 en échange du député Peter Lorenz. La femme, Gabriela Tiedemann, est la veuve d'un terroriste allemand tué par l'explosion de sa valise le 25 mai à Lod. Leur montre marque 11h33 quand l'avion prend la piste...

Huit minutes après le décollage, les quatre terroristes se rendent maîtres de l'Airbus et de ses 254 occupants. L'Allemand Boese s'empare du contrôle des liaisons radio, et du cockpit dirige la manœuvre, forçant le commandant à mettre le cap sur Benghazi, en Libye. Sa compagne tient en respect les passagers et le personnel de cabine qu'elle fait fouiller par les deux Arabes. L'avion fait le plein de carburant libyen. Après 5h30 de vol, l'Airbus atterrit à Entebbé où l'attend l'autre équipe de terroristes venue d'Aden par la Somalie. Les otages sont enfermés dans une salle désaffectée de l'ancienne aérogare.

Aux exigences d'Haddad se superposent celles de Carlos qui, après un aller et retour en Libye prend l'initiative de demander une rançon à l'ambassade de France à Aden pour s'assurer des fonds propres que lui a refusés Haddad. Et c'est sans doute à l'insu de ce dernier qu'il a fait transmettre cette demande par son ami Bouvier à l'ambassadeur de Somalie.

Finalement le « Coup de tonnerre » d'Israël mettra un terme à tous ces chantages et à la carrière des trois principaux lieutenants du groupe palestinien le plus redoutable. Seuls Bouvier, parti passer la nuit du 3 au 4 juillet à Kampala, Carlos, faisant cavalier seul entre Aden et Tripoli, et Haddad lui-même, retranché à Mogadiscio, ont échappé à la mort. Provisoirement. Le « Cerveau » discrédité du terrorisme arabe mourra d'un cancer le 31 mars 1978, dans un hôpital de Berlin-Est.

La formidable leçon d'Entebbé a servi d'avertissement aux soutiens étatiques de la terreur; mais, surtout, elle a servi d'exemple au monde libre en lui montrant qu'il lui était possible de se délivrer du cauchemar de la piraterie aérienne, cet avatar moderne de la barbarie. Elle a contribué à une prise de conscience qui s'est traduite pour la première fois au Conseil de sécurité des Nations unies, où le bloc arabo-communiste n'a pu réunir une majorité de voix pour condamner « l'agression flagrante d'Israël contre la souveraineté de l'Ouganda ». Et les Occidentaux se sont entendus enfin pour mettre hors la loi les tenants du terrorisme international dont Abu Nidal, l'ennemi intime d'Arafat, manipulé par les services irakiens, tente désormais de prendre la tête.

Seize mois après Entebbé, leur solidarité s'est manifestée à diverses reprises. Elle a joué le 18 octobre 1977, à Mogadiscio précisément, où les autorités somaliennes ont aidé un commando ouest-allemand à prendre d'assaut un Boeing de la Lufthansa détourné par quatre terroristes du F.P.L.P. et à libérer leurs 90 otages. A Larnaca, le 19 février 1978, la garde cypriote a malheureusement décimé un commando égyptien venu délivrer en force onze otages des mains de deux terroristes qui avaient obtenu un avion après avoir assassiné le directeur du quotidien cairote *Al Ahram*, Youssef Sebaï, ami intime de Sadate. A Orly, le 15 mai 1978, la police française a abattu trois « Fils du Sud-Liban » armés qui s'apprêtaient à massacrer des passagers d'El Al pour Tel Aviv : en 1975, elle mettait encore un avion pour Bagdad à la disposition de trois de leurs prédécesseurs du réseau Carlos qui avaient blessé 20 personnes en tentant de détruire au lance-grenades un Boeing d'El Al d'une terrasse de la même aérogare. Le refus de céder au chantage des preneurs d'otages a même gagné l'Italie avec le sacrifice du président de la démocratie-chrétienne Aldo Moro, enlevé le 19 mars 1978 et assassiné après un martyre de cinquante-quatre jours...

Les tueurs palestiniens de Larnaca, qui ont préféré se rendre aux autorités de Chypre, avaient un objectif politique précis : il s'agissait d'interrompre le processus de négociation au Proche-Orient engagé par le voyage de Sadate à Jérusalem.

XIX
LES RENCONTRES D'UN AUTRE TYPE

« Allah est grand ! » Assis en tailleur au milieu de ses gardes du corps debout dos à dos, le visage ruisselant de sueur, les yeux et les mains levés vers la voûte, le président de la République arabe d'Egypte, Anouar el-Sadate, accomplit ses dévotions dans le troisième lieu-saint de l'Islam : la mosquée el-Aqsa, au cœur de la vieille ville de Jérusalem. Le monde entier peut voir sur l'écran des télés les lèvres du Raïs suivrent le rythme de la prière de la fête du Sacrifice avec une ferveur intense.

— A el-Aqsa, dira-t-il tout à l'heure, à la tribune de la Knesset, sous le portrait de Theodor Herzl, j'ai prié pour la paix !

Le téléspectateur juif n'en revient pas. Du moins celui qui, en ce dimanche 20 novembre 1977, peut encore se remémorer, par-delà les fracas des armes, les paroles prononcées par le même chef d'État le 25 avril 1972 en la mosquée el-Husse'in du Caire, à l'occasion de la naissance du prophète Mahomet :

« Avec l'aide de Dieu, nous reprendrons Jérusalem des mains de ceux dont le Coran a dit : " Il est écrit qu'ils seront humiliés et misérables"... Ils parlent de négociations directes. Mais ils étaient les voisins du Prophète à Médine, ils étaient ses voisins et il a négocié avec eux, et il parvint à un accord avec eux. Mais à la fin ils prouvèrent qu'ils étaient hommes de fourberie et de trahison, puisqu'ils conclurent un traité avec ses ennemis pour le frapper à Médine et l'attaquer de l'intérieur. La plus belle chose qu'ait faite le Prophète a été de les chasser de toute la péninsule arabique... Nous ne mènerons jamais de négociations directes avec eux. Nous connaissons notre histoire et leur histoire à l'époque du Prophète. C'est une nation de menteurs et de traîtres, d'ourdisseurs de complots, un peuple né pour les actes de perfidie... Je leur dis aujourd'hui, de ce lieu... que nous ne négocierons pas avec Israël, quelles que soient les circonstances et que nous ne marchanderons pas avec eux un seul des droits du peuple palestinien... Ils redeviendront ce que le Coran dit d'eux : "Condamnés à l'humiliation et à la misère". Nous ne céderons pas là-dessus. Il ne s'agit pas seulement de libérer notre pays... Nous les renverrons dans leur ancien état... »

Et que n'avait dit, de son côté, Dayan du successeur de Nasser ? Il ne cachait pas son mépris pour ce ridicule paysan du Nil, avec sa petite moustache, ses grandes déclarations et ses menaces qu'il n'arrivait pas à prendre au sérieux :

— Sadate, avait-il dit de sa voix traînante, au cours d'un exercice d'artillerie, Sadate, il ne vaut pas un obus...

Et voici qu'en trois jours tout bascule. Il a suffi, le 19 novembre, d'un geste de la main à la passerelle d'un avion pour que se réalise le miracle : le représentant de la plus grande puissance de la nation arabe vient rencontrer solennellement à Jérusalem les représentants de la nation juive.

— C'est encore plus formidable que le premier homme sur la Lune ! s'écrie l'un des journalistes égyptiens présents, Hamdi Fouad, chef du service étranger d'*Al Ahram*.

Une agence de presse américaine paie cash 100 000 Francs l'image du premier pas de Sadate sur le sol d'Israël. Un policier barbu, calotte sur le crâne, murmure la prière qui accompagne les premières récoltes. L'émotion est si forte que les témoins de la scène croient rêver.

Le charme achève d'opérer quand le président égyptien se fait présenter un à un les dirigeants politiques, militaires et religieux d'Israël, qu'il donne l'impression de connaître depuis toujours. Avec un mot familier pour chacun d'eux. Alors, toutes préventions abolies, un espoir fou soulève le pays. Pour les Israéliens, c'est un choc formidable, un tremblement de terre aussi profond que celui de la surprise de Kippour 1973.

C'est un événement sans précédent historique, qui transcende totalement le raisonnement politique. Dans un conflit essentiellement passionnel, « psychologique à 70 % », comme il le dit lui-même, Sadate vient justement d'abattre le mur de la haine érigé depuis trente ans entre les deux nations. Sans la haine, il devient possible d'en parler. De se parler et donc de se reconnaître.

Cette barrière psychologique est tombée comme la ligne Bar-Lev en octobre 1973. Simplement, l'incroyable offensive de paix s'est substituée à l'incrédible offensive de guerre. Ce bouleversement, ce n'est pas une concession particulière qui l'a provoqué. C'est une révolution dans les esprits.

– La pyramide est renversée, dit un proche conseiller de Dayan. Nous pensions jusqu'à présent, dans nos rêves les plus optimistes, qu'un jour peut-être, après de très longues négociations, nos efforts seraient couronnés par une reconnaissance arabe qui se traduirait par la poignée de main d'un chef d'État. Ce geste aurait été la pointe de l'édifice. C'est exactement l'inverse qui s'est produit. Tout repose aujourd'hui sur la poignée de main de Sadate. Tout doit la suivre. Nous n'avons pas le droit de laisser s'écrouler la pyramide.

En fait, c'est bien l'approche du conflit du Proche-Orient qui vient de changer, avec le double pari tenu par Sadate d'affronter l'espérance israélienne et la suspicion arabe. Ce pari surprise n'a été annoncé que quelques jours plus tôt. Mais il est en réalité l'aboutissement d'un processus de rencontres secrètes dans lequel, comme toujours, les services de renseignement ont été mis à contribution.

Quand, le 20 novembre à minuit, au sixième étage de l'hôtel King David, d'où l'on peut contempler la Ville sainte, cité close dans sa force et dans sa splendeur, la journaliste américaine Barbara Walters lui demande tout à trac : « Que pensez-vous de M. Begin ? » en présence du Premier ministre d'Israël, Sadate répond :

– Le président Jimmy Carter, le président roumain Nicolae Ceausescu m'ont appris tour à tour à le connaître et, hier, le président Efraïm Katsir m'en a parlé dans la voiture en me conduisant de Lod à Jérusalem.

– Vous voyez, Barbara, ajoute Begin, trois chefs d'État m'avaient recommandé auprès du président Sadate. Et nous nous sommes très bien entendus.

Les choses ont été, évidemment, un peu plus compliquées : six messages et trois rencontres secrètes ont préparé le rendez-vous Begin-Sadate. Mais Begin envisageait un tête-à-tête également secret. En le faisant annoncer à son de trompe, Sadate l'a, par surprise, transformé à son avantage en pèlerinage pour la paix.

En recoupant différentes sources, européennes et américaines, y compris les révélations du général George Keagan, ancien chef des renseignements de l'Armée de l'air U.S., il est possible de reconstituer l'historique de cette décision.

Tout commence un an plus tôt, quand le Premier ministre d'Israël, qui est encore Ytzhak Rabin, rend secrètement visite, le 9 octobre 1976, au roi Hassan II au Maroc. Depuis qu'il a succédé à Golda Meir en 1974, Rabin n'a cessé de prêcher la recherche d'une entente avec l'Égypte qu'il considère comme la clé de toute solution au Moyen-Orient. Il demande au monarque chérifien le concours de ses bons offices pour tenter de lui arranger une rencontre secrète avec le président égyptien.

S'il s'adresse au souverain marocain, c'est que celui-ci préconise depuis longtemps une entente judéo-arabe appelée à devenir « la combinaison la plus réussie du monde ». Il a d'ailleurs proposé, au cours des années 60, de faire une place à Israël au sein de la Ligue arabe et, plus tard, invité au Maroc diverses personnalités israéliennes comme le professeur André Chouraqui, l'écrivain Amos Kenan, le rabbin Abu Hatzirah, pour décrisper les rapports israélo-arabes.

Selon une enquête de la revue *Jeune Afrique*, Hassan a bien transmis à Sadate la suggestion de Rabin, mais le Raïs lui donne une réponse négative, car il estime le gouvernement israélien trop affaibli par ses déchirements internes, derrière le traumatisme de Kippour, pour faire les pas préalables à une mise en route de procédures diplomatiques de négociation. Sadate est encore très influencé par Kissinger, dont l'opposition à des contacts directs entre ses « clients » s'est manifestée dans le sabotage des pourparlers militaires israélo-égyptiens du kilomètre 101.

Mais, au printemps de 1977, deux événements vont bouleverser les données politiques : le conflit égypto-libyen et les élections israéliennes.

En avril, le colonel Kadhafi, devenu le nouveau poulain des Soviétiques dans la région, passe un marché avec les agents du K.G.B. à Tripoli : en échange des facilités de transit demandées par l'U.R.S.S. pour l'acheminement d'armes et de combattants cubains vers l'Éthiopie et l'Angola, il sollicite le concours du K.G.B. pour faire assassiner Sadate, qu'il considère comme son ennemi n°1. Il a déjà organisé plusieurs tentatives. Il a notamment versé au chef terroriste Carlos une somme de 10 millions de livres sterling pour accomplir cette mission. En vain. Il a même envoyé, en désespoir de cause, des agents de ses propres services, mais ils ont tous été repérés et capturés par la Sécurité égyptienne.

Le K.G.B. accepte de lui fournir des instructeurs pour entraîner un commando mixte de terroristes palestiniens, libyens et étrangers, sur une base secrète aménagée dans une oasis à 35 kilomètres de la frontière égyptienne. Les responsables du commando choisissent la date anniversaire de la révolution égyptienne – le 23 juillet – comme jour J pour la mise à exécution du plan d'attentat élaboré à cette base.

Selon des sources américaines, Israël apprend à la fin de mai, les détails des préparatifs libyens. Le premier ministre Rabin est démissionnaire : sa coalition vient de perdre, le 17, les élections qui, pour la première fois, donnent une majorité de droite à la Knesset. Mais il expédie encore les affaires courantes tant que son successeur désigné Begin n'a pas fini de constituer la nouvelle équipe gouvernementale.

– Que faisiez-vous, dans le passé, des informations de ce genre ? demande Begin.

– On les transmettait le plus souvent à la C.I.A. pour qu'elle en fasse le meilleur usage...

– Pourquoi ne pas informer directement Sadate de ce que Kadhafi trame contre lui et lui manifester ainsi notre bonne volonté ?

Le général Keagan reconnaîtra effectivement, en mai 1978, qu'« Israël a sauvé à deux ou trois reprises la vie du président Sadate ».

Le problème, pour le tandem provisoire Rabin-Begin, est alors de trouver un canal de transmission directe avec les autorités égyptiennes. Difficile de charger un diplomate israélien de prendre contact avec un ambassadeur d'Égypte en poste à Paris, Londres ou Washington, en l'absence de toute relation diplomatique, pour lui faire part d'une telle information.

Selon certains recoupements, l'approche se fera sans doute à travers les liens d'amitié noués entre délégués à la commission de l'énergie atomique à Vienne, l'un des rares points de rencontre privilégiés de représentants israéliens et égyptiens. L'ancien délégué égyptien qui entretenait les meilleurs rapports avec ses collègues israéliens à cette commission, Hassan el-Touhami, est devenu entre-temps vice-Premier ministre d'Égypte. Coordonnateur à ce poste des services de renseignements égyptiens, il est aussi l'envoyé spécial de Sadate pour les missions délicates.

Agé de 60 ans, Muhammad Hassan el-Touhami est l'un des premiers « officiers libres » qui, sous la conduite de Nasser, ont renversé le régime corrompu du roi Farouk en juillet 1952. Une fois au pouvoir, Nasser en a fait son vice-président du Conseil, déjà chargé de coordonner les services secrets. Musulman pieux issu d'une famille très riche, Touhami appartenait à l'aile droite de la révolution nassérienne. Il s'était brouillé, vers 1960, avec le chef de la centrale d'espionnage (la Mukhabarat), Amin

Huweidi, et le Raïs avait tranché le débat en les limogeant tous les deux. Touhami fut alors envoyé à Vienne avec le titre d'ambassadeur pour représenter l'Égypte auprès de la commission internationale pour l'énergie atomique. Ce sont les contacts épisodiques, qu'il a alors eus avec des représentants d'Israël à cette agence internationale, qui vont permettre l'établissement d'une liaison hasardeuse entre les services secrets des deux pays, quand, en juin 1977, les Israéliens chercheront à faire passer directement à Sadate leurs informations sur le complot soviéto-libyen.

L'information arrive en tout cas sur le bureau de Touhami au Caire. Les Égyptiens ont d'abord du mal à croire à la bonté israélienne, mais une observation aérienne au-dessus de la frontière leur confirme bientôt l'existence de la base secrète d'entraînement signalée par Israël dans une oasis du désert de Libye. Le 21 juillet, alors que Begin effectue sa première visite officielle aux États-Unis, le général égyptien Gamassi donne l'ordre à ses troupes de pénétrer en territoire libyen. C'est une véritable opération de guerre dont les combats vont durer six jours. Le 25 juillet, un commando héliporté s'empare de l'oasis située à 35 km de la frontière et anéantit la base secrète où les instructeurs du KGB entraînaient les terroristes. Les forces égyptiennes repassent la frontière le surlendemain, mission accomplie, après avoir cessé le feu aussi soudainement qu'elles l'avaient ouvert. L'Égypte reconnaîtra plus tard que la destruction de cette base et la liquidation des terroristes qui s'y trouvaient étaient bien l'objectif de sa guerre des Six Jours avec la Libye. Rentré entre-temps de sa tournée américaine, Begin lance à Sadate un troisième « signal » de bonne volonté. De la tribune de la Knesset, il donne publiquement l'assurance que Tsahal ne cherchera pas à tirer un avantage quelconque dans la zone de désengagement du Sinaï du transfert éventuel des forces égyptiennes du canal de Suez vers le front libyen.

Son deuxième message, Sadate l'a reçu quelques jours plus tôt par le truchement du président Carter. C'est une invitation pressante à une rencontre secrète au sommet.

Le 25 août, le Premier ministre d'Israël arrive à Bucarest pour une visite officielle de cinq jours en Roumanie, seul pays du bloc soviétique à avoir gardé des relations diplomatiques et commerciales avec l'État juif. Sa venue coïncide avec la fin du séjour d'une délégation parlementaire égyptienne qui a donné lieu à un communiqué commun. Autorisé à prendre contact avec la communauté juive, qui compte encore 70 000 citoyens roumains. Begin est reçu, le 26, en tête à tête par le président Nicolae

Ceausescu. La veille, en dépit d'un incident de table au moment des toast réciproques portés par le Premier ministre roumain Manea Manescu et son hôte à déjeuner, une rencontre secrète a pu être organisée entre Begin et le président de l'Assemblée égyptienne Sayed Mereï. Les deux hommes ont évoqué l'éventualité d'un sommet clandestin. Mais, pour donner le change, un communiqué publié le 29 août, à l'issue d'un second entretien accordé à Begin par Ceausescu, indique que les pourparlers israélo-roumains n'ont pas permis le moindre rapprochement des thèses de Jérusalem et de Bucarest sur les conditions de la reprise de la conférence de Genève pour un règlement global du conflit israélo-arabe.

Quelques semaines plus tard, une relance de la médiation marocaine va rendre possible l'établissement d'un premier rendez-vous politique entre l'Égypte et Israël.

Le 16 septembre, le nouveau ministre israélien des Affaires étrangères, Moshe Dayan, en route vers les États-Unis, fait une escale à Bruxelles pour rencontrer le général américain Alexandre Haig, chef des forces de l'O.T.A.N., et saluer les leaders de la communauté juive – une des plus actives d'Europe occidentale.

Au milieu de l'après-midi, le petit cortège de voitures officielles dans lequel il a pris place s'arrête au pied de l'appareil de la Sabena en partance pour New York. Dayan monte à bord, en compagnie de sa femme Rachel. Quand les réacteurs du DC 8 commencent à gronder, au moment où les employés de l'aéroport s'apprêtent à retirer l'échelle de coupée, un homme au visage masqué par un chapeau à larges bords et de grandes lunettes fumées s'encadre dans la portière encore ouverte de l'avion et redescend en hâte, suivi de deux inconnus. L'étrange trio s'engouffre dans une DS noire restée sur l'aire de stationnement. La voiture démarre en trombe pour parcourir à peine quelques centaines de mètres sur les routes de desserte de l'aéroport. Elle stoppe devant un avion militaire qui porte les couleurs de l'Armée de l'air marocaine. L'homme au chapeau et aux lunettes noires grimpe prestement l'escalier mobile qui y donne accès. Et l'appareil décolle avec son passager civil qui n'est autre que Dayan. Destination : Tanger.

Il y est attendu par le vice-Premier égyptien, Hassan el-Touhami, l'envoyé spécial de Sadate sur l'invitation du monarque chérifien. Touhami est porteur d'une réponse positive du Raïs aux propositions de Begin pour une rencontre secrète. A une seule condition : l'engagement de restituer la totalité du Sinaï à la souveraineté égyptienne. Dayan dit à son interlocuteur que ce préalable lui paraît acceptable et lui promet une réponse rapide de Begin.

De Tanger, Dayan reprend un avion pour Paris et débarque à Orly, à la surprise générale. Il se cloître dans une chambre du Hilton de l'aéroport pour prendre quelque repos, en attendant le premier vol en partance vers Tel Aviv, où il rentre soudain le 17 septembre. Le lendemain, dimanche 18, il s'envole effectivement pour New York, où l'attend sa femme Rachel, mais avec une escale à Zurich dont il profite pour faire parvenir aux Égyptiens la réponse de Begin : d'accord pour le retour intégral du Sinaï à la souveraineté égyptienne.

La C.I.A. réussit à percer le mystère de la disparition de Dayan à l'escale de Bruxelles, mais elle croit savoir que le général borgne a été discrètement conduit à Tanger auprès du roi Hassan II, car elle n'est pas au courant du contact établi avec le n°2 du gouvernement égyptien el-Touhami.

Tenus complètement à l'écart de ce contact et dans l'ignorance des buts de l'escapade aérienne de Dayan, les États-Unis intensifient leurs efforts diplomatiques en vue de la reprise de la conférence de Genève, suspendue depuis sa séance inaugurale de décembre 1973... Le 1er octobre 1977, ils signent avec l'U.R.S.S., leur partenaire à la présidence de cette conférence qui pourrait être convoquée pour décembre, une déclaration commune, rendue publique simultanément à Washington et à Moscou, sur les bases d'un règlement global.

La communauté juive américaine réagit très violemment à ce rapprochement américano-soviétique au Moyen-Orient. Des sénateurs et des représentants du Congrès s'élèvent contre l'« incroyable concession » faite par leur gouvernement à l'U.R.S.S. réinstallée par cette déclaration en position d'arbitre, position que lui avait fait perdre la diplomatie des petits pas de Kissinger et que ne veulent plus lui reconnaître les gouvernements arabes modérés, l'Égypte et l'Arabie saoudite en tête. Devenu l'adversaire farouche de la présence soviétique dans la région, Sadate craint en effet de voir la conférence de Genève rendre à Moscou un rôle influent au Proche-Orient.

Sadate dira plus tard à quel point la déclaration américano-soviétique a précipité sa décision. Mais c'est un autre événement, survenu également en octobre, qui lui a donné toute son urgence : une brusque tension militaire inexplicable sur les lignes du Sinaï. Des deux côtés, les commandements semblent, à certains signes, redouter une surprise. Ils renforcent leurs effectifs de part et d'autre de la zone démilitarisée pour parer chacun à une initiative de l'autre.

Le chef d'état-major de Tsahal, « Motta » Gur, se méfie d'une opération d'intoxication de Sadate, analogue à celle de 1973, destinée à endormir la vigilance israélienne. Sa soudaine acceptation du principe d'une rencontre secrète avec Begin — dont l'a informé le Conseil des ministres — le rend perplexe. Il a donc préféré prendre le maximum de précautions militaires, d'où une montée de tension qui passe inaperçue des chancelleries et des « média », mais provoque la nervosité des états-majors des deux armées massées, l'une derrière la ligne du canal, l'autre derrière celles des cols.

C'est ce qui expliquera la réflexion de Sadate au général Gur venu l'accueillir le 19 novembre au pied de son Boeing 01, à Lod :

— Alors ? Vous voyez bien que ce n'était pas du bluff...

Mais il aura fallu une nouvelle entrevue secrète à la mi-octobre, entre Touhami et un envoyé de Begin, pour désamorcer cette tension qui a failli conduire stupidement les deux pays au bord de la guerre... A un mois, à peine, de leur première réconciliation !

Le calme est tout à fait revenu à la frontière israélo-égyptienne quand, le 29 octobre, Sadate arrive à son tour en visite officielle à Bucarest. Il y trouve le septième message que lui adresse secrètement Begin depuis la formation de son gouvernement. Et se dit qu'une telle insistance mérite une mise à l'épreuve. D'autant que des informations inquiétantes, en provenance du Liban, lui font redouter, au même moment, une provocation syrienne au sud du Litani, ce fleuve côtier considéré par Israël comme une « ligne rouge » à ne pas franchir. Un clash israélo-syrien risquerait d'entraîner l'Égypte dans une solidarité militaire dont elle ne veut à aucun prix.

Dans l'avion qui, le 31 octobre, le transporte de Bucarest à Téhéran pour une vaste tournée au Moyen-Orient, Sadate lit une lettre ouverte d'un citoyen israélien célèbre pour ses actes spectaculaires, son courage impertinent et son indépendance d'esprit : Abe Nathan, que l'on surnomme « le pilote de la paix » pour avoir osé poser son petit avion à Port-Saïd, avec un bouquet de fleurs pour Nasser, et qui anime une station radio pirate en mer intitulée « La voix de la paix ». Dans sa lettre, Nathan propose un échange de visites professionnelles entre journalistes égyptiens et israéliens dans les deux pays.

Sadate racontera plus tard à l'un des journalistes égyptiens qui l'accompagneront à Jérusalem que cette proposition a fait « tilt » dans son esprit.

— Pourquoi des journalistes ? se dit-il. Pourquoi moi n'irais-je pas spectaculairement en visite là-bas ?

C'est ainsi qu'au cours de ce vol Bucarest-Téhéran naît en lui l'idée de transformer sa rencontre secrète avec Begin, dont il a accepté le principe, en voyage officiel en Israël.

A son retour au Caire, le 9 novembre, sans avoir consulté qui que ce soit dans sa tournée du monde arabe, Sadate lance sa bombe devant l'Assemblée nationale égyptienne :

– Pour sauvegarder la vie d'un seul de nos soldats, je suis prêt à aller au bout du monde, même à Jérusalem !

Un peu surpris de la tournure donnée par le Raïs à son projet de rencontre, Begin réagit rapidement par une invitation publique. Mais les services israéliens redoublent de précautions. L'incroyable pari-défi du président égyptien paraîtra suspect jusqu'à son apparition à la porte de son avion le 19 novembre, après la fin du sabbat.

Tandis que tous les dirigeants passés et présents d'Israël s'alignent de part et d'autre du tapis rouge déroulé au pied de l'appareil, des tireurs d'élite prennent discrètement position sur les toits de l'aérogare de Lod-Ben Gourion. Les responsables de la sécurité d'Israël ne pousseront un « ouf » de soulagement que lorsqu'ils verront de leurs yeux Sadate se montrer à la porte du Boeing 01 aux couleurs de la République arabe d'Égypte.

Les services secrets israéliens avaient certes eu le temps, depuis trente ans, de s'habituer au rôle peu banal que les gouvernements successifs leur ont fait jouer en les mettant à contribution pour aménager de brèves rencontres d'un autre type avec des dirigeants arabes. Mais la série des projets de rencontres clandestines et des rendez-vous furtifs en catimini, qui jalonnaient cette longue route de l'espérance, avait été, jusqu'ici, une série noire de rêves mort-nés et d'occasions manquées.

Nombre de ces contacts préparés avec minutie ont été annulés au dernier moment. Au moins dans deux cas, les terroristes palestiniens les auront fait échouer par une action spectaculaire. Le Mossad israélien, selon les dires de son ancien chef, Meir Amit, a souvent aidé à l'organisation de ces rencontres étonnantes. Que ce soit à bord d'une Mercedes noire près du golfe d'Eilat, dans quelque appartement anonyme de Londres ou de New York, dans un restaurant de luxe à Hong Kong ou un palais à Tanger.

Une liste non exhaustive de ces tentatives rend assez bien compte de l'immense effort accompli dans ce domaine depuis 30 ans, des rendez-vous secrets Golda Meir-Abdallah et Dayan-Abdallah des années 1948-1949[1] aux confrontations de points de

1. Voir chapitre VI, *Naissance d'une nation*

vue échangés clandestinement à Paris entre Israéliens de gauche et Palestiniens modérés de l'O.L.P. en 1976-1977.

En août 1952, Ben Gourion lui-même avait adressé un message de félicitations à Néguib qui venait de se saisir du pouvoir au Caire avec l'aide de Nasser. Ygal Allon, qui avait négocié en 1949 avec un certain major Gamal Abdel Nasser la reddition de la poche de Faluja dans le Néguev, essaya à son tour de prendre langue avec le colonel Nasser quand il succéda à Néguib. Toutes ces tentatives n'avaient pas dépassé le cadre d'une correspondance privée et indirecte quand, en avril 1954, le Premier ministre Moshe Sharett proposa une rencontre à un niveau élevé, par l'intermédiaire des ambassadeurs à Paris et à Washington, pour régler les incidents de frontières. Des plans sont échafaudés entre le ministre plénipotentiaire d'Israël à Washington, Reuven Shiloakh, ex-chef du Mossad, le chargé d'affaires américain à Tel Aviv, Francis Russel, l'ambassadeur des États-Unis au Caire, Jefferson Capri, pour un « entretien informel » avec l'Égyptien Mahmoud Riad, « autour d'une tasse de café ». Les frères Dulles (Foster au Département d'État, Allen à la C.I.A.) s'emploient à éviter une nouvelle explosion. Les représentants d'Israël à Paris, Dan Avni et Ziama Divon, restent en liaison avec l'attaché militaire égyptien à Paris, le colonel Saroït Okasha, qui fait office de boîte aux lettres entre Sharett et Nasser pour éviter que ne dégénère l'affaire du réseau sioniste démantelé au Caire[1].

Au début de 1955 a lieu une réunion au sommet de la C.I.A., à laquelle participe le nouveau chef du « desk » israélien, Jim Angleton, pour proposer à Nasser, par l'intermédiaire de Kermit Roosevelt, l'agent U.S. n° 1 du Caire, un règlement en deux points : 1/ retour d'un certain nombre de réfugiés palestiniens en Israël; indemnisation des autres; 2/ construction d'une route reliant l'Égypte à la Jordanie par-dessus la route d'Eilat. Le second point ne satisfait pas Nasser.

— Et si un jour un automobiliste arabe pisse du pont sur une voiture israélienne qui passe en contrebas, ce sera la guerre, dit-il à Kermit Roosevelt.

Le Raïs refusera donc le plan de la C.I.A., qu'il qualifie de « plan du pipi », mais il accepte de recevoir incognito l'émissaire d'Israël, le général Ygael Yadin, qui poursuit à Londres des études d'archéologie. Le 26 janvier 1955, le chef du Mossad, Isser Harel, envoie les instructions de Sharett à Yadin par la valise diplomatique. Mais, le lendemain, la condamnation à mort

1. Voir chapitre VII, *Une affaire Dreyfus en Israël*

de deux chefs du réseau sioniste du Caire compromet l'initiative :

— Si tes amis de la C.I.A. réussissent à empêcher leur exécution, continuons, dit Sharett à Harel. Sinon, il n'y aura pas de rencontre secrète Nasser-Yadin à l'ombre des potences.

Déjà critiqué pour sa modération, Sharett ne pourra se permettre de poursuivre plus avant des contacts avec l'Égypte. La tentative d'un règlement israélo-égyptien est, avec les pendus du Caire, la victime, invisible, de la légèreté du service du renseignement de l'armée qui va provoquer le scandale de l'affaire Lavon.

Le 11 mars 1955, après le retour de Ben Gourion à la Défense, qui s'est traduit aussitôt par un raid massif de représailles à Gaza et la mort de 55 soldats égyptiens, une lueur d'espoir subsiste lors d'une réunion d'urgence de la commission mixte d'armistice à Nitzana, dans le Néguev : le délégué égyptien Salah Gohar et le délégué israélien Joseph Tekoah se mettent d'accord pour renouer le fil. Mais, quelques semaines plus tard, Nasser revient auréolé de gloire de la conférence mondiale des pays non alignés réunie à Bandoeng : nouveau champion du tiers monde, il rompt tous les contacts avec Israël, ravalé au rang d'avant-garde de l'impérialisme occidental. A Bendoeng, Chou En-lai a promis à Nasser de se faire son interprète auprès des Soviétiques pour qu'ils lui livrent 200 chasseurs Mig, 28 bombardiers Ilyouchine, 100 chars Staline et 6 sous-marins, en camouflant ces fournitures militaires sous la forme d'un traité commercial égypto-tchèque, dont la signature, le 27 septembre 1955, prend de court le gouvernement américain intoxiqué par l'antenne de la C.I.A. au Caire[1].

« Un seul mot de la part des États-Unis aurait suffi pour que Moscou batte alors en retraite, raconte Isser Harel, dépêché à Washington par Ben Gourion. Mais ce mot n'est pas venu. Au contraire, on a eu l'impression que les États-Unis favorisaient la pénétration soviétique. Je ne vois à cela qu'une explication : il y a chez les Américains un complexe arabe... Et tout cela se passe sous l'administration républicaine, à l'ombre du maccarthysme de la chasse aux sorcières, alors qu'une peur hystérique du communisme sévit à travers les États-Unis, alors que l'Amérique est résolue à arrêter l'expansion communiste partout dans le monde. Partout, sauf au Moyen-Orient. »

Piqué au vif par les protestations d'Israël, Eisenhower confie une ultime mission de conciliation entre le Caire et Tel Aviv à un homme d'affaires démocrate, influent dans les milieux pétroliers,

1. Voir chapitre VIII, *Les Russes sont là !*

Robert Anderson, dont il fera par la suite son ministre adjoint de la Défense, puis son ministre du Trésor. Anderson arrive en secret au Caire vers la mi-janvier 1956 et Kermit Roosevelt l'introduit auprès de Nasser qui, comptant toujours sur le soutien financier des Etats-Unis pour son grand projet du barrage d'Assouan, se dit prêt à négocier avec Israël par son intermédiaire. A une condition : le secret le plus absolu.

Anderson évitera donc systématiquement les hôtels. Il ne se rend qu'à la nuit tombée au palais présidentiel de Koubbeh. Puis il part pour Athènes, d'où il gagne Tel Aviv, tout aussi discrètement, en compagnie de Jim Angleton, qui le conduit à Jérusalem, dans une villa que Paula Ben Gourion a demandé à des amis personnels, les Rosenblum, de laisser quelque temps à sa disposition. Six personnes seulement en Israël sont au courant de sa présence : Ben Gourion, Sharett, Harel, Dayan, Herzog et Kollek, le directeur de la présidence du Conseil. Le rédacteur en chef de *Maariv*, Aryeh Dissentchik, lié d'amitié, lui aussi, avec les Rosenblum, a failli tout compromettre en venant en visite à leur villa. Intrigué par la présence d'agents de la sécurité et l'absence des occupants habituels, il pousse son enquête et finit par découvrir le pot aux roses en faisant parler l'une de ces six personnalités. Il gardera le secret pendant dix ans !...

C'est peu après ce séjour mouvementé qu'Isser Harel remet à Jim Angleton le texte du rapport inédit de Khrouchtchev sur la déstalinisation au XXe Congrès des communistes russes...

Par Anderson, dont la navette clandestine et compliquée se poursuivra deux mois, Ben Gourion fait savoir à Nasser qu'il est prêt à le renconter « à tout moment, en tout lieu, même au Caire ». Mais le Raïs ne peut aller jusqu'au bout du double jeu qu'il mène alors entre Moscou et Washington.

– J'aurais été prêt à rencontrer Ben Gourion. Mais je serais assassiné une heure après ! répond-il finalement à Anderson. Celui-ci revient informer Ben Gourion de l'échec de sa mission[1].

L'Amérique refusant les armes qu'Israël lui demande pour rétablir l'équilibre des forces compromis par l'assistance soviéto-tchèque à l'Égypte, Ben Gourion se tourne vers la France pour déclencher la campagne préventive du Sinaï en octobre.

Anderson reviendra en Égypte remplir deux autres missions secrètes au Caire : pour le président Johnson en juin 1967 – afin d'éviter la nouvelle explosion – et pour Nixon en avril 1970 – afin d'obtenir de cessez-le-feu sur le canal et de prévenir

1. Voir chapitre VIII : *Les Russes sont là !*

l'intervention directe des Soviétiques dans la guerre d'usure.

Entre Israël et la Jordanie, un « téléphone rouge » de campagne reliait jusqu'en juin 1967 les bureaux des deux délégations à la commission mixte d'armistice, séparés alors de quelques centaines de mètres au cœur de Jérusalem, pour limiter les dégâts quand éclataient des incidents de frontières et pallier ainsi les carences des observateurs de l'O.N.U. Il suffisait de donner un tour de manivelle au petit appareil noir enfermé dans une boîte de cuir, dont la sonnette faisait un crissement semblable à celui du criquet. Du côté jordanien, il était souvent actionné par le commandant Daoud (futur Premier ministre du septembre noir de 1970) qui, depuis 1949, entretenait de bons rapports avec ses homologues israéliens de la commission mixte. Les rencontres entre les deux délégations avaient lieu, comme toujours, au premier étage d'un petit bâtiment près de la porte Mandelbaum qui séparait alors les deux secteurs de Jérusalem : pavoisé aux couleurs de l'O.N.U., le bâtiment avait deux issues, donnant l'une sur la partie jordanienne, l'autre sur la partie israélienne.

C'est par l'intermédiaire du petit téléphone noir que, le 5 juin 1967, à 8 heures, un officier de l'état-major de Tsahal transmettait à ses correspondants jordaniens la recommandation d'Israël à la Jordanie de se tenir à l'écart de la guerre qui venait de s'allumer dans le ciel d'Égypte et dans le désert du Sinaï. La recommandation ne fut pas suivie, et les parachutistes du général Gur réunifièrent de force Jérusalem... L'année suivante, après les premières infiltrations massives de fedayin à travers le Jourdain et le coûteux raid de représailles contre le village jordanien de Karameh, où se trouvait le quartier général avancé de Yasser Arafat, le ministre de la Défense d'Israël, Moshe Dayan, se livre à trois curieuses tentatives pour rencontrer le chef de l'O.L.P.

Le 12 octobre 1968, il invite dans sa villa de Tsahala, au nord de Tel Aviv, une poétesse palestinienne de Naplouse, Fadua Toukan, dont le patriotisme brûlant l'a, dit-il fortement impressionné. La jeune femme vient avec son oncle, le Dr Kadri Toukan, qui semble croire aux chances d'une coexistence pacifique à cause d'une phrase prêtée par son hôte à Ben Gourion : « Si nous avions à choisir entre les territoires conquis et la paix, je préférerais la paix aux territoires. »

Alors Fadua se tourne vers son oncle et dit :

– Kadri, va voir Gamal (Nasser) et dis-lui de s'asseoir avec les Israéliens pour négocier la paix !

Deux mois plus tard, Dayan rencontre de nouveau la poétesse au King David à Jérusalem. Elle lui confie que Nasser l'a blâmée pour l'entretien qu'elle a eu avec son oncle à Tsahala. Elle était revenue désabusée, et persuadée, au surplus, que même en cas de retrait israélien de la Cisjordanie le Fatah s'opposerait à tout arrangement pacifique et torpillerait tout accord.

Dayan lui dit alors s'être récemment entretenu avec un fedayin du Fatah fait prisonnier, et qu'il lui a proposé la liberté « pour qu'il aille trouver Abu Amar (Yasser Arafat) et lui dise que j'aimerais le rencontrer ». Mais le détenu a décliné son offre, préférant rester en prison en Israël. Fadua dit alors à Dayan (selon la version qu'il donne de ses propos dans son autobiographie) :

— Je ne suis qu'une femme, mais je ne suis pas lâche, je veux la paix. Nasser ne veut pas la faire avec vous. Quand j'irai à Beyrouth, je verrai Abu Amar et lui suggérerai de vous rencontrer. Il faut que nous fassions la paix.

Dayan ne sait pas si la poétesse de Naplouse est allée voir Arafat. Il n'a plus jamais entendu parler d'elle. Cette tentative paraît moins sérieuse que la première. La troisième a échoué pour des raisons différentes. Dayan s'est cette fois adressé à la mauvaise porte : il choisit un autre détenu, Tayassir Koubeah, président de l'Association des étudiants palestiniens, pour renouveler son offre. Or, au moment de son arrestation, Koubeah avait été envoyé en Israël, non par le Fatah, mais par son rival, le F.P.L.P. Et il est peu soucieux de se trouver mêlé à une tractation Dayan-Arafat, en échange de sa liberté. A l'expiration de sa peine, en 1970, il retournera d'ailleurs à Beyrouth, où il deviendra l'agent de liaison entre le F.P.L.P. et les réseaux terroristes d'Europe avant de succéder, en mars 1978, au Dr Waddia Haddad.

Dayan semblait en fait moins désireux de chercher un compromis quelconque avec les dirigeants de la « résistance » palestinienne que de faire pression par ce biais sur le roi Hussein pour lui faire comprendre que, à défaut d'un arrangement avec Israël, il pourrait exister une alternative palestinienne...

La tentative d'intercession du président du Congrès juif mondial, Nahum Goldmann, auprès de Nasser, en avril 1970, ne paraît guère plus farfelue, sinon plus irresponsable. Invité par le Raïs, ce sioniste progressiste et trinational s'est vu refuser par Golda Meir le droit de parler au nom d'Israël. Il se peut que Nasser, qui, tout en demandant à l'U.R.S.S. une aide massive sur le canal, cherchait alors une ouverture secrète vers l'Ouest, ait été manipulé par la C.I.A. pour lancer un ballon d'essai avec l'affaire Goldmann.

Or, voici qu'un peintre parisien, Marek Halter, Juif de Pologne échappé enfant au ghetto de Varsovie et éduqué en U.R.S.S. dans les pionniers, vient relayer cette tentative. Animateur d'un comité international de la gauche pour la paix négociée au Proche-Orient, fondé avec des amis au lendemain de la guerre des Six Jours, il propose à un diplomate égyptien de sa connaissance de suggérer à Nasser d'inviter plutôt une personnalité israélienne. Par exemple Lova Eliav, à l'époque secrétaire général du Parti travailliste, qui a pris des positions « ultra-colombe » dans la revue de son comité, *Éléments*.

Le mois suivant (juin 1970), Nasser se dit intéressé à condition que, cette fois, son invitation ne soit pas ébruitée, ni son éventuel interlocuteur désavoué. Halter fonce à Jérusalem, force la porte de Golda Meir et, en vingt-quatre heures, arrache son feu vert pour l'« Opération Eliav ».

L'émissaire choisi n'est pas un nouveau venu dans le domaine des missions secrètes. Cet ancien artilleur de l'armée britannique de Libye a été l'un des premiers agents du Mossad pour l'immigration clandestine envoyés en Italie à la fin de la guerre. Aryeh (Lova) Eliav a notamment commandé, en février 1947, la périlleuse odyssée d'un bateau qui avait embarqué en Suède 646 Juives rescapées du camp de Ravensbrück – dont sa future épouse. En novembre 1956, déguisé en officier français, il a débarqué clandestinement d'un navire de guerre israélien mouillé au large de Port-Saïd, occupé par les parachutistes français, pour venir chercher les Juifs rassemblés dans une synagogue de la ville. Son plan était, après les avoir fait monter à bord du bateau, de suivre les forces françaises sur la route du Caire, pour aller y délivrer les détenus du réseau sioniste. Mais l'expédition franco-anglaise ayant tourné court, il était reparti avec les Juifs de Port-Saïd. En 1966, Eliav était à la tête d'une mission de secours médicale venue apporter une assistance humanitaire aux rebelles kurdes d'Irak...

Décommandé deux fois par Nasser, pris dans la tourmente des événements de l'été de 1970 qui le font basculer dans le camp américain, le voyage de Lova Eliav n'aura pas lieu. La mort soudaine de Nasser à la fin du septembre noir d'Amman coupe court à la première initiative de Marek Halter.

L'année suivante sera celle des vraies occasions manquées. Le 4 février 1971, Sadate se dit prêt à signer un accord de paix avec Israël. Même si ses conditions sont inacceptables, Rabin, qui représente son pays aux États-Unis, estime qu'il faut le prendre au mot. Mais Sadate connaît sans doute d'avance la réponse négative de Golda Meir. Le mois précédant son initiative, l'ancien chef du Lehi, Nathan Yalin-Mor, devenu l'un des leaders du Mouvement de la paix en Israël, a été invité par Henri Curiel, communiste juif expulsé d'Egypte, à venir rencontrer d'urgence dans son appartement parisien le rédacteur en chef de l'hebdomadaire cairote *Roz el-Youssef,* Ahmad Hamrouche. Ancien colonel du Renseignement, Hamrouche est un militant de la gauche nassérienne.

– Sadate, dit-il à Yalin-Mor, propose qu'Israël et l'Égypte désignent en douce des représentants d'un niveau moyen pour examiner ensemble les possibilités d'un règlement pacifique. S'ils trouvent une base suffisante, la négociation secrète se poursuivra à un niveau plus élevé.

A son retour, Yalin-Mor a transmis le message au vice-président du Conseil, Ygal Allon, qui l'a fait rencontrer le chef du Mossad, Zvi Zamir. Au cours d'une seconde entrevue, Zamir donne une réponse négative à Yalin-Mor. Golda Meir, méfiante, craignait un piège des « cercles gauchistes ». Elle n'avait pas pardonné à Hamrouche d'avoir déjà servi d'intermédiaire entre Nasser et Goldmann l'année précédente.

Trois mois plus tard, Israël transmet aux Américains, selon George Keagan, ses informations sur le complot anti-Sadate. Prévenu par Rogers, Sadate liquide sa gauche et décide de se tourner résolument vers l'Ouest et de se débarrasser des conseillers militaires soviétiques. Israël a sans doute raté l'occasion d'adresser directement ses informations au Caire, comme Begin le fera avec le complot soviéto-libyen en juin 1977...

En juillet 1971, enfin, Golda Meir demande au Roumain Ceausescu de s'entremettre auprès de Sadate pour organiser une rencontre. C'est Kossyguine qui, en octobre, se fait le porte-parole du président roumain auprès de Sadate, dans l'espoir de faire progresser l'« esprit de Tachkent », dont il a été l'initiateur. Il propose d'ailleurs d'organiser une rencontre secrète dans cette ville. Mais, cette fois, c'est Sadate qui refuse. Il ne veut rien devoir aux Soviétiques !...

En mai 1972, quand Sadate décide de renvoyer les experts russes, le peintre Marek Halter fonce chez Dayan lui suggérer un geste pour amorcer un processus de négociations : restituer le canal de Suez à l'Égypte. Dayan, qui a toujours été partisan d'une certaine souplesse dans cette zone, l'encourage à en parler à Golda.

– Tant qu'un homme comme Sadate se dira prêt à sacrifier un million de vies humaines, lui répond-elle, je ne pourrai lui faire confiance. Peut-on vraiment vouloir la paix, si l'on ne respecte pas la vie humaine ?

Du moins autorise-t-elle le peintre à sonder les Égyptiens. Sa nouvelle iniative tombe juste en pleins pourparlers menés à Washington et à New York par Joseph Sisco auprès des deux parties en présence pour parvenir à un accord de désengagement sur le canal. Kissinger est d'ailleurs entré dans le jeu de la médiation au Proche-Orient en rencontrant secrètement le conseiller de Sadate, Hafez Ismaïl, dans la maison du Connecticut de Donald Kendal, le P.-D.G. de Pepsi-Cola. Le conseiller de Nixon a même proposé à son interlocuteur d'y rencontrer plus tard, quand la situation le permettra, une personnalité israélienne telle qu'Abba Eban, le ministre des Affaires étrangères...

En août 1972, Halter a rendez-vous à Genève avec le nouveau ministre égyptien des Affaires étrangères, Mourad Ghaleb. Pour appuyer sa suggestion, il lui cite en exemple les dizaines de rencontres sino-américaines qui ont précédé la reconnaissance officielle de la Chine populaire. Ainsi pourraient se décider les modalités pratiques du désengagement israélien sur le canal.

Un premier rendez-vous est pris en principe vers la mi-septembre, à Londres, pour Ghaleb d'un côté, Dayan de l'autre. Mais le massacre terroriste des jeux Olympiques de Munich vient tout compromettre. Une fois de plus...

Un an plus tard, en septembre 1973, Kissinger reçoit un message encourageant de Sadate pour préparer une première rencontre israélo-égyptienne. Mais cette réponse positive fait partie de l'opération d'intoxication égyptienne, si bien menée que, aux premières heures de la guerre de Kippour, Kissinger se demande s'il ne s'agit pas d'une initiative militaire israélienne... C'est la fin du temps des illusions.

Il faudra attendre que, une deuxième fois, selon les révélations faites par George Keagan en juin 1978, Israël déjoue une tentative d'assassinat de Sadate, après avoir contribué, une première fois, indirectement, à le débarrasser de ses conseillers soviétiques, pour voir se produire le miracle de la visite du Raïs à Jérusalem.

A l'heure d'une réconciliation qui garde toutes ses chances, en dépit des aléas inévitables de la négociation, le temps de la diplomatie de l'ombre est loin d'être révolu.

Et la fin de l'histoire secrète d'Israël n'est pas pour demain.

Kfar Shmaryahu — Neuchâtel — Paros
août 1976 - août 1978

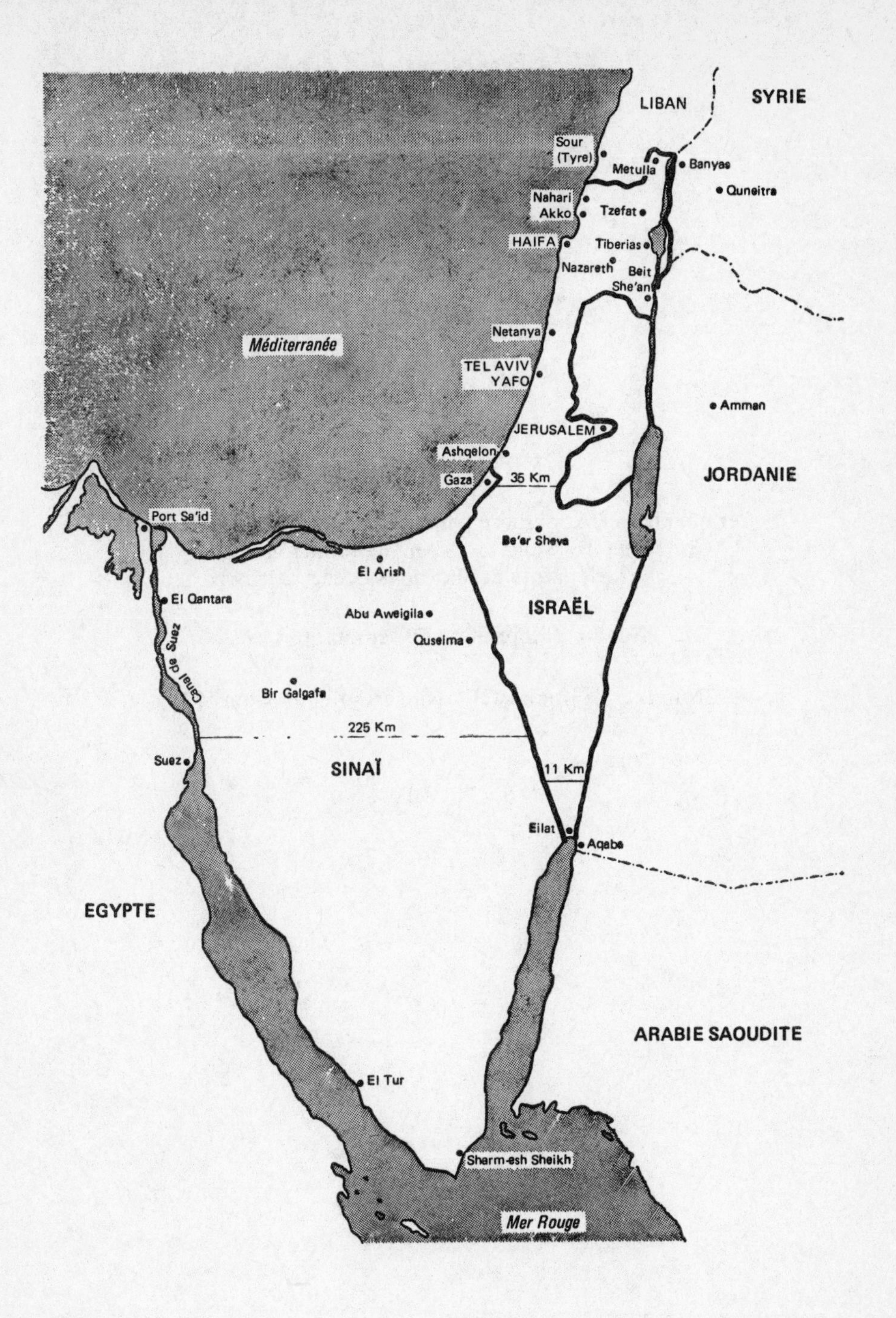
LIBAN
SYRIE
Sour
(Tyre)
Metulla
Banyas
Quneitra
Nahari
Akko
Tzefat
HAIFA
Tiberias
Nazareth
Beit
She'an
Netanya
Méditerranée
TEL AVIV
YAFO
Amman
JERUSALEM
Ashqelon
Gaza
35 Km
JORDANIE
Port Sa'id
Be'er Sheva
El Arish
El Qantara
Abu Aweigila
ISRAËL
Quseima
Canal de Suez
Bir Galgafa
225 Km
Suez
SINAÏ
11 Km
Eilat
Aqaba
EGYPTE
ARABIE SAOUDITE
El Tur
Sharm-esh Sheikh
Mer Rouge

Cet ouvrage a été composé par EUROCOMposition S-A Paris
Imprimé par SEPC à St-Amand-Montrond (Cher)
pour le compte des Éditions Olivier ORBAN

Achevé d'imprimer le 8 septembre 1978

Numéro d'édition : 135 – Numéro d'impression : 572

ISBN 2-85565-080-1